Planen, Formulieren, Dokumentieren

Planen, Formulieren, Dokumentieren

Pflegediagnosen für die Altenpflege auf Grundlage der standardisierten Pflegefachsprache ENP®

Pia Wieteck; Britta Opel

Die Deutsche Bibliothek verzeichnet diese Publikation in der deutschen Nationalbibliografie; detaillierte bibliografische Angaben sind im Internet über http://dnb.ddb.de abrufbar.

Wieteck, Pia; Britta Opel:
Planen, Formulieren, Dokumentieren. Pflegediagnosen für die Altenpflege auf Grundlage der standardisierten Pflegefachsprache ENP®.

2. Auflage, 2008
Bad Emstal: RECOM, 2008

ISBN: 978-3-89752-106-3

Redaktionelle Bearbeitung: Dr. Holger Mosebach, Claudia Schaumlöffel
Satz und Gestaltung: Verena Schlemmer, Martin Dillschneider
Produktionsleitung: Jörg Gohl
Druck: Uniprint, Niederlande

© 2008 RECOM Verlag
RECOM GmbH & Co. KG
34308 Bad Emstal

Dieses Werk ist urheberrechtlich und verlagsrechtlich geschützt. Jede Art der Verwendung außerhalb der Grenzen des Urheberrechts, auch von Auszügen, ist ohne schriftliche Zustimmung des Verlags untersagt und strafbar. Insbesondere gilt dies für Vervielfältigungen, Übersetzungen sowie die Speicherung und Weiterverwertung in Datenverarbeitungssystemen.

Der Verlag sowie alle an der Entstehung des Buchs beteiligten Personen haben größte Mühe darauf verwendet, die Inhalte entsprechend dem aktuellen Wissensstand bei Fertigstellung des Werks wiederzugeben. Manuskriptbearbeitung und Satzkorrektur wurden aufs Sorgfältigste durchgeführt. Dennoch sind Fehler nicht völlig auszuschließen. Redaktion und Verlag übernehmen daher keine Verantwortung und keine daraus folgende oder sonstige Haftung, die aus der Benutzung der in dem Buch enthaltenen Informationen oder Teilen davon entsteht.

Inhalt

Einleitung		8
1	**Pflegeplanung – Ein wichtiges Instrument des Pflegeprozesses**	**10**
1.1	Der Pflegeprozess	10
1.2	Die Pflegeplanung	12
2	**Gesetzliche Rahmenbedingungen in der Altenpflege**	**14**
3	**Die standardisierte Pflegefachsprache**	**21**
3.1	Was spricht für den Einsatz einer standardisierten Pflegefachsprache?	22
3.1.1	Verbesserte Kommunikation	22
3.1.2	Verbesserung des Pflegeprozessverständnisses	22
3.1.3	Unterstützung der Überleitungspflege	23
3.1.4	Leistungstransparenz in der Pflege	24
3.1.5	Strukturierung von Pflegewissen	25
3.1.6	Qualitätsentwicklung – Outcome-Messung	26
3.1.7	Kritische Diskussion	27
3.2	Klassifikationssysteme	28
3.2.1	ICNP® (International Classification for Nursing Practice)	30
3.2.2	NANDA-I-Klassifikation	31
3.2.3	NIC (Nursing Interventions Classification)	32
3.2.4	NOC (Nursing Outcomes Classification)	33
3.3	ENP®	34
3.3.1	Entwicklung der ENP®	34
3.3.2	Das Klassifikationssystem ENP®	35
3.3.3	Struktur der einzelnen ENP®	38
3.3.4	Aufbau der ENP®-Datenbank	39
3.3.5	Definitionen in ENP®	40
4	**Voraussetzungen zur Umsetzung des Pflegeprozesses**	**42**
4.1	Konstruktive pflegetherapeutische Beziehung	42
4.2	Erforderliche Schlüsselqualifikationen	44
4.3	Fördernde Pflegeorganisation	46

4.3.1	Funktionspflege	46
4.3.2	Bereichspflege/Zimmerpflege	48
4.3.3	Zimmerpflege	50
4.3.4	Gruppenpflege	50
4.3.5	Primary Nursing	52
4.3.6	Bezugspflegesystem	54
4.3.7	Zusammenfassung: Fördernde Pflegeorganisationsform	54
5	**Der Pflegeprozess in sechs Schritten**	**56**
5.1	1. Schritt: Die Informationssammlung	56
5.1.1	Ziele der Informationssammlung	57
5.1.2	Quellen der Informationssammlung	57
5.1.3	Gesprächsmethoden und Grundhaltung beim bewohner-/patientenzentrierten Gespräch	59
5.1.4	Beispiel für ein Aufnahmegespräch	61
5.1.5	Biografiearbeit	64
5.2	2. Schritt: Die Pflegeproblemformulierung/Pflegediagnoseformulierung	65
5.2.1	Begriffsdefinition: ‚Pflegeproblem'/‚Pflegediagnose'	65
5.2.2	Begriffsdefinition: ‚Ressource'	67
5.3	3. Schritt: Die Pflegeziele formulieren	69
5.4	4. Schritt: Die Pflegemaßnahmen planen	71
5.5	5. Schritt: Pflegemaßnahmen durchführen	73
5.6	6. Schritt: Die Wirkung der Pflege beurteilen und evaluieren	76
5.6.1	Die Pflegevisite	77
5.6.2	Fallbesprechungen	81
5.6.3	Rückblickende Evaluation	81
6	**Fallbeispiele**	**84**
Fallbeispiel – „Senile Demenz"/Alzheimer		85
Fallbeispiel – Morbus Parkinson		86
Fallbeispiel – Bakterielle Pneunomie		87
▶ Arbeitsauftrag 1 – Pflegediagnosen		88
▶ Arbeitsauftrag 2 – Ressourcen		89
▶ Arbeitsauftrag 3 – Ziele		90
▶ Arbeitsauftrag 4 – Maßnahmen/Interventionen		91
Formblatt zur Pflegeplanung		92

7	Diagnosenverzeichnis	93

8	Die ENP® im Überblick	103

Kommunizieren können	103
Sich bewegen können	134
Vitale Funktionen des Lebens aufrechterhalten können	181
Essen und Trinken können	212
Sich pflegen können	240
Ausscheiden können	278
Sich kleiden können	310
Ruhen, schlafen und sich entspannen können	316
Sich beschäftigen lernen und sich entwickeln können	341
Sich als Mann oder Frau fühlen und verhalten können	384
Für eine sichere und fördernde Umgebung sorgen können	385
Soziale Bereiche des Lebens sichern und Beziehungen gestalten können	404
Mit den existenziellen Erfahrungen des Lebens umgehen können	407

Ergebnisse der Fallbeispiele	441
Ergebnisse des Fallbeispiels „Senile Demenz"/Alzheimer	441
Ergebnisse des Fallbeispiels Morbus Parkinson	449
Ergebnisse des Fallbeispiels Bakterielle Pneumonie	458

10	Literaturverzeichnis	467
10.1	Literatur zu den Texten	467
10.2	Literatur zu den ENP®	478
11	Glossar	496
12	Index	506

Einleitung

Planen, Formulieren, Dokumentieren – Diese Tätigkeiten nehmen für die Pflege einen immer größeren Stellenwert ein. Der Anspruch an die Nachvollziehbarkeit von Pflege steigt vonseiten der Gesetzgeber, der Kranken- und Pflegekassen, der Bewohner/Patienten und Angehörigen, und es stellt sich die Frage, wie Pflegende in der Praxis diesem Anspruch gerecht werden können.
Das vorliegende Buch bietet Formulierungshilfen und pflegefachliche Hilfestellung, um diesen Anforderungen gerecht werden zu können.

> *Planen* bedeutet, mit allen wichtigen Informationen aus dem Pflegeassessment die Probleme zu erkennen und eine Vorstellung von der Lösung dieser Probleme zu entwickeln.
>
> *Formulieren* bedeutet, die Pflegeplanung in die fachlich richtigen Worte zu fassen. Dies gelingt mithilfe einer standardisierten Pflegefachsprache transparent und für jeden nachvollziehbar.
>
> *Dokumentieren* bedeutet, dass jede Pflegediagnose mit den dazugehörigen Kennzeichen und Ursachen, den verfügbaren Ressourcen, den fachlich korrekten Zielen und Maßnahmen schriftlich fixiert wird, damit nachvollziehbare Daten zur Qualitätssicherung gewonnen werden.

Zunächst werden im Überblick das Modell des Pflegeprozesses und der Pflegeplanung, die gesetzlichen Rahmenbedingungen, gängige Klassifikationssysteme und die Besonderheiten der Pflegefachsprache ENP® (European Nursing care Pathways) erläutert. Des Weiteren werden Schlüsselqualifikationen zur Realisierung von Pflegeplanungen beleuchtet und verschiedene Organisationsformen der pflegerischen Arbeit mit ihren Vor- und Nachteilen beschrieben. **Planen**, **Formulieren** und **Dokumentieren** wird durch fachlich korrekte Bezüge in der Darstellung pflegediagnosebezogener Behandlungspfade einfach und transparent.

An der Entwicklung von ENP® haben Lehrer für Pflegeberufe, Pflegeexperten, Pflegefachkräfte und Pflegewissenschaftler mitgewirkt und immer wieder mit Pflegenden in der Praxis den Austausch gesucht. Entstanden ist ein Instrument aus der Praxis für die Praxis. Dieses ENP®-Altenpflegebuch kann sowohl als Arbeitsbuch bei der Umsetzung des Pflegeprozesses dienen, als auch als Nachschlagewerk einzelner Pflegediagnosen zur korrekten Behandlung eines Bewohners/Patienten verwendet werden.
Das Ziel der Entwicklung von ENP® und des vorliegenden Buches ist es, einen Beitrag zur Verbesserung der **Planungskompetenzen** der Pflegenden, der **Formulierungsfähigkeiten** für Pflegeprobleme und der **Dokumentationsinhalte** in den Einrichtungen des Gesundheitswesens zu leisten.

Das Buch gliedert sich in zwei Teile: In den Kapiteln 1–5 des ersten Teils werden die Hintergründe und theoretischen Grundlagen zum Pflegeprozess erläutert, womit die Bedeutung der Nachweisbarkeit pflegerischer Leistungen transparent gemacht wird. Die zentralen Inhalte des nicht mehr aufgelegten Buches von Fiechter und Meier „Pflegeplanung, eine Anleitung für die Praxis" von 1998 spielten für die Entwicklung der theoretischen Grundlagen in diesem Buch eine wichtige Rolle.
Die besonderen Vorteile des Einsatzes von Pflegefachsprachen werden ebenso betrachtet wie die derzeit diskutierten Klassifikationssysteme in der Pflege. In Kapitel 3 werden Entwicklung, Aufbau und Struktur von ENP® beschrieben sowie die Besonderheiten der pflegediagnosebezogenen Behandlungspfade erläutert.

Einleitung

Im Verlauf der vergangenen 20 Jahre seit der Einführung des wissenschaftlich gestützten Pflegeprozesses in Deutschland ist deutlich geworden, dass eine gesetzliche Verordnung allein nicht ausreicht, um in der Praxis Veränderungen zu bewirken. Mit den Voraussetzungen zu einer gelingenden Umsetzung des Pflegeprozesses beschäftigt sich Kapitel 4. Eine ausführliche Darstellung und Beschreibung des Pflegeprozesses wird in Kapitel 5 gegeben. So erhält der Leser im ersten Teil dieses Buches aus verschiedenen Perspektiven ausführliche Informationen über die Anforderungen, Inhalte und Problemlösungsstrategien für die zukünftige Umsetzung des Pflegeprozesses.

Im Anschluss an den ersten Teil bieten Ihnen drei praxisnahe Fallbeispiele mit konkreten Arbeitsaufträgen die Möglichkeit, Ihr Verständnis des Pflegeprozesses zu vertiefen und sich einen ersten Überblick über die ENP®-Systematik zu verschaffen. Benutzen Sie daher zur Bearbeitung der Arbeitsaufträge die ENP®-Behandlungspfade. Die Lösungen finden Sie am Ende des zweiten Teils.

Der zweite Teil des Buches beinhaltet die wichtigsten Pflegediagnosen in der Altenpflege. Gewonnen wurden diese durch die Auswertung zahlreicher Pflegepläne aus der Pflegepraxis. Die Auswahl der in diesem Buch zur Verfügung gestellten Pflegediagnosen ist auf der Grundlage der Praxisauswertung von Pflegeplanungen in fünf Altenpflegeheimen, die mit einer Software-Anwendung von ENP® arbeiten, getroffen worden. Die dort verwendeten pflegediagnosebezogenen Behandlungspfade wurden somit auf ihre Relevanz und Nützlichkeit für die Altenpflege überprüft. Diese Auswahl wurde um wenige, zusätzliche Pflegediagnosen ergänzt, die für die Altenpflege sinnvoll sind.
An die Pflegediagnosen fügt sich der jeweilige Behandlungspfad an, der die dazugehörigen Kennzeichen, Ursachen, Ressourcen, Behandlungsziele und Pflegeinterventionen mit handlungsanweisenden Informationen beinhaltet. Der übersichtlich abgebildete Behandlungspfad bietet so den Pflegenden konkrete, standardisierte Formulierungshilfen an, die für das vereinfachte Erstellen von Pflegeplänen und der Pflegedokumentation eine wertvolle Hilfe sind.

Hinter jedem Kapitel sind Literaturangaben in verkürzter Form zu finden. Ein ausführliches Literaturverzeichnis befindet sich am Ende des Buches. Darin ist sowohl die im ersten Teil des Buches verwendete allgemeine Fachliteratur enthalten, als auch die zur Untermauerung der ENP®-Formulierungen verwendete Literatur. Darüber hinaus tragen das Diagnosenverzeichnis, das umfassende Glossar sowie der Index zur Benutzerfreundlichkeit dieses Buches bei.

An dieser Stelle weisen wir darauf hin, dass zugunsten der Lesbarkeit des Textes im Allgemeinen von *Pflegenden* die Rede ist. Gemeint sind damit ausdrücklich männliche und weibliche Mitarbeiter dieser Berufsgruppe. Im ersten Teil des Buches ist sowohl von *Bewohnern*, als auch von *Patienten* als Pflegeempfänger die Rede, auch diese Bezeichnungen beziehen sich immer auf beide Geschlechter. Jede ENP®-Formulierung im zweiten Teil beginnt jeweils mit der Nennung des Leistungsempfängers und ist in der vorliegenden Printversion mit *Der Bewohner* umgesetzt.

1 Pflegeplanung – Ein wichtiges Instrument des Pflegeprozesses

1.1 Der Pflegeprozess

Das erste Kapitel bietet einen Überblick über die Begriffe *Pflegeprozess* und *Pflegeplanung*. Zunächst wird das verwendete Pflegeprozessmodell vorgestellt. Des Weiteren werden Entwicklungstendenzen im Gesundheitswesen aufgezeigt, auf die die Pflege nur durch die richtige Planung, Umsetzung und Dokumentation des Pflegeprozesses reagieren kann.

Mit der Dokumentation des Pflegeprozesses soll pflegerische Arbeit als ein systematischer Handlungsablauf verdeutlicht werden. In diesem Zusammenhang wird Schritt für Schritt die Vorgehensweise beschrieben, die zur Problemlösung und Zielerreichung führt. Pflege wird dadurch systematisiert, ihre Leistungen werden transparent, nachvollziehbar und vor allem überprüfbar. Dies gilt als Grundvoraussetzung zur Einschätzung von Pflegewirkung und trägt zur Professionalisierung der Pflege bei. Mithilfe der Pflegeplanung können die Pflegenden – neben dem Gebrauch von Pflegeanamnese (der Informationssammlung aller pflegerisch relevanten Aspekte über einen Patienten/Bewohner) und Pflegebericht – den Pflegeprozess schriftlich nachvollziehen. Die Pflegeplanung kann daher auch als die Operationalisierung des Pflegeprozesses bezeichnet werden.

> Der Pflegeprozess beschreibt das systematische und logische Vorgehen der Pflegenden zur Problemlösung und Zielerreichung.

Im deutschsprachigen Raum hat sich das Pflegeprozessmodell nach Fiechter und Meier (1998) durchgesetzt. Dieses Modell teilt den Pflegeprozess in sechs Schritte ein (→ Abb. 1), die in Form eines Regelkreises, der Beurteilung und Neuanpassung beinhaltet, dargestellt werden:

Abb. 1: Die sechs Schritte des Pflegeprozesses nach Fiechter und Meier

Pflegeplanung – Ein wichtiges Instrument des Pflegeprozesses

Das Erreichen eines Pflegeziels bedeutet, dass der Regelkreis für das betreffende Problem beendet ist. Häufig sind die Patienten in der stationären oder ambulanten Altenpflege jedoch chronisch krank und multimorbide. Neue Probleme können im Verlauf auftauchen oder Maßnahmen erreichen ihre Wirkung und damit das Ziel nicht. Es ist daher sinnvoll, sich den Regelkreis als Spirale vorzustellen. Immer dann, wenn sich Veränderungen im Pflegeprozess ergeben, müssen neue Informationen gesammelt, zusätzliche Pflegeprobleme bzw. Pflegeziele benannt oder bereits vorhandene angepasst werden. Die Vorstellung der Spirale verdeutlicht den phasenhaften Verlauf einer Erkrankung und ihre Langzeitauswirkung auf das Leben und die Aktivitäten des Bewohners/Patienten. An jeder Stelle der Überprüfung des Pflegeprozesses und der bisher erreichten Ziele hat der Pflegende die Möglichkeit, den ersten Kreis zu verlassen und sich mit der Spirale auf eine neue Ebene zu begeben.

Neben der weiten Verbreitung gibt es einen zusätzlichen Grund für die besondere Eignung des Pflegeprozessmodells nach Fiechter und Meier für die Altenpflege. Sie formulieren ihr Modell mit der Absicht, eine praktische Anleitung für die bewohner-/patientenzentrierte Pflege mithilfe der Pflegeplanung zu erreichen. Viele andere Pflegeprozessmodelle tendieren stärker dazu, eine theoretische Beschreibung der Krankenpflege zu liefern.

Die schwierige Umsetzung des Pflegeprozesses in der deutschen Pflegepraxis geht mit verschiedenen Erklärungsversuchen einher. Der Pflegeprozess für sich genommen beschreibt nur das systematische, logische und auch wissenschaftliche Vorgehen der Pflegenden zur Problemlösung bzw. Zielerreichung. Besonders der lineare, logische Aufbau des Modells nach Fiechter und Meier und dessen analytische Zergliederung des Pflegeprozesses werden in Deutschland von einigen Autoren kritisiert (wie z. B. Stratmeyer, 1997; Schöninger und Zegelin-Abt, 1998). Es wird beanstandet, dass es durch seine analytische Zergliederung einer „holistischen Orientierung" der Pflege entgegenwirke (Höhmann et al., 1996, S. 11).

Da der Pflegeprozess zunächst nur eine Struktur vorgibt, bürgt seine Anwendung nicht für die Qualität der zu leistenden Pflege. Denn die Pflege wird zusätzlich von anderen Parametern beeinflusst. Das erklärt auch die unterschiedlichen Ergebnisse der Pflegeforschungsarbeiten über die Wirkung des Einsatzes des Pflegeprozessmodells und der Pflegeplanung auf die Qualität der Pflege.

Krohwinkel (1993) und andere gehen davon aus, dass die Pflegequalität durch den Pflegebeziehungsprozess, die Interventionen sowie den Problemlösungs- und Entscheidungsprozess maßgeblich bestimmt wird. Der Beziehungsprozess ist stark von der Persönlichkeit der Pflegenden und deren Schlüsselqualifikationen beeinflusst. Die Auseinandersetzung der Pflegenden mit sich selbst, der eigenen Grundhaltung zum Leben und der persönlichen Berufsauffassung sowie ihr Fachwissen prägen die Interaktion mit dem Pflegeempfänger. So wird von verschiedenen Autoren gefordert, die Anwendung des Pflegeprozesses mit einem oder mehreren Pflegemodellen zu verknüpfen. Durch die Verbindung des Pflegeprozesses mit Pflegemodellen und -theorien kann sich das Pflegeverständnis der Pflegenden weiterentwickeln. Zusätzlich werden dabei ihre Schlüsselqualifikationen gefördert.

Zentrales Anliegen bei der Realisierung des Pflegeprozessmodells „ist die Sicherung der Kontinuität einer individuellen, patientenorientierten [bewohnerorientierten] Pflege" (Pröbstl und Glaser, 1997, S. 264). Dies sollte trotz aller Umsetzungsschwierigkeiten nicht aus den Augen verloren werden.

Zusammenfassung

Das Ziel der Dokumentation des Pflegeprozesses ist es, die Kontinuität einer individuellen, empfängerorientierten Pflege sicherzustellen.

1.2 Die Pflegeplanung

Die Pflegeplanung ist ein Instrument zur schriftlichen Umsetzung und Dokumentation des Pflegeprozesses. Die prozessorientierte Planung und Dokumentation von Pflegetätigkeiten hilft, auf die großen Veränderungen im Gesundheitswesen reagieren zu können. Im Folgenden werden die Entwicklungstendenzen im Gesundheitswesen vorgestellt, und es wird dargelegt, wie die Pflegeprozessdokumentation dazu beitragen kann, diesen etwas entgegenzusetzen.

> **Die Pflegeplanung ist ein Instrument zur schriftlichen Umsetzung und Dokumentation des Pflegeprozesses.**

Entwicklungstendenzen auf gesundheitspolitischer Ebene:

- Durch Budgetkürzungen im Gesundheitswesen ist eine Optimierung der Wirtschaftlichkeit gefordert.
- Personalstellen im Pflegedienst werden gekürzt, die Pflegepersonalregelung im Heimbereich und im ambulanten Bereich ist nicht am tatsächlichen Pflegebedarf und an den Pflegebedürfnissen der Bewohner/Patienten orientiert.
- Es findet eine Verdichtung der Arbeitsleistung statt. Immer weniger Pflegepersonal versorgt eine steigende Anzahl pflegebedürftiger Bewohner/Patienten als Folge früher Entlassung aus den Krankenhäusern durch die DRG und der „ambulant vor stationär"-Devise.
- Pflegeleistungen müssen begründet und nachgewiesen, Kosten transparent gemacht werden.
- Kenntnisse über Wirkungsprinzipien erhalten in der Pflege eine wachsende Bedeutung.
- Qualitätssichernde Maßnahmen werden im § 137 SGB 5 gefordert (Krankenhausbereich).
- In § 80 SGB XI wird gefordert, dass sich die Arbeit der professionellen Pflege nachweislich am Handlungsmodell des Pflegeprozesses zu orientieren hat (dies gilt für alle Einrichtungen, die unter das Pflegeversicherungsgesetz fallen).

Der Pflegeplan hilft, den Pflegebedarf bzw. das Pflegebedürfnis der Bewohner/Patienten aufzuzeigen und zu begründen. Somit können die entsprechenden Leistungen abgerechnet und Stellen im Pflegebereich erhalten werden. Die Argumentation der Pflegenden gegenüber Krankenkassen und anderen Berufsgruppen wird durch die prozesshafte Pflegedokumentation mit Leistungsnachweisen gestärkt. Die Eigenständigkeit und der therapeutische Wert der Pflege werden dadurch transparent.

Tendenzielle Veränderungen innerhalb der Berufsgruppe ‚Pflege':

- Es findet eine Professionalisierung der Pflege statt.
- Ein eigenständiger Verantwortungsbereich der Pflegenden wird angestrebt.
- Studiengänge für Pflegewissenschaft, Pflegemanagement, Pflegepädagogik etablieren sich.

Der Pflegeprozess ermöglicht den Pflegenden, die angeführten Veränderungen im Gesundheitswesen aufzugreifen und den damit wachsenden Anforderungen gerecht zu werden. Durch die Integration des Bewohners/Patienten in die sechs Schritte des Pflegeprozesses wird einer stärkeren Kundenorientierung und den veränderten Erwartungen entsprochen. Zudem können Pflegende durch eine prozesshafte Dokumentation mit Leistungsnachweisen belegen, dass nach dem jeweils aktuellen Erkenntnisstand alles getan wurde, um eine (eventuell zur Anklage gebrachte) Schädigung des Bewohners/Patienten zu verhindern.

Veränderungen beim Empfänger professioneller Pflege:

- Die Bewohner/Patienten sind aufgeklärt, haben bestimmte Erwartungen und möchten als Kunden behandelt werden.
- Die Ansprüche an die Pflege sind gestiegen.
- Ziele und Behandlungsmethoden pflegerischer Maßnahmen werden nicht unbesehen akzeptiert.

Pflegeplanung – Ein wichtiges Instrument des Pflegeprozesses

- Der aufgeklärte Bewohner/Patient fordert zunehmend eine aktive Integration in den Pflegeprozess.
- Das Recht der Pflegeempfänger, bei Pflegefehlern Schadensersatzansprüche zu stellen, wird zunehmend in Anspruch genommen.

Durch die Transparenz des Pflegeprozesses wird bei den Pflegenden problem-, ziel- und ressourcenorientiertes Denken und Handeln gefördert. Er stellt somit ein wichtiges Instrument dar, um bewohner-/patientenorientiert und qualitätsbezogen zu arbeiten.

Durch die schriftliche Pflegeplanung und damit die handlungsleitende Niederlegung der durchzuführenden Maßnahmen wird die Methodenvielfalt der Pflegemaßnahmen am Bewohner/Patienten reduziert. Die Wirkung der Pflegeintervention kann somit evaluiert werden. Der dokumentierte Pflegeprozess wird damit über den Qualitätsnachweis hinaus auch zur Grundlage für pflegewissenschaftliche Untersuchungen.

Der nachfolgend zitierte und übersetzte Ausspruch von Norma M. Lang und June Clark (1992) macht wie keine andere Aussage deutlich, wie wichtig es für uns Pflegende ist, den Pflegeprozess konsequent in die Pflegepraxis umzusetzen, um den großen Herausforderungen von Politik, Wirtschaft, Forschung und Lehre gewachsen zu sein: „If we cannot name it, we cannot control it, finance it, research it, teach it or put it into public policy."

> **Wenn wir pflegerisches Handeln nicht benennen können und Pflegewirkung nicht beschreiben und nachweisen können, dann können wir Pflege nicht kontrollieren, nicht finanzieren, nicht erforschen und untersuchen, nicht lehren oder in gesundheitspolitische und berufspolitische Forderungen und Richtlinien umsetzen.**

Zusammenfassung

Die Pflegeplanung als Instrument zur schriftlichen Umsetzung und Dokumentation des Pflegeprozesses ermöglicht es, auf die Entwicklungstendenzen auf gesundheitspolitischer Ebene sowie die Veränderungen innerhalb der Berufsgruppe Pflege und des Pflegeempfängers zu reagieren.

Höhmann, Weinrich et al., 1996; Krohwinkel, 1993; Mischo-Kelling und Zeidler, 1989; Needham, 1990; Pröbstl und Glaser, 1997; Roper, Logan et al., 2002; Schöninger, und Zegelin-Abt, 1998; Stratmeyer, 1997.

2 Gesetzliche Rahmenbedingungen in der Altenpflege – Anforderungen an die Pflegedokumentation nach § 80 SGB XI

Auf Veranlassung der Landesverbände der Pflegekassen führt der Medizinische Dienst der Krankenversicherung (MDK) die Qualitätsprüfungen nach § 80 SGB XI durch. Hierbei handelt es sich um Stichprobenprüfungen, Einzelprüfungen und vergleichende Prüfungen. Damit soll sichergestellt werden, dass die geforderten gesetzlichen Qualitätsrichtlinien auch eingehalten bzw. umgesetzt werden.

Die Grundlage dazu bildet die Gesetzeslage, die es dem MDK ermöglicht, bei der Qualitätsentwicklung mitzuwirken. Er hat die Gelegenheit, hinsichtlich der Qualitätsentwicklung an der Bildung örtlicher und regionaler Arbeitsgemeinschaften der Pflegekassen mitzuarbeiten (vgl. § 12 SGB XI). Der MDK ist ebenfalls an den Abschlüssen der Rahmenverträge zwischen den Landesverbänden der Pflegekassen und den Vereinigungen der Träger der ambulanten oder stationären Pflegeeinrichtungen über die pflegerische Versorgung beteiligt (vgl. § 75 SGB XI, [1]).

Die Ergebnisse der Qualitätsüberprüfungen des MDK werden als Grundlage für den Prüfbericht des Medizinischen Dienstes der Spitzenverbände der Krankenkassen (MDS) verwendet. Dort wird sowohl über die bundesweiten als auch die regionalen Ergebnisse der Prüfungen Auskunft gegeben. Im Prüfbericht wird somit die Gesamtlage der pflegerischen Versorgungs- bzw. Dokumentationsqualität im ambulanten und stationären Altenpflegebereich dargestellt.

Im Berufsalltag soll angestrebt werden, den Pflegeprozess für den Bewohner/Patienten in Form eines Pflegeplans zu dokumentieren. Der MDK fordert in seinen Richtlinien die *Dokumentation des Pflegeprozesses*, also der Pflegeprobleme, der individuellen Pflegeziele, der Ressourcen und der Pflegeinterventionen mit aktivierendem Charakter. Darüber hinaus sollen in regelmäßigen Abständen die Zielerreichung und Veränderungen des Pflegeprozesses in der Pflegedokumentation aufgeführt werden.

In den Prüfanleitungen für die Qualitätsprüfung des MDS wird dagegen nicht genau definiert, was ein Pflegeproblem ist. Gefordert wird dort jedoch eine *Prozesspflegeplanung*. Die Pflegeprobleme sollen „möglichst nach Priorität geordnet" sein, und „potentielle Gefahren, wie (z. B. Isolation, Sturzgefahr, Dekubitus)" im individuellen Pflegeplan aufführen. (MDS, 2000, S. 89) Die Pflegeprobleme sollen auf der Grundlage einer Pflegeanamnese erhoben werden, die Informationen über die Biografie, die Gewohnheiten, soziale Beziehungen und emotionale Empfindungen des Bewohners/Patienten beinhaltet.

Des Weiteren werden die Gutachter in der Prüfanleitung zur Überprüfung der Pflege beim Bewohner/Patienten aufgefordert, besonders darauf zu achten, ob das Selbsthilfepotenzial des Bewohners/Patienten gefördert wird. In der Pflegepraxis untersucht der Prüfer hierzu die Pflegedokumentation auf entsprechende Hinweise.

Dabei sind aus den Prüfanleitungen die Anforderungen an die Ressourcenformulierung nicht ganz eindeutig abzuleiten. Es wird nur darauf hingewiesen, dass die „systematische Durchführung der Pflege nach dem Prinzip der aktivierenden Pflege [...] nur möglich" ist, wenn diese auf der Basis „einer Sammlung von Informationen über die Ressourcen/Fähigkeiten (Selbstpflege- und Selbsthilfefähigkeit) sowie Probleme/Defizite" (MDS, S. 82) durchgeführt wird. In der Praxis fordern einige Prüfer zu jedem Pflegeproblem eine schriftlich fixierte Ressourcenformulierung.

Bei der Zielformulierung gibt die Prüfanleitung eine Definition an. Demnach ist ein Pflegeziel ein erwartetes, konkretes Ergebnis. Der MDS unterscheidet dabei zwischen *Fern-* und *Nahzielen*. Nahziele sollen ein angestrebtes Verhalten, einen Zustand, das Wissen oder Können des Bewohners/Patienten beschreiben.

Im Zusammenhang mit Fernzielen führt die Prüfanleitung Beispiele auf. So werden als Fernziele z. B. folgende Formulierungen vorgeschlagen:

- möglichst optimale Lebensqualität
- größtmögliche Unabhängigkeit in bestimmten Lebenslagen
- Aufrechterhaltung der familiären Beziehungen.

Die vorgeschlagenen Formulierungen sind nicht handlungsleitend und erfüllen aus pflegefachlicher Perspektive auch nicht die Anforderungen an eine Zielformulierung.
Für die Formulierung der Nahziele gilt die Anforderung, dass diese überprüfbar sein müssen und mit einem Zieldatum versehen sein sollen. Der Anspruch an die Maßnahmenformulierungen in den Prüfanleitungen des MDS lässt sich wie folgt zusammenfassen: Pflegemaßnahmen sind individuell zu planen und müssen auf das Ziel gerichtet sein. Die Pflegeinterventionen sollen handlungsleitend formuliert werden und müssen wie der gesamte Pflegeplan durch Handzeichen nachweislich von einer Pflegefachkraft geplant werden. Darüber hinaus wird gefordert, dass die individuelle Prozessplanung prophylaktische Maßnahmen berücksichtigt. Im Besonderen überprüft der Sachverständige, ob Prophylaxen bei dem Bewohner/Patienten indiziert sind und sich diese in der Pflegeplanung und Pflegedokumentation wiederfinden. Folgende Prophylaxenbereiche werden vom MDS in den Prüfanleitungen genannt: Hospitalismusprophylaxe, Sturzprophylaxe, Dehydrationsprophylaxe, Dekubitusprophylaxe, Pneumonieprophylaxe, Thromboseprophylaxe, Kontrakturenprophylaxe, Munderkrankungsprophylaxe, Intertrigoprophylaxe, Obstipationsprophylaxe und Harnwegsinfektionsprophylaxe.

Zusammenfassend ist festzustellen, dass die Prüfkriterien des MDS einerseits sehr konkrete Forderungen an die Pflegeprozessdokumentation stellen, aber andererseits genaue Begriffsdefinitionen vermissen lassen. Dadurch lässt sich ein einheitliches Prüfverfahren nicht sicherstellen. Schwankungen in der Prüfqualität sind aufgrund der jeweiligen Fachkenntnis und des Hintergrundwissens des Prüfers absehbar.
Für die Pflegenden gelten die Anforderungen, die Dokumentation des Pflegeprozesses gemäß den Prüfkriterien zu erfüllen, sich darüber hinaus jedoch auch mit den Definitionen von Pflegediagnosen/-problemen, Ressourcen, Pflegezielen und Pflegemaßnahmen zu befassen. Erst der bewusste Einsatz definierter und pflegefachlich korrekt formulierter Diagnosen, Ressourcen, Ziele und Maßnahmen stellt beides sicher: einerseits den Prüfkriterien des MDS und MDK zu genügen, andererseits den qualitativen und pflegefachlichen Anforderungen an handlungsleitende Formulierungen zur Umsetzung des Pflegeprozesses zu entsprechen.
Lehrende in der Altenpflege sollten die Unterschiede deutlich machen und die Konsequenzen des Nichtbeachtens der unterschiedlichen Anforderungen erläutern:

- Missachtung der MDS-Vorgaben kann in letzter Konsequenz bis zur Kündigung des Versorgungsauftrags führen.
- Fehlende Definitionen bzw. fehlende Handlungsleitung bei der Dokumentation des Pflegeprozesses erschweren dessen konsequente Umsetzung, die Evaluation der Pflegeziele und die Einhaltung der mit dem Bewohner/Patienten vereinbarten Vorgehensweisen.

Grundlagen dieser Bestimmungen finden Sie in folgenden Gesetzen und Bestimmungen (Stand: 1. Juli 2005):

SGB XI – Soziale Pflegeversicherung – Siebtes Kapitel
Beziehungen der Pflegekassen zu den Leistungserbringern
Vierter Abschnitt – Wirtschaftlichkeitsprüfungen und Qualitätssicherung
§ 80 Maßstäbe und Grundsätze zur Sicherung und Weiterentwicklung der Pflegequalität

(1) Die Spitzenverbände der Pflegekassen, die Bundesarbeitsgemeinschaft der überörtlichen Träger der Sozialhilfe, die Bundesvereinigung der kommunalen Spitzenverbände und die Vereinigungen der Träger der Pflegeeinrichtungen auf Bundesebene vereinbaren gemeinsam und einheitlich unter Beteiligung des Medizinischen Dienstes der Spitzenverbände der Krankenkassen sowie unabhängiger Sachverständiger Grundsätze und Maßstäbe für die Qualität und die Qualitätssicherung der ambulanten und stationären Pflege sowie für die Entwicklung eines einrichtungsinternen Qualitätsmanagements, das auf eine stetige Sicherung und Weiter-

entwicklung der Pflegequalität ausgerichtet ist. Sie arbeiten dabei mit dem Verband der privaten Krankenversicherung e. V., den Verbänden der Pflegeberufe sowie den Verbänden der Behinderten und der Pflegebedürftigen eng zusammen. Die Vereinbarungen sind im Bundesanzeiger zu veröffentlichen; sie sind für alle Pflegekassen und deren Verbände sowie für die zugelassenen Pflegeeinrichtungen unmittelbar verbindlich.

(2) Die Vereinbarungen nach Absatz 1 können von jeder Partei mit einer Frist von einem Jahr ganz oder teilweise gekündigt werden. Nach Ablauf des Vereinbarungszeitraums oder der Kündigungsfrist gilt die Vereinbarung bis zum Abschluss einer neuen Vereinbarung weiter.

(3) Kommt eine Vereinbarung nach Absatz 1 innerhalb von zwölf Monaten ganz oder teilweise nicht zustande, nachdem eine Vertragspartei schriftlich zu Verhandlungen aufgefordert hat, kann ihr Inhalt durch Rechtsverordnung der Bundesregierung mit Zustimmung des Bundesrates festgelegt werden.

**SGB XI – Soziale Pflegeversicherung – Siebtes Kapitel
Beziehungen der Pflegekassen zu den Leistungserbringern
Vierter Abschnitt – Wirtschaftlichkeitsprüfungen und Qualitätssicherung
§ 80a Leistungs- und Qualitätsvereinbarung mit Pflegeheimen**

(1) Bei teil- oder vollstationärer Pflege setzt der Abschluss einer Pflegesatzvereinbarung nach dem Achten Kapitel ab dem 1. Januar 2004 den Nachweis einer wirksamen Leistungs- und Qualitätsvereinbarung durch den Träger des zugelassenen Pflegeheims voraus; für Pflegeeinrichtungen, die erstmals ab dem 1. Januar 2002 zur teil- oder vollstationären Pflege nach § 72 zugelassen werden, gilt dies bereits für den Abschluss der ersten und jeder weiteren Pflegesatzvereinbarung vor dem 1. Januar 2004. Parteien der Leistungs- und Qualitätsvereinbarung sind die Vertragsparteien nach § 85 Abs. 2.

(2) In der Leistungs- und Qualitätsvereinbarung sind die wesentlichen Leistungs- und Qualitätsmerkmale festzulegen. Dazu gehören insbesondere:
1. die Struktur und die voraussichtliche Entwicklung des zu betreuenden Personenkreises, gegliedert nach Pflegestufen, besonderem Bedarf an Grundpflege, medizinischer Behandlungspflege oder sozialer Betreuung,
2. Art und Inhalt der Leistungen, die von dem Pflegeheim während des nächsten Pflegesatzzeitraums oder der nächsten Pflegesatzzeiträume (§ 85 Abs. 3) erwartet werden, sowie
3. die personelle und sächliche Ausstattung des Pflegeheims einschließlich der Qualifikation der Mitarbeiter.
Die Festlegungen nach Satz 2 sind für die Vertragsparteien nach § 85 Abs. 2 und für die Schiedsstelle als Bemessungsgrundlage für die Pflegesätze und die Entgelte für Unterkunft und Verpflegung nach dem Achten Kapitel unmittelbar verbindlich.

(3) Die Leistungs- und Qualitätsvereinbarung ist in der Regel zusammen mit der Pflegesatzvereinbarung nach § 85 abzuschließen; sie kann auf Verlangen einer Pflegesatzpartei auch zeitlich unabhängig von der Pflegesatzvereinbarung abgeschlossen werden. Kommt eine Vereinbarung nach Absatz 1 innerhalb von sechs Wochen ganz oder teilweise nicht zustande, nachdem eine Vertragspartei schriftlich zu Vertragsverhandlungen aufgefordert hat, entscheidet die Schiedsstelle nach § 76 auf Antrag einer Vertragspartei über die Punkte, über die keine Einigung erzielt werden konnte. § 73 Abs. 2 sowie § 85 Abs. 3 Satz 2 bis 4 gelten entsprechend.

(4) Der Träger des Pflegeheims ist verpflichtet, mit dem in der Leistungs- und Qualitätsvereinbarung als notwendig anerkannten Personal die Versorgung der Heimbewohner jederzeit sicherzustellen. Er hat bei Personalengpässen oder -ausfällen durch geeignete Maßnahmen sicherzustellen, dass die Versorgung der Heimbewohner nicht beeinträchtigt wird.

Bei unvorhersehbaren wesentlichen Veränderungen in den Belegungs- oder Leistungsstrukturen des Pflegeheims kann jede Vereinbarungspartei eine Neuverhandlung der Leistungs- und Qualitätsvereinbarung verlangen. § 85 Abs. 7 gilt entsprechend.

(5) Auf Verlangen einer Vertragspartei nach Absatz 1 Satz 2 hat der Träger einer Einrichtung in einem Personalabgleich nachzuweisen, dass seine Einrichtung das nach Absatz 2 Satz 2 Nr. 3 als notwendig anerkannte und vereinbarte Personal auch tatsächlich bereitstellt und bestimmungsgemäß einsetzt.

§ SGB XI – Soziale Pflegeversicherung – Elftes Kapitel
Qualitätssicherung, Sonstige Regelungen zum Schutz der Pflegebedürftigen
§ 113 Leistungs- und Qualitätsnachweise

(1) Die Träger zugelassener Pflegeeinrichtungen sind verpflichtet, den Landesverbänden der Pflegekassen in regelmäßigen Abständen die von ihnen erbrachten Leistungen und deren Qualität nachzuweisen (Leistungs- und Qualitätsnachweise).

(2) Die Erteilung von Leistungs- und Qualitätsnachweisen nach Absatz 1 ist eine öffentliche Aufgabe. Sie kann wirksam nur durch von den Landes- oder Bundesverbänden der Pflegekassen anerkannte unabhängige Sachverständige oder Prüfstellen wahrgenommen werden. Die Anerkennung setzt voraus, dass der Sachverständige oder die Prüfstelle die Anforderungen der Rechtsverordnung nach § 118 erfüllt; sie gilt bundesweit, soweit in dem Anerkennungsbescheid nichts anderes bestimmt ist. Die Rechtsaufsicht über Sachverständige oder Prüfstellen, deren Anerkennung sich über das Gebiet eines Landes hinaus erstreckt, führt das Bundesversicherungsamt; die Rechtsaufsicht über Sachverständige oder Prüfstellen, deren Anerkennung sich nicht über das Gebiet eines Landes hinaus erstreckt, führt die nach Landesrecht zuständige Behörde.

(3) Inhalt des Leistungs- und Qualitätsnachweises kann nur die Feststellung sein, dass die geprüfte Pflegeeinrichtung zum Zeitpunkt der Prüfung wenigstens die Qualitätsanforderungen nach diesem Buch erfüllt. Erfüllt die Einrichtung diese Anforderungen, hat ihr Träger Anspruch auf Erteilung eines Leistungs- und Qualitätsnachweises gegenüber den nach Absatz 2 für die Prüfung verantwortlichen Sachverständigen oder Prüfstellen. Diese haben den Landesverbänden der Pflegekassen, den zuständigen Trägern der Sozialhilfe, dem Verband der privaten Krankenversicherung e. V. sowie, bei vollstationärer Pflege, auch der nach Landesrecht für die Durchführung des Heimgesetzes bestimmten Behörde (Heimaufsichtsbehörde) eine Kopie des Leistungs- und Qualitätsnachweises zuzuleiten.

(4) Qualitätsprüfungen nach § 114 können durch Leistungs- und Qualitätsnachweise nach dieser Vorschrift nicht ausgeschlossen oder eingeschränkt werden. Maßnahmen und Prüfungen nach dem Heimgesetz bleiben unberührt.

(5) Ab dem 1. Januar 2004 hat eine Pflegeeinrichtung nur dann Anspruch auf Abschluss einer Vergütungsvereinbarung nach dem Achten Kapitel, wenn sie einen Leistungs- und Qualitätsnachweis vorlegt, dessen Erteilung nicht länger als zwei Jahre zurückliegt.

(6) Für Rechtsstreitigkeiten aus dieser Vorschrift gilt § 73 Abs. 2 entsprechend.

Gesetzliche Rahmenbedingungen

§ SGB XI – Soziale Pflegeversicherung – Elftes Kapitel
Qualitätssicherung, Sonstige Regelungen zum Schutz der Pflegebedürftigen
§ 114 Örtliche Prüfung

(1) Der Medizinische Dienst der Krankenversicherung oder die von den Landesverbänden der Pflegekassen bestellten Sachverständigen sind in Wahrnehmung ihres Prüfauftrags nach § 112 Abs. 3 berechtigt und verpflichtet, an Ort und Stelle zu überprüfen, ob die ambulanten oder stationären zugelassenen Pflegeeinrichtungen die Leistungs- und Qualitätsanforderungen nach diesem Buch weiterhin erfüllen. Soweit eine Pflegeeinrichtung einen Leistungs- und Qualitätsnachweis nach § 113 vorlegt, dessen Erteilung nicht länger als ein Jahr zurückliegt, ist dies bei der Bestimmung von Zeitpunkt und Umfang der Prüfungen nach Satz 1 angemessen zu berücksichtigen.

(2) Bei teil- oder vollstationärer Pflege sind der Medizinische Dienst der Krankenversicherung und die von den Landesverbänden der Pflegekassen bestellten Sachverständigen berechtigt, zum Zwecke der Qualitätssicherung die für das Pflegeheim benutzten Grundstücke und Räume jederzeit angemeldet oder unangemeldet zu betreten, dort Prüfungen und Besichtigungen vorzunehmen, sich mit den Pflegebedürftigen, ihren Angehörigen oder Betreuern in Verbindung zu setzen sowie die Beschäftigten und den Heimbeirat oder den Heimfürsprecher zu befragen. Prüfungen und Besichtigungen zur Nachtzeit sind nur zulässig, wenn und soweit das Ziel der Qualitätssicherung zu anderen Zeiten nicht erreicht werden kann. Soweit Räume einem Wohnrecht der Heimbewohner unterliegen, dürfen sie ohne deren Zustimmung nur betreten werden, soweit dies zur Verhütung dringender Gefahren für die öffentliche Sicherheit und Ordnung erforderlich ist; das Grundrecht der Unverletzlichkeit der Wohnung (Artikel 13 Abs. 1 des Grundgesetzes) wird insoweit eingeschränkt. Der Medizinische Dienst der Krankenversicherung soll die zuständige Heimaufsichtsbehörde an unangemeldeten Prüfungen beteiligen, soweit dadurch die Prüfung nicht verzögert wird.

(3) Bei der ambulanten Pflege sind der Medizinische Dienst der Krankenversicherung und die von den Landesverbänden der Pflegekassen bestellten Sachverständigen berechtigt, die Qualität der Leistungen des Pflegedienstes mit Zustimmung des Pflegebedürftigen auch in dessen Wohnung zu überprüfen. Soweit der Pflegedienst auch Leistungen der häuslichen Krankenpflege nach § 37 des Fünften Buches erbringt, sind diese in die Prüfung nach Satz 1 einzubeziehen. Dabei ist auch zu prüfen, ob die Versorgung des Pflegebedürftigen den Anforderungen des § 2 Nr. 8 in Verbindung mit § 23 Abs. 2 des Infektionsschutzgesetzes entspricht. Im Übrigen gilt Absatz 2 entsprechend.

(4) Unabhängig von ihren eigenen Prüfungsbefugnissen nach den Absätzen 1 bis 3 sind der Medizinische Dienst der Krankenversicherung oder die von den Landesverbänden der Pflegekassen bestellten Sachverständigen befugt, sich sowohl an angemeldeten als auch an unangemeldeten Überprüfungen von zugelassenen Pflegeheimen zu beteiligen, soweit sie von der zuständigen Heimaufsichtsbehörde nach Maßgabe des Heimgesetzes durchgeführt werden. Sie haben in diesem Fall ihre Mitwirkung an der Überprüfung des Heims auf den Bereich der Qualitätssicherung nach diesem Buch zu beschränken.

(5) Soweit ein Pflegebedürftiger in den Fällen der Absätze 2 und 3 die Zustimmung nicht selbst erteilen kann, darf sie nur durch eine vertretungsberechtigte Person oder einen bestellten Betreuer ersetzt werden.

(6) Auf Verlangen sind Vertreter der betroffenen Pflegekassen oder ihrer Verbände, des zuständigen Trägers der Sozialhilfe sowie des Verbandes der privaten Krankenversicherung e. V. an den Prüfungen nach den Absätzen 1 bis 3 zu beteiligen. Der Träger der Pflegeeinrichtung kann verlangen, dass eine Vereinigung, deren Mitglied er ist (Trägervereinigung), an der Prüfung nach den Absätzen 1 bis 3 beteiligt wird. Ausgenommen ist eine Beteiligung nach Satz 1 oder 2, soweit dadurch die Durchführung einer Prüfung voraussichtlich verzögert wird.

 **SGB XI – Soziale Pflegeversicherung – Elftes Kapitel**
Qualitätssicherung, Sonstige Regelungen zum Schutz der Pflegebedürftigen
§ 115 Ergebnisse von Qualitätsprüfungen

(1) Die Medizinischen Dienste der Krankenversicherung sowie die von den Landesverbänden der Pflegekassen für Qualitätsprüfungen bestellten Sachverständigen haben das Ergebnis einer jeden Qualitätsprüfung sowie die dabei gewonnenen Daten und Informationen den Landesverbänden der Pflegekassen und den zuständigen Trägern der Sozialhilfe sowie bei stationärer Pflege zusätzlich den zuständigen Heimaufsichtsbehörden und bei häuslicher Pflege den zuständigen Pflegekassen zum Zwecke der Erfüllung ihrer gesetzlichen Aufgaben sowie der betroffenen Pflegeeinrichtung mitzuteilen. Das Gleiche gilt für die Ergebnisse von Qualitätsprüfungen, die durch sonstige Qualitätsprüfer nach diesem Buch durchgeführt werden. Die Landesverbände der Pflegekassen sind befugt und auf Anforderung verpflichtet, die ihnen nach Satz 1 oder 2 bekannt gewordenen Daten und Informationen mit Zustimmung des Trägers der Pflegeeinrichtung auch seiner Trägervereinigung zu übermitteln, soweit deren Kenntnis für die Anhörung oder eine Stellungnahme der Pflegeeinrichtung zu einem Bescheid nach Absatz 2 erforderlich ist. Gegenüber Dritten sind die Prüfer und die Empfänger der Daten zur Verschwiegenheit verpflichtet.

(2) Soweit bei einer Prüfung nach diesem Buch Qualitätsmängel festgestellt werden, entscheiden die Landesverbände der Pflegekassen nach Anhörung des Trägers der Pflegeeinrichtung und der beteiligten Trägervereinigung unter Beteiligung des zuständigen Trägers der Sozialhilfe, welche Maßnahmen zu treffen sind, erteilen dem Träger der Einrichtung hierüber einen Bescheid und setzen ihm darin zugleich eine angemessene Frist zur Beseitigung der festgestellten Mängel. Werden nach Satz 1 festgestellte Mängel nicht fristgerecht beseitigt, können die Landesverbände der Pflegekassen gemeinsam den Versorgungsvertrag gemäß § 74 Abs. 1, in schwerwiegenden Fällen nach § 74 Abs. 2, kündigen. § 73 Abs. 2 gilt entsprechend.

(3) Hält die Pflegeeinrichtung ihre gesetzlichen oder vertraglichen Verpflichtungen, insbesondere ihre Verpflichtungen zu einer qualitätsgerechten Leistungserbringung aus dem Versorgungsvertrag (§ 72) oder aus der Leistungs- und Qualitätsvereinbarung (§ 80a) ganz oder teilweise nicht ein, sind die nach dem Achten Kapitel vereinbarten Pflegevergütungen für die Dauer der Pflichtverletzung entsprechend zu kürzen. Über die Höhe des Kürzungsbetrags ist zwischen den Vertragsparteien nach § 85 Abs. 2 Einvernehmen anzustreben. Kommt eine Einigung nicht zustande, entscheidet auf Antrag einer Vertragspartei die Schiedsstelle nach § 76 in der Besetzung des Vorsitzenden und der beiden weiteren unparteiischen Mitglieder. Gegen die Entscheidung nach Satz 3 ist der Rechtsweg zu den Sozialgerichten gegeben; ein Vorverfahren findet nicht statt, die Klage hat aufschiebende Wirkung. Der vereinbarte oder festgesetzte Kürzungsbetrag ist von der Pflegeeinrichtung bis zur Höhe ihres Eigenanteils an die betroffenen Pflegebedürftigen und im Weiteren an die Pflegekassen zurückzuzahlen; soweit die Pflegevergütung als nachrangige Sachleistung von einem anderen Leistungsträger übernommen wurde, ist der Kürzungsbetrag an diesen zurückzuzahlen. Der Kürzungsbetrag kann nicht über die Vergütungen oder Entgelte nach dem Achten Kapitel refinanziert werden. Schadensersatzansprüche der betroffenen Pflegebedürftigen nach anderen Vorschriften bleiben unberührt; § 66 des Fünften Buches gilt entsprechend.

(4) Bei Feststellung schwerwiegender, kurzfristig nicht behebbarer Mängel in der stationären Pflege sind die Pflegekassen verpflichtet, den betroffenen Heimbewohnern auf deren Antrag eine andere geeignete Pflegeeinrichtung zu vermitteln, welche die Pflege, Versorgung und Betreuung nahtlos übernimmt. Bei Sozialhilfeempfängern ist der zuständige Träger der Sozialhilfe zu beteiligen.

(5) Stellt der Medizinische Dienst schwerwiegende Mängel in der ambulanten Pflege fest, kann die zuständige Pflegekasse dem Pflegedienst auf Empfehlung des Medizinischen Dienstes die weitere Betreuung des Pflegebedürftigen vorläufig untersagen; § 73 Abs. 2 gilt

Gesetzliche Rahmenbedingungen

entsprechend. Die Pflegekasse hat dem Pflegebedürftigen in diesem Fall einen anderen geeigneten Pflegedienst zu vermitteln, der die Pflege nahtlos übernimmt; dabei ist so weit wie möglich das Wahlrecht des Pflegebedürftigen nach § 2 Abs. 2 zu beachten. Absatz 4 Satz 2 gilt entsprechend.

(6) In den Fällen der Absätze 4 und 5 haftet der Träger der Pflegeeinrichtung gegenüber den betroffenen Pflegebedürftigen und deren Kostenträgern für die Kosten der Vermittlung einer anderen ambulanten oder stationären Pflegeeinrichtung, soweit er die Mängel in entsprechender Anwendung des § 276 des Bürgerlichen Gesetzbuches zu vertreten hat. Absatz 3 Satz 7 bleibt unberührt.

MDS, 2000;
Internet: http://bundesrecht.juris.de/sgb_11/index.html (Stand: 29.02.2008).

3 Die standardisierte Pflegefachsprache

An der Entwicklung einer einheitlich genutzten Sprache in der Pflege wird bereits seit vielen Jahren gearbeitet. So wird seit 1989 das Projekt des Weltbundes der Krankenschwestern und Krankenpfleger (ICN) mit der Entwicklung einer internationalen Klassifikation für die Pflegepraxis (ICNP®) vorangetrieben. Auch über andere Klassifikationen in der Pflege wird häufig gesprochen. Hier sind z. B. die Klassifikationen der Pflegediagnosen (NANDA), der Pflegeinterventionen (NIC) und Pflegeergebnisse (NOC) zu nennen. Die standardisierte Pflegefachsprache ENP® (European Nursing care Pathways), die in einem Klassifikationssystem bereitgestellt wird, wird auf der Basis von modifizierten „praxisnahen Theorien" seit 1989 entwickelt. Weltweit gibt es insgesamt ca. 40 verschiedene Klassifikationssysteme im Gesundheitswesen, die alle einen unterschiedlichen Fokus haben.

Im Hauptteil des vorliegenden Arbeitsbuches wird die standardisierte Pflegefachsprache ENP® für die Altenpflege im Detail vorgestellt. ENP® wurde als Instrument der Pflegeprozessdokumentation für den praktischen Einsatz entwickelt (→ Kapitel 5). Pflegeplanungen mit ENP® unterstützen die Entwicklung der Pflegeplanungs- und Formulierungskompetenzen der Pflegenden und ermöglichen zudem eine wissenschaftliche Auswertung von Datenmaterial, der sich individuelle, handschriftlich erstellte Pflegeplanungen aufgrund ihrer uneinheitlichen Begrifflichkeiten widersetzen. Innerhalb einer Software-Anwendung kommen die Vorteile der standardisierten Pflegefachsprache ENP® voll zum Tragen.

Mit der Entwicklung einer standardisierten Pflegefachsprache wird der Versuch unternommen, Begriffe, Erscheinungen und Phänomene dieser Fachsprache systematisch zu ordnen und einheitlich zu definieren.
Unter Standardisierung wird der Vorgang des Vereinheitlichens verstanden. Das Produkt des Standardisierungsprozesses in der Pflege ist eine Pflegefachsprache. Van Maanen definiert diesen Begriff wie folgt:

> „Unter Pflegefachsprache wird die Definition von disziplinspezifischen Pflegekonzepten in einer eindeutigen, kulturell angemessenen beruflichen Sprache verstanden, die durch Konsens von PflegeexpertInnen festgelegt, überprüft und innerhalb der Disziplin akzeptiert und praktiziert worden ist." (van Maanen, 2002, S. 201)

Zielke-Nadkarni hebt im Zusammenhang mit Fachsprache die funktionale Komponente der Allgemeinsprache (z. B. in einem pflegerischen Team) hervor, „die in einem fachlich begrenzten Kommunikationsbereich Verwendung findet, um die Verständigung zwischen Menschen, die in diesem Bereich tätig sind, zu gewährleisten" (Zielke-Nadkarni, 1997, S. 45).

ENP® verfolgt bei der Entwicklung dieselben Ziele, die auch für andere Pflegefachsprachen geltend gemacht werden können: Verbesserung der intra- und interprofessionellen Kommunikation, Strukturierung von Pflegewissen, Unterstützung des diagnostischen Prozesses und der Pflegeprozessdokumentation, Leistungstransparenz in der Pflege, Qualitätsentwicklung, Outcome-Messung sowie eine Verbesserung der Überleitungspflege. Im vorliegenden Kapitel werden wir diese Ziele näher erläutern. Im Anschluss daran werden die wichtigsten Klassifikationssysteme vorgestellt.

Die standardisierte Pflegefachsprache

3.1 Was spricht für den Einsatz einer standardisierten Pflegefachsprache?

3.1.1 Verbesserte Kommunikation

In der Fachliteratur herrscht inzwischen weitestgehend Einigkeit über die Frage einer Formalisierung (Standardisierung) der Pflegefachsprache, die eine zielgerichtete Kommunikation unter den Mitgliedern aller Gesundheitsberufe unterstützt.

Da Pflegende häufig in einer für Außenstehende unverständlichen Fachsprache sprechen (z. B. Begriffe wie Extension, Thoraxschublehre, Feezing, snoezeln usw. verwenden) und Abkürzungen (wie ZVK, IPP, PEG usw.) benutzen, besteht die Gefahr, dass Pflegende außerhalb ihres Wirkungskreises nicht verstanden werden.

Auszubildende und Berufsanfänger können darüber berichten, welche Schwierigkeiten sie zu Beginn ihrer Arbeit in einer Organisationseinheit haben oder hatten. In jeder Einheit gibt es eine spezielle und genaue Art und Weise der Dokumentation. Ein Pflegeteam, das schon lange zusammenarbeitet, hat sein stationsinternes Abstraktionsniveau der Dokumentation festgelegt, d. h. es verwendet Fremdwörter und Abkürzungen einer „Pflegefachsprache". Hierin liegt eine Risikoquelle für Missverständnisse des neuen Mitarbeiters in einem Pflegeteam, weil sich die exakte Bedeutung eines Fachbegriffs oft nicht aus dem Kontext erschließen lässt oder auf anderen Stationen andere Begriffe benutzt werden. Der Vorteil der Fachsprache in der praktischen Anwendung liegt dagegen in ihrer Prägnanz, Kürze, allgemeinen Verbindlichkeit und unmissverständlichen Bedeutung.

> **Zusammenfassung:**
> **Verbesserung der intra- und interprofessionellen Kommunikation**
>
> Die Formalisierung (Standardisierung) der Pflegefachsprache dient dazu, eine zielgerichtete Kommunikation unter den professionell Pflegenden zu unterstützen. Dabei geht es sowohl um die Vermeidung von „Sprachinseln" in Fachabteilungen und Stationen, als auch um ein einheitliches Sprachauftreten gegenüber anderen Berufsgruppen.

3.1.2 Verbesserung des Pflegeprozessverständnisses

Gründe für die Umsetzungsschwierigkeiten des Pflegeprozesses gibt es reichlich. So ist es beispielsweise Tradition in der Pflege zuzupacken, zu helfen, durch körperliche Arbeit Aufgabenberge zu beseitigen und auch unter personell schlechten Bedingungen gute Versorgungsarbeit zu leisten. Dabei wird die Dokumentation oder Reflexion häufig als überflüssig oder sogar „pflege-verhindernd" angesehen (Bartholomeyczik, 1996, S. 9).

Die Notwendigkeit, über die Pflegehandlungen zu reflektieren und sie zu dokumentieren, führt zu großen Problemen, während die praktische Umsetzung häufig sicher und kompetent verläuft. Diese Tatsache wird darauf zurückgeführt, dass es an pflegetheoretischen Modellen fehlt, die im Alltag sichere Begründungen und Handlungsanleitungen für die Arbeit mit den Patienten bieten. Dabei fällt es den Pflegekräften offensichtlich leichter, über die ausgeführten Tätigkeiten im Nachhinein zu berichten, als diese zu planen.

Eine Erklärung dafür ist, dass zur Zeit der Einführung des Pflegeprozesses Pflegediagnosen in Deutschland noch nahezu unbekannt waren. Während in Nordamerika von 1973 bis 1986 Pflegediagnosen in alphabetische Listen eingetragen wurden, begann in Deutschland die Auseinandersetzung mit eigenen Professionalisierungsgedanken und Abgrenzungsmöglichkeiten von der Medizin (auch durch die Verwendung einer eigenen Fachsprache) erst langsam. So scheiterte der gesetzliche Versuch, dies voranzutreiben, nicht zuletzt am mangelnden theoretischen Gesamtkonzept und der Nichtbeachtung der Realität im Pflegealltag.

Um den Pflegeprozess sinnvoll umzusetzen, ist es unerlässlich zu wissen, welche Informationen relevant sind, wie die Probleme benannt werden können und sollen und ob die anzuwendende Pflegemaßnahme auch das Pflegeziel erreicht. Dazu muss das Denken in diesen kausalen

Abhängigkeiten ebenso gelehrt werden, wie Formulierungshilfen angeboten werden müssen. Zudem muss in diesem Sinne die Umsetzungsbereitschaft erhöht werden. Die umfassende Kenntnis von Pflegediagnosen und den damit verknüpften Pflegemaßnahmen und Zielen, also der Einsatz einer Pflegefachsprache, stellt demnach eine Möglichkeit dar, den Pflegenden die Umsetzung des Pflegprozesses zu erleichtern.

> **Zusammenfassung:**
> **Unterstützung des diagnostischen Prozesses**
> **und der Pflegeprozessdokumentation**
>
> Die Vorgabe der pflegerischen Dokumentation durch die Struktur des Pflegeprozesses wird bis heute in weiten Teilen nicht mit Inhalten gefüllt. Dies liegt sowohl am mangelnden Pflegeprozessverständnis als auch an den fehlenden pflegediagnostischen Inhalten. Eine einheitliche Pflegefachsprache/Klassifikation bietet die Möglichkeit, strukturiertes Pflegewissen im diagnostischen Prozess zur Anwendung und Dokumentation zu bringen.

3.1.3 Unterstützung der Überleitungspflege

Besondere Bedeutung erlangt die eindeutige und standardisierte Pflegefachsprache im Zusammenhang mit dem Entlassungsmanagement. Im Nationalen Expertenstandard *Entlassungsmanagement in der Pflege*, der rechtsverbindlichen Leitlinie, die vom DNQP (Deutsches Netzwerk für Qualitätsentwicklung in der Pflege) erstellt wurde, wird der Pflege eine besondere Verantwortung zur „Sicherstellung von Maßnahmen zugeschrieben, die für eine am individuellen Unterstützungsbedarf des Patienten ausgerichtete Überleitung erforderlich sind" (DNQP, 2002). Der Pflegeprozess mit seiner Handlungskette: Pflegeassessment (Einschätzung und Beurteilung der Bewohner/Patienten), Ermitteln des Unterstützungs- und Handlungsbedarfs, Festlegen der Ziele, Planen von Maßnahmen sowie Evaluation des Handlungserfolgs, gilt als zentrales Instrument des Entlassungsmanagements. In dem Expertenstandard wird auf die Nutzung einer einheitlichen Pflegefachsprache zur Informationsweitergabe an die nachsorgende Organisation zwar nicht eingegangen, dies scheint allerdings gerade angesichts der Umsetzungsschwierigkeiten eines systematisierten Entlassungsmanagements ein wesentlicher Aspekt zu sein.
Stellen Sie sich vor, die Pflegeperson könnte zukünftig den letzten aktuellen Pflegeplan per Zahlencode auf der Krankenkassenkarte oder per E-Mail bei der Verlegung vom Krankenhaus in die Rehabilitationsklinik, zum ambulanten Pflegedienst oder in die stationäre Heimversorgung an die nachsorgende Organisation weitergeben. Mit ENP® ist ein solcher Vorgang technisch bereits möglich, vorausgesetzt beide Einrichtungen verwenden die Pflegefachsprache ENP® zur Pflegeprozessdokumentation. Bezogen auf den Ressourcenverbrauch der Pflegekraft stellt dies eine nicht zu unterschätzende Erleichterung dar. Die Bedeutung und Qualität des persönlichen Kontakts zum Bewohner/Patienten soll diese Vereinfachung allerdings nicht beeinflussen!

> **Zusammenfassung: Verbesserung der Überleitungspflege**
>
> Im Nationalen Expertenstandard *Entlassungsmanagement in der Pflege* wird der Pflege eine besondere Verantwortung zur „Sicherstellung von Maßnahmen zugeschrieben, die für eine am individuellen Unterstützungsbedarf des Patienten ausgerichtete Überleitung erforderlich sind" (DNQP, 2002). Der Pflegeprozess mit der bekannten Handlungskette: Pflegeassessment, Ermitteln des Unterstützungs- und Handlungsbedarfes, Festlegen von Zielen, Planen von Maßnahmen sowie Evaluation des Handlungserfolgs wird von zahlreichen Autoren als zentrales Instrument des Entlassungsmanagements verstanden.

Die standardisierte Pflegefachsprache

3.1.4 Leistungstransparenz in der Pflege

Im Gesundheitswesen hat Pflege bisher kaum Möglichkeiten, auf gesundheits- und sozialpolitische Entscheidungen Einfluss zu nehmen. Gewissermaßen bleibt sie unsichtbar. Denn derzeit gibt es so gut wie keine Daten, die sich den Pflegeprozessdokumentationen entnehmen lassen, um beispielsweise den aktuellen Pflegebedarf zu berechnen oder die Wirkungsweise von Maßnahmen zur Erreichung bestimmter Ziele zu überprüfen. Als Folge kann Pflege ihre Leistungsfähigkeit und Effizienz nicht veranschaulichen. Die folgenden Fragen verdeutlichen beispielhaft den Diskussionsbedarf:

- Welche Interventionen werden z. B. in Altenpflegeeinrichtungen zur Vorbeugung von Mangelernährung mit welchem Erfolg angeboten?
- Welche pneumonieprophylaktischen Interventionen führen Pflegende in Kranken- und Altenpflegeeinrichtungen durch?
- Was macht die Station XY in einem Altenheim anders, dass bei gleichen Strukturen von Bewohner-/Patientenfällen und Behandlungsstrategien weniger Krankenhauseinweisungen erfolgen?

Die Liste der derzeit noch nicht beantwortbaren wichtigen Fragestellungen für Pflege, Management und Gesundheitspolitik ließe sich beliebig erweitern. Die meisten Instrumente, die zurzeit eingesetzt werden, um Transparenz bezüglich der Pflegeleistungen zu erreichen, haben entscheidende Nachteile, denn sie beziehen sich mehrheitlich auf die körperliche Funktionalität und vernachlässigen die psychosozialen Dimensionen. Hier ist die Pflege-Personal-Regelung (PPR) zu erwähnen, die sich, wie Isfort es ausdrückt, nicht „für die prozesshafte Darstellung oder gar für die Entwicklung von Behandlungspfaden [...] eignet" (Isfort, 2002, S. 579).

Die Abbildung der Pflegeleistung erfolgt häufig mit einem zusätzlichen Erfassungsaufwand durch die Interventionsdokumentation, wie z. B. bei LEP® (Leistungserfassung in der Pflege). Das „große politische Problem", heben Bartholomeyczik und Hunstein hervor, liegt darin, dass die Systeme, die sich vorwiegend auf die Interventionsdokumentation konzentrieren, den Handlungsbedarf nicht nachweisen können, also den Beleg nicht erbringen können, dass mit notwendigen Mitteln sinnvolle Ziele zu erreichen sind. Somit laufen sie Gefahr, „nicht ernst genommen zu werden" (Bartholomeyczik und Hunstein, 2000, S. 106).

> **Zusammenfassung: Leistungstransparenz in der Pflege**
>
> Pflege hat derzeit im Gesundheitswesen kaum Möglichkeiten, auf gesundheits- und sozialpolitische Entscheidungen Einfluss zu nehmen. Eine einheitliche Pflegefachsprache kann der aufgezeigten Forderung nach Leistungstransparenz und Bedarfsfeststellung gerecht werden. Darüber hinaus ist keine zusätzliche Erhebung oder Leistungserfassung erforderlich, wenn Pflegende die standardisierte Pflegefachsprache im Rahmen der Pflegeprozessdokumentation nutzen.

3.1.5 Strukturierung von Pflegewissen

Im Gesundheitswesen und vor allem in der Pflege haben wir es mit einer stetig steigenden Anzahl an Informationen zu tun, die Pflegehandlungen und deren Ergebnisse beeinflussen. Für Pflegende wird es damit zunehmend schwieriger herauszufinden, welches Wissen in der konkreten Pflegesituation benötigt wird. Die Bedeutung von Pflegefachsprachen für die Unterstützung der Pflegenden in der klinischen Entscheidungsfindung, der Schaffung notwendiger Transparenz dieser Entscheidungsfindung und die damit einhergehende Kommunikationsverbesserung sowohl innerhalb der Berufsgruppe als auch mit dem Patienten/Bewohner wird von vielen Autoren sehr hoch eingeschätzt.

An dieser Stelle soll ein konkretes Beispiel aus dem Schulungsalltag zur Veranschaulichung dienen. In Schulungen zur Einführung eines Pflegeplanungssystems, das mit der Fachsprache ENP® arbeitet, erhalten die Mitarbeiter den Arbeitsauftrag, einen Pflegeplan für einen Bewohner/Patienten der Einrichtung zu erstellen. Meistens haben die Mitarbeiter in der Vorbereitung der Schulung am Vortag ein Anamnesegespräch geführt und bringen diese Informationen mit ein.

Während der Schulung und der Erstellung des Pflegeplans für das Fallbeispiel wird den Mitarbeitern durch die Nutzung der Verknüpfungen und Unterstützungsfunktionen der standardisiert angebotenen Pflegediagnosen, Kennzeichen, Ursachen, Ressourcen und Interventionen häufig deutlich, dass sie bei der herkömmlichen Art und Weise einen Pflegeplan zu erstellen, wesentlich weniger handlungsleitend geplant und viele Phänomene nicht beschrieben bzw. teilweise gar nicht wahrgenommen hätten.

Dies zeigt, dass die Pflegenden durch strukturiertes Pflegewissen, welches innerhalb von ENP® angeboten wird, Unterstützung bei der Entscheidungsfindung bezüglich der Pflegeprozessdokumentation erhalten. Die Struktur des Systems ermöglicht die transparente Entscheidungsfindung, denn es kann jederzeit pflegefachlich fundiert nachvollzogen werden, wie die Auswahl von Diagnose, Zielen und Maßnahmen zusammenpasst. Wenn sich die Pflegenden sicher sind, die richtige Auswahl getroffen zu haben und verstehen, wie diese zustande gekommen ist, können sie diese Entscheidung sowohl gegenüber Kollegen, als auch gegenüber Patienten/Bewohnern besser begründen.

Zwei empirische Studien von Brune und Budde (2000) beschreiben die durch die Einführung der Pflegediagnostik weiterentwickelten persönlichen und fachlichen Kompetenzen der Pflegenden. Die identifizierten Veränderungen lassen sich wie folgt präzisieren:
- Es findet ein zunehmendes Denken in Kategorien statt.
- Eine veränderte Einstellung und mehr Verständnis gegenüber dem Bewohner/Patienten mit einer Zunahme der Bewohner-/Patientenorientierung sind festzustellen.
- Es finden ein Ablassen von Routinearbeit und die Fokussierung der speziellen Bedürfnisse des Bewohners/Patienten statt.
- Zunehmende fachliche Auseinandersetzungen mit Pflegethemen in den Teams werden wahrgenommen.

Das Erreichen dieser Kompetenzen im gesamten Pflegepersonalbereich kann mithilfe des flächendeckenden Einsatzes von strukturierten Pflegefachsprachen/Klassifikationssystemen im Berufsfeld ‚Pflege' gefördert werden.

> **Zusammenfassung: Strukturierung von Pflegewissen**
>
> Im Gesundheitswesen, insbesondere in der Pflege, haben wir es mit einer zunehmenden Menge an Informationen zu tun, die Pflegehandlungen und deren Ergebnisse beeinflussen. Diese Entwicklung erfordert ein Unterstützungsmanagement in Form einer strukturierenden Pflegefachsprache, die das Auffinden der nötigen Informationen für die Pflegepraxis erleichtert.

3.1.6 Qualitätsentwicklung – Outcome-Messung

In einem Forschungsprojekt des Pflegewissenschaftlichen Instituts in Bielefeld wurden im Rahmen eines bundesweiten Modellprojekts die Vollständigkeit und die Kontinuität der Pflegedokumentation als wichtige Voraussetzungen sowohl für die Kommunikation mit dem Bewohner/Patienten als auch innerhalb der beteiligten Berufsgruppen sowie für die Qualitätsentwicklung untersucht. Das Ergebnis dieser Untersuchung zeigt die geringe Vergleichbarkeit der dokumentierten Patientendaten bereits innerhalb eines Krankenhauses auf.

Durch die Dokumentation des Pflegeprozesses hingen werden die Zusammenhänge zwischen den Entscheidungsgründen der Pflegekräfte und ihrem Handeln transparent. Durch die transparente Auftragserfüllung der Pflege kann diese sowohl qualitativ als auch quantitativ gemessen werden. Langfristig gesehen wird die Verwendung von Pflegediagnosen darüber hinaus von der reinen Auftragserfüllung in der Pflege weg und zu erweiterten Entscheidungs- und Verantwortungsspielräumen hinführen. Denn durch die Erweiterung des eigenen Fachwissens (→ 3.1.5) und den Vorgang des Diagnostizierens mit der Auswahl der entsprechenden pflegetherapeutischen Maßnahmen erweitert die Pflege einerseits ihre Fachkompetenz und hat andererseits die Möglichkeit zu evaluieren, welche Maßnahmen zu welchen Ergebnissen führen.

Die Nutzung der Daten des abgebildeten Pflegeprozesses mit standardisierten Formulierungen wird darüber hinaus in Zukunft für *Outcome-Messungen* (Ergebnismessungen von Leistungen im Gesundheitswesen) von Bedeutung sein. Durch statistische Auswertungen können z. B. sehr einfach Abweichungen vom pflegerischen Behandlungspfad ermittelt werden. Werden bestimmte Outcome-Indikatoren, z. B. aufgetretene Komplikationen wie Fieber, Dekubitus, Pneumonie, mit anderen Behandlungspfaden gleicher Fallgruppen (Bewohner/Patienten mit denselben Erkrankungen) verglichen, so können Hypothesen über Verbesserungspotenziale entwickelt werden.

Auch die Differenzen zwischen geplanten und durchgeführten Pflegeinterventionen sind interessante Ansatzpunkte zur Optimierung der Prozesssteuerung. Es lässt sich erahnen, welche Steuerungsinstrumente für Pflege und Management durch solche Datenauswertungen bezüglich des kontinuierlichen Verbesserungsprozesses zugänglich werden. So können beispielsweise Altenpflegeeinrichtungen über Datenauswertungen Vergleiche verschiedener pflegerischer Versorgungspfade durchführen und diese dadurch kontinuierlich optimieren, z. B. hinsichtlich ihres Personalbedarfs oder der Wirksamkeit von ausgewählten Interventionen. Der große Vorteil dieser Auswertungsverfahren liegt darin, dass keine zusätzlichen Datenerhebungen erforderlich sind.

Es wird allerdings deutlich, dass Datenauswertungen des dokumentierten Pflegeprozesses mit standardisierten Formulierungen nicht alle Fragen beantworten können. Gerade Fragen im Zusammenhang mit der Patienten-/Bewohnerzufriedenheit müssen sicherlich auch weiterhin mit anderen Methoden ermittelt werden. Dennoch eröffnen die hier aufgezeigten Möglichkeiten ganz neue Perspektiven in der Outcome-Diskussion – ein entscheidendes Argument für die Verwendung einer standardisierten Pflegefachsprache bei immer knapper werdenden Ressourcen im Gesundheitswesen.

> **Zusammenfassung: Qualitätsentwicklung – Outcome-Messung**
>
> **Vollständigkeit und Kontinuität der Pflegedokumentation sind wichtige Voraussetzungen für die Kommunikation zwischen den Patienten und den beteiligten Berufsgruppen. Zudem ist Qualitätsentwicklung nur möglich, wenn die dokumentierten Bewohner-/Patientendaten verglichen werden können. Durch die Dokumentation des Pflegeprozesses werden die Zusammenhänge zwischen den Entscheidungsgründen der Pflegepersonen und ihrem Handeln deutlich. Dadurch, dass die Auftragserfüllung der Pflege transparent wird, kann diese sowohl qualitativ als auch quantitativ gemessen werden.**

3.1.7 Kritische Diskussion

Trotz der zahlreichen Vorteile einer standardisierten Pflegefachsprache werden auch ihre Gefahrenpunkte seit vielen Jahren in zahlreichen Publikationen diskutiert. Bei den meisten Autoren, die sich kritisch mit der Standardisierung von Pflegesprache beschäftigen, bleibt die Aussage im Raum stehen, dass eine Standardisierung zwar unbedingt notwendig ist, dass sie aber auch zentrale Gefahren birgt. Lösungen, um die kritischen Aspekte in den Griff zu bekommen, wurden bislang nur ansatzweise entwickelt. Die entscheidende Frage, wie den Gefahrenpunkten beim Einsatz eines standardisierten Sprachsystems beizukommen ist, sollte beantwortet werden, denn die Einführung eines standardisierten Begriffssystems steht zweifelsfrei bevor.

An dieser Stelle werden einige zentrale Kritikpunkte an der Standardisierung aufgeführt.

Unsichtbarkeit von fehlenden Elementen

Die situative Fallarbeit, gesteuert durch persönliches Erfahrungswissen und empathische Beziehung, kommt bei der ausschließlichen Nutzung von Pflegefachsprachen/Klassifikationssystemen zu kurz. Der Gefahr, dass wichtige Dimensionen der Pflege unbeachtet bleiben, wenn die Pflegeprozessdokumentation ausschließlich auf standardisierte Textbausteine/Klassifikationen zurückgreift, muss durch spezielle Verfahren der Dokumentation in Zukunft Rechnung getragen werden. Sonst besteht das Risiko, dass aufgrund des Kostendrucks Pflege auf Tätigkeiten reduziert wird, die messbar und leicht zu beschreiben sind.

Normierung – Standardisierung

Die Frage, welche Formen und Inhalte des Pflegewissens mit welcher Rechtfertigung in Klassifikationssystemen von der Berufsgruppe als geltend anerkannt werden, bleibt derzeit noch weitestgehend unbeantwortet. Aus ethisch-moralischer Perspektive ist es sicher nur vertretbar, standardisierte Begriffssysteme einzusetzen, wenn diese reflektiert und unter der Perspektive des hermeneutischen Fallverstehens in einen pflegetheoretischen Bezug gesetzt werden. Trotzdem bleibt die Frage bestehen, inwieweit durch eine standardisierte Pflegefachsprache Individualität abgebildet werden kann.

Defizitorientierung

Der Vorwurf, pflegediagnostische Systeme würden eine defizitorientierte Sichtweise auf den Bewohner/Patienten fördern, ist berechtigt und bildet eine Gefahr, welche auch in einem Pflegealltag ohne Pflegefachsprache vorhanden ist. Die Frage lautet, inwieweit die Wahrnehmung durch Sprachsysteme gesteuert werden kann und welchen Einfluss in diesem Zusammenhang pflegediagnostische Systeme haben, die keine ausreichende Ressourcenbeschreibung beinhalten. Die Forderung nach einer objektiven Bewohner-/Patientenbeurteilung und -information kann dabei helfen, im Interaktionsprozess mit dem Bewohner/Patienten durch das Aufzeigen von Lösungsmöglichkeiten eine Defizitorientierung zu vermeiden.

Anderegg-Tschudin, 1999; Bartholomeyczik, 2000; Bartholomeyczik, 2003; Bekel, 2002; Böhle, Brater und Maurus, 1997; Brobst et al., 1997; Brune und Budde, 2000; Carpenito, 1993; DNQP, 2002; Etzel, 2000; Friesacher, 2001; Hinz, Dörre et al., 2003; Isfort und Weidner, 2001; Johnson, Bulechek et al., 2001; Just, 2000; Käppeli, 2000; Kean, 1999; Kesselring, 1999; Klapper, Lecher et al. 2001; Kollak, Georg et al., 2001; van Maanen, 2002; McCloskey und Bulechek, 2000; Mittelstraß, 1995; Oevermann, 1996; Schiemann, Moers et al., 2002; Schilder, 2003; Schöning, Luithlen et al., 1993; Schrems, 2003; Wieteck, 2003; Wolke, 2003.

3.2 Klassifikationssysteme

Als Klassifikation bezeichnet man einen Vorgang oder eine Methode zur Einteilung von Objekten in Klassen. Miteinander in Verbindung stehende Begriffe sind überall dort zu finden, wo eine Fachdisziplin, wie in diesem Fall die Pflege, ihren Gegenstandsbereich beschreibt. Die klassifizierten Objekte können beliebige Gegenstände und Sachverhalte sein, die sich in irgendeiner Art und Weise von Werten unterscheiden lassen. Diese Werte werden gemeinhin als Eigenschaften oder Merkmale der Objekte bezeichnet.

Eine Klassifikation ist aber nicht ausschließlich ein wissenschaftlicher Vorgang, denn auch im Alltag klassifizieren wir in Verbindung stehende Objekte, um unsere Umwelt besser interpretieren und auf sie angemessen und schnell reagieren zu können. Das heißt, die Klassenbildung ist einerseits eine grundlegende wissenschaftliche Methode, andererseits aber auch in vielen Lebensbereichen Grundlage des menschlichen Zusammenlebens. Denn jede Wahrnehmung, z. B. Wörter, die wir hören oder lesen, oder Gesten, ordnen wir unbewusst in bestimmte Klassen, die uns das Verstehen und Beurteilen erleichtern. Dieses Verfahren kann gewissermaßen als Klassifikationsprozess bezeichnet werden.

Das jeweilige Klassifikationssystem erschließt sich aus dem zugrunde liegenden Ordnungsprinzip. Unter dem Begriff Klassifikationssystem wird daher eine *Struktur* oder ein *Ordnungssystem* verstanden. Klassifikationen im wissenschaftlichen Sinne zeichnen sich durch eine Reihe von festgelegten Regeln aus, die nachfolgend kurz erläutert werden:

Die hierarchische Ordnung der in Verbindung stehenden Begriffe besteht aus disjunkten (trennscharfen) Klassen mit großer Reichweite und hohem Abstraktionsgrad (Oberbegriff) sowie Subklassen mit eingeschränkter Reichweite und niedrigem Abstraktionsgrad (Unterbegriff).

Ein ursprünglicher Zusammenhang zwischen Klassen besteht dann, wenn die untergeordneten Klassen alle Charakteristika der übergeordneten und zusätzlich untereinander mindestens ein Unterscheidungsmerkmal enthalten. Man sagt in diesem Fall, die Klassen „erben" voneinander ihre Merkmale. Es bedeutet also, die höhere Klasse vererbt ihr Merkmal an die darunter liegende, jedes Objekt dieser Klasse enthält dieses Merkmal und mindestens ein zusätzliches. Die Abbildung 2 illustriert das Ordnungsprinzip einer hierarchischen Klassifikation anhand des Beispiels der Fächeraufteilung innerhalb der Medizin.

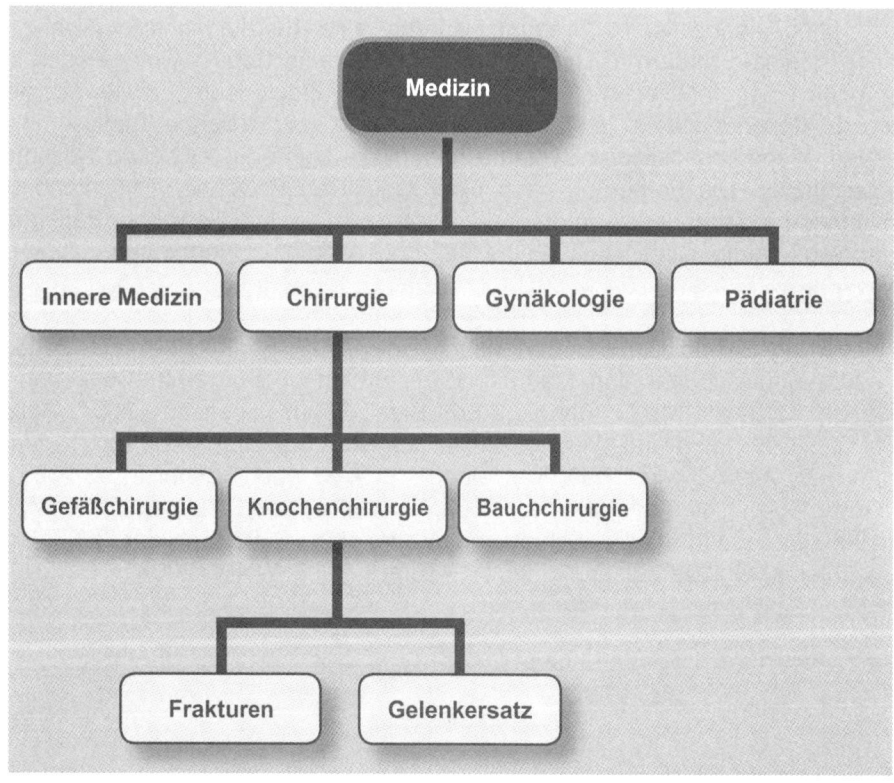

Abb. 2: Wurzeldarstellung einer hierarchischen Begriffsstruktur (nach Gaus, 2005, S. 76).

Die standardisierte Pflegefachsprache

Der Umfang jedes Klassifikationssystems hängt von der Menge der Objekte und der Merkmale ab.

Im folgenden Kapitel werden die wichtigsten derzeit in der Pflege diskutierten Klassifikationssysteme beschrieben. Den Inhalt dieser Klassifikationssysteme kann man als Pflegefachsprache bezeichnen, die Struktur dieser Fachsprachen ist bestimmt durch die Art, wie sie klassifiziert, also aufgeteilt und strukturiert sind. Einige Klassifikationssysteme bezeichnen sich selbst nicht als Pflegefachsprachen, ihr Einsatz soll jedoch der Bildung einer solchen dienen, wie es das Beispiel der ICNP® zeigt.

> **!** Auch im Alltag klassifizieren wir miteinander in Verbindung stehende Objekte, damit wir unsere Umwelt besser interpretieren und auf sie angemessen und schnell reagieren können.

Eine wichtige Anmerkung zu Beginn: Wenn im vorliegenden Kapitel von Standardisierung, Einführung von Pflegediagnosen oder Klassifikationssystemen gesprochen wird, dann ist damit immer gemeint, diese mittels EDV in der Pflegepraxis einzuführen. Die Pflegeprozessdokumentation in handschriftlicher Form mithilfe eines Klassifikationssystems zu realisieren, ist im täglichen Pflegebetrieb kaum möglich. Die Vorteile der Standardisierung kommen vor allem zum Tragen, wenn die standardisierte Pflegefachsprache/das Klassifikationssystem in einer Software-Anwendung verwendet wird und Pflegende die Pflegedokumentation direkt und zeitnah durchführen können. Pflegefachsprachen/Klassifikationssysteme können dann mit deutlichem Ressourcengewinn genutzt werden.

Zu Lernzwecken und zur Entwicklung eigener Formulierungskompetenzen ist auch die Auseinandersetzung mit der sprachlichen Realisierung von Klassifikationssystemen oder einer standardisierten Pflegefachsprache sinnvoll. Aus diesem Grund werden im vorliegenden Buch die Pflegediagnosen des Klassifikationssystems ENP®, welche für die Altenpflege relevant sind, abgebildet. Pflegende können diese Formulierungen nutzen, um handschriftliche Pflegepläne zu erstellen.

> ### Zusammenfassung
>
> Als Klassifikation bezeichnet man einen Vorgang oder eine Methode zur Einteilung von Objekten in Klassen. Die klassifizierten Objekte können beliebige Gegenstände und Sachverhalte sein, die sich in irgendeiner Art und Weise in ihren Eigenschaften voneinander unterscheiden. Das jeweilige Klassifikationssystem erschließt sich aus dem zugrunde liegenden Ordnungsprinzip. Unter dem Begriff Klassifikationssystem wird daher eine Struktur oder ein Ordnungssystem verstanden. Ein hierarchisches Klassifikationssystem besteht dann, wenn disjunkte (trennscharfe) Klassen mit breiter Reichweite und hohem Abstraktionsgrad (Oberbegriff) mindestens ein Merkmal an eine untergeordnete Subklasse vererben und diese ein zusätzliches Merkmal aufweist.

3.2.1 ICNP® (International Classification for Nursing Practice)

Die ICNP® wird im Rahmen eines Projekts seit 1989 vom Weltbund der Krankenpflege entwickelt. Sie zählt zu den kombinatorischen Klassifikationssystemen und besteht aus mehreren hierarchisch geordneten Listen von Begriffen. Die ICNP® klassifiziert in der deutschsprachig übersetzten Beta-Version Pflegephänomene und Pflegeinterventionen.

Durch die derzeit angebotenen Begriffslisten der ICNP® (Begriffe, die hierarchisch den Achsen A–H zugeordnet sind) entsteht die Pflegediagnose durch *Kombinieren* der Begriffe auf diesen Achsen. Daher kommt der Begriff *kombinatorische Klassifikation*. Zur genauen Beschreibung eines Bewohner-/Patientenzustands wählt die Pflegeperson einen Fokus, zum Beispiel *Selbstfürsorge*. Um diesen Fokus genauer zu beschreiben, arbeitet sie die Begriffslisten hinter den in einer Abbildung dargestellten Achsen ab und kombiniert die Begriffe so miteinander, dass diese den Bewohner-/Patientenzustand möglichst genau beschreiben.

Die ICNP® wurde unter sprachtheoretischen Gesichtspunkten entwickelt. Begriffe und Bezeichnungen von bereits bestehenden Klassifikationssystemen wurden analysiert und nach sprachlichen „– also nicht nach pflegeinhaltlichen – Regeln zugeordnet, definiert und hierarchisiert" (Bartholomeyczik, 2003, S. 81). Diese Vorgehensweise macht deutlich, dass die Begriffe der ICNP® die Basis für die Bezeichnungen und Definitionen der verwendeten Pflegediagnosen liefern.

Vor diesem Hintergrund sind die skeptischen Äußerungen von Pflegenden bezüglich der Anwendungsmöglichkeiten der ICNP® in der Pflegepraxis nachvollziehbar. So schreiben z. B. Isfort und Weidner (2001) im ersten Zwischenbericht *Pflegequalität und Pflegeleistung* zur ICNP®, dass es vorstellbar sei, „ICNP®-Codierungen zukünftig pflegerischen Dokumentationen zu hinterlegen" (Isfort und Weidner, 2001, S. 145). Ein täglicher Gebrauch als Pflegeplanungsinstrument wird an dieser Stelle aufgrund des zu hohen Komplexitätsgrads der Systematik für schwierig befunden. Auch die Aussage von Nielsen, dass „die ICNP® als Ausdruck eines anfänglichen Begriffsmodells der Fachsprache der pflegerischen Praxis" vornehmlich einen „hintergründigen Back End Einsatz" (Nielsen, 2001, S. 43) erlaube, zeigt nach Bartholomeyczik „bei allen potentiellen positiven Aussichten mit einer eingeführten ICNP [...], dass die größten Probleme vor und während der Einführung liegen" (Bartholomeyczik, 2003, S. 85).

Somit sind die Formulierungen der ICNP® für die Pflegenden zur Abbildung des Pflegeprozesses sicherlich nicht geeignet. Dies ist auch nicht die Absicht der ICNP®-Entwicklung, denn die Begriffe sind auf einer sehr abstrakten Ebene für Forschungszwecke konzipiert worden.

> **Zusammenfassung**
>
> **Die ICNP® ist ein kombinatorisches Klassifikationssystem, das vom Weltbund der Krankenschwestern und Krankenpfleger (ICN) seit 1989 entwickelt wird. Aufgrund seines hohen Abstraktionsgrades eignet es sich nur eingeschränkt für die tägliche praktische Arbeit.**

 Bartholomeyczik, 2003; Hinz, Dörre et al., 2003.

3.2.2 NANDA-I-Klassifikation

Die nordamerikanische Pflegediagnosenvereinigung NANDA International hat 1973 ihre erste Konferenz zum Thema Pflegediagnosen abgehalten. Seit dieser Zeit finden regelmäßig NANDA-I-Konferenzen statt, auf denen im Konsensverfahren neue Pflegediagnosen verabschiedet werden und die Weiterentwicklung der Klassifikation diskutiert wird (Doenges, Moorhouse et al., 2002). Die NANDA-I-Pflegediagnosen bestehen aus Pflegediagnosentiteln (P), also Definitionen von Pflegeproblemen, Einfluss-Faktoren (E) oder Ursachen und aus problemdefinierenden Symptomen (S) oder Kennzeichen. Diese bilden die so genannte PES-Struktur.

Die NANDA-I-Klassifikation wurde induktiv durch Beobachtungen und Erfahrungen von Pflegekräften entwickelt. Bei der ersten Fassung handelte es sich um eine nebengeordnete Klassifikation, die alphabetisch sortiert war. Das bedeutet, dass die Objekte zunächst nicht in einer hierarchischen Beziehung, sondern gleichwertig nebeneinander standen. In der jetzigen Fassung der Taxonomie II gibt es drei Ebenen: Domäne (entsprechend Marjory Gordons *Funktionellen Verhaltensmustern*), Klasse und Pflegediagnose. Zu den drei Ebenen, die hierarchisch strukturiert sind, wurden sieben Achsen entwickelt:

- 1. Achse: Analytische Einheit (The diagnostic concept)
- 2. Achse: Zeit (Time)
- 3. Achse: Zielperson der Diagnose (Subject of the diagnosis)
- 4. Achse: Alter (Age)
- 5. Achse: Gesundheitsstatus (Health status)
- 6. Achse: Schlüsselwörter (Descriptor)
- 7. Achse: Topologie (Topology)

Dieser multiaxiale Aufbau der Taxonomie II wurde gewählt, um in Zukunft eine größere Flexibilität bei der Erweiterung und Modifikation zu gewährleisten. Die Achsen können sich sowohl im Titel der Diagnosen finden, als auch implizit enthalten sein (vgl. NANDA-I, 2005, S. 229 ff.), sie sind allerdings für den Nutzer nicht immer problemlos erkennbar und zuzuordnen.

Kennzeichen und beeinflussende Faktoren sind nicht codiert, dadurch können diese nur mit hohem Aufwand ausgewertet werden. Die NANDA-I-Klassifikationsliste weist noch Lücken auf und muss durch eigene, für die Pflegeprozessdokumentation wichtige Formulierungen ergänzt werden.
Die derzeitig veröffentlichte Anzahl der NANDA-I-Pflegediagnosen (2005) beläuft sich auf 172. Bei der Nutzung der NANDA-I-Pflegediagnosen ist der Titel der Diagnose bzw. des Problems durch eigene Formulierungen zu ergänzen und zu spezifizieren.
Die NANDA-I-Pflegediagnosen sind noch nicht durchgängig wissenschaftlich auf Gültigkeit (Validität/Reliabilität) überprüft. Die meisten Studien, die zur Überprüfung der Gültigkeit durchgeführt wurden, haben sich hauptsächlich auf inhaltliche Gültigkeit durch Expertenbefragungen konzentriert. Ungefähr 45 % der NANDA-I-Pflegediagnosen wurden mit mindestens einer Validierungsstudie überprüft.

> **Zusammenfassung**
>
> Die in den USA entwickelte NANDA-I-Klassifikation dient der Entwicklung und Verbreitung von Pflegediagnosen. Sie ist induktiv entwickelt worden und verfügt über einen multiaxialen Aufbau.

 Abderhalden, 2002; Berger, 2005; Dougherty, Jankin et al., 1993; NANDA-I, 2005.

3.2.3 NIC (Nursing Interventions Classification)

Die Nursing Interventions Classification (NIC) wurde in über fünfjähriger Forschungsarbeit in den USA von Pflegenden und Statistikfachleuten entwickelt. Die beschriebenen Pflegeinterventionen sind standardisiert und nach einer validierten Taxonomie klassifiziert. Insgesamt sind darin in der 2004 erschienenen vierten Auflage 514 Pflegeinterventionsbegriffe formuliert, von denen 29 neu aufgenommen und 98 korrigiert wurden. Jeder Pflegeintervention sind ca. 15–20 Pflegeaktivitätsbeschreibungen zugewiesen, die sieben Domänen und 30 Klassen zugeordnet sind.

Die Pflegemaßnahmen setzen sich in der NIC-Taxonomie aus dem Titel (z. B.: „telefonische Konsultation"), der Definition („Austausch von Informationen und telefonische Übermittlung eines Rates an den Patienten oder seine Angehörigen") und einer Beschreibung von pflegerischen Aktivitäten („Legen Sie das Ziel der telefonischen Konsultation fest; sammeln Sie Informationen zum Ziel der telefonischen Konsultation") zusammen. Bei der Beschreibung der Pflegeinterventionen werden genaue Handlungsanweisungen gegeben, in welcher Art und Weise bestimmte Interventionen durchgeführt werden sollen. Im Pflegedokument müssen diese Handlungsanweisungen in Kurzform dokumentiert und durch zusätzliche Angaben ergänzt werden.

Unter einer Pflegeintervention versteht man jede Behandlung/Tätigkeit, die eine Pflegeperson auf der Grundlage ihres fachkundigen Urteils und ihres klinischen Wissens für einen Bewohner/Patienten ausführt. 1992 wurden zur NIC, neben der Beschreibung des Projektentwicklungsverlaufs der Pflegeinterventionsklassifikation, die ersten 336 Interventionen veröffentlicht. Seitdem ist die Anzahl der Interventionen kontinuierlich gestiegen.

Die NIC unterscheidet zwischen *direkten* Interventionen (*direct care interventions*), die in unmittelbarer Interaktion durchgeführt werden, und *indirekten* Interventionen (*indirect care interventions*), die der Organisation und dem Management, der unmittelbaren Umgebung des Bewohners/Patienten sowie der interdisziplinären Zusammenarbeit dienen.

Ermittelt wurden die direkten und indirekten Interventionen durch eine Analyse von Pflegehandlungen, die in 45 Quellen wie Lehrbüchern für Pflege, Bewohner-/Patientendokumentationen usw. gefunden und in einer Datenbank gesammelt wurden. Die so erfassten Handlungen wurden inhaltlich geprüft, sortiert und hierarchisch strukturiert. Im wissenschaftlichen Kontext spricht man hier von Inhalts- und Clusteranalysen. Die Pflegeinterventionen wurden mit diesem Verfahren in den ersten Fassungen der NIC in sechs Bereiche und 27 Klassen eingeteilt.

Wenn NIC-Formulierungen zur Pflegeprozessdokumentation im Rahmen eines EDV-Programms genutzt werden sollen, müssen sie umformuliert werden. So sind sehr vage Formulierungen wie „Falls angemessen, eine Sedierung gewährleisten" in konkrete Handlungsformulierungen zu überführen. Die Frage, ob die Detailhandlung „Familienangehörige über das Absaugen informieren" speziell als Informationsgespräch codiert werden müsste oder ob diese Details nicht sichtbar werden, da derzeit nur eine Codierung auf der Titelebene vorgesehen ist, bleibt offen.

> **Zusammenfassung**
>
> Die NIC wurde in über fünfjähriger Forschungsarbeit in den USA von Pflegenden und Statistikfachleuten entwickelt. Die beschriebenen Pflegeinterventionen sind standardisiert und nach einer validierten Taxonomie klassifiziert. Insgesamt sind darin 514 Pflegeinterventionsbegriffe in einer Taxonomie mit sieben Domänen und 30 Klassen formuliert.

Van der Bruggen, 2002; König, 2000;
Nursing Interventions Classification [NIC], 2008.
Internet: http://www.nursing.uiowa.edu/excellence/nursing_knowledge/clinical_effectiveness/documents/LabelDefinitionsNIC5.pdf (Stand: 29.02.2008).

3.2.4 NOC (Nursing Outcomes Classification)

Die Vorstellung, dass die Erhebung von Pflegeergebnissen wichtig für die Weiterentwicklung fachgemäßer pflegerischer Verhaltensweisen ist, geht bereits auf Florence Nightingale zurück, die im Krimkrieg (1853–1856) Pflegeverhältnisse und Pflegeergebnisse dokumentierte und analysierte. Diese Bestrebungen, kausale Zusammenhänge in der Verfolgung von pflegerischen Zielsetzungen festzustellen, setzen sich in der NOC fort.

Ein Forscherteam des College of Nursing, University of Iowa, begann 1991 mit der Definition, Standardisierung und Klassifizierung von Pflegeergebnissen. Die Klassifikation kam durch ein Mischverfahren aus Induktion (Datensammlung in der Praxis) und Deduktion (abgeleitet aus der Literatur) zustande. Im Jahr 1997 wurde die NOC erstmals veröffentlicht.

Die NOC ist eine Klassifikation von Pflegeergebnissen, die das pflegebezogene Patientenergebnis wie folgt definiert:

> „Ein(e) bewertbare(r/s) Zustand, Verhalten oder Wahrnehmung eines Patienten oder einer Familie konzeptualisiert als Variable, die zurückzuführen ist auf und im Wesentlichen beeinflusst ist von Pflegeinterventionen. Ein pflegebezogenes Patientenergebnis steht auf einer konzeptuellen Ebene. Um bewertet zu werden, erfordert ein Ergebnis die Identifikation einer Reihe spezifischer Indikatoren. Pflegebezogene Patientenergebnisse definieren den generellen Patientenzustand, -verhalten oder -wahrnehmung, der/die aus Pflegeinterventionen resultieren." (Johnson, Maas und Moorhead, 2005, S. 62)

Pflegeergebnisse sind demnach Zustände und/oder Verhaltensweisen von Patienten, die auf Pflegeinterventionen zurückzuführen sind. Die Veränderungen bezüglich Zustand und/oder Verhalten können positiver und negativer Art sein, ebenso ist es möglich, dass sich trotz Interventionen keine Veränderungen ergeben.

Alle in der NOC aufgenommenen Pflegeergebnisse haben einen Titel, eine Definition, eine Liste von Indikatoren zur Zustandsbeschreibung und eine Skala (5-stufige Likertskala, 1 als schlechtester und 5 als bester Wert), auf der die Indikatoren eingeordnet werden. Indikatoren sind messbare oder beobachtbare Veränderungen, die den Zustand des Patienten/Bewohners beschreiben.

Der Abstraktionsgrad der Pflegeergebnisse befindet sich auf einem mittleren Niveau. Manche der Begriffe sind sehr weit gefasst, wie beispielsweise: Selbstpflege – Aktivitäten des täglichen Lebens; definiert als: „Die Fähigkeit, die elementarsten Handlungen der Selbstversorgung auszuführen" (van der Bruggen, 2002, S. 76). Zur Einschätzung dieses Ergebnisses stehen zehn Indikatoren zur Verfügung, z. B. *essen, sich ankleiden, zur Toilette gehen* und *sich waschen*. Jedes dieser Ergebnisse kann auch einzeln benannt und beurteilt werden.

In der ersten Version der NOC waren diese Ergebnisse ebenso wie in der ersten NANDA-Version alphabetisch geordnet. Bei der Weiterentwicklung zu einer hierarchischen Struktur, deren letzter Stand 2004 in der dritten Auflage veröffentlicht wurde, entstanden korrespondierend zur NANDA drei Ebenen: Domäne, Klasse, Pflegeoutcomes. Die sieben Domänen sind in 31 Klassen unterteilt, die mit einer schwer nachvollziehbaren alphabetischen Notation mit Klein- und Großbuchstaben bezeichnet sind. In diesen Klassen sind 330 Pflegeoutcomes mit Definitionen, Indikatoren und Messskalen gelistet.

Zusammenfassung

Die Erhebung von Pflegeergebnissen ist wichtig für die Weiterentwicklung fachgemäßer pflegerischer Verhaltensweisen. Die 1997 erstmalig veröffentlichte NOC setzt sich zum Ziel, ursächliche Zusammenhänge in der Verfolgung von pflegerischen Maßnahmen zu analysieren. Die Klassifikation begann mit der Definition, Standardisierung und Klassifizierung von Pflegeergebnissen, die durch ein Mischverfahren aus Induktion und Deduktion entwickelt worden ist.

Van der Bruggen, 2002; Johnson, Maas und Moorhead, 2005.

3.3 ENP®

3.3.1 Entwicklung der ENP®

Seit Ende 1989 werden die so genannten modifizierten „praxisnahen Theorien" in einer erweiterten Form (vgl. Dickoff, James et al., 1968; Evers, 1997; Walker und Avant, 1998; Meleis, 1999) in der Pflegepraxis von den ENP®-Entwicklern systematisch beobachtet, formuliert und mithilfe von Fachliteratur gestützt.

Hierzu wurden zunächst in der Zeit von Ende 1989 bis 1998 insgesamt 2138 Praxisanleitungen mit Auszubildenden durchgeführt, die von Pflegeexperten sowie Lehrkräften begleitet wurden. Im Rahmen dieser Praxisanleitungen wurde jeweils ein Pflegeempfänger versorgt und eine Pflegeplanung erstellt. Diese Pflegeplanungen stellten die Grundlage für die späteren Veröffentlichungen dar. Unter dem Titel *Handbuch zur Pflegeplanung* (Wieteck und Velleuer, 1994) erschienen die so entwickelten Formulierungen 1994 erstmals im RECOM Verlag. Diese erste Veröffentlichung enthält 335 modifizierte „praxisnahe Theorien". Ein Buch mit dem Titel *Pflegeprobleme formulieren – Pflegemaßnahmen planen* folgte und befindet sich derzeit in der 7. Auflage (Wieteck und Velleuer, 2001).

Die in der Zeit bis 1998 entwickelten modifizierten „praxisnahen Theorien" kamen durch die empirischen Beobachtungen und einen anschließenden Prozess des Cluster- und Themenbildens sowie durch ständige Vergleiche bei sich wiederholenden Phänomenen zustande. Sie wurden demnach induktiv durch empirische Beobachtungen an Patienten/Bewohnern in der Pflegepraxis entwickelt.

Dabei entsprach die Arbeit der ständigen Weiterentwicklung folgendem Muster:
Im Anschluss an die Praxisanleitung wurden die Formulierungen von kundenspezifischen Informationen neutralisiert und mit Literaturarbeit untermauert. Die Literaturarbeit beschränkte sich zunächst auf die gängige Ausbildungsliteratur und wurde im weiteren Verlauf der Entwicklung systematisch auf Fachliteratur ausgeweitet.

Im nächsten Schritt wurden die so entstandenen Formulierungen mit Pflegenden vor Ort auf Konsens hin überprüft. Im Mittelpunkt der Diskussionen stand die Fragestellung, ob die Formulierungen von Pflegenden in Theorie und Praxis in gleicher Weise genutzt und interpretiert werden und ob die festgelegten Definitionen und Anforderungen an die Formulierungen auch den Zielsetzungen der Pflegenden entsprachen. Darüber hinaus wurde nachgeprüft, ob in der Pflegepraxis zur Behebung eines Pflegeproblems tatsächlich dieselben Pflegeinterventionen gewählt werden, die in der Fachliteratur genannt sind.

1996 wurden die auf diese Weise kontinuierlich erweiterten Inhalte in Form einer Software-Anwendung im RECOM Verlag veröffentlicht und in den praktischen Einsatz geführt. Die ersten praktischen Erfahrungen mit den Inhalten, die als „Formulierungshilfen" dienten, wurden in einer Software-Lösung im Kreiskrankenhaus Rinteln im Landkreis Schaumburg gesammelt. Mit der Software-Anwendung dieser Inhalte in der Praxis konnte das Projekt entscheidend erweitert werden.

Damals bezeichnete man die Elemente der neu entstehenden Pflegefachsprache noch als Textbausteine. Der Begriff *Pflegefachsprache* wird entsprechend der Definition von van Maanen benutzt:

> „Unter Pflegefachsprache wird die Definition von disziplinspezifischen Pflegekonzepten in einer eindeutigen, kulturell angemessenen, beruflichen Sprache verstanden, die durch Konsens von Pflegeexperten festgelegt, überprüft und innerhalb der Disziplin akzeptiert und praktiziert worden ist." (van Maanen, 2002, S. 201)

Der heutige Name ENP® (European Nursing care Pathways) wurde erst im Jahr 2002 eingeführt, als die Projektarbeit eine neue Ebene erreicht hatte: Seit diesem Zeitpunkt wird ENP® als praxisnahe, handlungsleitende und EDV-kompatible Pflegefachsprache auch auf wissenschaftlicher Ebene diskutiert. Neue Einrichtungen aus den unterschiedlichsten Gesundheitsbereichen sind hinzugekommen und wenden ENP® in der Pflegepraxis zur Pflegeprozessdokumentation an.

Die standardisierte Pflegefachsprache

Seit 1998 haben sich auch Arbeitsweise und Weiterentwicklung von ENP® verändert. Es wurden systematische Auswertungen der Datenbankeinträge mit dem Ziel durchgeführt, neu aufgenommene Formulierungen von Projektpartnern zu analysieren und in ENP® einfließen zu lassen. Durch die Auswertung der Anwenderhinweise, Analysen von Hausstandards und Hinweise auf inhaltliche Lücken entstand dabei ein immer differenzierteres Bild der Pflegerealität in unterschiedlichen Pflegeeinrichtungen.

Im Laufe der Entwicklung der ENP® als Pflegefachsprache haben sich die modifizierten „praxisnahen Theorien" verändert. Die Veränderungen wurden durch die Pflegeexperten und deren Anspruch, Pflegerealität möglichst genau abzubilden und so den Entscheidungsfindungsprozess der Pflegekräfte zu unterstützen, systematisch weiterentwickelt. Gerade der Einsatz von ENP® in einer EDV-Anwendung und damit verbunden in den verschiedensten Bereichen des Gesundheitssystems (Akutkliniken, Heimeinrichtungen, ambulante Dienste, psychiatrische Kliniken) ließ deutlich werden, welche Pflegediagnosen für spezielle Fachbereiche noch entwickelt werden mussten. Durch die Auswertung der Kundendatenbanken bezüglich der Freitexteingabe und die kontinuierliche Rückmeldung von Anwendern sind die ENP® auf 720 modifizierte „praxisnahe Theorien" angewachsen. Hiervon sind derzeit 557 veröffentlicht. Ihre Strukturen sind im Verlauf des Entwicklungsprozesses stetig verfeinert worden.

Das Klassifikationssystem ENP® wird fortwährend weiterentwickelt und verbessert. Der jeweils aktuelle Stand der Entwicklungsarbeiten kann im Internet unter: http://recom-verlag.de/typo3/index.php?id=41 (Stand 29.02.2008) abgerufen werden.

3.3.2 Das Klassifikationssystem ENP®

ENP® (European Nursing care Pathways) wurde vor dem Hintergrund der Umsetzungsschwierigkeiten des Pflegeprozesses entwickelt. Dabei fielen vorwiegend die Probleme bezüglich der inhaltlichen Gestaltung in der Pflegepraxis auf. Bei der Entwicklung von ENP® war der Fokus von Anfang an sehr stark auf die spätere Praxisanwendung gerichtet. Die Struktur dieses Klassifikationssystems wird in diesem Kapitel beschrieben.

ENP® ist ein Klassifikationssystem, das pflegerisches Fachwissen in Form einer standardisierten Pflegefachsprache beinhaltet, in Klassen einteilt und in einem für Anwendung und Auswertung sinnvoll strukturierten Gesamtsystem zur Verfügung stellt.
Der Begriff ‚ENP' umfasst dabei zwei unterschiedliche Bedeutungen: Einerseits das Klassifikationssystem ENP®, dessen gesamter Inhalt eine Pflegefachsprache bildet. Andererseits umfasst dieses Klassifikationssystem oder diese Pflegefachsprache 557 einzelne ENP® (European Nursing care Pathways) auf der Ebene einzelner Pflegediagnosen, die jeweils einen pflegediagnosebezogenen Behandlungspfad bilden.

Die Gesamtstruktur des Systems wird nachfolgend beschrieben: Das Klassifikationssystem ENP® umfasst strukturiertes Pflegewissen zur Abbildung des Pflegeprozesses. Die einzelnen Kernelemente dieses pflegerischen Wissens werden in den Klassen *Pflegediagnosen, Kennzeichen, Ursachen, Ressourcen, Pflegeziele* und *Pflegeinterventionen* erfasst und abgebildet (→ Abb. 3). Innerhalb der Klassen bilden die Begriffe eine nebengeordnete Struktur, das bedeutet, sie sind gleichwertig unter dem Oberbegriff angelegt.

Die Klassen sind disjunkt, d. h. sie sind trennscharf und die Zugehörigkeit eines Objektes zu einer Klasse schließt aus, dass dasselbe Objekt auch einer anderen Klasse angehören kann. Innerhalb der Klassen *Ursachen, Kennzeichen, Ressourcen* und *Pflegeziele* sind alle Objekte dieser Klassen nebengeordnet, d. h. hier besteht zurzeit keine weitere Hierarchie.

Die standardisierte Pflegefachsprache

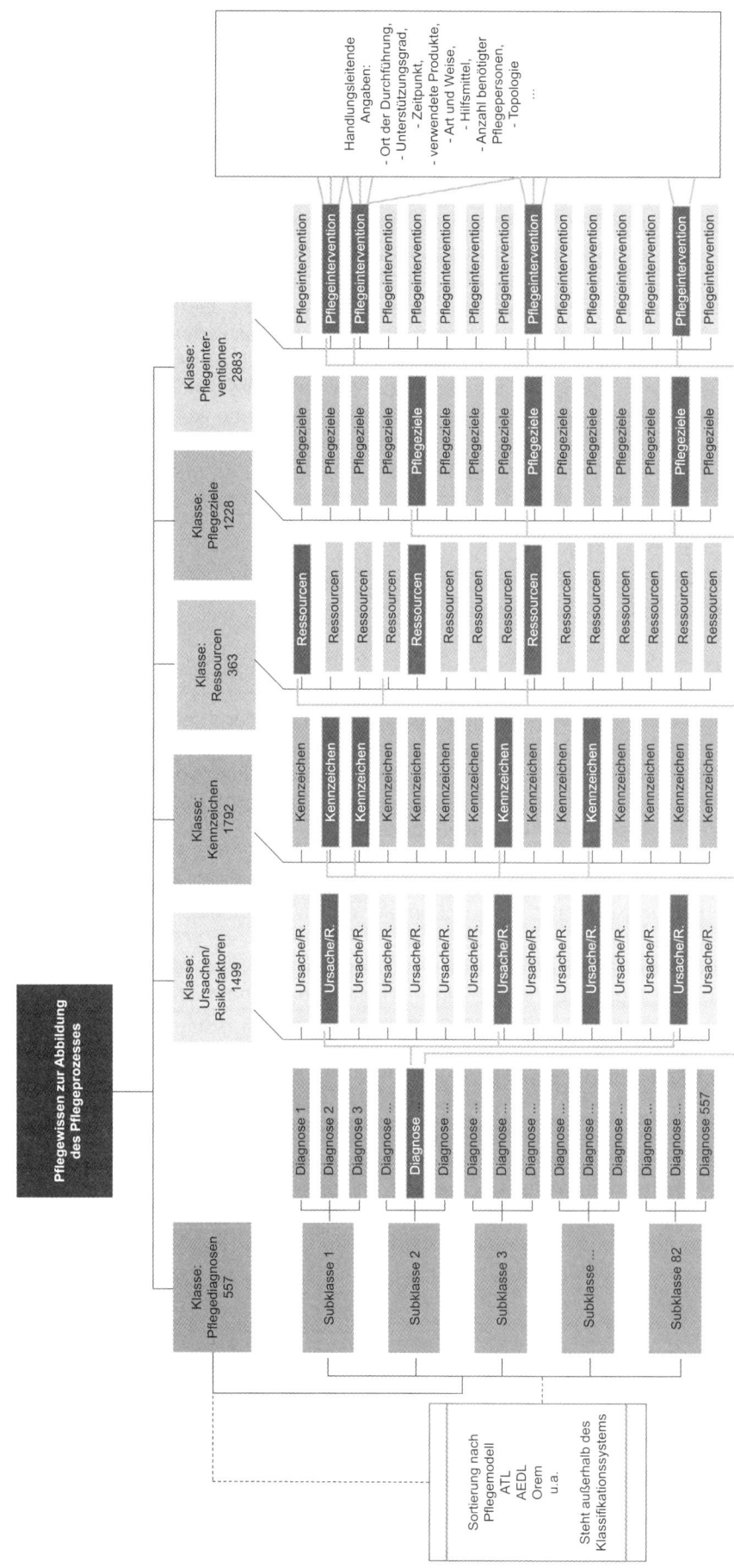

Abb. 3: Klassifikationssystem ENP®

Die standardisierte Pflegefachsprache

Die Klasse der Pflegediagnosen ist in sich hierarchisch strukturiert. In dieser Klasse finden sich auf der nächsten Ebene 82 Subklassen. Jede einzelne Subklasse ist überschrieben mit einem oder mehreren Schlagwörtern, auch Deskriptoren genannt, die die darunter einsortierten einzelnen ENP® thematisch miteinander verbinden. Als Beispiel führen wir die elf ENP®-Pflegediagnosen aus der Subklasse *Bestehende Schluckstörung* auf:

000087 Der Patient hat eine Schluckstörung, die Fähigkeit, willentlich Flüssigkeit oder feste Nahrung zu schlucken, fehlt/ist eingeschränkt
000088 Der Patient kann Speichel nicht schlucken, es besteht ein erhöhtes Aspirationsrisiko
000089 Der Patient hat einen fehlenden Husten-, Würge- und Schluckreflex, unwirksamer Selbstschutz
000090 Der Patient hat einen verlangsamten Schluckreflex und kann nicht trinken, Flüssigkeit läuft zu schnell in den Schlund und führt zum Verschlucken
000091 Der Patient kann nicht trinken, die Flüssigkeit läuft aus dem Mundwinkel heraus (Mundschlussstörung)
000092 Der Patient hat Sensibilitätsstörungen und Hypotonus auf einer Gesichtshälfte
000093 Der Patient ist beim Essen/Schlucken der Nahrung eingeschränkt, Speisen sammeln sich in der Wangentasche der betroffenen Seite
000094 Der Patient ist beim Essen und Trinken eingeschränkt, Speisen und Flüssigkeiten fallen/laufen aus dem Mund/dem Mundwinkel
000095 Der Patient bringt die Zungenspitze mit dem Speisebolus nach vorn zwischen Lippe und Zahnreihe, das Essen wird aus dem Mund befördert
000096 Der Patient ist aufgrund der reduzierten pharyngealen Peristaltik beim Schlucken beeinträchtigt
000568 Der Säugling hat eine eingeschränkte Fähigkeit, Schlucken und Saugen zu koordinieren

Tab.: ENP®-Pflegediagnosen aus der Subklasse *Bestehende Schluckstörung* (Wieteck, 2004, S. 253–265)

Diese einzelnen Subklassen können je nach der gewählten pflegetheoretischen Perspektive sortiert werden. Im ENP®-Buch (Wieteck, 2004) wurde hier beispielsweise die Pflegetheorie der 12 ATL (Aktivitäten des täglichen Lebens) nach Juchli als gängiges deutsches Modell gewählt. Diese Perspektive, von uns auch Filter oder View (für Sichtweise) genannt, ist jederzeit austauschbar und hat dabei lediglich Einfluss auf die Sortierung innerhalb der Klasse der Pflegediagnosen. In dieser Flexibilität des Systems liegt die Möglichkeit, einen pluralistischen Theorieansatz zu verfolgen und die standardisierte Pflegefachsprache ENP® in unterschiedlichen Schwerpunktbereichen einzusetzen (Krankenhaus, Langzeitpflege, Kurzzeitpflege, ambulante Pflege).

Auf der 2. Ebene der Pflegeinterventionen befinden sich die handlungsleitenden Angaben, die das für den Pflegealltag relevante Handlungswissen organisieren. Zukünftig werden sie multiaxial angeordnet. Auf den Achsen werden die Angaben zur Durchführung der Pflegeintervention spezifiziert und es wird festgelegt, wie die genaue Durchführung sein soll. So entsteht ein handlungsleitendes Interventionsschema, welches den Pflegenden eine kontinuierliche Durchführung der Interventionen ermöglicht und die Planung der Pflegeintervention unterstützt.

Das *Pflegewissen zur Abbildung des Pflegeprozesses* als Allbegriff (der umfassende, allen anderen Begriffen übergeordnete Begriff) der Klassifikation mit seinen sechs Klassen und seiner zweistufigen Hierarchie bildet so die vertikale Struktur des Klassifikationssystems ENP®.

Auf der Ebene der einzelnen ENP® bildet sich die klassenübergreifende horizontale Struktur des Systems aus. Diese klassenübergreifende Struktur wird in der ENP®-Datenbank durch Beziehungen zwischen den Objekten definiert.

3.3.3 Struktur der einzelnen ENP®

Jede ENP® besteht aus einer Pflegediagnose mit ihren dazugehörigen Kennzeichen, Ursachen und Ressourcen sowie Pflegezielen und Pflegemaßnahmen und besitzt auf dieser Ebene eine horizontale Struktur. In der horizontalen Struktur findet sich die der Pflegediagnose zugeordnete, pflegefachlich relevante Auswahl an Bausteinen aus den Klassen Kennzeichen, Ursachen, Ressourcen, Pflegeziele und Pflegemaßnahmen. Das ENP®-Projektteam spricht hier von einer modifizierten „praxisnahen Theorie" nach Dickoff, James und Wiedenbach (1968), oder von einem *pflegediagnosebezogenen Behandlungspfad* (→ Abb. 4).

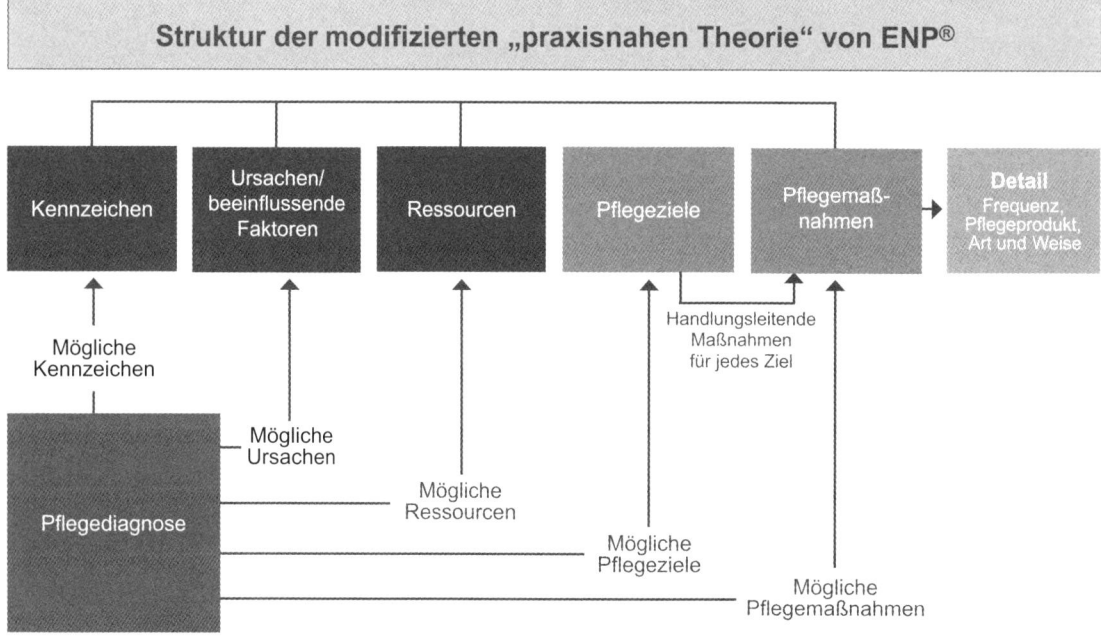

Abb. 4: Modifizierte „praxisnahe Theorie"

Im Sinne neuester Forschungen im Bereich der Informationstheorie versuchen wir damit, im Bereich der Pflege eine „kontextorientierte Informationsbereitstellung" umzusetzen. Dabei werden die Aufgaben und Rollen der mit dem System arbeitenden Personen/Pflegenden berücksichtigt und das Konzept eines prozessorientierten Wissensmanagements wird umgesetzt. Das Ziel dieser Form des Wissensmanagements ist es, Wissen zu modellieren und den Entscheidungsprozess zu unterstützen. Dabei werden kontextbezogene Informationen angeboten, Ideen durch die Freitexteingabe gesammelt und in der Forschungsabteilung ausgewertet.

3.3.4 Aufbau der ENP®-Datenbank

Jede der 557 Pflegediagnosen kommt nur einmal als „Textbaustein" im Klassifikationssystem ENP® vor. Jedes Kennzeichen, jede Ursache oder Ressource, jedes Pflegeziel und jede Maßnahme ist zwar nur einmal als Formulierung vorhanden, kann hingegen mehreren Pflegediagnosen zugeordnet sein. Jedes Objekt in ENP® hat also eine eindeutige Codierung innerhalb seiner Klasse (Pflegediagnose, Ursachen, Kennzeichen, Ressourcen, Pflegeziele und Pflegemaßnahmen).

Anhand der Grafik (→ Abb. 4) kann man auch den Aufbau der Datenbankstruktur erkennen. Jedes einzelne Objekt hat seinen festen Platz in einer disjunkten Klasse und kann durch die eindeutige Codierung identifiziert werden kann.

Bei der Datenauswertung kann so auf der Basis eines objektorientierten Datenbankmanagements die Auswertung durchgeführt werden. Die Suche kann somit nach Zusammenhängen zwischen Pflegediagnosen, Pflegemaßnahmen und dem Pflegeergebnis unter allen möglichen Perspektiven, oder anders gesagt von allen „Objekten" ausgehend, erfolgen. ENP® aus der Sicht der Software-Umsetzung und Datenauswertung kann daher als objektorientiertes Klassifikationssystem bezeichnet werden, dessen Umsetzung an das objektorientierte Paradigma angelehnt ist (vgl. Rumbaugh et al., 1991).

Eine Möglichkeit der Software-Lösung von ENP® bietet z. B. RECOM®-GriPS. Darin sind Verknüpfungen zu weiterem Zusatzwissen enthalten, das in eigenen Datenbanklisten vorliegt (z. B. Anamnese, Stichwortverknüpfung (zur Suche im System), Literaturnachweise, LEP®-Nursing 3, ICD-10, Pflegeassessment, Wundmanagement, Patientendokumentation) und es ist entsprechend der objektorientierten Vorgehensweise mit den Objekten der ENP®-Klassen verknüpft. In der praktischen Anwendung wählt die Pflegeperson die Textbausteine aus, die sie entsprechend der professionellen Fallarbeit zur Erstellung Ihres Pflegeplans als zweckmäßig ansieht.

Obwohl ENP® zurzeit die Forderung noch nicht erfüllt, alle zur Abbildung von Pflegediagnosen, Kennzeichen, Ursachen, Ressourcen, Pflegezielen und Interventionen benötigten Texte anzubieten (dieses speziell vor dem Hintergrund des pluralistischen Theorieansatzes), liegt die Zielsetzung auf der vollständigen Abbildung. Diese wird durch den fortwährenden Prozess der Datenauswertung und -überarbeitung angestrebt, denn neue Forschungsarbeiten werden neue Möglichkeiten der pflegerischen Zielsetzungen und Interventionen sowie der Differenzierung des Pflegebedarfs hervorbringen.

Im Folgenden werden die Definitionen der einzelnen Bausteine einer modifizierten „praxisnahen Theorie" vorgestellt.

In der Altenpflege gibt es neben RECOM®-GriPS zahlreiche Softwarehersteller, die ebenfalls ENP® (European Nursing care Pathways) in Ihrer Anwendung anbieten. Damit ist es in der praktischen Arbeit der Altenpflege möglich, eine Pflegefachsprache dort zu nutzen, wo Pflege täglich stattfindet. Zweifelsfrei ist die Nutzung der ENP® in einer Software deutlich einfacher – sofern diese in der Software gut abgebildet werden – als eine Nutzung in Papierform. Die Zeit der Papierdokumentation wird sukzessive abnehmen. Auch in der Altenpflege werden die Prozesse zunehmend informatisiert werden. Daher sollte in der Ausbildung verstärkt auf die Nutzung von Softwaresystemen eingegangen werden. Der RECOM-Verlag bietet an, ENP® in der Softwarelösung RECOM®-GriPS als Schulsystem zum Unterricht zur Verfügung zu stellen.

Wenn Sie mehr über die Nutzung von ENP® in Softwarelösungen erfahren möchten, dann schauen Sie unter www.recom-verlag.de oder schreiben Sie uns eine E-Mail an info@recom-verlag.de. Wir freuen uns auf Ihre Anfrage!

3.3.5 Definitionen in ENP®

Definition in ENP®: Pflegediagnosen

Unter einer Pflegediagnose wird in ENP® ein sprachlicher Ausdruck für eine professionelle Beurteilung pflegerelevanter Aspekte, des Gesundheitszustands und dessen psychischen, physiologischen und entwicklungsbedingten Auswirkungen oder eine Reaktion auf Gesundheitsprobleme bei einem konkreten Individuum (Betroffenen) verstanden, auf dessen Grundlage die Entscheidungen über Pflegeziele und Interventionen getroffen werden.

Definition in ENP®: Kennzeichen

Als Kennzeichen werden Zeichen, Merkmale und Äußerungen des betroffenen Individuums formuliert, die dazu beitragen, die Pflegediagnose zu identifizieren, oder zur Unterscheidung bei der Diagnosenstellung und Zielsetzung für den Pflegeprozess dienen. Diese Merkmale fungieren als Indikatoren einer Diagnose und können Symptome, weitere Merkmale für das Problem, biografische oder historische Indikatoren, eine beschriebene verbale Äußerung des Betroffenen zum Problem oder beschriebene Reaktionen eines Menschen sein.

Definition in ENP®: Ursachen

Als Ursachen für Gesundheitsprobleme/-zustände werden die auslösenden und/oder beeinflussenden Faktoren aufgeführt, die zur Entstehung einer Pflegediagnose führen beziehungsweise diese aufrechterhalten. Ursachen/beeinflussende Faktoren können Verhaltensweisen des Betroffenen, bestehende und bekannte Erkrankungen sowie beschreibbare Einschränkungen sowohl im psychosozialen Bereich wie auch im Bereich der körperlichen und kognitiven Fähigkeiten sein. Ebenso können Ursachen/beeinflussende Faktoren im Umfeld, der Sozialisation und den Erfahrungen des betroffenen Individuums zu finden sein.

Definition in ENP®: Ressourcen

In ENP® werden zu den Pflegediagnosen die Ressourcen (Noch-Fähigkeiten) formuliert, die für die Auswahl der pflegerischen Zielsetzung und die Interventionsbestimmung von Bedeutung sind.
Ressourcenformulierungen in ENP® beziehen sich auf körperliche, geistige und psychosoziale Fähigkeiten, die dazu beitragen, Bewältigungsstrategien zur Behebung von Gesundheitsproblemen zu entwickeln und Interventionen zu unterstützen.

Definition in ENP®: Ziele

Pflegeziele beschreiben einen (zukünftigen) Ist-Zustand, der mit dem Patienten/Bewohner innerhalb eines vereinbarten Zeitraums erreicht werden soll.

Durch die zielgerichtete Pflege und die Förderung der Ressourcen wird das Pflegeziel erreicht. Pflegeziele sollen realistisch, erreichbar, überprüfbar, positiv formuliert und auf die Pflegediagnose bezogen sein. Einer Pflegediagnose sind mehrere mögliche Pflegeziele zugeordnet.
Die Formulierungen befinden sich auf einem ähnlichen Abstraktionsniveau wie die der NOC. In der Pflegepraxis dienen die Zielformulierungen den Pflegenden zur Auswahl der für den Patienten/Bewohner „richtigen" Interventionen. Zur Überprüfung beispielsweise von Lernfortschritten (etwa bei Gehübungen) sind allerdings immer ergänzende Angaben in einem EDV-System zusätzlich zu den ENP®-Zielformulierungen aufzunehmen.

Definition in ENP®: Interventionen/Pflegehandlungen

ENP®-Pflegeinterventionsformulierungen beinhalten eine detaillierte Beschreibung der möglichen Pflegemaßnahmen, die zur Zielerreichung durchgeführt werden können. Zur Erhöhung des handlungsleitenden Charakters der Interventionsformulierungen sind Detailinformationen (handlungsleitende Angaben) formuliert, die sich auf die Interventionsangebote beziehen. Diese können folgende Dimensionen beinhalten: Detailbeschreibung der Pflegeinterventionen, Art und Weise der Unterstützung, Häufigkeit und geplante Uhrzeit der Interventionen, zeitliche Abstände der Pflegemaßnahmen, verwendete Pflegeprodukte und Hilfsmittel, Reihenfolgen von vernetzten Maßnahmen, Topologie, Orts- oder Wegangaben sowie Mengenangaben und Konsistenz von Flüssigkeiten, die verabreicht werden (z. B. Flüssigkeitsmengen).

Durch die aufgeführten, ergänzenden Angaben zu den Pflegeinterventionen erhalten diese erst den für die Pflege wertvollen handlungsweisenden Charakter.

Weitere Informationen über ENP® erhalten Sie im Internet unter <www.speak-enp.de> oder in dem Buch Pia Wieteck (Hg.): *ENP® – European Nursing care Pathways. Standardisierte Pflegefachsprache zur Abbildung von pflegerischen Behandlungspfaden. Leistungstransparenz und Qualitätssteuerung im Gesundheitswesen. Bad Emstal: RECOM Verlag, 2004.* Dort sind erste Studienergebnisse sowie die methodologischen Hintergründe der Entwicklung beschrieben.

 Dickoff, James et al., 1968; Evers, 1997; Nielsen, 2003; Meleis, 1999; Rumbaugh et al., 1991; Walker und Avant, 1998; Wieteck, 2004; Wieteck und Velleuer, 2001; Wieteck und Velleuer, 1994.

4 Voraussetzungen zur Umsetzung des Pflegeprozesses

In diesem Kapitel werden die Voraussetzungen zur Umsetzung des Pflegeprozesses aus verschiedenen Perspektiven genauer beschrieben. In Kapitel 4.1 geht es zunächst um die Besonderheit der pflegetherapeutischen Beziehung zwischen dem Bewohner/Patienten und dem Pflegenden. Im Anschluss daran werden in Kapitel 4.2 die umfangreichen Kompetenzanforderungen an die Pflegefachkräfte in den Mittelpunkt gerückt. Die verschiedenen Pflegeorganisationsformen werden mit ihren Vor- und Nachteilen in Kapitel 4.3 dargestellt.

4.1 Konstruktive pflegetherapeutische Beziehung

Die pflegetherapeutische Beziehung zwischen einem Bewohner/Patienten und einer Pflegekraft hebt sich deutlich von einer privaten Beziehung zwischen zwei Partnern ab. Eine pflegetherapeutische Beziehung weist folgende Merkmale auf:

- Es besteht eine Abhängigkeit zwischen den Pflegenden und dem Pflegeempfänger.
- Die Beziehung ist zeitlich begrenzt.
- Es werden klare Ziele verfolgt.

Die Pflegenden sollten den Anspruch haben, den Beziehungsprozess konstruktiv zu gestalten. Das heißt, die Pflegekräfte begegnen den Bewohnern/Patienten mit Respekt und im Bewusstsein, dass gegenseitiger Informationsaustausch, fachpraktisches Handeln in der täglichen Pflege, Anleitung und Beratung von Bewohnern/Patienten und Angehörigen sowie Koordinieren und Organisieren des Tagesablaufs der Bewohner/Patienten ein Vertrauensverhältnis schaffen und die Offenheit erhalten, Probleme zu erkennen und zu lösen. Dabei sollte der Erhalt der Fähigkeiten und Kompetenzen der Bewohner/Patienten im Mittelpunkt stehen.
Die konstruktive pflegetherapeutische Beziehung zum Bewohner/Patienten ist sowohl entscheidend für das Gelingen eines fördernden Pflegeprozesses, als auch für die damit verbundene Pflegequalität. Erkenntnisse aus Studien zeigen, dass zur Erreichung einer effektiven Pflege die zwischenmenschliche Beziehung und die zielorientierte Interaktion von zentraler Bedeutung sind. Doch nicht nur die Bewohner/Patienten profitieren von gelungenen therapeutischen Beziehungen: Auch die Pflegenden können ihre Kompetenzen beim Aufbau von konstruktiven pflegetherapeutischen Beziehungen fördern.
Hilfreich ist es, sich mit Interaktionstheorien wie z. B. der Pflegetheorie von Hildegard Peplau auseinander zu setzen, die den Beziehungsprozess in vier Phasen unterteilt. Sie reflektiert pflegerische Unterstützungsleistungen in Bezug auf die jeweiligen Bedürfnisse des Pflegeempfängers.

Phase der Orientierung:
Sich kennen lernen und Vertrauen aufbauen, Fragen stellen und die Situation klären, Bedürfnisse feststellen. Der Pflegeempfänger ist sich in der Regel bewusst, dass er professionelle Hilfe benötigt.

Phase der Identifikation:
Art und Ausmaß der Hilfestellung werden klar, Erwartungen sind geklärt. Der Pflegeempfänger verlässt sich auf die pflegerische Handlungskompetenz.

Phase der Nutzung:
Durch vertrauensvolle Beziehungen zwischen Pflegenden und Pflegeempfänger werden von der einen Seite Pflegeleistungen angeboten und von der anderen Seite Pflegeleistungen angenommen.

Phase der Ablösung:
Mit zunehmender Genesung erreicht der Bewohner/Patient größere Selbstständigkeit und es kommt zur Ablösung von den Pflegenden. Der Krankenhausaufenthalt endet.

Voraussetzungen zur Umsetzung des Pflegeprozesses

Diese Phasen zu gestalten, bedeutet, sie bewusst wahrzunehmen und als Teile eines Prozesses zu betrachten, bei dem jeweils eine Phase in die nächste überleitet und somit sowohl eine Vorbereitung der Folgenden als auch eine Weiterführung der Vorangegangenen darstellt.

Das Modell des Pflegeprozesses hilft zusammen mit der Pflegeplanung dem Pflegeempfänger sowie den Pflegenden, den Beziehungsprozess in seinen Phasen wahrzunehmen und konstruktiv zu gestalten. Damit werden optimale Bedingungen für den Bewohner/Patienten geschaffen, sich auf seine Situation einzulassen. Nur in einem optimalen Bedingungsfeld können Pflegeintervention und Therapie ineinander greifen und zu einem zufrieden stellenden Pflegeergebnis führen.

Die persönliche Berufsauffassung und das jeweilige Pflegeverständnis des einzelnen Pflegenden sind entscheidend für die Pflegequalität. Die in der Ausbildung vermittelten Pflegemodelle und Pflegetheorien prägen das Pflegeverständnis und erweitern die Handlungskompetenz der Pflegenden. Abhängig davon, welcher Wert in der Ausbildung und später in der Fort- und Weiterbildung auf die Entwicklung von Schlüsselqualifikationen gelegt wird, kommt es innerhalb des Pflegeprozesses zu unterschiedlichen Schwerpunkten. Diese unterschiedlichen Schwerpunktsetzungen können z. B. anhand der Pflegeproblemformulierungen und Maßnahmenauswahl in den Pflegeplänen identifiziert werden. Das bedeutet jedoch nicht, dass Pflegepläne einer Beliebigkeit unterworfen sind, sondern, dass der Schwerpunkt auch der Beziehung zum Bewohner/Patienten von unterschiedlichen professionellen und persönlichen Faktoren bestimmt wird, bei denen der Bewohner/Patient und seine Probleme jedoch immer im Zentrum der Betrachtungen stehen.

> **Bei der konstruktiven pflegetherapeutischen Beziehung steht der Erhalt der Fähigkeiten und Kompetenzen der Bewohner/Patienten im Mittelpunkt.**

Eine gelungene pflegetherapeutische Beziehung aufzubauen bedeutet nach Elsbernd und Glane (1996):

- Die Fähigkeit zu entwickeln, die Bedeutung der Ereignisse, die den Pflegeempfänger beeinflussen, zu erkennen.
- Bereit zu sein, die Meinungen, Erwartungen, Vorstellungen und Motive von Pflegeempfängern zu erfahren und bei der Pflegeprozessgestaltung zu berücksichtigen.
- Die Arbeitsorganisation kritisch zu reflektieren und beispielsweise eine Funktionsorientierung in eine Bewohner-/Patientenorientierung überzuleiten (→ Kapitel 4.3.1 und 4.3.5 ff.).
- Die eigene Kommunikationsfähigkeit zu schulen und eine bewohner-/patientenorientierte Gesprächsführung zu realisieren.

Zusammenfassung

Den Beziehungsprozess konstruktiv zu gestalten, bedeutet, dass die Pflegenden den Anspruch haben sollten, den Bewohnern/Patienten mit Respekt und in dem Bewusstsein zu begegnen, dass gegenseitiger Informationsaustausch, fachpraktisches Handeln in der täglichen Pflege, Anleitung und Beratung von Bewohnern/Patienten und Angehörigen sowie Koordinieren und Organisieren des Tagesablaufs der Bewohner/Patienten ein Vertrauensverhältnis schaffen und die Offenheit erhalten, Probleme zu erkennen und zu lösen.

4.2 Erforderliche Schlüsselqualifikationen

Um mit den permanenten Veränderungen der Arbeitswelt in der Pflege Schritt halten zu können, benötigen Pflegende Schlüsselqualifikationen. Zunächst handelt es sich bei den Schlüsselqualifikationen um allgemeine Kompetenzen, die auf beliebige Inhalte anwendbar sind. Kompetenz steht für „Fähigkeit", beziehungsweise das „Vermögen" von Menschen, etwas zu tun, sich zu verhalten, aber auch zu denken und zu fühlen. Kompetenzen sind eine zentrale Ergänzung zur rein fachlichen Qualifikation. Sie erlangen besondere Bedeutung, wenn man bedenkt, dass pflegerisches Wissen heute sehr schnell veraltet. Es gibt verschiedene pflegerische Aufgabengebiete, in denen Schlüsselqualifikationen erforderlich sind, um den Pflegeprozess kompetent zu gestalten, z. B. der Kontakt mit dem Bewohner zur Informationssammlung, die Bewertung der Wirkung der geplanten Maßnahmen oder die Koordination und Organisation von Tagesabläufen mit den Kollegen im Team. Im Folgenden werden wichtige Schlüsselqualifikationen beschrieben:

> ! Da pflegerisches Wissen heute schnell veralten kann, stellen Schlüsselqualifikationen eine wichtige Ergänzung zur rein fachlichen Qualifikation dar.

Personale Kompetenz:

Sie beschreibt die Auseinandersetzung mit der eigenen Person, der persönlichen Berufsauffassung und der eigenen Grundhaltung zum Leben. Hierzu gehören:

Reflexionsfähigkeit:
- Eigenes Handeln beurteilen können.
- Fähigkeiten, Ressourcen, Grenzen und Probleme einschätzen und damit umgehen können.
- Kritik anhören und Konsequenzen ableiten können.

Wahrnehmungsfähigkeit:
- Über die Sinne wahrnehmen können (taktil, olfaktorisch, akustisch, visuell, gustatorisch, kinästhetisch).
- Zusammenhänge und Veränderungen erkennen können.
- Die Wahrnehmungsebenen differenzieren und wertfrei bzw. objektiv beschreiben können.

Flexibilität:
- Für Veränderungen offen sein.
- Im Denken und Handeln beweglich sein.
- In schwierigen Situationen improvisieren und die eigene Kreativität nutzen können.

Eigenständigkeit:
- Selbstständig und eigenverantwortlich arbeiten.
- Sich mit der Berufsrolle und den aktuellen Veränderungen kontinuierlich auseinandersetzen.
- Entscheidungsfähig sein und die Konsequenzen der eigenen Entscheidungen tragen.
- Eigenverantwortlich für Lernen und Weiterbildung Sorge tragen.

Leistungsbereitschaft:
- Engagiert und zuverlässig sein.
- Ausdauer haben und in schwierigen Situationen belastungsfähig sein.
- Eigeninitiative und kontinuierliche Arbeitsleistungen zeigen.

Voraussetzungen zur Umsetzung des Pflegeprozesses

Psychosoziale Kompetenz:

Ein psychosozial kompetenter Mensch ist jemand, der in der Lage ist, seine eigenen Emotionen in der aktuellen Situation zu verstehen, der fähig ist, anderen zuzuhören, sich in sie und ihre Gefühlswelten hineinzuversetzen und darüber hinaus seine Emotionen angemessen zum Ausdruck zu bringen vermag. Steht beim Erlernen von Methoden- und Fachkompetenz eher das Verstehen im Vordergrund, liegt der Fokus bei der psychosozialen Kompetenz auf der Erfahrung und erst daran anschließend auf dem Verstehen. Das heißt, psychosoziale Kompetenz wird im Laufe des Lebens gewonnen, während Methodenkompetenz erlernt werden kann. Zu den psychosozialen Kompetenzen gehören demnach kommunikative Fähigkeiten, die den Kontakt zum Einzelnen und der Gruppe ermöglichen und konstruktiv gestalten.

Als psychosoziale Kompetenzen können daher die folgenden hervorgehoben werden:

Beziehungsfähigkeit:
- Professionelle Pflegebeziehungen aufbauen, erhalten bzw. aushalten und lösen können.
- Wertschätzung und Empathie gegenüber Mitmenschen zeigen können.

Teamfähigkeit:
- Sich gemeinsamen Zielsetzungen verpflichtet fühlen und konstruktiv an ihrer Umsetzung mitarbeiten.
- Mit Mitmenschen zusammenarbeiten und die eigene Persönlichkeit konstruktiv einbringen können.
- Den persönlichen Erfolg zugunsten des Gruppenerfolgs zurückstellen (Loyalität, Solidarität, Kompromissbereitschaft).
- Anerkennung und Kritik situationsgerecht äußern können.

Kommunikations-/Interaktionsfähigkeit:
- Die Pflegefachsprache beherrschen und sich fachlich korrekt ausdrücken können.
- Gezielt verbal und nonverbal kommunizieren und sich auf die Sprachebene des Gegenübers einstellen können.
- Die bewohner-/patientenzentrierte Gesprächsführung in die Pflegepraxis umsetzen können.
- Anerkennung und Lob pflegetherapeutisch gezielt einsetzen können.

Verantwortungsbewusstsein:
- Verantwortung gegenüber dem Umfeld, der Einrichtung, den Arbeitskollegen und der Umwelt zeigen.
- Verantwortung gegenüber sich selbst zeigen.

Fachkompetenz:

Basis- und fachspezifische Kenntnisse und Fähigkeiten in der Pflege:
- Sicherheit im beruflichen Handeln, Pflegemaßnahmen geschickt und sicher ausführen können.
- Das eigene Handeln erklären und begründen können.
- Hilfsmittel, Methoden, Techniken richtig auswählen und um- bzw. einsetzen können.

Analyse-/Synthese-Fähigkeiten:
- Situationen in ihrer Ganzheit wahrnehmen, Elemente erkennen und beurteilen können.
- Zusammenhänge erkennen und Entwicklungen einschätzen können.
- Die Fähigkeit haben, Wissen und Erfahrungen auf neue Pflegesituationen zu übertragen und entsprechend zu handeln.
- Die Fähigkeit besitzen, systematisch zu denken.

Bereitschaft zum „Long-life-learning":
- Sich regelmäßig mit Fachliteratur auseinander setzen.
- Neuem gegenüber aufgeschlossen sein, die eigenen Grenzen kennen und sich bei Bedarf an Spezialisten für den entsprechenden Fachbereich wenden.

Voraussetzungen zur Umsetzung des Pflegeprozesses

Methodenkompetenz:

Organisations- und Planungsvermögen:
- Auch in schwierigen Situationen den Überblick behalten.
- Prioritäten richtig setzen können.
- Ziele setzen, Schritte zur Umsetzung entwickeln und danach handeln können.

Kenntnisse der Lern- und Arbeitsmethoden:
- Verschiedene Moderations- und Präsentationstechniken kennen und diese gezielt einsetzen können.

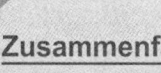

Zusammenfassung

Schlüsselqualifikationen helfen den Pflegenden, mit den permanenten Veränderungen der Arbeitswelt in der Pflege Schritt zu halten. Diese Kompetenzen sind eine wichtige Ergänzung zur rein fachlichen Qualifikation, wenn man bedenkt, dass pflegerisches Wissen heute sehr schnell veraltet. Schlüsselqualifikationen sind in den verschiedensten pflegerischen Aufgabengebieten erforderlich, die wichtigsten sind die personale Kompetenz, die psychosoziale Kompetenz sowie die Fach- und Methodenkompetenz.

4.3 Fördernde Pflegeorganisation

Die Pflege am Bewohner/Patienten wird in den verschiedenen Altenpflegeeinrichtungen in unterschiedlichen Pflegeorganisationsformen geplant und durchgeführt. Die Organisationsformen zeigen, nach welcher Struktur und Vorgehensweise die Pflegenden ihre Arbeit am Bewohner/Patienten durchführen und wie sie diese auf die verschiedenen Teammitglieder verteilen. Es wird zwischen funktionell orientierten und bewohner-/patientenorientierten Pflegeorganisationsformen unterschieden.

Umsetzen lässt sich der Pflegeprozess eigentlich nur in bewohner-/patientenorientierten Organisationsformen, da in den funktionell orientierten die ganzheitliche Erfassung und Betrachtung nicht erfolgt, sondern alle Tätigkeiten fragmentiert von verschiedenen Personen durchgeführt werden. Die Diskussion aller erworbenen Eindrücke über Bewohner/Patienten ist in der funktionell orientierten Organisationsform nicht ausdrücklich vorgesehen und findet in der Regel nicht statt.

In diesem Kapitel werden die verschiedenen Pflegeorganisationsformen vorgestellt und die Vor- und Nachteile der jeweiligen Organisationsform diskutiert.

4.3.1 Funktionspflege

In einer Aufbauorganisation (→ Abb. 5) liegen oft feste hierarchische Strukturen vor. Die jeweilige Leitung (Stations-/Wohnbereichsleitung, stellvertretende Stations-/Wohnbereichsleitung oder Schichtführung) verteilt die Arbeiten an die Pflegenden im Team. Die Informationen laufen bei der Stations-/Wohnbereichsleitung oder ihren Stellvertretern zusammen und werden von dort weitergeleitet.

Bei dieser arbeitsteiligen Pflegeform übernehmen Pflegende häufig Arbeiten nach ihrer Qualifikation bzw. ihren Vorlieben. An der Darstellung der Ablauforganisation (→ Abb. 5) ist dagegen zu erkennen, dass eine Pflegekraft, abhängig von ihren Fähigkeiten und der festgelegten Statushierarchie, bestimmte Tätigkeiten bei allen Bewohnern/Patienten durchführt. So kann es z. B. vorkommen, dass die Pflegeperson 2 bei allen Bewohnern/Patienten die Medikamente verteilt, während der Auszubildende das Frühstück in die Bewohnerzimmer/den Speisesaal bringt.

Aufbauorganisation der Funktionspflege

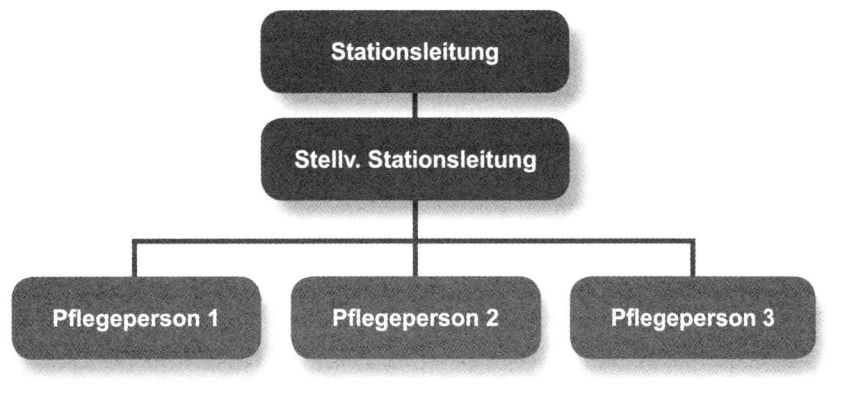

Ablauforganisation der Funktionspflege

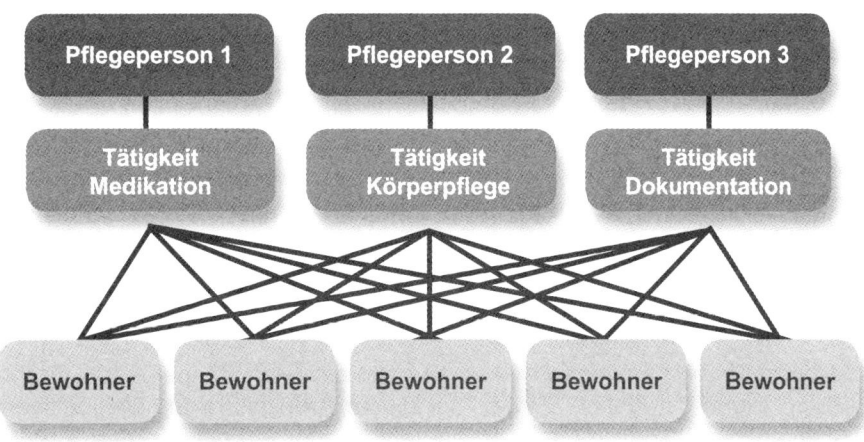

Abb. 5: Aufbau-/Ablauforganisation der Funktionspflege

Durch die tätigkeitsorientierte Pflege kommt es im Wesentlichen zu einer standardisierten Vorgehensweise, wie z. B. dem morgendlichen und nachmittäglichen Rundgang zum Richten der Betten oder um Blutdruck, Puls und Temperatur zu messen, festgelegten Zeiten bzw. festen Tagen, an denen Betten bezogen werden usw. Durch diese routinemäßige Vorgehensweise wird nicht nach den psychischen und physiologischen Bedürfnissen der Pflegeempfänger individuell gepflegt und gefördert, sondern vielmehr müssen sich die Bewohner/Patienten den Arbeitsabläufen der Einrichtung anpassen.

Folgende **Vorteile** hat die Funktionspflege:
- Es sind keine besonderen baulichen Voraussetzungen erforderlich.
- Pflegende werden nach ihrer Qualifikation eingesetzt, Hilfskräfte können leichter in den Arbeitsprozess integriert werden.
- Eine kompetente Pflegekraft ist jederzeit für Angehörige und andere Berufsgruppen greifbar und kann Auskunft über die Bewohner/Patienten geben.

Die **Nachteile** dieser Pflegeorganisationsform sind offensichtlich:
- Es entsteht ein hoher Informationsverlust durch die Arbeitsteilung am Bewohner/Patienten, wodurch eine hohe Fehlerquote auftritt.
- Ein hoher Anteil der Arbeit entfällt auf Wegezeiten.
- Viele Kontaktpersonen für den Bewohner/Patienten erschweren den Beziehungsaufbau.
- Laufende und gezielte Krankenbeobachtung sowie Pflegedokumentation ist schwer möglich.
- Es entsteht ein Routineablauf, der selbstständiges Handeln und reflektiertes Arbeiten mit und am Bewohner/Patienten verhindert.
- Die Verantwortung für die erbrachten Pflegeleistungen ist geteilt, Informationsfluss und Verantwortung nehmen mit der Stationshierarchie von oben nach unten ab.
- Pflegende werden teilweise mit Pflegetätigkeiten über- und unterfordert (Kim, 1996).

Anhand der vorgestellten Vor- und Nachteile wird deutlich, dass diese Organisationsform die Pflegeprozessgestaltung erschwert. Im Gegensatz zu anderen Pflegeorganisationsformen steht die Funktionspflege für ein hohes Maß an Fragmentierung und Diskontinuität in der pflegerischen Versorgung.
Einfach ausgedrückt: Viele Pflegende versorgen den Bewohner/Patienten in unterschiedlicher Art und Weise und verwenden verschiedene Methoden und Pflegeprodukte. Dadurch werden Ressourcen nicht optimal gefördert.
Pflegerische Zielsetzungen können innerhalb eines Teams zudem gegensätzlich sein. Jeder von Ihnen hat diese Problematik sicher bereits in der Pflegepraxis wahrgenommen. Gerade wenn ein Bewohner/Patient mitteilt: „Gestern hat die Schwester X das aber ganz anders gemacht", ist das ein Hinweis auf Diskontinuität in der pflegerischen Versorgung.
Vollständig wird sich allerdings die Funktionspflege in Altenpflegeeinrichtungen nicht absetzen lassen. Da in Altenpflegeheimen oft nur wenige Pflegefachkräfte für die Realisierung der Behandlungspflege bei allen Bewohnern/Patienten zuständig sind, können diese Versorgungsanteile häufig nur als Funktionspflege organisiert erbracht werden.

4.3.2 Bereichspflege/Zimmerpflege

Bei der Bereichs- und Zimmerpflege (→ Abb. 6) bekommt eine Pflegeperson für ihre Schicht ein oder mehrere Zimmer zugeteilt. Sie ist bei dieser Arbeitsform für die ihr zugewiesenen Bewohner/Patienten verantwortlich und führt alle anfallenden Arbeiten in dem Bereich/Zimmer durch. In den meisten Einrichtungen versorgt die Stations-/Wohnbereichsleitung ebenfalls einen eigenen Bereich. Dies hat den Nachteil, dass deren wichtige Aufgaben in den Bereichen Begleitung, Beratung und Qualitätssicherung bzw. Qualitätsförderung deshalb nur in geringem Maße wahrgenommen werden können.
Bei den bewohner-/patientenorientierten Pflegeformen (→ Abb. 6) wird angestrebt, die anfallenden Pflegetätigkeiten je nach Priorität ganzheitlich am Bewohner/Patienten zu erbringen. Das heißt, dass der ganze Mensch mit all seinen Fähigkeiten, Bedürfnissen und Einschränkungen in den Mittelpunkt rückt. Die Versorgung wird nicht stationsweise nach Einzeltätigkeiten gewährleistet, sondern nach Zimmern oder Bereichen aufgeteilt. Dabei erlebt der Bewohner/Patient weniger Wechsel des Pflegepersonals bei seiner Versorgung und weniger Unterbrechungen bei seiner individuellen Pflege. Es ist wichtig, bei der Dienstplanung darauf zu achten, dass die Pflegenden über längere Zeiträume in dieselben Pflegebereiche eingeteilt werden.

Voraussetzungen zur Umsetzung des Pflegeprozesses

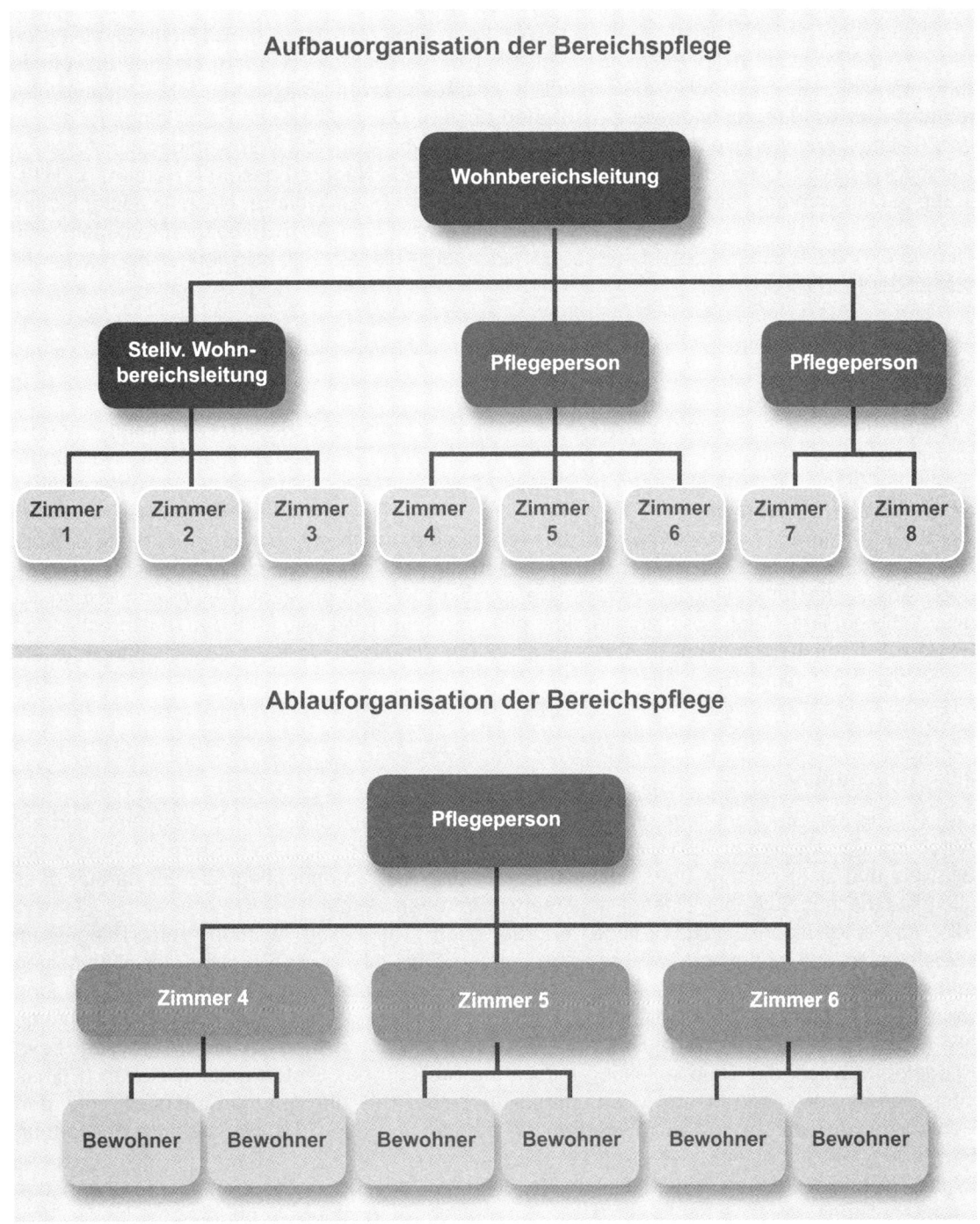

Abb. 6: Aufbau-/Ablauforganisation der Bereichspflege

Die **Vorteile** dieser Organisationsform sind:
- Ein intensiver Kontakt zu den Bewohnern/Patienten ist möglich. Der Bewohner/Patient hat eindeutige Ansprechpartner und muss sich nicht auf verschiedene Pflegende einstellen.
- Pflegemaßnahmen können zusammenhängend geplant und durchgeführt werden.
- Eine kontinuierliche Beobachtung und Pflegedokumentation ist möglich.
- Eigenständige Arbeitsplanung und Durchführung der Pflege mit klarem Verantwortungsbereich ist möglich.

Voraussetzung dieser Arbeitsorganisation ist eine in allen Bereichen gleich hohe Qualifikation der Pflegenden. Denn die Pflegenden leisten die ganzheitliche Versorgung der Bewohner, d. h. es gibt keine fachlich unterschiedlich anspruchsvollen Tätigkeiten, die stationsweise abgearbeitet werden können, wie z. B. Betten richten. Diese Tätigkeiten sind eingebunden in den Gesamtversorgungsprozess und werden nicht davon losgelöst von weniger qualifiziertem Personal erbracht. Dies kann aus wirtschaftlicher Sicht als **Nachteil** gesehen werden, da Hilfskräfte mit niedrigerem Lohn nicht eingesetzt werden können. Ein weiterer Nachteil besteht darin, dass die persönliche „Chemie" zwischen der Pflegekraft und dem Bewohner/Patienten nicht stimmen könnte, sodass beispielsweise ein Wechsel in diesem Fall schwieriger einzuleiten ist als bei der Funktionspflege.

4.3.3 Zimmerpflege

Streng genommen bedeutet Zimmerpflege, dass das Zimmer, z. B. auf einer Intensivpflege-Einheit, so ausgestattet ist, dass fast alle Pflegematerialien, Medikamente und Überwachungsgeräte im Zimmer vorhanden sind. Die Pflegekraft verlässt dieses Zimmer nur selten und muss sich bei Bedarf ablösen lassen.

Der Begriff Zimmerpflegesystem wird mittlerweile auch abweichend verstanden und interpretiert: Bei Dienstbeginn werden den Pflegenden die jeweiligen Zimmer zugeordnet beziehungsweise nach Absprache untereinander verteilt. Die einzelne Pflegekraft trägt die Verantwortung für alle während ihrer Dienstzeit anfallenden pflegerischen Tätigkeiten in den entsprechenden Bewohner-/Patientenzimmern. In diesem Fall ist die Zimmerpflege dem Bereichspflegesystem (→ Kapitel 4.3.2) gleichzusetzen.

4.3.4 Gruppenpflege

Das Prinzip der Gruppenpflege wurde in den USA in den sechziger Jahren eingeführt und auf Anregung der Weltgesundheitsorganisation (WHO) auch von einzelnen Krankenhäusern der Schweiz und Deutschlands übernommen. Das Prinzip der Gruppenpflege beruht darauf, dass alle pflegerischen Aufgaben einem Pflegeteam übertragen werden.

Alle für eine eigenständige Pflege erforderlichen Tätigkeiten werden vom Pflegeteam selbstständig und eigenverantwortlich übernommen. Dies gilt für die Bereiche der allgemeinen und speziellen Pflege sowie für die Administration und die Versorgungsdienste. Die Pflegenden sind bei entsprechender Qualifikation im Team gleichberechtigt und können demzufolge alle pflegerischen Tätigkeiten ausführen. Die Gesamtverantwortung für die Pflege liegt beim Pflegeteam, wobei der Gruppenleitung jedoch die Stellung des Ersten unter Gleichen (Primus inter Pares) zukommt. Mehrere Gruppen sind einer Abteilungsleitung unterstellt, die den Personaleinsatz der einzelnen Pflegegruppen steuert und auch die Dienstplanverantwortung trägt.

In den siebziger Jahren wurden einige Einrichtungen speziell nach den Anforderungen des Gruppenpflegesystems baulich konzipiert. In diesen Einrichtungen entstanden kleine Versorgungseinheiten von 16–18 Bewohnern/Patienten. Die Gruppenpflege ist von ihrer Grundvorstellung auf bewohner-/patientenorientierte Pflege ausgerichtet. In der Literatur finden sich allerdings keine Hinweise auf die vorgegebenen Ablaufstrukturen der Gruppenpflege. In der Pflegepraxis hat sich aber gezeigt, dass die meisten Einrichtungen mit dem Gruppenpflegesystem innerhalb der Pflegegruppen funktionell arbeiten.

Abhängig davon, ob die Arbeitsablauforganisation funktionell oder bewohner-/patientenorientiert ausgerichtet ist, sind die entsprechenden Vorteile zu nennen.

Nachteile des Gruppenpflegesystems dagegen sind:
- Es entsteht eine hohe Materialvorhaltung in den kleinen Pflegeeinheiten.
- Es entsteht ein höherer Personalaufwand durch das Sicherstellen der Mindestbesetzung in den kleinen Pflegeeinheiten.

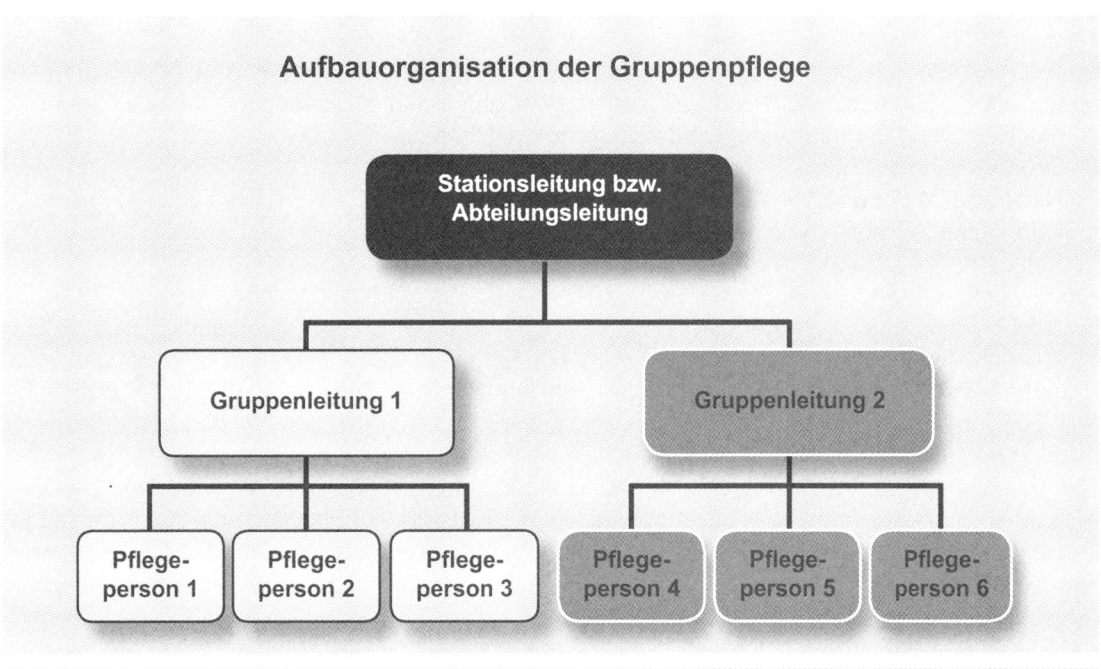

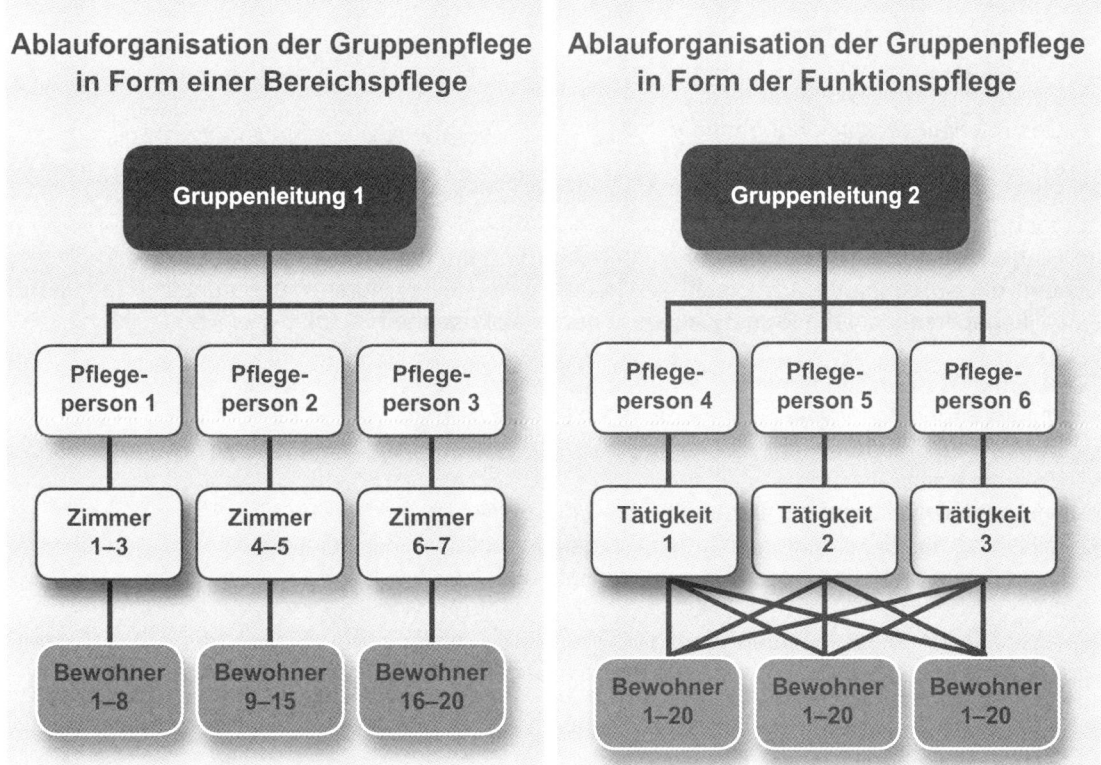

Abb. 7: Aufbau-/Ablauforganisation der Gruppenpflege

4.3.5 Primary Nursing

Hintergrund für die Einführung des Primary Nursing (Bezugspflege) in den USA war unter anderem eine zunehmende Unzufriedenheit der Pflegenden, die folgende Punkte beklagten:
- Oberflächliche Pflegebeziehung zum Bewohner/Patienten
- Diskontinuität der Pflege
- Nicht erfasste Bewohner-/Patientenbedürfnisse
- Unreflektierte Routineabläufe
- Fehlende Aussagekraft der Pflegedokumentation.

Primary Nursing ist eine Pflegeorganisationsform, die eine bewohner-/patientenorientierte Pflege ermöglicht. Jedem Bewohner/Patienten wird bei Eintritt in die Einrichtung eine so genannte Primary Nurse (Bezugspflegende) zugeteilt, die als Schlüsselfigur eine wichtige Funktion für den Bewohner/Patienten und die anderen an der Versorgung beteiligten Berufsgruppen (Physiotherapeuten, Ergotherapeuten, Sozialdienst, Ärzte etc.) einnimmt.

Die Primary Nurse trägt für den pflegerischen Behandlungsprozess 24 Stunden die Verantwortung, von der Aufnahme bis zur Entlassung bzw. zum Ausscheiden aus der Einrichtung. Dabei ist sie für den Bewohner/Patienten, seine Angehörigen, Ärzte sowie für das therapeutische Team die Ansprechpartnerin.

Die Aufgaben der **Primary Nurse** sind im Besonderen:
- Aufnahme des Bewohners/Patienten
- Erstellen des Pflegeplans
- Durchführung von Pflegemaßnahmen
- Pflegedokumentation
- Ermitteln der Pflegequalität
- Gesprächsführung mit Angehörigen
- Einleiten der Entlassungsplanung
- Funktion als Kommunikations- und Organisationszentrale für die Behandlungsplanung.

Im Hinblick darauf, dass die Primary Nurse nicht rund um die Uhr Dienst hat, gibt es in diesem System die so genannte Associated (vertraute, beigestellte) Nurse (zugeordnete Pflegekraft), eine Pflegeperson, die die Primary Nurse in deren Abwesenheit vertritt.

Die **Associated Nurse** übernimmt folgende Aufgaben:
- Durchführung der Pflege entsprechend der Pflegeplanung
- Beobachtung des Bewohners/Patienten
- Dokumentation
- Informationsweitergabe/Übergabe an die Primary Nurse
- Initiierung und Durchführung eigener Pflegeinterventionen nur bei akuten Zustandsveränderungen des Bewohners/Patienten.

Als Associated Nurse werden häufig junge, frisch diplomierte Pflegekräfte oder Teilzeitbeschäftigte eingesetzt. Die Associated Nurse arbeitet nach der Planung der Primary Nurse.

Voraussetzungen zur Umsetzung des Pflegeprozesses

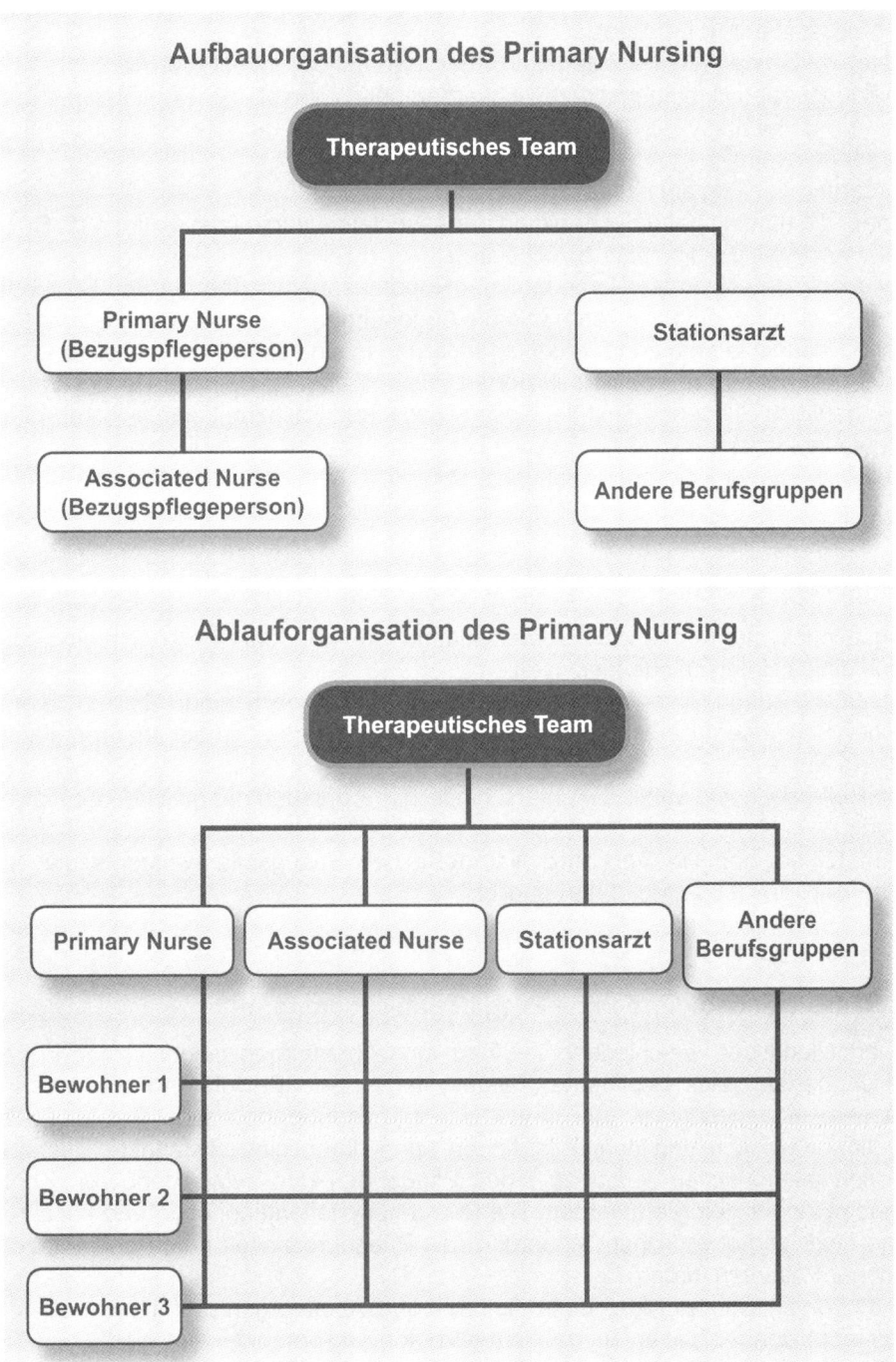

Abb. 8: Aufbau-/Ablauforganisation des Primary Nursing

Die **Vorteile** dieser Organisationsform sind:
- Intensiver Kontakt zu den Bewohnern/Patienten ist möglich. Der Bewohner/Patient hat einen Ansprechpartner und muss sich nicht auf verschiedene Pflegepersonen einstellen.
- Pflegemaßnahmen können zusammenhängend geplant und durchgeführt werden.
- Die Steuerung des Behandlungsprozesses und der Pflegeinterventionen lässt sich leichter und zielorientiert organisieren.
- Pflegeinterventionen sind zielorientiert. Interventionen und damit verknüpfte Ziele sind klar formuliert und für jeden einsehbar dokumentiert.
- Die eigenständige Arbeitsplanung und Durchführung der Pflege mit klarem Entscheidungs- und Verantwortungsbereich hat positive Auswirkungen auf die Arbeitszufriedenheit der Mitarbeiter.

- Die Leitungsspitze wird entlastet.
- Es entstehen direkte Wege und damit wird der Informationsverlust reduziert.
- Entscheidungs- und Handlungsprozesse werden beschleunigt.

Nachteile können sein:
- Überforderung der Primary Nurse
- Pflegende, die überwiegend die Funktion der Associated Nurse übernehmen (z. B. Teilzeitbeschäftigte), fühlen sich zurückgesetzt.
- Bei Abwesenheit der Primary Nurse fehlt der Hauptansprechpartner für den Bewohner/Patienten, das therapeutische Team und die Angehörigen.
- Spontane Urlaubsplanung und Dienstplanänderungen sind schwer zu realisieren.
- Es besteht ein hoher Bedarf an qualifizierten Pflegekräften (z. B. in der Psychiatrie wird eine große Anzahl von Pflegenden mit der Zusatzausbildung Fachkrankenschwester/-pfleger für Psychiatrie benötigt).
- Es entsteht ein hoher Kommunikationsbedarf.

4.3.6 Bezugspflegesystem

Das Bezugspflegesystem weist viele Übereinstimmungen mit dem Primary Nursing auf, es sind jedoch auch einige Unterschiede festzustellen:
- In Deutschland haben Pflegende im Bezugspflegesystem wechselnde Rollen, sie erfüllen bei einigen Bewohnern/Patienten die Rolle der Primary Nurse und bei anderen die der Associated Nurse.
- Je nach Rolle wechseln daher die unterschiedlichen Aufgaben der gleichberechtigten Teammitglieder.

Aus diesem Grund sind die **Vor- und Nachteile** des Bezugspflegesystems den im vorangegangenen Kapitel 4.3.5 aufgeführten ähnlich.

4.3.7 Zusammenfassung: Fördernde Pflegeorganisationsform

Aus der Darstellung der verschiedenen Aufbau- und Ablauforganisationsformen in der Pflege geht deutlich hervor, dass bestimmte Pflegesysteme eine Bewohner-/Patientenorientierung fördern, andere hingegen nicht. Eine konstruktive pflegetherapeutische Beziehung zwischen dem Bewohner/Patienten und dem Pflegenden kann durch die vollständige Übernahme der verschiedenen pflegerischen Aufgaben eines Pflegenden und seines längeren Kontakts mit dem Pflegeempfänger gefördert werden. Die Bewohner-/Patientenorientierung kann zudem die Übernahme einer verantwortlichen Steuerung des Pflegeprozesses durch den Pflegenden mit dem Bewohner/Patienten fördern.
Es muss hervorgehoben werden, dass Aufbau- und Ablauforganisation nicht allein für das Gelingen einer bewohner-/patientenorientierten Versorgung verantwortlich sind.
Auch die Fähigkeiten des Pflegenden und sein im Lauf der Zeit entwickeltes Pflegeverständnis nehmen einen zentralen Stellenwert ein. Bewohner-/Patientenorientierung bedeutet zudem, den Bewohner/Patienten mit seinen Bedürfnissen wahrzunehmen und ernst zu nehmen. Der Bewohner/Patient ist als gleichberechtigter Partner im Pflegeprozess zu verstehen und soll, wenn möglich, durch Partizipation (Teilhabe) gefördert werden.
In ihren Arbeiten haben Büssing und Glaser (1996a; 1996b) eine Reformulierung des Pflegesystembegriffs vorgenommen. Pflegesysteme sind nach ihren Forschungen durch das Pflegeprinzip und die Pflegeorganisationsform bestimmt (→ Abb. 9). Das Pflegeprinzip setzt sich aus Funktions- und der Bewohnerzentrierung auf der vertikalen Achse zusammen. Die Pflegeorganisationsform gliedert sich in ihre verschiedenen, horizontal dargestellten Organisationsformen Stationspflege, Gruppenpflege, Bereichspflege, Zimmerpflege und Bezugspflege.

Klassifikation von Pflegesystemen

Pflegeprinzip

Bewohnerzentriert
- Bewohnerorientierte Stationspflege
- Bewohnerorientierte Gruppenpflege
- Ganzheitliche Bereichspflege
- Ganzheitliche Zimmerpflege
- Ganzheitliche Individualpflege

Funktionszentriert
- Traditionelle Funktionspflege
- Funktionale Gruppenpflege
- Funktionale Bereichspflege
- Funktionale Zimmerpflege
- Funktionale Individualpflege

Pflegeorganisationsform

Quelle: Modifiziert nach Büssing 1997, S. 26

Abb. 9: Klassifikation von Pflegesystemen, modifiziert nach Büssing

Die Arbeiten von Büssing und Glaser festigen die Ansicht, dass zur Realisierung der ganzheitlichen Pflege oder auch der aktivierenden Pflege (wie sie im SGB XI und in den MDK-Prüfrichtlinien gefordert wird) neben der fördernden Pflegeorganisationsform ein entsprechendes Pflegeverständnis und Schlüsselkompetenzen der Mitarbeiter entwickelt werden müssen.

Die Umsetzung eines Bezugspflegesystems ist demnach zum einen an die Organisationsform der Einrichtung gebunden, denn in einer funktionsorientierten Stationsorganisation kann die Bezugspflege nicht realisiert werden. Die Einteilung in kleinere Organisationseinheiten mit einer definierten Anzahl von Bewohnern/Patienten, die unter der Verantwortung der Bezugspflegenden stehen, ist also eine Grundvoraussetzung zur Umsetzung der Bezugspflege.

Mit den persönlichen Fähigkeiten und Kompetenzen der Mitarbeiter, den Schlüsselqualifikationen, die in Kapitel 4.2 beschrieben wurden, wird die Realisierung eines Bezugspflegesystems weiter unterstützt. Der einzelne Bewohner rückt in den Mittelpunkt des pflegerischen Geschehens. Er kennt die festen Ansprechpartner für seine Probleme und die Bezugspflegende als Koordinatorin seiner Pflege. Bei ihr laufen alle Fäden zusammen, sie leitet alle wichtigen Informationen in alle Richtungen weiter und ist verantwortlich für die Organisation und Koordination. Bezugspflegende nehmen damit eine Schlüsselposition im Versorgungsprozess der Bewohner/Patienten ein.

Andraschko, 1996; Büssing, 1997; Büssing und Glaser, 1996a, 1996b; Elkeles, 1997; Elkeles, 1994; Ersser und Tutton, 2000; Elsbernd und Glane, 1996; Fink und Goetze, 2000; Kellnhauser, 1998; Kim, 1996; Peplau, 1995; Ricka-Heidelberger und Winiker, 1994; Steiner und Perry, 2000.

5 Der Pflegeprozess in sechs Schritten

In den folgenden Kapiteln werden die sechs Schritte des Pflegeprozesses beschrieben. Der erste und wichtigste Schritt des Pflegeprozesses ist die *Informationssammlung*.

5.1 1. Schritt: Die Informationssammlung

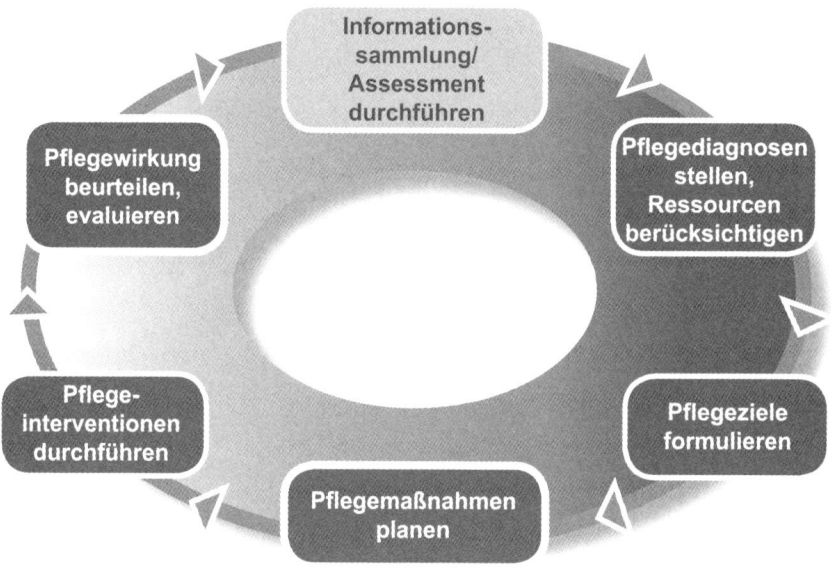

Abb. 10: Informationssammlung

Eine ausführliche Informationssammlung ist der erste wichtige Schritt, um eine konstruktive Beziehung zum Bewohner/Patienten aufzubauen und daraus die benötigte Pflege abzuleiten. Der Sammlung von Informationen ist besondere Bedeutung beizumessen, da Genauigkeit und Ausführlichkeit dieser Daten die weiteren Schritte beeinflussen.

Das Ziel der individuellen Einschätzung des Bewohners/Patienten zu Beginn des Pflegeprozesses ist es, herauszubekommen, welche Bedürfnisse bestehen und welche Unterstützung der Bewohner/Patient benötigt. Bei dieser Einschätzung sollten die Selbstständigkeit des Bewohners/Patienten bzw. seine Abhängigkeit von Unterstützungsleistungen eine besondere Rolle spielen. Eine umfassende Einschätzung der Selbstfürsorgeeinschränkungen und -fähigkeiten sollte sich nicht nur auf die Aspekte der Körperpflege, Mobilität, Ernährung und Ausscheidung beschränken, sondern auch die psychosozialen Bedürfnisse aus der pflegerischen Perspektive mitberücksichtigen.

Eine ungenaue Informationssammlung, ob diese nun strukturiert mithilfe eines Assessmentinstruments oder in Form eines freien Aufnahmegesprächs vollzogen wird, führt dazu, dass der Bewohner/Patient entweder zu wenig oder zu viel Pflege erhält. Beidem sollte vorgebeugt werden, da es nicht im Sinne der aktivierenden Prozesspflege ist. Neben dem genau und individuell ermittelten Pflegebedürfnis und dem Pflegebedarf des Bewohners/Patienten verfolgt die Informationssammlung in Form eines Anamnesegesprächs noch weitere Zielsetzungen.

5.1.1 Ziele der Informationssammlung

Als vorrangige Ziele der Informationssammlung können genannt werden:
- Der Bewohner/Patient fühlt sich in der neuen Umgebung angenommen und verstanden, er baut Vertrauen zum Pflegeteam auf.
- Die Pflegepersonen lernen den Bewohner/Patienten kennen und erfahren Wünsche, Bedürfnisse und Lebensgewohnheiten.
- Die Erwartungen des Bewohners/Patienten werden erfasst.
- Möglichkeiten und Ressourcen (Fähigkeiten) werden erkannt.
- Art und Ausmaß der Hilfsbedürftigkeit werden festgestellt, Pflegeprobleme werden erkannt. Die Pflegediagnose kann gestellt werden.
- Eine positive und konstruktive Beziehung zum Bewohner/Patienten wird geschaffen.

Die Situation rund um die Informationssammlung kann unterschiedlich gestaltet werden. Hier entscheiden die baulichen Gegebenheiten der Wohneinheit/Station und das Pflegepersonal darüber, welche Form und Art und Weise der Durchführung für ihr Bewohner-/Patientenklientel sinnvoll ist.

So kann beispielsweise zunächst ein Erstgespräch mit dem Bewohner/Patienten und seinen Angehörigen und/oder ein Anamnesegespräch stattfinden. Auch eine Informationssammlung durch gemeinsames Erledigen von Aktivitäten des täglichen Lebens (ATL) mit dem Bewohner/Patienten ist sinnvoll. Es ist vorteilhaft, während der ersten Unterstützung bei der Körperpflege herauszubekommen, wo genau der Unterstützungsbedarf liegt, wie Ressourcen aktiviert werden können und welche Vorlieben und Gewohnheiten der Bewohner/Patient im Rahmen der Körperpflege hat. Die gewonnenen Erkenntnisse und Informationen werden innerhalb der ersten Tage in der Einrichtung gesammelt und kontinuierlich auf dem Pflegeanamnesebogen ergänzt. Nach 1–3 Tagen ergibt sich so ein detailliertes Bild des Bewohners/Patienten, seines Unterstützungsbedarfs und seiner Ressourcen. Die erste Pflegeplanung kann daraufhin erstellt werden.

Im Rahmen der Informationssammlung sollten die Pflegenden alle Quellen nutzen, um ein möglichst umfassendes Bild von dem Bewohner/Patienten zu erhalten. Diese werden im folgenden Kapitel thematisiert.

5.1.2 Quellen der Informationssammlung

Es gibt verschiedene Quellen für die Informationssammlung:

Direkte Quellen:
- Eigene Beobachtung und Wahrnehmung
- Aussagen des Bewohners/Patienten
- Aussagen der Angehörigen
- Gespräche mit Angehörigen, Begleitern, Kollegen, dem ärztlichen Personal.

Indirekte Quellen:
- Arztanamnese
- Schriftliche Unterlagen des Hausarztes.
- Krankengeschichte
- Bereitgestellte Pflegeanamnesen, Überleitungsbögen bzw. Verlegungsberichte.

Das Erstgespräch oder Aufnahmegespräch ist eine ideale Möglichkeit, wichtige Informationen vom Bewohner/Patient zu erhalten und zu sammeln. Die Pflegeperson erfasst hierbei sowohl *objektive* als auch *subjektive* Daten.

Der Pflegeprozess

Objektive Daten sind Daten, die messbar bzw. beobachtbar sind. Hierunter zählen insbesondere:
- Personalien (Name, Geburtsdatum etc.)
- Vitalzeichen
- Hautfarbe (blass, zyanotisch etc.)
- Sprache, Nationalität
- Ernährungszustand (Body-mass-Index [BMI], Beschaffenheit der Haare, Nägel, Körpergewicht und -größe)
- Äußeres Erscheinungsbild
- Sichtbare Einschränkungen.

Subjektive Daten sind Informationen, die der Bewohner/Patient über seine Gefühle, Empfindungen, Ängste und deren Bedeutung äußert. Auch Beobachtungen von Pflegenden, Angehörigen oder Teammitgliedern, die auf Interpretation von Verhalten beruhen, sind subjektive Daten. Subjektive Daten können gewonnen werden durch:
- Äußerungen des Bewohners/Patienten über sein Erleben der Erkrankung
- Äußerungen über Bedürfnisse, Erwartungen des Bewohners/Patienten
- Körperhaltung des Bewohners/Patienten, wie z. B. Anspannungen, die auf Ängste hinweisen könnten.

Die meisten Altenpflegeeinrichtungen und ambulanten Dienste haben zur Informationssammlung entweder einen Aufnahmebogen/Pflegeanamnesebogen selbst erstellt oder nutzen einen Pflegeanamnese-/Aufnahmebogen ihres Pflegedokumentationssystems. Auch standardisierte Anamnesen zur Pflegeprozessdokumentation durch Software-Anwendungen sind bereits verfügbar. Eine zusätzliche Möglichkeit, die von einigen Altenpflegeeinrichtungen genutzt wird, ist der Einsatz von Assessmentinstrumenten zur Einschätzung und Beurteilung des Bewohners/Patienten.

Zu den bekanntesten Assessmentinstrumenten in der Altenpflege zählen Resident Assessment Instrument (RAI®), Pflegeabhängigkeitsskala (PAS), Functional Independence Measure (FIM), Planification informatisée des soins infirmiers requis (PLAISIR©), EasyCare, Nurses Observation Scale for Inpatient Evaluation (NOSIE) und Geriatric Evaluation by Relatives Rating Instruments (GERRI) sowie Nurses' Observation Scale for Geriatric Patients (NOSGER).

Diese Aufnahme-/Pflegeanamnesebögen oder die eingesetzten Assessmentinstrumente stellen beim Aufnahmegespräch eine Orientierungshilfe dar, mit deren Hilfe geklärt werden kann, welche Informationen für die Pflegenden zunächst relevant sind. Aufnahmegespräche mit einer solchen „Checkliste" führen jedoch häufig dazu, dass der Bewohner/Patient nach den Daten regelrecht abgefragt wird und ein „echtes" Gespräch im Sinne einer klientenzentrierten Gesprächsführung nicht zustande kommt. Es besteht dabei die Gefahr, dass individuelle Erwartungen und Besonderheiten nicht erfasst werden. Aus diesem Grund ist es sinnvoll, auch einen offenen Gesprächsanteil während eines Aufnahmegesprächs zu ermöglichen.

Um ein Aufnahmegespräch führen zu können, benötigen die Pflegenden Fähigkeiten im Bereich der Kommunikation und Interaktion.

5.1.3 Gesprächsmethoden und Grundhaltung beim bewohner-/patientenzentrierten Gespräch

An dieser Stelle können nicht alle erforderlichen Gesprächsführungstechniken vermittelt werden, die notwendig sind, um ein bewohner-/patientenorientiertes Aufnahmegespräch führen zu können. Die hier aufgeführten Gesprächsmethoden sollten den Pflegefachkräften aus der Kranken-/Altenpflegeausbildung bekannt sein, in der diese Schlüsselqualifikationen vermittelt werden. Die stichwortartige Aufzählung der verschiedenen Gesprächsführungstechniken dient daher der Reflexion der eigenen Gesprächsführungskompetenzen. Sollten Ihnen die nachfolgenden Gesprächsmethoden jedoch fremd sein, empfiehlt es sich, das eigene Wissen mithilfe der angegebenen Literaturhinweise zu erweitern.

Folgende **Gesprächsführungstechniken** sollten im Bewohner-/Angehörigen-Gespräch eingesetzt werden:

Unbedingte Wertschätzung des Bewohners/Patienten:
- Ich nehme den Bewohner/Patienten an, wie er ist.
- Ich beurteile ihn nicht nach meinen eigenen Wertmaßstäben.
- Ich orientiere mich an dem, was er braucht.
- Ich sehe in ihm meinen Arbeitspartner und nicht mein Arbeitsobjekt.

Einfühlung und Empathie:
- Ich fange da an, wo er steht.
- Ich versuche, ihn von seiner Entwicklung her zu verstehen.

Echtheit und Kongruenz:
- Ich mache ihm deutlich, dass ich Kontakt mit ihm aufnehmen möchte.
- Ich prüfe die Gefühle, die er in mir auslöst.
- Ich vermeide berufsmäßige Geschäftigkeit.

Die Umsetzung der klientenzentrierten Gesprächsführung dient der Verbesserung der Kommunikation mit dem Bewohner/Patienten. Sie hat den Zweck, den Bewohner/Patienten und seine Bedürfnisse auch bei der Kommunikation in den Mittelpunkt zu stellen. Im Folgenden fassen wir kurz einige Aspekte der klientenzentrierten **Gesprächsführung nach C. R. Rogers** zusammen:

Aktiv Zuhören können
Aktiv Zuhören können bedeutet, durch averbale (nichtsprachliche) Zeichen, wie z. B. Blickkontakt, Körperhaltung, Ausdrucksbewegungen und verbale (sprachliche) Zeichen wie z. B. Verstärkung, Aussagen treffen, Fragen stellen, Pausen zulassen usw. eine aufnahmebereite Zuwendung zu zeigen.

Offene Fragen
Es sollten *offene Fragen* im Gespräch gestellt werden, anstatt geschlossener Fragen. Offene Fragestellungen führen weniger zu Ja/Nein-Antworten oder reinen Faktenantworten, sondern fordern den Bewohner/Patienten auf, Themenbereiche intensiv anzusprechen. Die Schwerpunkte der Gesprächsinhalte werden dabei vom Bewohner/Patienten bestimmt, damit dieser ihm wichtige Aspekte ansprechen kann. Dadurch wird er stärker angeregt, über Ereignisse, eigene Einstellungen, Gefühlsreaktionen und Probleme zu berichten.

Selektive Reflexion
Die *selektive Reflexion* (ausgewählte Selbstbetrachtung) hat zum Ziel, verbale oder averbale Äußerungen des Bewohners/Patienten aufzugreifen und Aspekte anzusprechen, die für die Lösung des jeweiligen Problems von Bedeutung sein können. Die Pflegeperson hilft dem Bewohner/Patienten durch die Gesprächstechniken der selektiven Reflexion, sein Problem zu analysieren, wesentliche Inhalte zu reflektieren und Lösungswege zu entwickeln.

Gesprächstechniken der *selektiven Reflexion* können sein:
- *Paraphrasieren*: Möglichst genaue inhaltliche Wiederholung der Aussagen des Bewohners/Patienten. Durch die Wiederholung des Gesagten hat der Bewohner/Patient die Möglichkeit zu überprüfen, ob die Pflegekraft ihn richtig verstanden hat. Darüber hinaus kann der Bewohner/Patient seine Äußerungen und Gedanken weiterführen und evtl. präzisieren.
- *Verbalisieren emotionaler Erlebnisinhalte*: Indirekt ausgedrückte Gefühle, Gedanken und Vorstellungen des Bewohners/Patienten werden durch die Pflegekraft in Worte gefasst. Somit hat der Bewohner/Patient die Möglichkeit, die Äußerungen und Gedanken weiterzuführen und dazu Stellung zu beziehen.
- Eine *Zwischenzusammenfassung* dient als Fokussierung der Bewohner-/Patientenäußerungen.

Neben der Grundhaltung, die eine bewohner-/patientenorientierte Gesprächsführung fordert, sollten Pflegende lernen, die *Selbstoffenbarungsnachricht* der Bewohner/Patienten zu hören, also das, was er gleichzeitig über sich selbst aussagt. In jeder Nachricht stecken nicht nur reine Sachinformationen, sondern neben den Sachinhalten auch Informationen z. B. über die Person des Bewohners/Patienten. **Schulz von Thun** teilt sein **Kommunikationsquadrat** in die *vier Nachrichten einer Botschaft* und die *vier Ohren des Empfängers* ein.

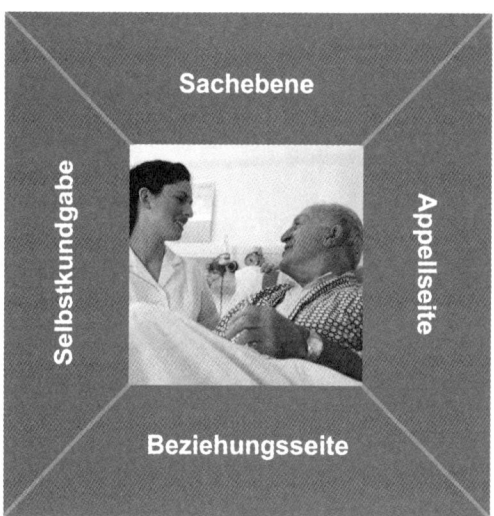

Abb. 11: Kommunikationsquadrat nach Schulz von Thun

Wenn ich als Mensch spreche, wirkt meine Sprachhandlung auf vierfache Weise. Jede meiner Äußerungen enthält vier Botschaften gleichzeitig, ob ich es will oder nicht:
- eine Sachinformation (worüber ich informiere)
- eine Selbstkundgabe (was ich von mir zu erkennen gebe)
- einen Beziehungshinweis (was ich von dir halte und wie ich zu dir stehe)
- einen Appell (was ich bei dir erreichen möchte).

Wenn wir mit einer anderen Person in sprachlichen Kontakt treten, sind psychologisch gesehen aufseiten beider Gesprächspartner vier Ebenen zu beachten. Die Qualität des Gesprächs hängt davon ab, in welcher Weise diese zusammenspielen.
Jede Pflegeperson kann z. B. hören, was der Bewohner/Patient mit der Nachricht über sich selbst aussagt. Ebenso kann sie in einer Aussage Informationen über ihre Beziehung zum Bewohner/Patienten hören. Gleichzeitig finden sich in einer Botschaft des Bewohners/Patienten versteckte Informationen, wie er über sein Gegenüber denkt.

Neben dem *Selbstoffenbarungsohr* und dem *Beziehungsohr*, mit dem die Pflegeperson die Nachrichten eines Bewohners/Patienten hören kann, gibt es noch das *Appellohr*. Mit diesem hört die Pflegekraft, was der Bewohner/Patient unausgesprochen von ihr erwartet. Sind Pflegende von dem Wunsch beseelt, es allen recht zu machen, werden diese ein übergroßes Appellohr entwickeln und in jeder Äußerung des Bewohners/Patienten die versteckten Erwartungen hören. Wird allerdings jeder versteckte Appell durch die Pflegekraft realisiert, besteht die Gefahr, dass Unterstützungsleistungen zu schnell angeboten werden und eine aktivierende und ressourcenfördernde Pflege in eine abhängigkeitsfördernde Pflege umschlägt.

Sollten Sie Schulz von Thuns Kommunikationsquadrat noch nicht kennen, empfehlen wir Ihnen, sich mit seinen Überlegungen vertraut zu machen und Ihre Kompetenzen im Bereich der Kommunikationsfähigkeiten zu schulen.

5.1.4 Beispiel für ein Aufnahmegespräch

Beim folgenden beispielhaften Aufnahmegespräch wendet die Pflegeperson die oben beschriebenen Gesprächstechniken an. Sie führt ein offenes Gespräch, um ihre Informationen zu sammeln. Das abgedruckte Gespräch ist ein reales Aufnahmegespräch einer Pflegekraft in einem Krankenhaus. Es wurde nach einer Kommunikationsschulung aufgenommen und wird hier mit veränderten Namen abgedruckt.

Übungsaufgabe:

Bitte tragen Sie hinter den Äußerungen der Pflegekraft ein, welche der in Kapitel 5.1.3 aufgeführten Techniken sie angewendet hat! (→ Die Auflösung der Aufgabe finden Sie am Ende des Kapitels.)

Gespräch zwischen Frau Hilfreich (Krankenschwester) und Frau Sorgenschwer (Patientin):

Frau Sorgenschwer ist morgens in die Klinik gekommen, ihre Tochter hat sie begleitet und ihr geholfen, sich in dem Patientenzimmer einzurichten. Nachdem die Tochter gegangen ist, führt Frau Hilfreich das Aufnahmegespräch.

(Fr. Hilfreich) „Schönen guten Tag, Frau Sorgenschwer!"
(Fr. Sorgenschwer) „Guten Tag!"

1 (Fr. Hilfreich) „Ich möchte mich kurz bei Ihnen vorstellen. Mein Name ist Frau Hilfreich und ich arbeite auf der Station 2 C als Krankenschwester. Meine Kollegin Frau Schranz hatte Ihnen ja bereits das Zimmer und die wichtigsten Räumlichkeiten gezeigt. Ich würde mit Ihnen gerne ein Aufnahmegespräch führen, sodass Sie die Möglichkeit haben, noch einiges zu erfragen und ich die Gelegenheit bekomme, Ihre Gewohnheiten und Schwierigkeiten zu erfahren, wegen derer Sie zu uns in die Klinik gekommen sind."

_____

(Fr. Sorgenschwer) „Ja, ist gut."

2 (Fr. Hilfreich) „Heute Morgen hat Sie Ihre Tochter in die Klinik gebracht, wohnen Sie bei Ihrer Tochter?"

_____

(Fr. Sorgenschwer) „Ja, seitdem mein Mann vor vier Jahren verstorben ist, wohne ich bei meiner Tochter und helfe ihr, die Kinder zu versorgen."

Der Pflegeprozess

3 (Fr. Hilfreich) „Arbeitet Ihre Tochter?"

_____

(Fr. Sorgenschwer) „Ach, wissen Sie, meine Tochter ist seit dreieinhalb Jahren tagsüber bei einer Firma als Sekretärin beschäftigt. Seitdem kümmere ich mich um die Enkel und um den Haushalt. Das ist schon anstrengend, jetzt wird es schon etwas besser, da die Kinder tagsüber zur Schule gehen. Ich koche dann immer das Mittagessen und mache mit ihnen Hausaufgaben, bis meine Tochter nach Hause kommt."

4 (Fr. Hilfreich) „Sie machen sich sicher Sorgen, wie die Enkelkinder während Ihres Aufenthalts versorgt werden."

_____

(Fr. Sorgenschwer) „Ja, wissen Sie, die sind teilweise noch so unvernünftig und haben manchmal nur Blödsinn im Kopf. Letzte Woche hat Klaus in seinem Zimmer gezündelt und mit seinem Laborkoffer ein Loch in den Teppich gebrannt. Da ist es schon wichtig, dass einer aufpasst, damit nichts passiert. Diese Woche wird mein Sohn die Kinder betreuen, während meine Tochter an der Arbeit ist. Aber der ist nicht so sehr belastbar und kann Kinderlärm nicht so gut ertragen. Wissen Sie, er hat seit seiner Geburt einen Herzfehler."

5 (Fr. Hilfreich) „Gibt es noch eine andere Möglichkeit, wie Ihre Enkelkinder versorgt werden könnten?"

_____

(Fr. Sorgenschwer) „Meine Tochter hat schon mit ihrem Chef gesprochen. Sie kann notfalls Urlaub nehmen und sich um die Kinder kümmern."

6 (Fr. Hilfreich) „Somit wäre die Versorgung Ihrer Enkel gewährleistet - beruhigt Sie diese Information etwas?"

_____

(Fr. Sorgenschwer) „Ja, das tut es schon!"

7 (Fr. Hilfreich) „Frau Sorgenschwer, ich würde gerne einiges über Ihre Beschwerden, wegen derer Sie in die Klinik gekommen sind, erfahren. Können Sie mir bitte erzählen, wie es angefangen hat, und welche Beschwerden Sie haben?"

_____

(Fr. Sorgenschwer) „Wissen Sie, ich habe eigentlich schon immer hin und wieder so Oberbauchschmerzen. Ich glaube, dass das Ganze vor ungefähr 32 Jahren angefangen hat. Das erste Mal hatte ich so Koliken, da war mein Sohn - glaube ich - gerade 1 Jahr alt. Ich habe dann immer etwas darauf geachtet, das Richtige zu essen.
1988 war ich dann zum ersten Mal wegen der Oberbauchbeschwerden in der Klinik. Zwei Jahre später kam ich noch mal in die Klinik, da haben die Ärzte festgestellt, dass ich eine Kontrastmittelallergie habe. Die Ärzte haben mehrmals die Galle untersucht, da haben sie aber nichts gefunden. Sie vermuten, dass ich einen Morbus Crohn habe. Wenn ich bestimmte Dinge nicht esse und mich nicht aufrege, sind die Koliken und die Durchfälle immer wieder verschwunden."

8 (Fr. Hilfreich) „Sie meinen, dass die Beschwerden mit dem richtigen Essen und auch mit Aufregung zu tun haben."

(Fr. Sorgenschwer) „Ja, das denke ich. Als die Beschwerden zum ersten Mal auftraten, hatte ich gerade wegen der Herzerkrankung meines Sohnes große Ängste und Sorgen."

9 (Fr. Hilfreich) „Sie haben auch gesagt, dass Ihre Beschwerden zurückgehen, wenn Sie bestimmte Dinge nicht essen. Welche Speisen sind das?"

(Fr. Sorgenschwer) „Ich vertrage vor allem keinen Kohl, dann haben mir auch Süßigkeiten und Alkohol Probleme gemacht. Auch bestimmte Sorten von Vollkornbrot vertrage ich nicht."

10 (Fr. Hilfreich) „Da können wir hier im Krankenhaus bei der Essensbestellung auch darauf achten, dass Sie die entsprechenden Mahlzeiten bekommen. Können Sie mir bitte Ihre momentanen Beschwerden beschreiben."

(Fr. Sorgenschwer) „Ja, einmal habe ich ständig Durchfall, ungefähr seit zwei Wochen. Die Schmerzen beim Stuhlgang sind stärker geworden und ich hatte einmal - glaube ich - auch Blut im Stuhlgang gesehen. Die Oberbauchschmerzen sind kolikartig und ich kann mich nicht richtig ausruhen, weil ich beim Liegen immer wieder starke Rückenschmerzen habe.
Seit die Durchfälle so stark sind, habe ich auch auf nichts mehr Appetit. Zu Hause ist es mir schon ganz peinlich, auf die Toilette zu gehen, weil es dann so sehr riecht. Ja, und in der letzten Zeit fühle ich mich sehr matt und müde und bekomme im Haushalt wenig geregelt. Die Kinder strengen mich sehr an. Ich habe auch einiges an Gewicht verloren."

11 (Fr. Hilfreich) „Sie haben die Toilette im Zimmer für sich alleine, da Ihre Bettnachbarin Bettruhe einhalten muss. Somit brauchen Sie sich keine Gedanken wegen der Geruchsbelästigung machen. Was mich noch interessieren würde, wie viel Körpergewicht haben Sie in der letzten Zeit verloren?"

(Fr. Sorgenschwer) „Ich habe vor 3 Wochen 65 Kilo gewogen. Jetzt wiege ich nur mehr 58 Kilo."

12 (Fr. Hilfreich) „So jetzt habe ich keine aktuellen Fragen mehr an Sie. Haben Sie noch Fragen an mich?"

(Fr. Sorgenschwer) „Jetzt fällt mir momentan keine Frage ein."

13 (Fr. Hilfreich) „Sie wissen, dass Sie jederzeit zu uns kommen können, wenn etwas unklar ist. Wenn es Ihnen recht ist, informiere ich Sie noch über den Ablauf des Tages, und anschließend können Sie sich erst einmal etwas ausruhen."

(Fr. Sorgenschwer) „Das ist gut."

In diesem Aufnahmegespräch einer Pflegenden mit ihrer Patientin wurden zwei Ziele erreicht:
1. Die Pflegende hat es geschafft, eine entspannte, konstruktive Beziehung zur Patientin aufzubauen.
2. Sie hat entscheidende pflegerelevante Informationen über die Patientin erhalten.

Im nächsten Schritt wird die Pflegende die Informationen selektieren (auswählen), ordnen und auf ihre Gültigkeit hin überprüfen. Sie wird die Informationen und die in dem Gespräch erkannten Zusammenhänge dokumentieren.

Damit ist die Informationssammlung aber noch nicht beendet. Anschließend wird der körperliche Aufnahmezustand erhoben. Entstehen bei der Dokumentation noch weitere Fragen, hat die Pflegende dann die Möglichkeit die fehlenden Informationen in einem Pflegeanamnesegespräch einzuholen.

Im Rahmen der Informationssammlung kann sie ferner Kollegen konsultieren oder in der entsprechenden Fachliteratur weitere Informationen sammeln. Dabei ist zu beachten, dass diese Informationen ebenfalls auf ihre Gültigkeit hin überprüft werden müssen.

5.1.5 Biografiearbeit

Der Biografiearbeit kommt im Rahmen des Pflegeprozesses eine besondere Bedeutung zu. Die biografischen Erkenntnisse über den Bewohner/Patienten können helfen, den Pflegeprozess konstruktiv zu gestalten oder Verhaltensweisen des Bewohners/Patienten zu verstehen.

Im Rahmen der Biografiearbeit gibt es sehr interessante Methoden und Ansätze, um die Lebensgeschichte des Bewohners/Patienten über verschiedene Zugangsmöglichkeiten kennen zu lernen. Daher gibt es in der Biografiearbeit unterschiedliche Perspektiven, die psychologische, die soziologische und die geragologische Perspektive. Unter *Geragogik* versteht man „jenes Teilgebiet der Gerontologie und Erziehungswissenschaft, das sich in Forschung, Lehre und Praxis mit allen Problemen, Lerninhalten und Lernprozessen befasst, die mit dem Altern und dem Alter zusammenhängt" (Wingchen, 2004, S. 51).

Die verschiedenen theoretischen und methodischen Aspekte der Biografiearbeit sind zu umfangreich, um sie an dieser Stelle darzustellen. Einen guten und praxisnahen Einstieg und Überblick bietet das Buch von Kerkhoff und Halbach (2002).

> **Zusammenfassung**
>
> Die Informationssammlung ist ein wichtiger Schritt, um eine konstruktive Beziehung zum Bewohner/Patienten aufzubauen. Daraus leitet sich die benötigte Pflege ab. Der Sammlung von Informationen ist besondere Bedeutung beizumessen, da Genauigkeit und Ausführlichkeit dieser Daten die weiteren Schritte beeinflussen. Die wichtigsten Ziele der Informationssammlung sind das Vertrauen des Bewohners/Patienten zum Pflegeteam aufzubauen, seine Wünsche, Erwartungen und vor allem Ressourcen zu erfassen sowie die Hilfsbedürftigkeit zu erkennen, um daraus die benötigte Pflege abzuleiten. Den verschiedenen Gesprächstechniken ist in diesem Zusammenhang besondere Bedeutung beizumessen.

5.2 2. Schritt: Die Pflegeproblemformulierung/ Pflegediagnoseformulierung

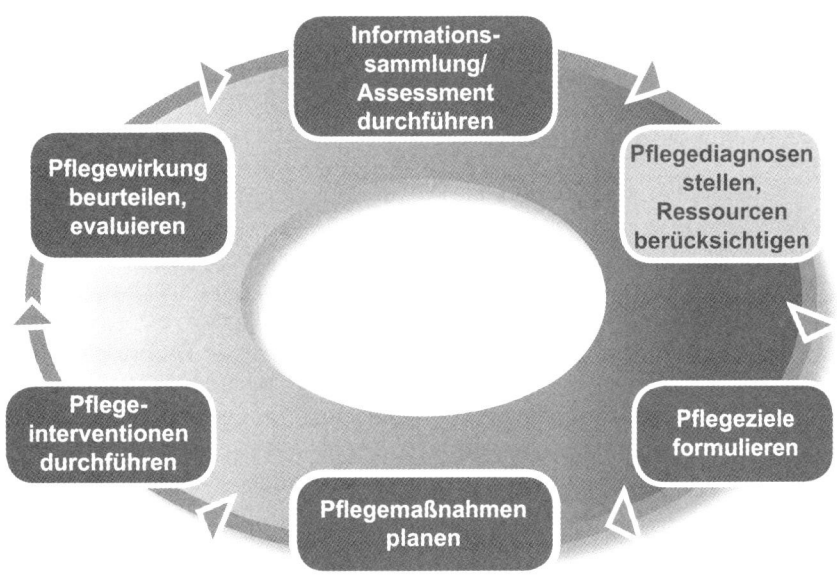

Abb. 12: Pflegediagnosen stellen, Ressourcen berücksichtigen

Im zweiten Schritt des Pflegeprozesses werden aus den Informationen und Beobachtungen die *Pflegeprobleme/Pflegediagnosen* und *Ressourcen* des Bewohners/Patienten abgeleitet und formuliert.
Zunächst wird im folgenden Kapitel eine Definition der Begriffe ‚Pflegeproblem' und ‚Pflegediagnose' herausgearbeitet. Auf der Grundlage dieser Definition werden zu einer Fallgeschichte die Pflegeformulierungen entwickelt.

5.2.1 Begriffsdefinition: ‚Pflegeproblem'/‚Pflegediagnose'

Die Begriffsdefinition von Fiechter und Meier hat sich in der 10. Auflage ihrer Praxisanleitung *Pflegeplanung* verändert. So heißt der zweite Schritt des Pflegeprozesses in früheren Auflagen: „Erfassen der Probleme und der Ressourcen des Patienten" (Fiechter und Meier, 1993, S. 43). Die 10. Auflage beschreibt den zweiten Schritt des Pflegeprozesses mit den Worten: „Pflegediagnose, Erfassung der Probleme und Ressourcen des Patienten" und erläutert dann, dass die Formulierung der Pflegediagnose die „Erfassung und Formulierung der Pflegeprobleme und Ressourcen des Patienten" den „entscheidenden Schritt im Pflegeprozess" darstellt (Fiechter und Meier, 1998, S. 31).
In den Pflegeplan sollen ausschließlich diejenigen Pflegeprobleme des Bewohners/Patienten aufgenommen werden, die durch die Pflegeinterventionen auch bearbeitet werden können.

Folgende Anforderungen stellen Fiechter und Meier an die Problemformulierungen:
- Sie sollen so knapp und kurz wie möglich formuliert werden.
- Sie sollen exakt und spezifisch formuliert werden.
- Sie sollen objektiv formuliert werden und keine Wertungen beinhalten.

Die Autorinnen unterscheiden zudem zwischen aktuellen, potenziellen und verdeckten Pflegeproblemen.

Über die Frage, wie der Begriff ‚Pflegeproblem' zu fassen ist, herrscht Uneinigkeit in der Fachliteratur. Abderhalden bezeichnet Pflegediagnosen im klinisch-praktischen Bedeutungskontext als den zweiten Schritt des Pflegeprozesses. Die Pflegediagnose wird von ihm als „sprachlicher Ausdruck für eine klinische Beurteilung pflegerelevanter Aspekte des Gesundheitszustands oder des Gesundheitsverhaltens bei einem konkreten Patienten/Bewohner" bezeichnet (Abderhalden, 2000, S. 20). Hierbei wird, wie auch bei Fiechter und Meier (1998), die Bedeutung der Pflegediagnose gleichgesetzt mit der Bedeutung der Pflegeproblemformulierung und der Ressourcenformulierung.

Es gibt dagegen andere Autoren wie z. B. Arets, Obex et al. (1997), die lediglich solche Diagnosen als Pflegeproblem bezeichnen, die wegen fehlender Begriffe oder Klassifikationen in der Fachwelt noch keine Anerkennung gefunden haben.

Die Gegenüberstellung der NANDA-Pflegediagnosen mit den „didaktischen" Pflegeproblemformulierungen im deutschsprachigen Raum zeigt, dass es keine inhaltlichen Unterscheidungen gibt. In *Altenpflege konkret* wird eine Definition von Krohwinkel zitiert, die eine ‚Pflegediagnose' bezeichnet als das „Erkennen und Beschreiben pflegerelevanter Probleme und Fähigkeiten des pflegebedürftigen Menschen im Hinblick auf die Aktivitäten und existentiellen Erfahrungen des Lebens (AEDL) in ihren Auswirkungen auf den Gesundungs- und Lebensprozess sowie Abschätzung der zu Grunde liegenden Ursachen" (Michalke et al., 2001, S. 91).

Aus der derzeitigen Literatur lässt sich ableiten, dass die Begriffe ‚Pflegeproblem' und ‚Pflegediagnose' dann synonym verwendet werden, wenn die Pflegeproblembeschreibung umfangreiche Informationen über das vorliegende Problem, die Ursachen, Kennzeichen und eventuell Ressourcen beinhaltet. Wird das Pflegeproblem als Bestandteil einer Pflegediagnose verstanden, sind die Begriffe nicht synonym zu verwenden.

> **Definition ‚Pflegeproblem'/‚Pflegediagnose'**
>
> In diesem Arbeitsbuch wird im Folgenden dann von einer *Pflegediagnose* gesprochen, wenn damit die genaue Beschreibung des Pflegeproblems, mit Ursachen, Kennzeichen und Ressourcen gemeint ist. Der Begriff *Pflegeproblem* wird hier im Sinne eines Bestandteils einer Pflegediagnose verwendet.
>
> Ein *Pflegeproblem* liegt vor, wenn der Bewohner/Patient Beeinträchtigungen hat, die in seiner Person oder in seiner Umwelt begründet liegen, dabei die Fähigkeit verloren hat, sich selbst gesund zu erhalten oder seine Genesung zu fördern, oder diese eingeschränkt ist, die Person in ihrer Unabhängigkeit eingeschränkt ist und/oder andere Menschen gefährdet bzw. einengt und die Person zur Beseitigung und Reduzierung ihres Problems professionelle Pflege benötigt.
>
> Für pflegerische Probleme gibt es Ursachen und/oder auslösende Risikofaktoren sowie Kennzeichen und Ressourcen. Werden diese zusammenfassend wahrgenommen und durch die Pflegeperson im Interaktions- und Kommunikationsprozess bewertet, so stellt die Pflegeperson die Pflegediagnose.

Im zweiten Teil des vorliegenden Buches finden Sie die für die Altenpflege relevanten Pflegediagnosen, dargestellt in der horizontalen Struktur der ENP®. Diese enthalten Kennzeichen, Ursachen, Ressourcen und sind verknüpft mit Zielen und Maßnahmen. Die dort in den Zusammenhang gebrachten „Bausteine" einer Pflegediagnose sind alle pflegefachlich überprüft und literaturgestützt erstellt worden und bilden den pflegediagnosebezogenen Behandlungspfad.

5.2.2 Begriffsdefinition: ‚Ressource'

Entsprechend dem Prozessverständnis von Fiechter und Meier (1998) werden zusammen mit der Pflegediagnosenformulierung die Ressourcen des Bewohners/Patienten formuliert. Der Medizinische Dienst der Krankenversicherung (MDK) überprüft die Ressourcenformulierung im Rahmen der Pflegeprozessdokumentation. Teilweise werden von den Qualitätsprüfern für jede Pflegediagnosenformulierung auch Ressourcenformulierungen erwartet. Der MDK beurteilt die Ressourcenformulierung im Pflegeplan der Bewohner/Patienten als Hinweis auf eine aktivierende Pflege.

Im ersten Qualitätsbericht des Medizinischen Dienstes der Spitzenverbände der Krankenkassen (MDS) aus dem Jahr 2004 wurden die Pflegeprozessdokumentationen von 4721 Bewohnern/Patienten aus dem stationären Pflegebereich analysiert. Im Bereich der Ressourcenformulierungen wurde Folgendes im Bericht festgehalten:

> „Damit aktivierend gepflegt werden kann und die vorhandenen Fähigkeiten des Bewohners gefördert werden können, ist neben der Erfassung und Dokumentation vorhandener Probleme und Defizite die Erfassung der Ressourcen sowie Fähigkeiten erforderlich. Dies geschah bei 51 % der in der Prüfung einbezogenen Bewohner. Damit fehlte bei 49 % der Personen eine der wesentlichsten Grundlagen für eine zielgerichtete aktivierende Pflege" (MDS Qualitätsbericht, 2004, S. 61).

Zunächst wird daher der Begriff ‚Ressource' definiert, anschließend soll die sinnvolle Anwendung der Ressourcenformulierung in den Pflegeplänen diskutiert werden.

In der Pflegepraxis werden unter *Gesundheitsressourcen* überwiegend Kraftquellen, Fähigkeiten oder Selbsthilfefähigkeiten verstanden, die zur Verarbeitung oder Gesundung von Krankheit zur Verfügung stehen. Georg und Frowein verstehen in ihrem *Pflegelexikon* (1999) unter dem Begriff *Ressource* alle Fähigkeiten, Verhaltensweisen und sozialen Möglichkeiten, die der Gesunderhaltung oder Genesung förderlich sind.

Juchli hat sich als eine der wenigen Autorinnen in der deutschsprachigen Literatur mit den Ressourcen beschäftigt. Sie unterteilt diese in *persönliche Ressourcen*, wie z. B. „kognitive Kräfte, Gemütskräfte, schöpferische Kräfte, Kräfte der Tiefe und transzendente Kräfte", und in *Ressourcen der Mit- und Umwelt*, wie z. B. „soziale Ressourcen und ökologische Ressourcen". Zusammenfassend bezeichnet die Autorin Gesundheitsressourcen als „Kräfte, Fähigkeiten und Möglichkeiten", die dem Patienten/Bewohner zur Verfügung stehen, sich gesund zu erhalten bzw. Krankheit zu bewältigen (Juchli, 1994, S. 44 f.). Bei Fiechter und Meier (1998) werden Ressourcen mit Fähigkeiten und Möglichkeiten des Bewohners/Patienten und seiner Angehörigen gleichgesetzt.

Auch die Autoren Arets et al. definieren ‚Ressourcen' als „besondere Fähigkeiten, Reserven oder ein Umfeld [...], das wesentlich [...] zur Gesundung beitragen kann" (Arets et al., 1997, S. 32). An anderer Stelle beschreiben die Autoren ‚Fähigkeiten' als eine Begabung oder Kapazität des Menschen, etwas zu können. Fähigkeiten geben ihrer Meinung nach einen Einblick in die Möglichkeiten, die die Person zum biologischen, psychologischen und sozialen Funktionieren besitzt.

Pröbstl und Glaser sehen außerdem in den Ressourcen diejenigen „Fähigkeiten und Möglichkeiten des Patienten, die für die Lösung der jeweiligen Probleme relevant sind" (Pröbstl und Glaser, 1997, S. 254). Ihrer Meinung nach sollten diese im zweiten Schritt des Pflegeprozesses mit den Pflegediagnosen benannt werden.

Die Autoren Reisach und Zegelin-Abt (1998) stellen in ihrem Artikel die Frage, inwieweit die körperliche Fähigkeit, gut zu hören, bei einem „alten" Menschen eine Ressource darstellt oder eher als „Nochfähigkeit" bezeichnet werden sollte. Sie machen zur Ressourcendefinition im Gesundheitswesen den Vorschlag, „Fähigkeiten, die der Mensch in sich trägt, aber bisher noch nicht eingesetzt hat" als Ressourcen zu bezeichnen. „Alle anderen selbstverständlichen Fähigkeiten" seien vor dem Hintergrund dieses Verständnisses nicht als Ressourcen zu verstehen (Reisach und Zegelin-Abt, 1998, S. 672 ff.).

Der Pflegeprozess

Es hat sich zunehmend in der Altenpflege und auch in der Pflegeausbildung durchgesetzt, dass zu jeder formulierten Pflegediagnose eine entsprechende Ressourcen formuliert werden. Dies wird auch teilweise von den MDK-Mitarbeitern bei der Qualitätsprüfung in den Pflegeeinrichtungen gefordert. Die Formulierungen konzentrieren sich häufig auf noch vorhandene Fähigkeiten. Es ist zu überlegen, ob im Rahmen der „praktischen" Pflegeplanung diese so genannten „Nochfähigkeiten" durch eine differenzierte Ziel- und Maßnahmenformulierung indirekt eingefügt werden (Wieteck, 1999).

Anhand der Ausführungen wird deutlich, dass für eine Formulierung der Ressourcen noch Klärungsbedarf besteht. Bei der handschriftlichen Pflegeprozessdokumentation sollte zugunsten der Praktikabilität und Übersichtlichkeit der Pflegeplanung folgende Arbeitsdefinition für Ressourcenformulierungen gelten:

> **Definition ‚Ressourcen'**
>
> **Ressourcen sind als Fähigkeiten zu verstehen, die der Mensch in sich trägt beziehungsweise die in seinem Umfeld liegen, um den Genesungsprozess zu unterstützen.**
> **Die Ressourcen werden explizit in der Pflegeprozessplanung formuliert. Alle Noch-Fähigkeiten des Bewohners/Patienten werden so dargestellt, dass die Pflegeproblemformulierung und Maßnahmenauswahl diese vorhandenen Noch-Fähigkeiten des Bewohners/Patienten berücksichtigt.**

Die Beschwerden und Probleme des Bewohners/Patienten sind häufig offensichtlich, während die Ressourcen oft im Verlauf der Pflege ermittelt werden müssen. Hier gilt es, den Blick für die Integration der Ressourcen in die Pflege zu fördern und zu schulen.

Grundsätzlich kann man die Ressourcen eines Bewohners/Patienten an seinen (unterschiedlich ausgeprägten) Fähigkeiten erkennen, in der Pflegesituation die Aktivitäten des täglichen Lebens (ATL)/Aktivitäten und existentiellen Erfahrungen des Lebens (AEDL) zu bewältigen. So sollte man z. B. darauf achten,
- ob der Bewohner/Patient in der Lage ist, positive Beziehungen zu Menschen aufzubauen.
- ob es dem Bewohner/Patienten möglich ist, Lebenskräfte, Lebensmotivation und Lebensenergien zu schöpfen, die zusammen mit beispielsweise Hoffnung, Freude und Humor die lebenserhaltenden und heilungsfördernden Kraftquellen des menschlichen Lebens sind.
- ob der Bewohner/Patient Fähigkeiten entwickelt, die der Bewohner/Patient benötigt, um mit Einschränkungen umzugehen.

Die Aktivierung der Ressourcen und ihre Integration in den Pflegeprozess fördern insbesondere die Selbstständigkeit und das Selbstbewusstsein des Bewohners/Patienten und vermeiden Gefühle der Entmündigung.

Im zweiten Teil des vorliegenden Buches finden Sie zu jeder Pflegediagnose auch einen Ressourcenkatalog, der pflegefachlich überprüft und auf der aktuellen Fachliteratur basierend erstellt worden ist.

5.3 3. Schritt: Die Pflegeziele formulieren

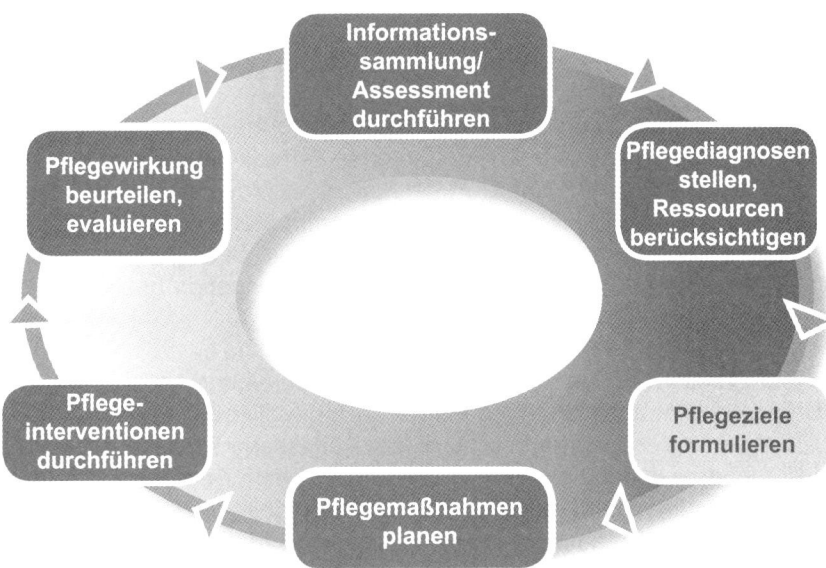

Abb. 13: Pflegeziele formulieren

Pflegeziele beschreiben einen (zukünftigen) „Ist-Zustand", der mit dem Bewohner/Patienten innerhalb eines vereinbarten Zeitraums erreicht werden soll. Durch die zielgerichtete Pflege und die Förderung der Ressourcen wird das Pflegeziel erreicht. Pflegeziele sollen realistisch, erreichbar, überprüfbar, positiv formuliert und auf die Pflegediagnose bezogen sein. Fiechter und Meier (1998) unterscheiden neben *Nah-* und *Fernzielen* auch noch so genannte *Prozessziele*. Hierunter verstehen die Autorinnen Zielformulierungen, die einen Entwicklungsprozess des Bewohners/Patienten betreffen und über einen längeren Zeitraum formuliert werden.

Folgende Qualitätskriterien formulieren Fiechter und Meier:
- Das Ziel soll vom Bewohner/Patienten ausgehend formuliert werden.
- Die Formulierung soll qualitative (z. B. durch Eigenschaftsworte) und quantitative (z. B. Maßeinheiten) Angaben beinhalten.
- Darüber hinaus werden Zeitangaben und eine möglichst knappe Formulierung gefordert.
- Pflegeziele können auf verschiedene Fähigkeiten des Bewohners/Patienten Bezug nehmen.

Pflegeziele können z. B. Folgendes beschreiben:
- **Leistungen:** Der Bewohner/Patient geht selbstständig an einem vereinbarten Datum, z. B. am 28.08., über den Gang.
- **Wissen:** Der Bewohner/Patient ist über den Ernährungsplan informiert.
- **Verhalten und Persönlichkeitsmerkmale:** Der Bewohner/Patient kann über seine persönlichen Probleme mit seiner Bezugsperson sprechen.
- **Befunde und Ergebnisse:** Der Bewohner/Patient trinkt die Tagesflüssigkeitsmenge von 1,5 Liter Tee.
- **Zustände und körperliche Fähigkeiten:** Der Bewohner/Patient kann das Kniegelenk bis zu 45° frei bewegen.
- **Emotionales Erleben und subjektives Empfinden:** Der Bewohner/Patient entwickelt während des Aufenthaltes Zukunftsperspektiven und kann zwei benennen.
- **Gefahren und Veränderungen:** Eine Veränderung der Körpertemperatur wird frühzeitig erkannt. Der Bewohner/Patient kennt die Anzeichen eines Temperaturanstieges und meldet sich rechtzeitig.

Der Pflegeprozess

Pröbstl und Glaser (1997) fordern im Zusammenhang mit der Zielformulierung, dass zu jeder Pflegediagnose ein Ziel formuliert wird, das die Richtung der geplanten Pflegeintervention vorgeben soll. Entsprechende quantitative und qualitative sowie zeitliche Hinweise müssen darin enthalten sein. Da die Ziele ebenfalls als Kriterien für die Beurteilung der Wirksamkeit dienen, muss insbesondere auf ihre Formulierung geachtet werden.

Reimer und Fueller schlagen darüber hinaus vor, eine Zielformulierung aus vier Bausteinen zusammenzusetzen: „Patientenverhalten, Meßkriterien, Bedingungen und Zeitrahmen" (Reimer und Füller, 1998, S. 104). Unter *Patientenverhalten* verstehen die Autoren das Beschreiben einer beobachtbaren Aktivität. Die *Messkriterien* stellen die Ausprägung dar, mit der der Bewohner/Patient sein Verhalten demonstrieren soll. Die *Bedingungen* beschreiben die Kontextbedingungen, in denen die Aktivität stattfindet. Die *Zeitangaben* beziehen sich auf den Zeitraum, in dem das Pflegeziel erreicht werden soll.

Im Lehrbuch *Pflege heute* heißt es, ein Pflegeziel sei die „Beschreibung eines Soll-Zustands, den der Patient mit Unterstützung durch die Pflegende erreichen soll, aber noch nicht erreicht hat" (Schäffler et al., 2001, S. 28). Konkurrierend zu dieser Auffassung kann auch von zukünftigen Ist-Zuständen gesprochen werden, womit die Bedeutung der Zielerreichung unterstrichen werden soll. Die Zielformulierungen erhalten im Rahmen des Qualitätsmanagements und der zunehmenden Outcome-Diskussion eine zusätzliche Bedeutung. Eichhorn (1993) fordert im Zusammenhang mit der Implementierung einer patienten-/bewohnerorientierten Erfolgsmessung, dass die patienten-/bewohnerbezogenen Versorgungsergebnisse in der Pflege an entsprechenden Outcome-Indikatoren dargestellt werden sollen.

Im Buch *Altenpflege Konkret* (Michalke et al., 2001, S. 94) werden verschiedene Arten von Pflegezielen beschrieben. Die Autoren unterscheiden zwischen **präventiven Zielen** zur Erhaltung der Selbstpflegefähigkeiten, **kurativen Zielen** zur Wiederherstellung der Selbstpflegefähigkeiten, **rehabilitativen Zielen** zur Kompensation von Defiziten und der Bewältigung von chronischen Einschränkungen sowie **palliativen Zielen** zur Steigerung des Wohlbefindens. Messer (2004) unterteilt dagegen die Zielformulierungen in drei verschiedene Arten: **erhaltende, fördernde und lindernde Ziele**. Auch in diesem Bereich gibt es also verschiedene Ansätze und Meinungen.

Definition ‚Pflegeziele'

Pflegeziele beschreiben in einer Ist-Formulierung einen Zustand, der mit dem Bewohner/Patienten innerhalb eines vereinbarten Zeitraumes erreicht werden soll. Durch die zielgerichtete Pflege und die Nutzung der Ressourcen soll das Pflegeziel erreicht werden. Pflegeziele sollen realistisch, erreichbar, überprüfbar, positiv formuliert und auf das Pflegeproblem bezogen sein.

Beispiele für konkrete Zielformulierungen:
- Pflegeziel: Der Bewohner geht selbstständig von seinem Bett in die Nasszelle (z. B. bis zum 28.08. zu erreichen).
- Pflegeziel: Der Bewohner nimmt in der Woche z. B. 200 g ab.

Zur Überprüfung der Pflegeziele ist es hilfreich, den Zeitraum anzugeben, bis zu dem das Ziel erreicht sein soll. Außerdem ist es sinnvoll, zu bestimmten Pflegediagnosen des Bewohners/Patienten Nah- und Fernziele zu formulieren.

Nahziele beschreiben einen Zustand, der in einem kurzen Zeitraum erreicht werden kann. Sie beschreiben einen kurzen Pflegeschritt und enthalten genaue Zeitangaben. *Fernziele* dagegen sind über einen längeren Zeitraum gesteckt und beschreiben einen Pflegeerfolg nach Abschluss des Pflegeprozesses. Diese Art von Fernzielen ist in der Altenpflege eher selten anzutreffen. Die Fernzielsetzungen in der Altenpflege konzentrieren sich verstärkt auf Erhaltungsziele.

Die Einbeziehung des Bewohners/Patienten bei der Festlegung und Formulierung der Pflegeziele ist sehr sinnvoll. Die gemeinsame Formulierung bietet zugleich Möglichkeiten zur Vertiefung der therapeutischen Pflegebeziehung und hilft, verdeckte Pflegediagnosen oder Ressourcen des Bewohners/Patienten zu erkennen.
Eine spätere Überprüfbarkeit der Pflegeziele wird gewährleistet, wenn Pflegeziele möglichst genau einen zu erreichenden Zustand, eine Verfassung oder eine auszuführende Tätigkeit des Bewohners/Patienten beschreiben.
Bei der Formulierung der Pflegeziele sind *Globalziele*, im Sinne übergeordneter Ziele, die die pflegerische Grundhaltung ausdrücken, berücksichtigt. Diese werden nicht schriftlich formuliert, sondern werden als Pflegeverständnis oder Pflegephilosophie verstanden. Daher bietet es sich für die Einrichtungen an, für die Pflegenden und Mitarbeiter/innen des Hauses ein *Pflegeleitbild* zu formulieren und schriftlich festzuhalten.

Im zweiten Teil des Buches finden Sie zu jeder ENP®-Pflegediagnose auch Zielformulierungen, welche pflegefachlich überprüft und auf der aktuellen Fachliteratur basierend erstellt worden ist.

5.4 4. Schritt: Die Pflegemaßnahmen planen

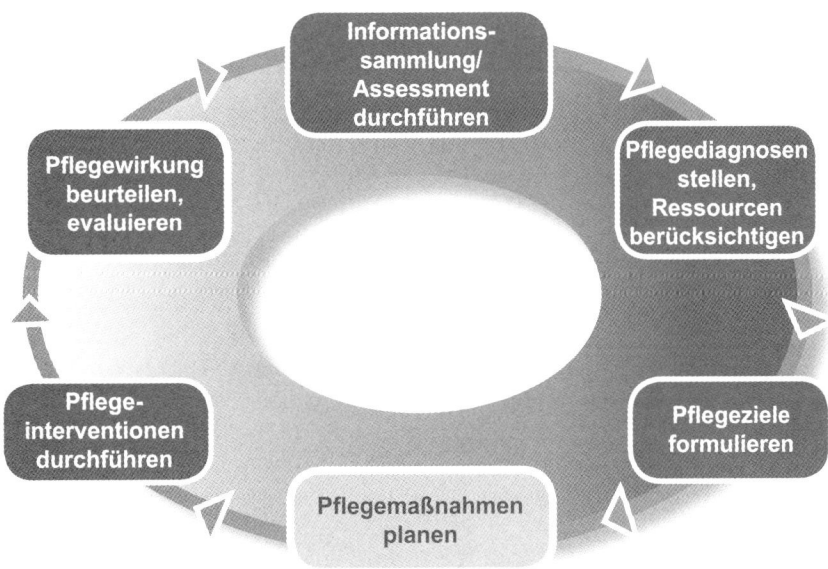

Abb. 14: Pflegemaßnahmen planen

Der nächste Schritt der Pflegeplanung besteht darin, den festgelegten Zielen solche Pflegeinterventionen zuzuordnen, die den Bewohner/Patienten näher an den beschriebenen zukünftigen Ist-Zustand hinführen. Bei der Planung der Interventionen verbinden Pflegende ihr Fachwissen mit ihren praktischen Erfahrungen. Darüber hinaus haben sie die Entscheidungsverantwortung, die gleichfalls Kenntnisse über Effektivität und Wirtschaftlichkeit bestimmter Pflegehandlungen erfordert. Des Weiteren müssen die Gewohnheiten und Ressourcen des Bewohners/Patienten bei der Auswahl der Pflegemaßnahmen einbezogen werden.

Der Pflegeprozess

Nach Fiechter und Meier (1998) sollte die Formulierung der Pflegeinterventionen Folgendes beinhalten:
- Beschreibung der Pflegeintervention
- Häufigkeit und zeitliche Abstände der Pflegemaßnahmen
- Verwendete Pflegeprodukte und Hilfsmittel.

In dem Lehrbuch *Pflege heute* (Schäffler et al., 2001) wird gefordert, dass die schriftlich formulierten Pflegeinterventionen Antwort auf die „W-Fragen" geben müssen. Diese lauten: „Wer macht wann, was, wie, womit?" Es ist zudem bei bestimmten Maßnahmen sinnvoll, den Ausbildungsstatus anzugeben, den eine Pflegeperson haben muss, damit sie die Intervention durchführen kann. Die Autoren äußern, dass Pflegeinterventionen dann präzise und eindeutig formuliert sind, wenn andere Pflegende nach dem Schichtwechsel ohne weitere mündliche Informationen die Pflege des Bewohners/Patienten durchführen können.

Reimer und Fueller (1998) ergänzen die Liste der Spezifikationen, die mit den Interventionen angegeben werden sollen, durch drei weitere Aspekte: Zum einen fordern sie, bei bestimmten Pflegeinterventionen eine Zeitangabe über die Dauer der Maßnahme anzugeben (z. B.: „10 Minuten Atemübungen: Bauch-, Brustatmung"). Zum anderen erachten sie es für wichtig, die Reihenfolge von Maßnahmen anzugeben, wenn diese miteinander vernetzt sind. Die letzte Forderung betrifft Angaben über die Person, von der eine Pflegemaßnahme angesetzt wurde und den Zeitpunkt, an dem dies geschah.

Bulechek und McCloskey erstellten 1989 folgende Definition des Begriffs *Pflegeintervention*, die wir als gültige Definition zugrunde legen: „Jede Form der direkten Pflegehandlungen, die von der Pflegenden in Bezug auf den Patienten ausgeführt wird. Die unmittelbare Pflege umfasst die von der Pflegenden eingeleiteten Pflege auf der Basis der Pflegediagnosen" (Bulechek und McCloskey, 1989, zit. nach Arets et al., 1997, S. 325).

Es existieren weltweit bereits mehrere Klassifikationssysteme für Pflegeinterventionen, z. B. die NIC (Nursing Intervention Classification, Iowa), HHCC (Home Health Care Classification, Schweden), ICNP® (International Classification for Nursing Practice) und ENP® (European Nursing care Pathways).

Durch die in der Definition aufgeführten ergänzenden Angaben erhält die Pflegeintervention erst den für die Pflege wertvollen handlungsweisenden Charakter.

 Definition ‚Pflegeinterventionen'

Pflegeinterventionen werden auf der Grundlage von Pflegediagnosen und pflegerischen Zielsetzungen ausgewählt, die direkt am Bewohner/Patient oder indirekt für den Bewohner/Patienten durchgeführt werden.

Zusammenfassend lassen sich folgende Aspekte aus der Fachliteratur entnehmen, die zur Pflegeintervention ergänzend dokumentiert werden sollten:
- Beschreibung der Pflegeintervention, Form der Unterstützungsleistung
- Häufigkeit und zeitliche Abstände der Pflegemaßnahmen
- Verwendete Pflegeprodukte und Hilfsmittel
- Anforderungen an den Ausbildungsstatus der Pflegeperson
- Dauer der Pflegeintervention
- Reihenfolge von vernetzten Maßnahmen
- Topologie, Ort oder Weg
- Handzeichen und Datum der Pflegeperson, die die Intervention angeordnet hat.

Beispiele:
- Teilwaschung am Bettrand, Kulturtasche und Waschutensilien bereitstellen, Waschlotion Esemtan-Ölbad, beim Waschen von Rücken und Beine unterstützen.
- 2 x täglich zur Atemgymnastik mit Atemtrainer anleiten, 5 Atemzüge danach Pause, 4 Wiederholungen.
- 2 x täglich mobilisieren, Gehen im Flur mit dem Eulenburg-Gehwagen unterstützen, Transfer mit zwei Pflegenden durchführen.

Ferner kann zwischen *individuellen* und *standardisierten* Pflegemaßnahmen unterschieden werden:

Individuelle Pflegemaßnahmen: Die Planung der Maßnahmen orientiert sich an den individuellen Problemen und Zielen des Bewohners/Patienten. Bei individuellen Pflegemaßnahmen sind genaue Angaben zur Art und Weise der Durchführung vorzunehmen.

Standardisierte Pflegemaßnahmen: Hierbei handelt es sich um Pflegemaßnahmen, die oftmals bei bestimmten Pflegediagnosen in der Pflegepraxis durchgeführt werden. Hier ist es zur vereinfachten Pflegedokumentation sinnvoll, einen Standard zu hinterlegen. Standardisierung ist z. B. in der chirurgischen Pflege sinnvoll. Nach einer bestimmten OP treten postoperativ bestimmte Pflegediagnosen bei jedem Patienten auf. Hier kann ein Standardpflegeplan mit standardisierten Pflegemaßnahmen entwickelt werden.

Im zweiten Teil des Buches finden Sie zu jeder Pflegediagnose auch einen Maßnahmenkatalog, der pflegefachlich überprüft und auf der aktuellen Fachliteratur basierend erstellt worden ist.

5.5   5. Schritt: Pflegemaßnahmen durchführen

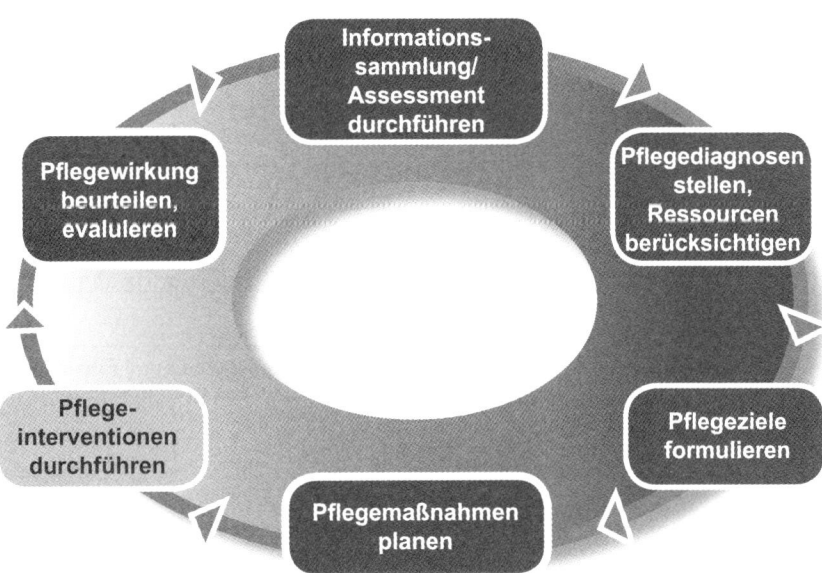

Abb. 15: Pflegeinterventionen durchführen

Die Qualität der Pflegeinterventionen ist durch die Schlüsselqualifikationen der Pflegenden, die bestehenden Strukturen der Einrichtung und den Beziehungsprozess zum Bewohner/Patienten bestimmt.
Die Pflegemaßnahmen werden anhand des aufgestellten Pflegeplans durchgeführt. Nach Krohwinkel (1993) ist es von großer Bedeutung für die pflegerische Kontinuität, dass Pflegende sich an die Vorgaben des Pflegeplans halten. Sind Veränderungen im Pflegeplan erforderlich,

wenn sich z. B. der Zustand eines Bewohners/Patienten grundlegend verschlechtert hat, ist die Pflegeplanung anzupassen. Handelt es sich um eine einmalige Abweichung von den Interventionsvorgaben im Pflegeplan, z. B. weil der Bewohner/Patient aufgrund einer Magen-Darminfektion zu schwach war, die Körperwaschung am Waschbecken durchzuführen, so bleibt der Pflegeplan bestehen, es wird jedoch die einmalige Abweichung mit Angabe des Grundes im Pflegebericht dokumentiert.

Abhängig davon, wie die Verlaufsdokumentation in den jeweiligen Dokumentationssystemen aufgebaut ist, werden die durchgeführten Pflegeinterventionen in den entsprechenden Spalten abgezeichnet. Ist die Pflegeplanung von der Interventionsdokumentation getrennt, besteht die Gefahr, dass die Pflegeinterventionen systematisch und teilweise unreflektiert dort abgezeichnet werden, wo sie die Pflegeperson am Vortag ebenfalls dokumentiert hat, ohne jedoch die Pflegeplanung genauer anzuschauen. Die Pflegeplanung verliert dann ihre Bedeutung im Arbeitsprozess mit dem Bewohner/Patienten. Dieses erklärt auch, warum viele Pflegeplanungen nicht auf einem aktuellen Stand sind.

Reinmüller (1994) äußert im Rahmen einer Studie über die Handhabung der Pflegedokumentationssysteme, dass existierende Pflegeplanungen häufig sehr oberflächlich sind und einen entsprechend geringen Praxiswert aufweisen. In dieser Studie wird festgestellt, dass die Formulierungen von Pflegezielen und Pflegeinterventionen oftmals vage und unpräzise sind, sodass danach nicht gearbeitet werden kann.

Bestätigt wird diese Beobachtung durch eine Untersuchung von Höhmann et al. Auf der Grundlage einer inhaltsanalytischen Untersuchung der Pflegeprozessdokumentation kommen die Autoren zu dem Ergebnis, dass „die dokumentierten Daten noch als wenig hilfreich [...] [angesehen werden können], um die Pflege des Patienten zu strukturieren und qualitativ zu sichern" (Höhmann et al., 1996, S. 101). Die Dokumentation des prozesshaften Verlaufs sei nur begrenzt nachvollziehbar und würde juristischen Verfahren nicht standhalten. Im Hinblick auf die inhaltliche Aussagekraft und den handlungsweisenden Charakter kommt die Studie zu dem Resultat, dass die Problem-, Ressourcen-, und Zielformulierungen wenig handlungsweisend sind und es teilweise an verständlichen Formulierungen fehlt.

Es empfiehlt sich daher, Dokumentationssysteme zu nutzen, die die Prozessschritte Pflegediagnose, Pflegezielsetzung und Interventionsformulierung in der Dokumentation nicht voneinander trennen. Zudem sollte die systematische Schulung der Mitarbeiter sicherstellen, dass die Pflegeprozessdokumentation auch den für die Pflegepraxis notwendigen handlungsleitenden Informationsgehalt bietet.

Hier sehen sie ein Beispiel aus dem Pflegeplanungs- und Dokumentationssystem RECOM®-GriPS:

Pflegediagnose	Pflegeziel	Pflegemaßnahme
Der Bewohner-- kann aufgrund einer **Bewegungseinschränkung** nur einen **Teil der Körperwaschung selbstständig** übernehmen K U R	*Eigenaktivität ist gefördert *Erkennt eigene Ressourcen und Möglichkeiten und entwickelt Handlungsstrategien/Verhaltensweisen, um diese zu aktivieren	***Ressourcen und Einschränkungen systematisch ermitteln**
	*Eigenaktivität bei der Körperwaschung ist entsprechend den körperlichen Ressourcen geplant	
	*Ist bei der Körperpflege unterstützt *Selbstständigkeit ist gefördert *Äußert Zufriedenheit über die erreichte Eigenaktivität	***Bei der Körperpflege anleiten und unterstützen**
	*Ist bei der Körperpflege unterstützt	***Waschschüssel und Pflegeutensilien zur Körperpflege bereitstellen**
	*Kann sich im Bad waschen *Unterstützt aktiv die Körperwaschung im Bad	***Beim Aufsuchen und Verlassen des Bads unterstützen**

Abb. 16: Ausschnitt aus RECOM®-GriPS

Neben der Interventionsdokumentation, die sich auf die geplanten Interventionen aus dem Pflegeplan bezieht, ist der Pflegebericht ein wichtiges Instrument der Pflegedokumentation. Hier werden alle wichtigen Informationen der täglichen Verlaufsdokumentation festgehalten.

Die Verlaufsdokumentation kann folgende Aspekte beinhalten:
- Abweichungen vom bestehenden Pflegeplan
- Wirkung der Pflege
- Abweichungen von Pflegezielen
- Reaktionen auf Pflegemaßnahmen
- Veränderung im Krankheitsbild, Fortschritt – Komplikationen
- Reaktionen auf therapeutische und diagnostische Maßnahmen
- Besondere Beobachtungen hinsichtlich der Verfassung und Stimmungslage
- Verhalten des Bewohners/Patienten gegenüber Mitbewohnern/Mitpatienten, Pflegepersonal, Ärzten, Angehörigen usw.

Aus dem Pflegebericht lassen sich auch Informationen entnehmen, die für den 6. Schritt des Pflegeprozesses von Bedeutung sind, um die Wirkung der Pflege zu beurteilen.

> **Zusammenfassung**
>
> Die Pflegemaßnahmen werden anhand des aufgestellten Pflegeplans durchgeführt. Abhängig davon, wie die Verlaufsdokumentation in den jeweiligen Dokumentationssystemen aufgebaut ist, werden die durchgeführten Pflegeinterventionen in den entsprechenden Spalten abgezeichnet. Ist die Pflegeplanung von der Interventionsdokumentation getrennt, besteht die Gefahr, dass die Pflegeinterventionen systematisch und teilweise unreflektiert abgezeichnet werden. Es empfiehlt sich, Dokumentationssysteme zu nutzen, die die Prozessschritte Pflegediagnose, Pflegezielsetzung und Interventionsformulierung in der Dokumentation nicht voneinander trennen.

5.6 6. Schritt: Die Wirkung der Pflege beurteilen und evaluieren

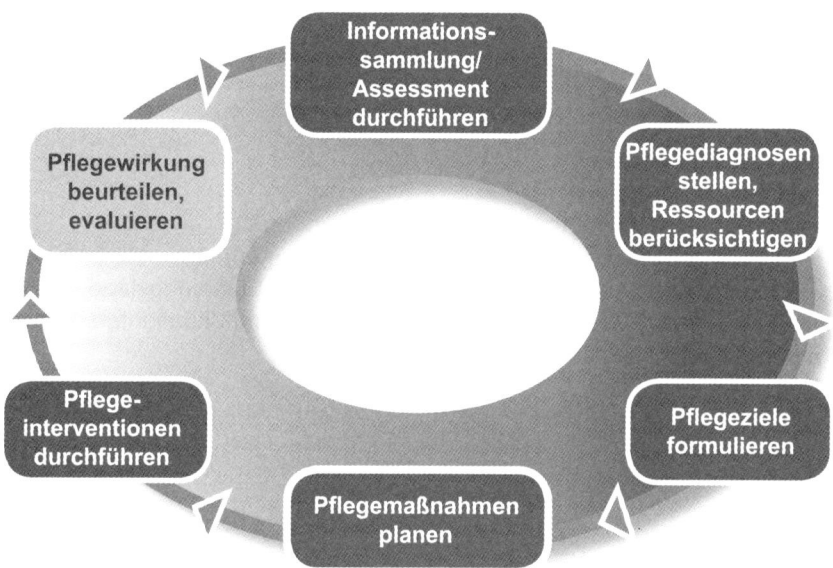

Abb. 17: Pflegewirkung beurteilen, evaluieren

Der letzte Schritt des Pflegeprozesses ist die Auswertung und Beurteilung pflegerischen Handelns. Dabei wird geprüft, ob die gesetzten Pflegeziele erreicht wurden.

Bei der Auswertung und Einschätzung der Pflege wird im Einzelnen überprüft, ob
- gesetzte Pflegeziele erreicht wurden.
- der Zustand des Bewohners/Patienten verbessert wurde.
- Komplikationen aufgetreten sind.
- zusätzliche Pflegediagnosen bzw. Bedürfnisse aufgetreten sind.
- die Pflegemaßnahmen die gewünschte Wirkung zeigen und wie der Bewohner/Patient auf die Pflegeinterventionen reagiert.
- Veränderungen im Befinden und in der Stimmungslage des Bewohners/Patienten eingetreten sind.
- alle Ressourcen des Bewohners/Patienten genutzt sind.
- die Qualität der Pflege verändert werden muss.
- Handlungskompetenzen der Pflegenden zu fördern sind.

Eine kontinuierliche Auswertung der Pflegeinterventionen hinsichtlich ihrer Wirksamkeit, auch *fortlaufende* oder *formative Evaluation* (Bewertung) nach Bortz und Döring (1995) genannt, führt unter Umständen zur Neueinschätzung der Pflegesituation. Die kontinuierliche Auswertung stellt eine dynamische, fortlaufende Aktivität des Pflegeprozesses dar und überschneidet sich mit den anderen Schritten des Pflegeprozesses.

Es gibt über die alltäglichen Pflegesituationen hinaus besonders geeignete Instrumente, die derzeit in der Altenpflege zur kontinuierlichen Evaluation des Pflegeprozesses eingesetzt werden. Diese werden auch durch den MDK bei den Qualitätsprüfungen gefordert. Solche Instrumente sind z. B. die Durchführung von *Pflegevisiten* und *Fallbesprechungen*. Im Folgenden stellen wir Ihnen die Pflegevisite und die Fallbesprechung als Instrumente der Evaluation des Pflegeprozesses vor.

5.6.1 Die Pflegevisite

Der Begriff *Pflegevisite* wird in der Fachliteratur unterschiedlich definiert. Ebenso ist die Handhabung in der Pflegepraxis sehr unterschiedlich. Aus diesem Grund erfolgt zunächst der Versuch einer Begriffsdefinition, um daran anschließend zu überlegen, welche Verfahrensweise für die Pflegeprozessevaluierung geeignet ist.

Heering et al. (1997) definieren die Pflegevisite als einen regelmäßigen Besuch beim Patienten/ Bewohner mit dem Ziel eines Gesprächs über den Pflegeprozess. Dabei ist die Pflegevisite förderlich bei dem Ermitteln und Benennen der Pflegediagnosen und Ressourcen, Vereinbaren der Pflegeziele und Pflegeinterventionen sowie dem Überprüfen der Pflegeergebnisse bzw. der Pflegewirkung.
Das *Pflegelexikon* übernimmt diese Definition und ergänzt sie folgendermaßen: „Die Pflegevisite dient der Benennung der Pflegeprobleme und Ressourcen bzw. der Pflegediagnose, der Vereinbarung der Pflegeziele, Pflegeinterventionen und der Evaluation der Pflege" (Georg und Frowein, 1999). Die Pflegevisite hat zudem den Zweck, den Informationsfluss sowohl zwischen Bewohner/Patient und Pflegenden, als auch der Pflegenden untereinander zu gewährleisten und sie stellt sicher, dass der Bewohner/Patient an wichtigen Entscheidungen des Pflegeprozesses beteiligt wird.

Es gibt verschiedene Möglichkeiten, die **Pflegevisite als Instrument der Qualitätssicherung** einzuführen. Diese sind von der Zielsetzung abhängig. Bei einer MDK-Prüfung wird auf die Erfassung der Pflegeergebnisse durch die Pflegevisite besonderen Wert gelegt. Das heißt, die Pflegevisite ist hier ein wichtiges Instrument zur Überprüfung der Ergebnisqualität der Pflegeinterventionen. Eine andere Möglichkeit wäre, die Pflegevisite zusätzlich als Personalentwicklungsmaßnahme zu nutzen, indem man Zielvereinbarungen mit den Mitarbeiterinnen und Mitarbeitern trifft und Feedback-Gespräche führt.

Görres et al. (2002) haben im Rahmen einer Forschungsarbeit zur Pflegevisite zunächst die Variationsbreite des Begriffs dargestellt. Hier findet sich z. B. die Aussage, nach der die Pflegevisite „auf den Stationen die Dienstübergabe am Krankenbett" (Augsten, Kloster et al., 1997, zit. nach Görres, 2002, S. 26) meint. Üblicherweise findet diese von der Frühschicht an die Spätschicht statt. Augsten et al. bezeichnen auch einen Besuch einer Pflegedienstleitung, die mit einer verantwortlichen Pflegefachkraft während einer Schicht einen oder mehrere Kunden betreut, als eine Art Pflegevisite (Augsten, Kloster et al., 1997).
Chappell und Dickey (1993) beschreiben die Pflegevisite dagegen als einen „Besuch von Krankenhauspflegepersonal bei Bewohnern in Altenheimen" (Chappell und Dickey, 1993, zit. nach Görres et al., 2002, S. 26). Diese Ausführungen zeigen, dass die Pflegevisite in der Fachliteratur bezüglich der Zielsetzungen und Gestaltungsmöglichkeiten sehr unterschiedlich beschrieben wird.

Die Pflegevisite als Instrument zur Pflegeprozessgestaltung und Evaluation des Pflegeprozesses:

- ist für den Bewohner/Patienten eine Möglichkeit, seine Wünsche, Pflege- und Betreuungsvorstellungen zu äußern.
- ermöglicht dem Bewohner/Patienten, sich an wichtigen Entscheidungen innerhalb des Pflegeprozesses zu beteiligen.
- unterstützt die Überprüfung und Erfassung der Bewohner-/Patientenzufriedenheit.
- ermöglicht eine regelmäßige Überprüfung der Pflegequalität und der Qualität der Pflegedokumentation.
- ermöglicht die Überprüfung der korrekten Einstufung des Bewohners/Patienten in die Pflegestufen.

Die Pflegevisite als Personalentwicklungsmaßnahme:

- dient zur Reflexion wirtschaftlichen Arbeitens und der Prozessoptimierung.
- gibt den Mitarbeiterinnen und Mitarbeitern die Möglichkeit, sich ihrer Verantwortung bewusst zu werden und motiviert sie, aktiv am kontinuierlichen Verbesserungsprozess zu arbeiten.
- gibt die Möglichkeit, mit den Mitarbeiterinnen und Mitarbeitern Zielvereinbarungen zu treffen und diese in Feedback-Gesprächen zu überprüfen.
- ermöglicht die Überprüfung pflegerischer Arbeit im Hinblick auf die Personalentwicklung.
- gibt die Möglichkeit zur Reflexion des Fortbildungsbedarfs (indirekt).

Im Folgenden wird die Prozessbeschreibung einer Pflegevisite aus einem Qualitätsmanagement-Handbuch einer stationären Altenpflegeeinrichtung dargestellt. Diese Einrichtung nutzt die Pflegevisite ausschließlich als Instrument zur Evaluation des Pflegeprozesses. Die Prozessbeschreibung der Pflegevisite soll als Anregung zur Diskussion in Ihrer Einrichtung dienen.

QM-Handbuch	Name des Dienstes/der Einrichtung	LOGO
Interner Teil	6.02.01 Durchführung von Pflegevisiten	der Einrichtung

1 Einleitung

Die Pflegevisite dient in unserer Altenpflegeeinrichtung der Benennung der Pflegediagnosen, der Vereinbarung der Pflegeziele, Pflegeinterventionen und der Evaluation in der Pflege. Darüber hinaus wird die Pflegevisite gezielt zur Überprüfung der Bewohnerzufriedenheit genutzt.

Die Pflegevisite dient der gemeinsamen
- Benennung der Pflegeprobleme und Ressourcen bzw. der Pflegediagnose.
- Vereinbarung der Pflegeziele.
- Vereinbarung der Pflegeinterventionen.
- Überprüfung der Pflege bzw. Pflegequalität.
- Überprüfung der pflegerischen Arbeit.

2 Ziele und Zweck der Prozessbeschreibung

Die regelmäßige Durchführung von Pflegevisiten ist eine
- Qualitätsentwicklungsmaßnahme im Sinne der kontinuierlichen Verbesserung des Pflegeprozesses.
- Regelmäßige Überprüfung der Pflegequalität und Qualität der Pflegedokumentation.
- Möglichkeit, die Bewohnerzufriedenheit zu erfassen und evtl. Leistungsangebote zu optimieren.
- Überprüfung der korrekten Einstufung der Bewohnerinnen und Bewohner in die Pflegestufen sowie der Korrespondenz des Leistungsbedarfes und der durchgeführten Leistungskomplexe.
- Reflexion des wirtschaftlichen Arbeitens und der Prozessoptimierung.
- Möglichkeit, dass Mitarbeiterinnen und Mitarbeiter sich ihrer Verantwortung bewusst werden und motiviert sind, aktiv am kontinuierlichen Verbesserungsprozess zu arbeiten.

3 Geltungsbereich

Die Prozessbeschreibung ist für alle Pflegemitarbeiterinnen und -mitarbeiter gültig.

4 Zuständigkeit

Die Verantwortlichkeit für die regelmäßige Durchführung von Pflegevisiten liegt bei der Wohnbereichsleitung. Die Pflegevisite wird mit der Wohnbereichsleitung, der Bereichspflegeperson und der Bewohnerin bzw. dem Bewohner durchgeführt.
Für die Überarbeitung der Prozessbeschreibung und die Weiterentwicklung des Formularwesens für die Pflegevisite sind die Wohnbereichsleitung und die Einrichtungsleitung zuständig.

5 Prozessbeschreibung unserer Leistung

- Die Pflegevisite wird bei jeder Bewohnerin und jedem Bewohner mindestens vierteljährlich durchgeführt, die Bewohnerin oder der Bewohner wird vor der Pflegevisite informiert und um Erlaubnis gefragt. Für die Umsetzung der Pflegevisite zur Evaluation der Pflegequalität und Dokumentation ist die Wohnbereichsleitung verantwortlich.
- Bei gravierenden Veränderungen des Pflegebedarfes bei einer Bewohnerin/einem Bewohner kann eine Pflegevisite auch häufiger stattfinden.
- Die Pflegevisite wird anhand des Konzeptes mithilfe eines standardisierten Protokolls dokumentiert. Die Protokolle werden in der Bewohnerakte abgeheftet.
- Vor dem eigentlichen Pflegevisitengespräch mit dem Bewohner/der Bewohnerin wird die Pflegeprozessdokumentation analysiert und evtl. auftretende Fragen, die mit dem Bewohner/der Bewohnerin abgeklärt werden sollen, dokumentiert.
- Die Pflegevisite findet mit dem Bewohner/der Bewohnerin und evtl. interessierten Angehörigen im Bewohnerzimmer statt. Wenn es möglich ist, wird das Gespräch am Wohntisch des Bewohners/der Bewohnerin durchgeführt.

	erstellt	geändert/R-Stand	geprüft	freigegeben	gültig ab
Datum	09.04.2002	20.02.2005	21.02.2005	22.02.2005	23.02.2005
Position/Name	AG, QM	QMB	QMB	WBL	EL

Der Pflegeprozess

QM-Handbuch	Name des Dienstes/der Einrichtung	LOGO
Interner Teil	6.02.01 Durchführung von Pflegevisiten	der Einrichtung

- Das Pflegevisitengespräch führt im Wesentlichen die Bereichspflegeperson, gemeinsam wird in einer entspannten Gesprächsatmosphäre über die pflegerische Versorgung, Wünsche und Erwartungen des Bewohners/der Bewohnerin gesprochen.
- Neue im Gespräch erworbene Informationen und Erkenntnisse werden auf dem Pflegevisitenprotokoll festgehalten. Die Pflegeprozessplanung wird mit dem Bewohner/der Bewohnerin besprochen und Änderungen vereinbart. Im Rahmen des Pflegevisitengesprächs werden Bradenskala, Sturzgefährdung, Ernährungsstatus mit dem Bewohner/der Bewohnerin reflektiert. Bei vorhandenen Wunden wird ebenfalls das Wundmanagement reflektiert (siehe hierzu die entsprechende Prozessbeschreibung).
- Die Ergebnisse der Pflegevisite werden auf dem Pflegevisitenprotokoll dokumentiert.
- Die bereichspflegende Fachkraft arbeitet nach der Pflegevisite die neuen Erkenntnisse in die Pflegeplanung ein und veranlasst entsprechende Maßnahmen.
- Die Wohnbereichsleitung reflektiert die Eintragungen der Pflegeprozessdokumentation mit der Bereichspflegeperson.
- Die Bereichspflegeperson ist dafür verantwortlich, dass die Änderungen in der Pflegeprozessplanung bei der Übergabe kommuniziert werden.

6 Mitgeltende Unterlagen

Bezeichnung	Kennzeichnung	Ablage
Pflegevisitenprotokoll	6.02.01_D1	Bewohnerakte auf dem Wohnbereich
Wundmanagement	7.05.06	Qualitätsmanagement-Handbuch
Ernährungsstatus einschätzen	7.05.07	Qualitätsmanagement-Handbuch

7 Dokumentation und Ergebniskontrolle

- Alle Mitarbeiterinnen und Mitarbeiter der Pflege sind über den Inhalt und die Zielsetzung der Pflegevisite informiert.
- Im Rahmen der Pflegevisite festgestellte Verbesserungsvorschläge werden in den Pflegeprozess integriert bzw. in die Praxis umgesetzt.
- Für jeden Bewohner/jede Bewohnerin existieren jährlich mindestens 4 Pflegevisitenprotokolle.
- Die Pflegeplanungen sind auf einem aktuellen Stand und spiegeln die Pflegesituation wider.

8 Änderungsdienst

Für die Änderungen der Prozessbeschreibung sind die Einrichtungsleitung und die Wohnbereichsleitung zuständig.
Die Reflexion der Prozessbeschreibung bezüglich Aktualität wird alle zwei Jahre durchgeführt.

9 Verteiler

Alle Mitarbeiterinnen und Mitarbeiter der Pflege.

Die Ergebnisse der Pflegevisite werden auf einem Pflegevisitenprotokoll dokumentiert. Die neuen Erkenntnisse und Beobachtungen über den Pflegeprozess des Bewohners/Patienten sollten im Anschluss an die Pflegevisite in die Pflegeprozessplanung eingearbeitet werden.

5.6.2 Fallbesprechungen

Neben den Pflegevisiten und Dienstübergabegesprächen ist die *Fallbesprechung*, auch *Fallkonferenz* genannt, eine weitere Möglichkeit, den Pflegeprozess zu evaluieren. Bei der Fallbesprechung handelt es sich um die Situationseinschätzung eines Bewohners/Patienten und dessen Pflegeprozess aus der Teamsicht. Im Gegensatz zur Pflegevisite, die mit dem Bewohner/Patienten stattfindet, ist dies eine Besprechung ohne den Pflegeempfänger.

Der inhaltliche Schwerpunkt der Fallbesprechung liegt auf der Reflexion des Pflegeprozesses aus der Perspektive des Teams. So kann z. B. im Gespräch festgestellt werden, dass Pflegende voneinander abweichende Sichtweisen, Wahrnehmungen und Erfahrungen mit dem Bewohner/Patienten gesammelt haben. Im Team können dann Übertragungs- und Gegenübertragungsdynamiken, verschiedene Interventionsvorschläge, Verhaltensweisen gegenüber dem Bewohner/Patienten oder neue psychosoziale oder pflegerische Angebote diskutiert und vereinbart werden. Die Diskussion im Pflegeteam über den Pflegeprozess eines Bewohners/Patienten kann Denkblockaden in konkreten Problemsituationen lösen und das Handlungsspektrum der Pflegenden erweitern. Die Pflegeprozessplanung kann auf Grundlage der neuen Erkenntnisse der Fallbesprechung angepasst werden.

Fallbesprechungen sind besonders bei dementen und gerontopsychiatrisch erkrankten älteren Menschen von Bedeutung, da hier im Pflegeteam abgestimmte Verhaltens- und Vorgehensweisen im Umgang mit dem Bewohner/Patienten von großer Bedeutung sind.

5.6.3 Rückblickende Evaluation

Rückblickende Auswertungen finden nach Beendigung des Pflegeprozesses oder zu bestimmten, in der Einrichtung festgelegten Terminen statt. Die rückblickende Auswertung oder Evaluation wird auch „summative Evaluation oder kriteriengeleitete Beurteilung der Pflegewirkung" (Bortz und Döring, 1995, S. 106 f.) genannt. Instrumente zur Auswertung und Beurteilung der rückblickenden Pflegequalität sind Auswertungsbögen, Bewohner-/Patientengespräche und Durchsichten der Pflegedokumentation. Auch die EDV-technische Datenauswertung bei der Pflegeprozessplanung mit einer standardisierten Pflegefachsprache zählt zu der rückblickenden Auswertung. Die rückblickende Auswertung von Zielen zählt ebenfalls zu den Qualität sichernden und steigernden Maßnahmen.

Abhängig davon, was für eine Fragestellung in der Einrichtung bezüglich der Pflegeprozessevaluation reflektiert werden soll, müssen entsprechende Instrumente entwickelt werden.

Zum besseren Verständnis stellen wir Ihnen an dieser Stelle das Beispiel einer Altenpflegeeinrichtung vor. Die Einrichtung arbeitet seit 1999 mit ENP® in einer Software-Version. So konnten Bewohnerdaten unter bestimmten Fragestellungen analysiert werden.

Für jeden Bewohner wurden die zuletzt gespeicherten aktuellen Pflegepläne ausgewertet. Da teilweise pro Bewohner zwei Pflegepläne im System angelegt waren, dies jedoch nicht konsequent bei jedem Bewohner der Fall war, ist die Anzahl der Pflegeplanungen höher, als die Anzahl der Bewohner.

Die Ergebnisse sind auf die zur Zeit der Auswertung aktuelle Bewohnerstruktur der Einrichtung bezogen. Zum Zeitpunkt der Datenauswertung waren 143 Bewohnerpflegepläne im Software-System aktiv und damit freigegeben.

Die Pflegediagnosen, die behandlungspflegerische Tätigkeiten auf Interventionsebene erfordern, werden separat und durch Pflegefachkräfte ausgeführt. Die Pflegediagnosen, bei denen Pflegeinterventionen auf der Ebene der grundpflegerischen Tätigkeiten geplant werden, sind in einem zweiten Pflegeplan geführt. Beide Pflegepläne sind in der Bewohnerakte abgelegt.

Zum Zeitpunkt der MDK-Prüfung waren 67 Bewohner in der Einrichtung. Da für jeden Bewohner zwei Pflegepläne existierten, sollte sich die Gesamtzahl auf 134 belaufen. Aus der Differenz zu den insgesamt 143 Bewohnerpflegeplänen ergab sich eine Abweichung von 9 Pflegeplänen. Bedenkt man die zusätzlich doppelt geführten Pflegepläne im System ergeben sich durchschnittlich 4,5 Pflegeplanungen von Bewohnern, die derzeit im Krankenhaus, vor kurzem verlegt oder verstorben sind, aber nicht im System entlassen wurden. Diese wurden trotzdem in die Auswertung mit einbezogen.

Der Pflegeprozess

Anhand der Datenauswertung sollen folgende Fragestellungen des Medizinischen Dienstes beantwortet werden:
- Wie viele unterschiedliche ENP®-Pflegediagnosen werden in der Einrichtung verwendet?
- Wie sieht das Spektrum der verwendeten ENP®-Formulierungen innerhalb der ATL aus?

Insgesamt stehen in der genutzten Datenbank 557 ENP®-Pflegediagnoseformulierungen zur Verfügung. Es hat sich gezeigt, dass in den aktuellen, vorhandenen Pflegeplänen insgesamt 132 unterschiedliche Pflegediagnoseformulierungen verwendet wurden. Das entspricht 24 % der zur Verfügung stehenden Pflegediagnosen. 23 von den Mitarbeitern selbst entwickelten Formulierungen wurden in den Pflegeplänen identifiziert. Diese Formulierungen kamen mehrmals zur Anwendung.

Beim Vergleich der Auswertungen dieser Einrichtung mit den Daten anderer Einrichtungen wurde folgendes Ergebnis ermittelt:
- In den ATL-Bereichen „Essen", „Sinn finden", „Kommunikation" und „Wach sein und Schlafen" war die Anzahl der ausgewählten Pflegediagnosen unterdurchschnittlich.

Dafür kann es verschiedene Gründe geben:
- Es gab eine reduzierte Wahrnehmung der Mitarbeiterinnen und Mitarbeitern im Bereich der „Hilfebedarf abbildenden"-Pflegediagnosen.
- In der zum Vergleich herangezogenen Einrichtung gab es eine extrem abweichende Bewohner-/Patientenstruktur.
- Die Anzahl der ausgewerteten Fälle differierte stark.

Mit diesem Hinweis durch die Datenauswertung hat die Einrichtung die Bewohner/Patienten im Rahmen von Fallbeispielen erneut reflektiert. Als Zielvereinbarung wurde mit den Wohnbereichsleitungen vereinbart, dass gezielt die ATL-Bereiche „Essen", „Sinn finden", „Kommunikation" und „Wach sein und Schlafen" überprüft werden. Durch eine wiederholte Datenauswertung nach einem gewissen Zeitraum kann festgestellt werden, ob die eingeleiteten Maßnahmen greifen.

Auswertungen zum Risikobereich Dekubitusgefahr:

Eine weitere Fragestellung aus der Auswertung unserer Beispieleinrichtung:
Wie häufig wurde die Pflegediagnose „Der Bewohner hat ein erhöhtes Dekubitusrisiko" codiert und welche Pflegeinterventionen wurden zu dieser Pflegediagnose geplant?

Die Pflegediagnose „Der Bewohner hat ein erhöhtes Dekubitusrisiko" wurde in den vorhandenen Pflegeplänen 38-mal codiert. Die zugeordnete Intervention „Der Bewohner hat ein erhöhtes Dekubitusrisiko, die Haut wird zusätzlich durch äußere Einflüsse geschädigt" wurde bei 22 Bewohnern codiert.
Beim Vergleich der durchgeführten Nortonwerteinschätzungen ergab sich kein Widerspruch. Insgesamt wurden bei den Bewohnern 109 Nortonwerteinschätzungen vorgenommen. Ein Wert kleiner als 22 Punkte wurde bei 34 Bewohnern ermittelt. Bei Bewohnern mit Werten unter 25 Punkten besteht ein erhöhtes Dekubitusrisiko und es wird empfohlen, Maßnahmen (Hautinspektion, Lagerung, Mobilisation, Hautschutz usw.) zu planen.
Als Pflegemaßnahmen wurden bei den Bewohnern mit Dekubitusrisiko folgende Maßnahmen geplant:
- Dekubitusgefährdung mithilfe einer Risikoeinschätzungsskala ermitteln (16 Bewohner)
- Hautinspektion bei jeder Lagerung/Pflegeintervention durchführen (35 Bewohner)
- Lagerungs-/Bewegungsplan erstellen, Lagerungswechsel nach Plan durchführen (16 Bewohner)
- Spezielle Weichlagerungsmatratzen zur Auflagedruckreduzierung einsetzen (5 Bewohner)
- Inkontinenzhilfsmittel gezielt einsetzen (22 Bewohner).

Zum dritten Punkt ist anzumerken, dass bei 13 Bewohnern ein Lagerungsplan angelegt wurde, d. h. hier wurde das Umlagern/Mobilisieren explizit dokumentiert.

Bei den Air-fluidised-Unterlagen (Luftgebläsematratzen) wurde die Intervention „Technische Einstellungen der Antidekubitusmatratze überprüfen" nicht codiert. Diese Intervention mit den Einstellungen der Matratze, die bei dem Bewohner aufgrund des Körpergewichts ermittelt wurden, sollten im Pflegeplan aufgenommen werden.

Bei den 22 Bewohnern mit der Pflegediagnose „Der Bewohner hat ein erhöhtes Dekubitusrisiko, da die Haut zusätzlich durch äußere Einflüsse geschädigt wird" sollten in die Planungen Pflegemaßnahmen, wie „Hautschutzcreme auftragen" oder „Hautpflege mit W/Ö-Präparaten durchführen", aufgenommen werden.

Anhand der zwei dargestellten Auswertungsbeispiele aus dem Bericht einer Altenpflegeeinrichtung wurde gezeigt, dass retrospektive Datenauswertungen der Pflegeprozessdaten für die Qualitätsentwicklung in der Einrichtung unter verschiedenen Perspektiven ergiebig und nützlich sind.

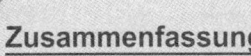

Zusammenfassung

Die Beurteilung und Evaluation der Wirkung der Pflege ist ein kontinuierlicher, dynamischer und fortlaufender Prozess, der bei jedem Patienten-/Bewohnerkontakt, jeder Durchführung von Pflegeinterventionen und jeder Dokumentation der Durchführung im Bewusstsein der Pflegenden sein sollte. Erst das Zusammentragen aller Informationen aus diesen Situationen ermöglicht die Beurteilung und Evaluation. Als Instrumente der Evaluation sind ferner die Pflegevisite und die Fallbesprechung zu nennen. Die rückblickende Evaluation dient der Beurteilung der Pflegequalität sowie der z. B. Kriterien geleiteten Auswertung.

Augsten, Kloster et al., 1997; Bartholomeyczik und Halek, 2004; Bienstein, Braun et al., 1997; Chappell und Dickey, 1993; Dahmer und Dahmer, 1989 Eichhorn, 1993; Garms-Homolová, V. und R. Gilgen, 2000; Georg und Frowein, 1999; Görres, Hinz et al., 2002; Kämmer, Schröder et al., 1998, Kean, 1999; Kerkhoff und Halbach, 2002; Lohrmann, 2004; Lubatsch, 2004; Messer, 2004; Michalke, Pfleghaar et al., 2001; Mussman et al., 1993; Neuberger, 1990; Perrig-Chiello, 1997; Reimer und Fueller, 1998; Rogers, 2003; Sauter, Abderhalden et al., 2004; Schäffler et al., 2001; Schrems, 2003; Schulz von Thun, 1994; Straus und Höfer, 2000; Weinberger, 2004; Wieteck, 2000.

Auflösung der Aufgabe aus Kapitel 5.1.4, S. 61–63:

1	Mitteilen von Informationen
2	geschlossene Frage
3	geschlossene Frage
4	verbalisiert
5	offene Frage
6	Zusammenfassung und geschlossene Frage
7	offene Fragen
8	selektive Reflexion, paraphrasiert
9	selektive Reflexion und offene Frage
10	Information und offene Fragestellung
11	Information und geschlossene Frage
12	offene Frage
13	Information

6 Fallbeispiele

Im Folgenden haben Sie die Gelegenheit, Ihr Verständnis des Pflegeprozesses zu vertiefen und sich dabei einen ersten Überblick über die ENP®-Systematik zu verschaffen. Die drei praxisnahen Fallbeispiele „Senile Demenz"/Alzheimer, Morbus Parkinson und Bakterielle Pneumonie geben Ihnen mithilfe von vier Arbeitsaufträgen die Möglichkeit, Ihr Fachwissen anzuwenden, zu überprüfen und zu erweitern.

Im ersten Arbeitsauftrag sollen für jede Fallgeschichte wichtige Pflegediagnosen abgeleitet werden, die anschließend den entsprechenden AEDL zugeordnet werden. In den Arbeitsaufträgen zwei bis vier geht es darum, herauszufinden, welche Ressourcen, Pflegeziele und Maßnahmen/Interventionen sich aus den Fallgeschichten bzw. den Pflegediagnosen ergeben.

Tragen Sie die Antworten in das Formblatt (→ S. 92) zur Pflegeplanung ein, das sich übrigens auch zur Vervielfältigung eignet, sodass Sie auch in der Arbeitspraxis auftretende Fallgeschichten zu Übungszwecken bearbeiten können.

Hilfestellungen für die Beantwortung der Fragen bieten die ENP®-Behandlungspfade sowie das Diagnosenverzeichnis. Die Lösungen finden Sie am Ende des zweiten Teils dieses Buches.

Fallbeispiel – „Senile Demenz"/Alzheimer

Informationssammlung:
Frau Maria Tack
Geburtsdatum: 23.10.1935
Beruf: Rentnerin, früher Landwirtin
Soziale Situation: Frau Tack ist verheiratet, wird zum Teil von ihrem Mann versorgt, der Ehemann ist jetzt 78 Jahre alt.

Vorgeschichte:
Frau Tack kommt in Begleitung ihres Ehemanns zur Aufnahme. Sie war bereits mehrere Male in der gerontopsychiatrischen Klinik und ist als Patientin bekannt. Sie leidet seit 4 Jahren an der Alzheimer-Krankheit. Begonnen hat die Erkrankung mit Gedächtnislücken und Rückzugstendenzen. Bei der letzten Einweisung war die Erkrankung in einem fortgeschrittenen Stadium mit Desorientierung, eingeschränkter Wahrnehmung, hypochondrischem Verhalten und Urininkontinenz.
Die Patientin ist in den Aktivitäten des täglichen Lebens (ATL) abhängig und benötigt besonders bei der Körperpflege Unterstützung. Beim Waschen entwickelte sie damals minutenlange stereotype Waschbewegungen. Auch die Reihenfolge beim Ankleiden war nicht sinnvoll. Problematisch für das Pflegepersonal war die ablehnende Haltung der Patientin bei der Körperpflege. Es ist anzunehmen, dass sie die Unterstützung als sehr peinlich erlebt.

Der Ehemann berichtet, dass sich diese Probleme nicht geändert haben. Hinzu gekommen sei eine Stuhlinkontinenz, was ihr sehr unangenehm zu sein scheint. Sie versucht dann oft, die beschmutzte Wäsche oder Inkontinenzhose auszuziehen. Bei den Mahlzeiten müsse er ständig dabei sein und sie erinnern, sonst vergesse sie zu essen.
Bei der Körperpflege versuche er sie anzuleiten und zu aktivieren, worauf sie freudig reagiert. Sie könne sogar selbstständig den Mund spülen, wenn man ihr alles hinstellt und ihr sagt, was sie tun soll. Ihr Ehemann berichtet auch, dass sie häufig nachts aufsteht und in der Wohnung herumräumt, tagsüber aber müde ist.

Erste Eindrücke/Bericht des Ehemanns:
Der Ehemann berichtet: „Meine Frau schläft von 7 Uhr abends bis Mitternacht. Beim Zu-Bett-Gehen legt sie großen Wert darauf, dass ein kleines Nachtlicht an ist. Wenn sie dann munter wird, werkelt sie in der Wohnung, wandert umher, rüttelt an den Türen, klopft, wenn eine verschlossen ist. Tagsüber läuft sie mir wie ein Kind oder ein Hund hinterher. Ich verstehe das ja, sie braucht mich, kann nichts dafür. Letzte Woche ist sie mir wieder weggelaufen. Die Nachbarn bringen sie zurück, im Nachthemd, in Hausschuhen. Es ist mir jedes Mal peinlich. Sie freut sich dann jedes Mal sehr, wenn sie mich wiedersieht. Sie ist früher immer ein sehr geselliger Mensch gewesen."

Aufnahmesituation:
Bei der Aufnahme verhält sich Frau Tack dem einweisenden Arzt gegenüber aggressiv. Sie spricht unlogische Wortfetzen und wiederholt diese häufig.
In der Aufnahmesituation erscheint sie sehr unruhig und unkonzentriert, steht zum Teil einfach auf und will weg gehen. Wenn Fragen an sie gestellt werden, reagiert sie leicht aggressiv. Es drängt sich der Eindruck auf, dass sie ihre Defizite wahrnimmt.
Es ist auffällig, dass Frau Tack komplexen Aufforderungen nicht folgen kann, kurze einfache Sätze versteht sie teilweise recht gut. Es hat den Anschein, dass sie nicht erkennt, um welche Einrichtungsgegenstände es sich handelt.

Fallbeispiel – Morbus Parkinson

Informationssammlung:
Herr Erwin Krause
Geburtsdatum: 04.09.1933
Beruf: Frührentner, früher Professor der Physik an der Universität Köln
Soziale Situation: Die Ehefrau und die Tochter versorgen den Ehemann/Vater.

Vorgeschichte:
Herr Krause wird zur Einstellung mit L-Dopa (z. B. Madopar) auf die Neurologie eingewiesen. Seit 5 Jahren ist bei ihm Morbus Parkinson diagnostiziert. Seitdem kommt Herr Krause regelmäßig zur Krankengymnastik in die Klinik.
Herr Krause ist 72 Jahre alt, er ist Rentner und wird von seiner Frau zu Hause versorgt, die ihn bei der Aufnahme begleitet.

Aufnahmesituation:
Bei dem Patienten ist der Ruhe- und Intentionstremor stark ausgeprägt. Der Grundtonus in allen Muskeln ist heraufgesetzt. Da der Tonus der Flexoren (Beuger) stärker ist, hat Herr Krause die typische Beugehaltung. Beim Stand ist der Schwerpunkt an den vorderen Rand der Basis verlegt. Kleine Tonusschwankungen oder ein leichter Stoß drohen Herrn Krause zu Fall zu bringen. Aufgrund der Akinese ist es ihm nicht möglich, einen schnellen Bewegungsausgleich vorzunehmen. Er hat ein unsicheres Gangbild mit kleinen Trippelschritten.
Es kommt häufig vor, dass Herr Krause aufgrund der Einschränkungen beim Gehen die Toilette nicht mehr rechtzeitig erreicht. Hierunter leidet er sehr stark, es ist ihm sehr unangenehm, wenn etwas daneben gegangen ist. Er reagiert mit Rückzug und versucht das Malheur zu vertuschen. Er wirkt teilweise depressiv.

Gestik und Mimik sind stark reduziert, alle psychischen Funktionen sind verlangsamt, der Patient wirkt antriebslos und depressiv.
Durch den hohen Muskeltonus sind die Gelenke der Extremitäten steif und ungelenkig. Er ist in seiner Bewegungsfreiheit stark eingeschränkt, dies bereitet ihm bei der Körperpflege und beim An- und Auskleiden große Probleme.

Der Patient atmet aufgrund der Akinese und des Rigors oberflächlich. Herr Krause spricht sehr leise und monoton, er ist manchmal schwer zu verstehen. Die Ehefrau gibt an, dass ihr Mann immer viel Wert auf gute Gespräche legte und dass ihn dieser Zustand sehr belastet.
Bei der Aufnahme von Flüssigkeiten verschluckt sich Herr Krause häufig. Starker Speichelfluss und vermehrte Schweißproduktion sind dem Patienten unangenehm. Herr Krause äußert im Gespräch, dass er froh und dankbar wäre, wenn ihm der Aufenthalt in der Klinik helfen würde, wieder mehr Selbstständigkeit zu erlangen.

Es ist geplant, Herrn Krause für die nächsten drei Wochen zur medikamentösen Einstellung und Beobachtung der Wirkung auf der Station zu betreuen.
Pflegerisch ist die Zielsetzung in den Schwerpunkten Aktivierung und Unterstützung in den Aktivitäten des täglichen Lebens zu sehen.

Fallbeispiel – Bakterielle Pneunomie

Informationssammlung:
Frau Maria Zack
Geburtsdatum: 13.07.1932
Beruf: Rentnerin
Soziale Situation: alleinstehend

Vorgeschichte:
Frau Maria Zack lebt, seit ihr Mann vor drei Jahren verstorben ist, allein in der früheren gemeinsamen Wohnung. Bisher konnte sie sich ganz gut allein versorgen. Zunehmend ist es ihr jedoch schwerer gefallen, die benötigten Lebensmittel einzukaufen und ihre Besorgungen selbstständig durchzuführen. Ihre Tochter lebt 80 Kilometer von ihrer Wohnung entfernt und hat selten Zeit, die Mutter zu besuchen.
Frau Zack lebt sehr zurückgezogen. Ihre sozialen Kontakte beschränken sich auf einen wöchentlichen Besuch ihrer besten Freundin, die noch ein paar Jahre jünger ist.

Heute morgen wurde Frau Zack von ihrem Hausarzt in die Innere Abteilung unseres Krankenhauses mit Atemnot und Fieber eingeliefert. Sie wurde von ihrer Freundin begleitet. Diese hatte sie in ihrer Wohnung besucht und zum Hausarzt gefahren.
Die Freundin von Frau Zack unterstützt sie bei der Erledigung der Krankenhausformalitäten. Sie gibt an, ihre Freundin habe bisher Euglucon N 1-1-0 eingenommen. Ihre Körpergröße betrage 178 cm, ihr Gewicht 49 kg.

Erste Eindrücke:
Am Aufnahmetag wird die Patientin von ihrer Freundin mit einem Sitzwagen auf ihre Station gebracht. Sie ringt sehr stark nach Luft und ist fiebrig verschwitzt. Sie ist ansprechbar, wobei ihr das Sprechen aufgrund der Dyspnoe große Schwierigkeiten bereitet. Sie berichtet, dass sie seit zwei Tagen Fieber habe, und die Grippe, die sie bekommen hat, sehr hartnäckig sei. Sie vermeidet zu husten, da sie ein festsitzendes Bronchialsekret hat, das Abhusten stark anstrengt und schmerzhaft ist. Die Atmung ist oberflächlich.
Frau Zack kann selbstständig kurze Wege gehen, wobei sie schnell in akute Atemnot kommt und zum Kreislaufkollaps neigt. Sie wirkt sehr gepflegt, ist jedoch in einem reduzierten Ernährungszustand. In Röntgenaufnahmen ist eine Verschattung festzustellen. Auch die Laborbefunde weisen auf eine ausgedehnte Pneumonie hin.

Der Stationsarzt ordnet 3-mal täglich eine antibiotische Therapie und Inhalationen mit einem Sekretolytika an. Zusätzlich soll die Patientin Bettruhe einhalten. Frau Zack äußert, sie werde alles tun, was man ihr sagt, wenn es ihr nur bald wieder besser ginge.
Frau Zack wirkt sehr erschöpft und matt. Sie hat sehr trockene Haut, die Zunge ist borkig belegt, und die Lippen sind rissig und leicht zyanotisch. Frau Zack berichtet außerdem von einem unnatürlichen Haarausfall, der Ihr Sorgen bereitet.

Verlauf:
Am Nachmittag bekommt Frau Zack einen weiteren Temperaturanstieg. Dieser geht mit Schüttelfrost einher. Sie hat keinen Appetit, gibt aber an, sehr durstig zu sein.

Fallbeispiele

▶ **Arbeitsauftrag 1 – Pflegediagnosen**

Analysieren Sie die Informationssammlung der Fallgeschichte!
Welche Pflegediagnosen können Sie ableiten, in welchen AEDL sind diese vorhanden?
Tragen Sie die Pflegediagnosen mit den entsprechenden AEDL in das Formblatt ein.
Formulieren Sie die dazugehörigen Kennzeichen und Ursachen!
Nehmen Sie die Formulierungen der ENP® zur Hilfe!

AEDL Kommunizieren können
AEDL Sich bewegen können
AEDL Vitale Funktionen des Lebens aufrechterhalten können
AEDL Sich pflegen können
AEDL Essen und trinken können
AEDL Ausscheiden können
AEDL Sich kleiden können
AEDL Ruhen und schlafen können
AEDL Sich beschäftigen können
AEDL Sich als Mann oder Frau fühlen und verhalten
AEDL Für eine sichere Umgebung sorgen
AEDL Soziale Bereiche des Lebens sichern
AEDL Mit den existentiellen Erfahrungen des Lebens umgehen können

Notizen:

Fallbeispiele

▶ **Arbeitsauftrag 2 – Ressourcen**

Welche Ressourcen können Sie aus der Fallgeschichte ableiten?
Prüfen Sie dabei, welche Ressourcen eine Relevanz für die Ziele und Maßnahmen haben!
Tragen Sie diese Ressourcen zu den entsprechenden Pflegediagnosen ein!

Notizen:

Fallbeispiele

▶ **Arbeitsauftrag 3 – Ziele**

Formulieren Sie mithilfe der ENP® nun die Ziele zu den einzelnen Pflegediagnosen!

Bedenken Sie dabei folgende Kriterien:
- Wünsche des Betroffenen
- Erreichbarkeit der Ziele
- Messbarkeit bzw. Überprüfbarkeit der Ziele.

Gegebenenfalls können Sie die Ziele individuell den Bedürfnissen des Betroffenen anpassen.

Notizen:

Fallbeispiele

▶ Arbeitsauftrag 4 – Maßnahmen/Interventionen

Formulieren Sie mithilfe der ENP® passende Maßnahmen und tragen Sie diese ebenfalls in das Formblatt ein!

Bedenken Sie dabei folgende Kriterien:
- Maßnahmen/Interventionen sollen handlungsleitend formuliert sein.
  (Was? Wie? Womit? Wie oft? Wie lange? Wann? Ggf. auch Wo?)
- Maßnahmen/Interventionen sollen der Zielerreichung dienen.
- Ist die Ressource nützlich zur Zielerreichung im Zusammenhang mit der Maßnahme/Intervention?

Notizen:

Fallbeispiele

Formblatt zur Pflegeplanung

1. Pflegediagnosen mit Kennzeichen und Ursachen	2. Ressourcen	3. Ziele	4. Maßnahmen

7 Diagnosenverzeichnis

Kommunizieren können	103
▶ **Pflegediagnosen im Zusammenhang mit dem Kommunikationsstil**	**103**
• Der Bewohner hat einen erniedrigenden, entwertenden Kommunikationsstil	103
• Der Bewohner neigt dazu, in seinem Sprachverhalten der Verantwortung für Ereignisse und Entscheidungen aus dem Weg zu gehen/diese zu verleugnen	104
• Der Bewohner kann eigene Wünsche und Bedürfnisse nur schwer äußern bzw. wahrnehmen	106
• Der Bewohner hat ein starkes Harmoniebedürfnis und ist dadurch in seinen Entscheidungen eingeschränkt	107
• Der Bewohner kann Wut/Ärger/Aggression nicht adäquat äußern	108
• Der Bewohner zeigt einen inkongruenten Kommunikationsstil	109
• Der Bewohner neigt dazu, den Gesprächspartner zu manipulieren, zu lenken oder zu dirigieren	110
• Der Bewohner ist in der Kommunikation gehemmt	111
• Der Bewohner drängt sich in Gesprächen in den Mittelpunkt/Vordergrund	112
• Der Bewohner zeigt im Rahmen der Kommunikation geringe Selbstachtung/Selbsthass	113
▶ **Pflegediagnosen: Beeinträchtigte Interaktion**	**114**
• Der Bewohner ist beim Aufbau und Aufrechterhalten von Beziehungen eingeschränkt	114
• Der Bewohner hat Schwierigkeiten bei der Informationsverarbeitung	115
• Der Bewohner zeigt gereiztes/aggressives Verhalten, es kommt zu Interaktionsstörungen	117
• Der Bewohner kann nicht zuhören/sich nur schwer auf Gespräche konzentrieren	118
• Der Bewohner ist schwerhörig, die Kommunikation ist erschwert	119
• Der Bewohner kann aufgrund von körperlicher Schwäche kaum kommunizieren	120
• Der Bewohner kann nicht in gewohnter Weise Kontakt aufnehmen	121
▶ **Pflegediagnosen: Sprach- und Sprechstörungen**	**121**
• Der Bewohner ist in der verbalen Kommunikation aufgrund einer globalen Aphasie beeinträchtigt	121
• Der Bewohner ist in der verbalen Kommunikation aufgrund einer sensorischen Aphasie (Wernicke-Aphasie) beeinträchtigt	123
• Der Bewohner ist in der verbalen Kommunikation aufgrund einer motorischen Aphasie (Broca-Aphasie) beeinträchtigt	124
• Der Bewohner ist in der verbalen Kommunikation aufgrund einer anamnestischen Aphasie beeinträchtigt	126
• Der Bewohner hat Sprechschwierigkeiten und kann sich nicht in gewohnter Weise artikulieren	127
• Der Bewohner hat Sprechschwierigkeiten aufgrund von Rigor und Akinese	128
• Der Bewohner ist stimmlos und in der verbalen Kommunikation voll beeinträchtigt	130
• Der Bewohner hat eine hastige/überstürzte Sprechweise	131
▶ **Pflegediagnosen: Eingeschränkte Sehfähigkeit**	**132**
• Der Bewohner ist blind, visuelle Informationen fehlen	132
• Der Bewohner kann schlecht sehen, visuelle Informationen fehlen	133

Sich bewegen können — 134

▶ Pflegediagnosen: Beeinträchtigte körperliche Mobilität – Paralyse (Plegie), Parese, Spastik — 134

- Der Bewohner hat eine Hemiplegie/Hemiparese und kann sich nicht selbstständig im Raum bewegen — 134
- Der Bewohner hat ein erhöhtes Risiko für die Entwicklung von pathologischen Bewegungsmustern (Spastik) — 134
- Der Bewohner hat ein spastisches Beugemuster im Arm, Gefahr der Kontraktur — 137
- Der Bewohner hat ein erhöhtes Risiko zur Subluxation des Schultergelenks — 138
- Der Bewohner benutzt nur die gesunde Seite bei Bewegungsabläufen, Gefahr spastischer Haltungsmuster — 139

▶ Pflegediagnosen: Beeinträchtigte körperliche Mobilität – postoperativ — 140

- Der Bewohner darf/kann das Bein nur teilbelasten, eingeschränkte Mobilität — 140
- Der Bewohner darf das betroffene Bein eingriffsbedingt nicht belasten — 141
- Der Bewohner hat eine Amputation der unteren Extremität und ist in der Bewegungsfreiheit eingeschränkt — 142

▶ Pflegediagnosen: Immobilitätssyndrome — 143

- Der Bewohner hat ein erhöhtes Dekubitusrisiko — 143
- Der Bewohner hat aufgrund einer Bewegungseinschränkung einen reduzierten venösen Rückfluss, Thrombosegefahr — 146
- Der Bewohner hat Risikofaktoren, die eine Thromboseentstehung begünstigen — 148
- Der Bewohner neigt zu Juckreiz/Unverträglichkeitsreaktionen durch das Tragen der Kompressionsstrümpfe/-strumpfhosen — 150
- Der Bewohner hat ein erhöhtes Risiko zur Bildung einer Kontraktur — 151
- Der Bewohner ist aufgrund von Bewegungsmangel spitzfußgefährdet — 153
- Der Bewohner kann keine aktiven Bewegungsübungen durchführen (Kontrakturgefahr) — 154
- Der Bewohner hat ein erhöhtes Dekubitusrisiko, da die Haut zusätzlich durch äußere Einflüsse geschädigt wird — 155
- Der Bewohner hat eine reduzierte Mikrozirkulation der Haut, erhöhtes Dekubitusrisiko — 156

▶ Pflegediagnosen: Beeinträchtigte körperliche Mobilität — 157

- Der Bewohner hat eine eingeschränkte/fehlende Fähigkeit, sich unabhängig im Lebensraum zu bewegen — 157
- Der Bewohner hat keine/eine eingeschränkte Transferfähigkeit — 159
- Der Bewohner hat eine Kontraktur und ist in der Beweglichkeit eingeschränkt — 162
- Der Bewohner ist in der Bewegungsfreiheit aufgrund von Instabilität im Bewegungsapparat eingeschränkt, Gefahr von Komplikationen — 164
- Der Bewohner hat fehlendes Vertrauen in seine körperliche Belastungsfähigkeit und zeigt Vermeidungsverhalten — 164
- Der Bewohner leidet an Mobilitätseinschränkungen durch Gelenkschmerzen und/oder Gelenksteife — 165
- Der Bewohner hat nur ungenügende physische Kraft/Energie, sich zu bewegen, um die gewünschten täglichen Aktivitäten auszuführen — 166
- Der Bewohner hat ein erhöhtes Sturzrisiko, es besteht Verletzungsgefahr — 167

▶ Pflegediagnosen: Gehfähigkeit — 169

- Der Bewohner ist in der Gehfähigkeit eingeschränkt — 169
- Der Bewohner neigt zu Herz-/Kreislaufproblemen bei der Mobilisation — 171
- Der Bewohner benötigt zum Gehen und Fortbewegen Gehhilfen und ist in der Anwendung unsicher — 172

Diagnosenverzeichnis

▶ Pflegediagnosen: Bewegungsverhalten/-muster — 173

- Der Bewohner bewegt sich steif aufgrund eines erhöhten Muskeltonus — 173
- Der Bewohner hat eine nach vorn geneigte Körperhaltung, es besteht erhöhte Sturzgefahr — 175
- Der Bewohner leidet an einem unkontrollierten Zittern/Tremor und kann Dinge des täglichen Lebens nicht halten und schwerlich feinmotorische Bewegungen ausführen — 176
- Der Bewohner zeigt eine Hypo- oder Akinese und ist in der selbstständigen Lebensgestaltung eingeschränkt — 177
- Der Bewohner zeigt einen unstillbaren Bewegungsdrang, psychomotorische Unruhe, Gefahr der reduzierten Erholungspausen und Sozialkontakte sowie Verletzungsgefahr — 178
- Der Bewohner hat Weglauftendenzen, Gefahr der Selbstgefährdung — 179

▶ Pflegediagnose: Sturzgefahr — 180

- Der Bewohner hat Angst vor einem Sturz — 180

Vitale Funktionen des Lebens aufrechterhalten können — 181

▶ Pflegediagnosen: Unwirksamer Atemvorgang — 181

- Der Bewohner hat Atemnot und ist dadurch in der körperlichen Leistungsfähigkeit eingeschränkt — 181
- Der Bewohner hat akute Atemnot, Gefahr der respiratorischen Insuffizienz mit Hypoxämie — 183

▶ Pflegediagnosen: Belüftungsstörungen — 185

- Der Bewohner atmet oberflächlich, Gefahr der Atelektase — 185
- Der Bewohner atmet oberflächlich, kann aktive Atemübungen nicht durchführen, Gefahr von Pneumonie und Atelektase — 187
- Der Bewohner atmet aufgrund von Schmerzen oberflächlich, Gefahr der Atelektase und der Pneumonie — 187

▶ Pflegediagnosen: Ungenügende Selbstreinigungsfunktion der Atemwege — 189

- Der Bewohner ist im Bereich des Abhustens von Bronchialsekret beeinträchtigt, Gefahr der Atelektase — 189
- Der Bewohner hat festsitzendes Bronchialsekret, Gefahr der Atelektase — 191

▶ Pflegediagnosen: Kreislaufregulationsstörungen — 194

- Der Bewohner hat eine reduzierte Herzleistung, es besteht die Gefahr von Komplikationen und Aktivitätsintoleranz — 194
- Der Bewohner neigt zu hypotonen Kreislaufveränderungen, Gefahr von Komplikationen — 197
- Der Bewohner neigt zu hypertonen Blutdruckwerten, Gefahr von Komplikationen — 199
- Der Bewohner hat eine instabile Herz-Kreislauf-Situation, Gefahr von Komplikationen — 200

▶ Pflegediagnosen: Tracheostomie, Intubation und Beatmung — 203

- Der Bewohner umgeht die normale Funktion der Nase (physiologische Befeuchtung), Gefahr der Austrocknung der Atemwege — 203
- Der Bewohner trägt eine Trachealkanüle/einen Tubus, Gefahr von Fehllage, Drucknekrose und Tracheomalazie — 204
- Der Bewohner trägt eine Trachealkanüle/einen Tubus, Öffnung ist ungeschützt, es besteht Infektionsgefahr und Gefahr des Eindringens von Fremdkörpern — 205
- Der Bewohner hat einen fehlenden Glottisschluss und kann nicht abhusten, Gefahr der Atelektasenbildung — 206

Diagnosenverzeichnis

▶ **Pflegediagnosen im Zusammenhang mit Wärmeregulation – Hyperthermie** 207

- Der Bewohner hat chronisch kalte Füße — 207
- Der Bewohner friert leicht und fühlt sich dadurch unwohl — 207
- Der Bewohner hat ein erhöhtes Risiko der veränderten Körpertemperatur außerhalb der physiologischen Körpertemperatur — 208
- Der Bewohner hat eine Erhöhung der Körpertemperatur über die physiologische Temperatur des menschlichen Körpers hinaus, Gefahr von Komplikationen — 209

Essen und Trinken können — 212

▶ **Selbstversorgungsdefizit: Die Aktivitäten der Nahrungsaufnahme betreffend** — 212

- Der Bewohner ist mit der Situation (das Essen und Trinken betreffend) unzufrieden — 212
- Der Bewohner ist in der Selbstständigkeit beim Essen und Trinken eingeschränkt — 213
- Der Bewohner kann nicht selbstständig essen und trinken — 215
- Der Bewohner kann/darf enteral keine Nahrung zu sich nehmen, Gefahr von Komplikationen — 217
- Der Bewohner kann/darf nicht essen und trinken, wird enteral über Sonde ernährt, Gefahr von Komplikationen — 218
- Der Bewohner hat ein erhöhtes Risiko der Darminfektion — 220
- Der Bewohner wird mit Sondennahrung ernährt, Gefahr der Sondenverstopfung — 220
- Der Bewohner hat eine perkutane Sonde, Gefahr der Infektion der Eintrittsstelle — 221

▶ **Pflegediagnosen: Bestehende Schluckstörungen** — 221

- Der Bewohner hat eine Schluckstörung, die Fähigkeit, willentlich Flüssigkeit oder feste Nahrung zu schlucken, fehlt/ist eingeschränkt — 221
- Der Bewohner kann Speichel nicht schlucken, es besteht ein erhöhtes Aspirationsrisiko — 222
- Der Bewohner hat einen verlangsamten Schluckreflex und kann nicht trinken, Flüssigkeit läuft zu schnell in den Schlund und führt zum Verschlucken — 222
- Der Bewohner kann nicht trinken, die Flüssigkeit läuft aus dem Mundwinkel heraus (Mundschlussstörung) — 224
- Der Bewohner hat Sensibilitätsstörungen und Hypotonus auf einer Gesichtshälfte — 225
- Der Bewohner ist beim Essen/Schlucken der Nahrung eingeschränkt, Speisen sammeln sich in der Wangentasche der betroffenen Seite — 225
- Der Bewohner ist beim Essen und Trinken eingeschränkt, Speisen und Flüssigkeiten fallen/laufen aus dem Mund/dem Mundwinkel — 226
- Der Bewohner bringt die Zungenspitze mit dem Speisebolus nach vorn zwischen Lippe und Zahnreihe, das Essen wird aus dem Mund befördert — 227

▶ **Pflegediagnosen: Nährstoffzufuhr entspricht nicht dem Nährstoffbedarf des Körpers** — 228

- Der Bewohner vernachlässigt die Nahrungsaufnahme, Gefahr der Gewichtsabnahme/Mangelernährung — 228
- Der Bewohner führt nicht genügend Nahrung zu, um den körperlichen Bedarf zu decken, Anzeichen einer Mangelernährung sind sichtbar — 230
- Der Bewohner verweigert die Nahrungs-/Flüssigkeitszufuhr, Gefahr des Ernährungs- und Flüssigkeitsdefizits — 232
- Der Bewohner führt zu viele Nährstoffe (Kalorien) im Vergleich zum Stoffwechselbedarf zu — 234

▶ **Pflegediagnosen: Veränderungen des Flüssigkeitshaushalts** — 235

- Der Bewohner weist Risikofaktoren auf, die zu einem Flüssigkeitsdefizit führen können, Gefahr der Dehydration — 235
- Der Bewohner hat ein reduziertes Durstgefühl, Gefahr der Dehydration — 237

▶ Pflegediagnosen: Diät, Ernährung und Unverträglichkeiten   238

- Der Bewohner ist zuckerkrank, durch die Nahrungsaufnahme kommt es zu starken Blutzuckerschwankungen, Gefahr der Hyper- oder Hypoglykämie   238
- Der Bewohner hat ein Wissensdefizit über die Möglichkeiten der Insulintherapie   239

Sich pflegen können   240

▶ Selbstversorgungsdefizit: Körperpflege und Baden   240

- Der Bewohner kann sich nicht selbstständig waschen   240
- Der Bewohner kann aufgrund einer Bewegungseinschränkung nur einen Teil der Körperwaschung selbstständig übernehmen   242
- Der Bewohner ist in der körperlichen Belastbarkeit bei der Körperpflege eingeschränkt, Selbstversorgungsdefizit Waschen   243
- Der Bewohner ist im Bereich der Körperpflege aufgrund einer Bewusstseinsveränderung voll abhängig   245
- Der Bewohner darf sich bei der Körperpflege aufgrund einer verminderten Herzleistung nicht anstrengen   246
- Der Bewohner kann aufgrund einer Hemiplegie die Körperwaschung nicht selbstständig durchführen   247
- Der Bewohner ist unruhig, desorientiert, bei der Körperpflege orientierungslos und kann diese nicht sinnvoll gestalten   249
- Der Bewohner ist im Ablauf der Körperpflege unkoordiniert   250
- Der Bewohner führt die Körperpflege nicht gründlich genug durch   251
- Der Bewohner kann sich nicht selbstständig duschen/baden   253

▶ Pflegediagnosen im Bereich der Körperpflege   255

- Der Bewohner schwitzt stark, Gefahr der Hautschädigung   255
- Der Bewohner hat Körpergeruch, fühlt sich dadurch gestört/Umfeld fühlt sich gestört   256

▶ Pflegediagnosen im Bereich mit der Mundpflege   257

- Der Bewohner neigt zu Zahnfleischbluten   257
- Der Bewohner kann die Mundpflege nicht selbstständig ausführen   257
- Der Bewohner hat eine Zahnprothese und kann diese nicht in gewohnter Weise pflegen   258
- Der Bewohner trägt eine Zahnprothese und kann die Prothesenpflege nicht durchführen, es besteht Entzündungsgefahr   259
- Der Bewohner hat ein erhöhtes Risiko von Druckstellenbildung im Mund-/Rachenbereich   259
- Der Bewohner hat ein erhöhtes Risiko von Formveränderungen am weichen Gaumen   260
- Der Bewohner trägt eine Zahnprothese, die sich häufig löst   260
- Der Bewohner hat fehlende Schluckreflexe, Gefahr der Aspiration bei der Mundpflege   261
- Der Bewohner hat trockene Lippen, Gefahr der Hautschädigung   261
- Der Bewohner hat starken Mundgeruch, dieser ist für ihn/das Umfeld unangenehm   262

▶ Veränderte Mundschleimhaut   263

- Der Bewohner hat eine Veränderung der Mundschleimhaut   263
- Der Bewohner hat eine belegte Zunge   263

▶ Veränderte Speichelproduktion   265

- Der Bewohner hat reduzierte Kautätigkeit und reduzierten Speichelfluss, Soor- und Parotitisgefahr   265
- Der Bewohner hat eine gesteigerte Speichelproduktion (= Ptyalismus) und empfindet dieses als unangenehm   265
- Der Bewohner hat zähen Speichel und eine verminderte Speichelproduktion   266

Diagnosenverzeichnis

▶ Hautpflege und Gefahr der Hautschädigung — 267
- Der Bewohner hat trockene Haut, Gefahr der Hautschädigung — 267
- Der Bewohner hat fettige Problemhaut und äußert darüber Unzufriedenheit — 268
- Der Bewohner leidet unter Juckreiz der Haut, kann das Kratzen nicht unterlassen — 269
- Der Bewohner hat Intertrigo, Gefahr der Hautschädigung — 270

▶ Selbstversorgungsdefizit: Äußere Erscheinung – Haar-, Nagel-, Fußpflege — 271
- Der Bewohner kann sich die Haare nicht selbstständig kämmen — 271
- Der Bewohner kann die Haare nicht selbstständig waschen — 272
- Der Bewohner hat Bartwuchs und kann sich nicht rasieren/Bartpflege durchführen — 273
- Der Bewohner hat regelmäßig verschmutzte Hände, die Hände sind Bakterienträger — 273
- Der Bewohner hat lange Fingernägel und kann sie nicht selbst schneiden/feilen — 274
- Der Bewohner hat lange Fußnägel und kann sie nicht selbstständig schneiden — 274
- Der Bewohner hat eine starke Hornhautbildung an den Füßen — 275

▶ Pflegediagnosen im Bereich Nase, Ohren, Augen — 275
- Der Bewohner hat Borken in der Nase und kann sich die Nase nicht selbstständig reinigen — 275
- Der Bewohner kann die Ohrpflege nicht selbstständig durchführen — 276
- Der Bewohner benötigt Maßnahmen der speziellen Augenpflege/-therapie — 276
- Der Bewohner hat einen fehlenden/reduzierten Lidschlag, Gefahr der Hornhautaustrocknung und Schädigung der Augen — 277

Ausscheiden können — 278

▶ Pflegediagnosen: Urinausscheidung — 278
- Der Bewohner ist im Bereich der Urin-/Stuhlausscheidung abhängig — 278
- Der Bewohner kommt nicht schnell genug zur Toilette und kann den Urin nicht halten — 279
- Der Bewohner darf/kann die Ausscheidungen nur im Bett verrichten — 280
- Der Bewohner hat einen transurethralen Blasenverweilkatheter, Gefahr der aufsteigenden Harnwegsinfektion — 281
- Der Bewohner hat einen suprapubischen Blasenkatheter, Infektionsgefahr — 283

▶ Pflegediagnosen: Inkontinenz — 284
- Der Bewohner ist harninkontinent, Gefahr der Hautschädigung und Minderung der Lebensqualität — 284
- Der Bewohner hat ein erhöhtes Risiko einer Hautreizung/-schädigung — 286
- Der Bewohner kann den Urin nicht halten, benötigt eine Inkontinenzhilfe, hat ein Wissensdefizit — 286
- Der Bewohner hat einen unkontrollierten Urinabgang von geringen Mengen bei erhöhtem abdominalem Druck (Stressinkontinenz) — 287
- Der Bewohner hat einen spontanen Urinabgang in regelmäßigen Zeitabständen bei einem bestimmten Füllungszustand der Blase (Reflexinkontinenz) — 288
- Der Bewohner verspürt schon bei geringer Blasenfüllung einen zwanghaften Harndrang, Einnässen kann nicht verhindert werden (Dranginkontinenz) — 290
- Der Bewohner hat einen ständigen, nicht vorhersehbaren Urinabgang (totale Inkontinenz) — 292
- Der Bewohner hat eine atonische Blase, Harnträufeln und starken Harndrang (Überlaufinkontinenz) — 294

▶ Pflegediagnosen: Störungen der Darmtätigkeit — 296
- Der Bewohner hat ein erhöhtes Risiko der verminderten Defäkationsfrequenz (Obstipationsgefahr) — 296
- Der Bewohner hat eine Abnahme der Entleerungshäufigkeit, verbunden mit einer veränderten Darmpassage und/oder hartem, trockenem Stuhlgang — 298

- Der Bewohner ist der Meinung, an Verstopfung zu leiden, verwendet zur Sicherstellung der Defäkation Laxanzien/Einläufe/Zäpfchen ... 300
- Der Bewohner hat ein Defäkationsmuster, das durch unfreiwilligen Stuhlabgang gekennzeichnet ist ... 300
- Der Bewohner hat eine veränderte Stuhlausscheidung, die Defäkationsfrequenz ist erhöht ... 302
- Der Bewohner zeigt abnorme Verhaltensweisen im Umgang mit dem Stuhlgang ... 304

▶ **Pflegediagnosen: Stoma** ... **305**

- Der Bewohner hat ein Selbstversorgungsdefizit der Stomaanlage ... 305
- Der Bewohner hat eine Stomaanlage, fühlt sich in der Lebensgestaltung und in sozialen Aktivitäten gehemmt ... 306

▶ **Pflegediagnose im Zusammenhang mit Aspirationsgefahr** ... **307**

- Der Bewohner erbricht häufig und leidet an Übelkeit, Gefahr von Komplikationen ... 307

Sich kleiden können ... 310

▶ **Selbsversorgungdefizit: Bekleiden und auf äußere Erscheinung achten** ... **310**

- Der Bewohner kann sich nicht selbstständig an- und/oder auskleiden ... 310
- Der Bewohner kann sich aufgrund einer Hemiplegie nicht selbstständig an- und auskleiden, Gefahr von Spastik und den Muskeltonus erhöhenden Bewegungsmustern ... 312
- Der Bewohner zeigt kein Interesse an der Kleidung, Gefahr der Verwahrlosung ... 313
- Der Bewohner kann die Kompressionsstrümpfe nicht allein anziehen ... 314
- Der Bewohner ist bei der Versorgung seiner Wäsche unselbstständig ... 315

Ruhen, schlafen und sich entspannen können ... 316

▶ **Pflegediagnosen: Schlafstörungen** ... **316**

- Der Bewohner kann nicht einschlafen, Gefahr eines Schlafdefizits ... 316
- Der Bewohner kann nicht durchschlafen, Gefahr des Schlafdefizits ... 318
- Der Bewohner hat ein gesteigertes Schlafbedürfnis ... 319
- Der Bewohner hat ein vermindertes Schlafbedürfnis, Gefahr der Erschöpfung ... 320
- Der Bewohner hat einen veränderten Schlaf-Wach-Zyklus, Gefahr der sozialen Isolation und des Schlafdefizits ... 321

▶ **Pflegediagnosen im Zusammenhang mit quantitativen Bewusstseinsstörungen** ... **323**

- Der Bewohner hat eine quantitative Bewusstseinsstörung, Gefahr von Komplikationen ... 323
- Der Bewohner hat ein erhöhtes Risiko für Bewusstseinsstörungen aufgrund zentral wirksamer Substanzen ... 324

▶ **Pflegediagnosen im Zusammenhang mit qualitativer Bewusstseinsveränderung** ... **325**

- Der Bewohner hat Merk- und Gedächtnisstörungen, ist in der Lebensgestaltung abhängig ... 325
- Der Bewohner hat Konzentrationsschwierigkeiten, die Leistungsfähigkeit wird dadurch beeinträchtigt ... 328
- Der Bewohner hat eine Veränderung der kognitiven Fähigkeiten/Denkprozesse, die nicht altersentsprechend sind ... 329
- Der Bewohner hat eine hochgradig affektive Erregung/Spannung, Gefahr der Fremd-/Selbstgefährdung ... 333
- Der Bewohner ist desorientiert, die selbstständige Tagesgestaltung ist beeinträchtigt ... 335
- Der Bewohner ist verwirrt, Gefahr der Selbst-/Fremdgefährdung ... 338

Diagnosenverzeichnis

Sich beschäftigen lernen und sich entwickeln können   341

▶ **Pflegediagnosen: Selbstkonzept und Lebensgestaltung**   341

- Der Bewohner kann den Lebensraum/die Lebenszeit nicht selbstständig gestalten   341
- Der Bewohner gestaltet den Tagesablauf unstrukturiert, Gefahr des Selbstfürsorgedefizits   343
- Der Bewohner nimmt unregelmäßig an den Therapien teil, Gefahr der unwirksamen gesundheitsbezogenen Ergebnisse   344
- Der Bewohner kann sich nur schwer auf eine Aktivität konzentrieren, lässt sich durch Außenreize ablenken   345
- Der Bewohner hat ein gesteigertes Selbstwertgefühl/Selbstbewusstsein   346
- Der Bewohner hat ein reduziertes Selbstwertgefühl und ist dadurch in der Lebensgestaltung eingeschränkt   347
- Der Bewohner unterstützt den Pflege-/Behandlungsprozess nicht, Gefahr von ineffektiven gesundheitsbezogenen Ergebnissen   350
- Der Bewohner fühlt sich/ist durch das Therapieangebot überfordert   351
- Der Bewohner hat eine reduzierte Leistungsfähigkeit, ist in den Aktivitäten des täglichen Lebens eingeschränkt   352
- Der Bewohner ist betagt und in der selbstständigen Lebensgestaltung beeinträchtigt   353
- Der Bewohner hat eine Behinderung, ist in der selbstständigen Lebensgestaltung eingeschränkt   355
- Der Bewohner neigt dazu, eigene Gefühle und Probleme zu verdecken, indem er sich mit Problemen von Mitmenschen beschäftigt   357

▶ **Pflegediagnosen im Zusammenhang mit Handeln und/oder Verhalten**   359

- Der Bewohner zeigt passives, inaktives Verhalten gegenüber Aktivitäten/Angeboten, Gefahr des Selbstfürsorgedefizits   359
- Der Bewohner zieht sich vom sozialen Geschehen zurück, soziale Interaktion ist beeinträchtigt   361
- Der Bewohner kennt keine Grenzen und kann sich nicht an Regeln halten   363
- Der Bewohner nimmt unregelmäßig an den Therapien teil, Gefahr der unwirksamen gesundheitsbezogenen Ergebnisse   364
- Der Bewohner gestaltet den Tagesablauf unstrukturiert, Gefahr des Selbstfürsorgedefizits   365
- Der Bewohner neigt zu infantilem Verhalten, beeinträchtigte soziale Interaktion   366

▶ **Pflegeprobleme: Lebenspraktischer Bereich**   368

- Der Bewohner ist in der Versorgung der Aktivitäten des täglichen Lebens unselbstständig   368
- Der Bewohner ist unsicher/ängstlich bei der Durchführung verschiedener lebenspraktischer Tätigkeiten   371
- Der Bewohner kann den häuslichen Bereich nicht mehr selbstständig versorgen, Gefahr der Verwahrlosung   372
- Der Bewohner kann die Wäsche nicht selbstständig versorgen   373

▶ **Pflegediagnosen im Zusammenhang mit Freizeit und sozialem Leben**   374

- Der Bewohner äußert das Gefühl der Langeweile/der fehlenden sinnvollen Aufgabe   374
- Der Bewohner kann die Freizeit nicht selbstständig gestalten/initiieren   376
- Der Bewohner verbringt seine Freizeit unstrukturiert, eine befriedigende Freizeitgestaltung ist beeinträchtigt   379
- Der Bewohner hat eine passive und damit unbefriedigende Konsumierhaltung bei der Freizeitgestaltung   381
- Der Bewohner zeigt Verhaltensweisen, die Freizeitaktivitäten erschweren   382

Sich als Mann oder Frau fühlen und verhalten können — 384

▶ **Pflegediagnosen im Zusammenhang mit Sexualität** — 384

- Der Bewohner hat großes Schamgefühl — 384

▶ **Pflegediagnosen im Zusammenhang mit Rollenkonflikt Frau, Mann** — 384

- Der Bewohner bekommt bei der Körperpflege sexuelle Gefühle — 384

Für eine sichere und fördernde Umgebung sorgen können — 385

▶ **Pflegediagnosen im Zusammenhang mit Wunden** — 385

- Der Bewohner hat eine Wunde, Gefahr der Sekundärwundheilung/Komplikation — 385
- Der Bewohner hat eine eitrige, belegte Wunde, Gefahr der Keimverschleppung und Wundheilungsstörung — 387
- Der Bewohner hat eine chronische Wunde, die Lebensqualität ist beeinträchtigt — 389
- Der Bewohner hat eine Prellung, Verstauchung oder Quetschung — 392

▶ **Pflegediagnosen im Zusammenhang mit Infektionsgefahr** — 392

- Der Bewohner hat einen transurethralen Blasenverweilkatheter, Gefahr der aufsteigenden Harnwegsinfektion — 281
- Der Bewohner hat einen suprapubischen Blasenverweilkatheter, Infektionsgefahr — 283
- Der Bewohner bekommt eine Infusionstherapie über eine Venenverweilkanüle, Gefahr von Venenentzündung, paravenöser Lage und Sepsis — 392
- Der Bewohner bekommt eine Infusionstherapie über einen ZVK (Zentralen Venenkatheter), Gefahr der Infektion der Einstichstelle/Kathetersepsis — 393

▶ **Pflegediagnosen: Medikamentenverabreichung/Therapie** — 394

- Der Bewohner ist in der selbstständigen Medikamenteneinnahme eingeschränkt, Gefahr des unwirksamen Therapiemanagements — 394
- Der Bewohner bekommt Medikamente, hat ein Wissensdefizit über die korrekte Einnahme — 397
- Der Bewohner zeigt ein Wissensdefizit/Unsicherheit im Umgang mit der Insulinverabreichung — 397
- Der Bewohner hat ein Wissensdefizit/Unsicherheit im Umgang mit Inhalaten — 398

▶ **Pflegediagnosen im Zusammenhang mit Krankheiten** — 399

- Der Bewohner hat ein erhöhtes Infektionsrisiko, es besteht die Gefahr von Wundheilungsstörungen der Füße — 399
- Der Bewohner hat ein erhöhtes Risiko der Hyper- oder Hypoglykämie — 400

▶ **Pflegediagnose im Zusammenhang mit Fixierung** — 402

- Der Bewohner zeigt selbst-/fremdgefährdendes Verhalten — 402

Soziale Bereiche des Lebens sichern und Beziehungen gestalten können — 404

▶ Pflegediagnosen, die das Verhalten des Bewohners betreffen, Pflegediagnosen des lebenspraktischen Bereichs und Pflegediagnosen im Zusammenhang mit Freizeit und sozialem Leben finden Sie in der AEDL *Sich beschäftigen und entwickeln können.*

▶ **Pflegediagnosen im Zusammenhang mit der Anpassungsfähigkeit**   **404**
- Der Bewohner hat eine eingeschränkte Fähigkeit, sich an die veränderte Gesundheitssituation anzupassen   404
- Der Bewohner zeigt fehlende Einsicht bezüglich der Krankheitsursachen und des Krankheitsverlaufs   405

Mit den existenziellen Erfahrungen des Lebens umgehen können   407

▶ **Pflegediagnosen im Zusammenhang mit Schmerzen**   **407**
- Der Bewohner hat akute Schmerzen und ist in der Lebensqualität stark beeinträchtigt   407
- Der Bewohner hat chronische Schmerzzustände, die über einen Zeitraum von 6 Monaten anhalten   409
- Der Bewohner hat Schmerzen in einem/mehreren Gelenk/-en und Funktions-/Bewegungseinschränkungen   412
- Der Bewohner hat Schmerzen aufgrund einer arteriosklerotischen Veränderung der Gefäße   413
- Der Bewohner hat Schmerzen des Bewegungsapparats, Lebensqualität/Bewegungsfreiheit ist beeinträchtigt   415

▶ **Pflegediagnosen im Zusammenhang mit der Sterbephase**   **417**
- Der Bewohner ist über den nahen Tod informiert, äußert Ängste, Sorgen und Befürchtungen, die mit Tod und Sterben in Verbindung stehen   417
- Der Bewohner befindet sich in der Sterbephase, diese ist mit unterschiedlichen Gefühlsäußerungen/-schwankungen verbunden   418

▶ **Pflegediagnosen im Zusammenhang mit Ängsten**   **419**
- Der Bewohner hat Angst, empfindet eine reale oder fiktive Bedrohung   419
- Der Bewohner hat Angst, aus dem Bett zu fallen   420
- Der Bewohner hat eine erhöhte Angst vor den Aktivitäten des täglichen Lebens und versucht, diesen auszuweichen   421

▶ **Pflegediagnosen im Zusammenhang mit Empfindungen**   **422**
- Der Bewohner kann Gefühle nicht adäquat äußern, Aggressionen und Wut richten sich gegen Mitmenschen/Personal   422
- Der Bewohner empfindet das Gefühl des Alleinseins als negativ/bedrohlich   425
- Der Bewohner hat eine hochgradig affektive Erregung/Spannung, Gefahr der Fremd-/Selbstgefährdung   425
- Der Bewohner hat Heimweh   428
- Der Bewohner kann sich nur über Weinen/Schreien äußern und Bedürfnisse mitteilen   428

▶ **Pflegediagnosen im Zusammenhang mit Stimmungslage – Suizidabsichten** **429**
- Der Bewohner macht sich Sorgen um die Zukunft, Zukunftsperspektive fehlt   429
- Der Bewohner hat ein aus dem Gleichgewicht geratenes Selbstkonzept durch ein Verlusterlebnis bei beeinträchtigter Bewältigungsstrategie   432
- Der Bewohner hat ein aus dem Gleichgewicht geratenes Selbstkonzept durch eine Sinn-/Lebenskrise   433
- Der Bewohner ist suizidgefährdet, es besteht eine erhöhte Gefahr, dass lebensgefährliche Selbstverletzungen zugefügt werden   435
- Der Bewohner ist resigniert und empfindet die eigene Situation als ausweglos   437

AEDL Kommunizieren können

8 Die ENP® im Überblick

▶ **Pflegediagnosen im Zusammenhang mit dem Kommunikationsstil**

Pflegediagnose
Der Bewohner hat einen erniedrigenden, entwertenden Kommunikationsstil

▶ **Kennzeichen**
- Beschuldigt häufig andere
- Provoziert oder beleidigt Gesprächspartner
- Verletzt und setzt Mitmenschen herab
- Äußert sich gegenüber Mitmenschen wertend und macht diese lächerlich
- Nimmt selektiv Fehler bei den Mitmenschen wahr

▶ **Ursachen**
- Fehlendes Selbstwertgefühl
- Psychische Erkrankung

▶ **Ressourcen**
- Lässt sich ablenken
- Reagiert positiv auf therapeutische Gespräche

Pflegeziele
- Erhält Feed-back aus der Gruppe

Pflegeintervention
- Feed-back im Gruppengespräch ermöglichen

Handlungsleitende Pflegeinterventionen
Teilnehmende Personen bestimmen
Zeitdauer des Gruppengesprächs bestimmen

Pflegeziele
- Erkennt eine einheitliche Zielsetzung im therapeutischen Team und akzeptiert diese

Pflegeintervention
- Verhaltensstrategien bezüglich des Feed-backs an den Bewohner im Team absprechen

Handlungsleitende Pflegeinterventionen
Beteiligte Personen bestimmen
- Bewohner
- Pflegeperson
- Ärztlicher Dienst
- Psychologe
- Sozialarbeiter
- Ergotherapeut
- Krankengymnast
- Logotherapeut
- Beschäftigungstherapeut
- Geistlicher Beistand
- Sonstige Personen

Zeitdauer angeben

Pflegeziele
- Überprüft den eigenen Kommunikationsstil
- Kommuniziert, ohne Mitmenschen zu verletzen

Pflegeintervention
- Selektive Reflexion im Alltagsgespräch durchführen, auffälliges Gesprächsverhalten dokumentieren

---

Pflegeziele
- Ist sozial integriert

Pflegeintervention
- Klärende, schlichtende Gespräche führen

Handlungsleitende Pflegeinterventionen
Teilnehmende Personen bestimmen
- Eltern
- Angehörige
- Sonstige Personen

Zeitdauer der Gruppenangebote bestimmen

Pflegeziele
- Nimmt eigene Wünsche und Bedürfnisse wahr

Pflegeintervention
- Themenzentriertes therapeutisches Pflegefachgespräch führen

Handlungsleitende Pflegeinterventionen
Inhalt des themenzentrierten Pflegefachgesprächs bestimmen

AEDL Kommunizieren können

- Steht zu Entscheidungen und übernimmt dafür die Verantwortung
- Verbalisiert Wünsche und Bedürfnisse deutlich und fordert sie ein
- Erkennt Zusammenhänge zwischen eigenem Verhalten und Pflegediagnose
- Entwickelt Lösungswege im Gespräch

- Informationssammlung
- Pflege-, Betreuungs- und Behandlungsprozess
- Ursachenanalyse
- Strategien zur Krankheitsbewältigung
- Motivation/Aktivierung
- Alltagsbewältigung
- Förderung der Entscheidungsfindung
- Zukunftsperspektive
- Unterstützung der Orientierung
- Unterstützung des Realitätsbezugs
- Krisenintervention
- Aktuelle Bedürfnisse/Wünsche
- Instruktion/Anleitung
- Feed-back-Gespräch
- Sonstige Gesprächsinhalte

Zeitdauer des Gesprächs angeben

Literatur: 12, 44, 121, 168, 184, 218, 269, 272, 273

Pflegediagnose
Der Bewohner neigt dazu, in seinem Sprachverhalten der Verantwortung für Ereignisse und Entscheidungen aus dem Weg zu gehen/diese zu verleugnen

▶ Kennzeichen
- Offenbart Hilfsbedürftigkeit
- Äußert direkte oder indirekte Hilfsappelle
- Schuld wird auf andere projiziert
- Äußert, dass Probleme durch andere verursacht sind
- Kann sich schwer entscheiden
- Fühlt sich für Taten und Worte nicht verantwortlich

▶ Ursachen
- Bestehender Entscheidungskonflikt
- Fehlende Selbstverantwortung
- Unsichere Persönlichkeit
- Angst vor Verantwortung
- Unklare Wertvorstellung/Überzeugung

▶ Ressourcen
- Versteht das Therapiekonzept und ist bereit, sich aktiv zu beteiligen
- Reagiert positiv auf therapeutische Gespräche

Pflegeziele
- Selbstverantwortlichkeit und Autonomie sind unterstützt
- Entscheidet sich ohne Beeinflussung durch das therapeutische Team
- Steht zu Entscheidungen und übernimmt dafür die Verantwortung

Pflegeintervention
- Im Gespräch den Bewohner in die aktive Rolle zurückführen

Pflegeziele
- Selbstverantwortlichkeit und Autonomie sind unterstützt

Pflegeintervention
- Eigenverantwortlichkeit und Autonomie im Gespräch fördern

Handlungsleitende Pflegeinterventionen
- Handlungsalternativen aufzeigen und so Entscheidungskraft gezielt fördern
- Keine Entscheidungen für den Bewohner treffen

Alltagsweltliche Entscheidungen fördern
- Menükomponenten beim Essen auswählen lassen
- Kleidungsstücke, die am Tag getragen werden, auswählen und zusammenstellen lassen

AEDL Kommunizieren können

- Bei Freizeitbeschäftigungen mehrere Alternativen aufzeigen

Pflegeziele	Pflegeintervention	
Kann durch eine geeignete Kommunikationsform Bedürfnisse, Wünsche und Gefühle äußern	Anhalten, Gefühle, Wünsche und Bedürfnisse offen zu äußern	

Pflegeziele	Pflegeintervention	Handlungsleitende Pflegeinterventionen
Steht zu Entscheidungen und übernimmt dafür die Verantwortung	Selbstwertgefühl stärken	• Gewünschtes Verhalten durch Lob fördern • Im therapeutischen Team Verhaltensweisen zur Stärkung des Selbstkonzepts vereinbaren • Einüben, sich selbst zu belohnen

Pflegeziele	Pflegeintervention	Handlungsleitende Pflegeinterventionen
• Nimmt eigene Wünsche und Bedürfnisse wahr • Steht zu Entscheidungen und übernimmt dafür die Verantwortung • Verbalisiert Wünsche und Bedürfnisse deutlich und fordert sie ein • Erkennt Zusammenhänge zwischen eigenem Verhalten und Pflegediagnose • Entwickelt Lösungswege im Gespräch	Themenzentriertes therapeutisches Pflegefachgespräch führen	**Inhalt des themenzentrierten Pflegefachgesprächs bestimmen** • Informationssammlung • Pflege-, Betreuungs- und Behandlungsprozess • Ursachenanalyse • Strategien zur Krankheitsbewältigung • Motivation/Aktivierung • Alltagsbewältigung • Förderung der Entscheidungsfindung • Zukunftsperspektive • Unterstützung der Orientierung • Unterstützung des Realitätsbezugs • Krisenintervention • Aktuelle Bedürfnisse/Wünsche • Instruktion/Anleitung • Feed-back-Gespräch • Sonstige Gesprächsinhalte **Zeitdauer des Gesprächs angeben**

Pflegeziele	Pflegeintervention	Handlungsleitende Pflegeinterventionen
Erhält Feed-back aus der Gruppe	Feed-back im Gruppengespräch ermöglichen	**Teilnehmende Personen bestimmen** **Zeitdauer des Gruppengesprächs bestimmen**

Pflegeziele	Pflegeintervention	Handlungsleitende Pflegeinterventionen
Ist sozial integriert	Klärende, schlichtende Gespräche führen	**Teilnehmende Personen bestimmen** • Eltern • Angehörige • Sonstige Personen • **Zeitdauer der Gruppenangebote bestimmen**

Literatur: 101, 102, 121, 125, 168, 267, 272, 273

AEDL Kommunizieren können

Pflegediagnose
Der Bewohner kann eigene Wünsche und Bedürfnisse nur schwer äußern bzw. wahrnehmen

▶ **Kennzeichen**

- Traut sich im Gespräch nicht, einen eigenen Standpunkt zu vertreten
- Wird in der eigenen Tagesstruktur durch die Anforderungen und Wünsche der Mitmenschen fremdbestimmt
- Kann Wünsche nicht ausschlagen/nicht Nein sagen
- Kann eigene Wünsche nicht benennen
- Verliert eigene Bedürfnisse aus dem Auge
- Spricht über unausgesprochene Erwartungen an den Sozialpartner

▶ **Ursachen**

- Unsichere Persönlichkeit
- Fehlendes Selbstwertgefühl
- Angst, eigene Wünsche und Bedürfnisse zu äußern
- Nimmt eigene Bedürfnisse nicht wahr

▶ **Ressourcen**

- Reagiert positiv auf therapeutische Gespräche
- Auf Nachfrage werden Wünsche und Bedürfnisse mitgeteilt

Pflegeziele
- Erhält konkretes Feed-back
- Kann eigene Bedürfnisse und Wünsche wahrnehmen und ansprechen

Pflegeintervention
- Kommunikation beobachten

Pflegeziele
- Nimmt eigene Wünsche und Bedürfnisse wahr
- Steht zu Entscheidungen und übernimmt dafür die Verantwortung
- Verbalisiert Wünsche und Bedürfnisse deutlich und fordert sie ein
- Erkennt Zusammenhänge zwischen eigenem Verhalten und Pflegediagnose
- Entwickelt Lösungswege im Gespräch

Pflegeintervention
- Themenzentriertes therapeutisches Pflegefachgespräch führen

Handlungsleitende Pflegeinterventionen

Inhalt des themenzentrierten Pflegefachgesprächs bestimmen
- Informationssammlung
- Pflege-, Betreuungs- und Behandlungsprozess
- Ursachenanalyse
- Strategien zur Krankheitsbewältigung
- Motivation/Aktivierung
- Alltagsbewältigung
- Förderung der Entscheidungsfindung
- Zukunftsperspektive
- Unterstützung der Orientierung
- Unterstützung des Realitätsbezugs
- Krisenintervention
- Aktuelle Bedürfnisse/Wünsche
- Instruktion/Anleitung
- Feed-back-Gespräch
- Sonstige Gesprächsinhalte

Zeitdauer des Gesprächs angeben

Pflegeziele
- Nimmt eigene Wünsche und Bedürfnisse wahr

Pflegeintervention
- Klientenzentriertes Gespräch zur Klärung von vermuteten, unausgesprochenen Erwartungen führen

---

Pflegeziele
- Therapie- und Interventionsangebote sind individuell abgestimmt

Pflegeintervention
- Inhalt des therapeutischen Gesprächs und weiterer Behandlungs- und Therapiestrategien im Team besprechen

Handlungsleitende Pflegeinterventionen

Beteiligte Personen bestimmen
- Bewohner
- Pflegeperson

AEDL Kommunizieren können

- Behandlungs- und Therapiekonzept sind transparent und vom therapeutischen Team umgesetzt
- Aktive Beteiligung an der Behandlungsplanung mit dem therapeutischen Team ist sichergestellt

- Ärztlicher Dienst
- Psychologe
- Sozialarbeiter
- Ergotherapeut
- Krankengymnast
- Logotherapeut
- Beschäftigungstherapeut
- Geistlicher Beistand
- Sonstige Personen

Zeitdauer angeben

Pflegeziele
- Kann Wünsche und Bedürfnisse wahrnehmen und realisieren

Pflegeintervention
- Indirekte Äußerungen des Bewohners beachten und für ihn übersetzen

Literatur: 101, 102, 121, 125, 168, 267, 269, 272, 273

Pflegediagnose
Der Bewohner hat ein starkes Harmoniebedürfnis und ist dadurch in seinen Entscheidungen eingeschränkt

▶ **Kennzeichen**
- Kann Wünsche nicht ausschlagen/nicht Nein sagen
- Passt sich an und steht nicht zur eigenen Meinung
- Widerspricht nicht, trotz gegenteiliger Ansicht
- Wird in der eigenen Tagesstruktur durch die Anforderungen und Wünsche der Mitmenschen fremdbestimmt

▶ **Ursachen**
- Mangelndes Selbstbewusstsein
- Unsichere Persönlichkeit
- Angst vor Abbruch von Sozialkontakten
- Verlust und/oder Trennung von wichtigen Bezugspersonen

▶ **Ressourcen**
- Reagiert positiv auf therapeutische Gespräche
- Kann sein Verhalten in Gesprächen reflektieren

Pflegeziele
- Nimmt eigene Wünsche und Bedürfnisse wahr
- Steht zu Entscheidungen und übernimmt dafür die Verantwortung
- Verbalisiert Wünsche und Bedürfnisse deutlich und fordert sie ein
- Erkennt Zusammenhänge zwischen eigenem Verhalten und Pflegediagnose
- Entwickelt Lösungswege im Gespräch

Pflegeintervention
- Themenzentriertes therapeutisches Pflegefachgespräch führen

Handlungsleitende Pflegeinterventionen
Inhalt des themenzentrierten Pflegefachgesprächs bestimmen
- Informationssammlung
- Pflege-, Betreuungs- und Behandlungsprozess
- Ursachenanalyse
- Strategien zur Krankheitsbewältigung
- Motivation/Aktivierung
- Alltagsbewältigung
- Förderung der Entscheidungsfindung
- Zukunftsperspektive
- Unterstützung der Orientierung
- Unterstützung des Realitätsbezugs
- Krisenintervention
- Aktuelle Bedürfnisse/Wünsche
- Instruktion/Anleitung
- Feed-back-Gespräch
- Sonstige Gesprächsinhalte

Zeitdauer des Gesprächs angeben

AEDL Kommunizieren können

Pflegeziele
- Therapie- und Interventionsangebote sind individuell abgestimmt
- Behandlungs- und Therapiekonzept sind transparent und vom therapeutischen Team umgesetzt
- Aktive Beteiligung an der Behandlungsplanung mit dem therapeutischen Team ist sichergestellt

Pflegeintervention
- Inhalt des therapeutischen Gesprächs und weiterer Behandlungs- und Therapiestrategien im Team besprechen

Handlungsleitende Pflegeinterventionen
Beteiligte Personen bestimmen
- Bewohner
- Pflegeperson
- Ärztlicher Dienst
- Psychologe
- Sozialarbeiter
- Ergotherapeut
- Krankengymnast
- Logotherapeut
- Beschäftigungstherapeut
- Geistlicher Beistand
- Sonstige Personen

Zeitdauer angeben

Pflegeziele
- Wut, Ärger und Aggression werden in adäquater Weise wahrgenommen und ausgelebt
- Kann sich ausdrücken und Wünsche/Bedürfnisse adäquat äußern
- Verhält sich angemessen in sozialen Lebenssituationen

Pflegeintervention
- Selbstsicherheitstraining in Form von Rollenspielen durchführen

Handlungsleitende Pflegeinterventionen
Teilnehmende Personen bestimmen
Zeitdauer der Gruppenangebote bestimmen

Literatur: 101, 102, 121, 125, 140, 168, 208, 259, 267, 272, 273

Pflegediagnose
Der Bewohner kann Wut/Ärger/Aggression nicht adäquat äußern

▶ Kennzeichen
- Äußert sich durch aggressives Verhalten
- Neigt zu aggressiven Handlungen
- Äußert sich durch verbale Angriffe
- Berichtet darüber, Wut und Ärger in sich hineinzufressen

▶ Ursachen
- Gefühlsäußerungen sind durch kognitive Einschränkungen nicht anders möglich
- Ist durch die Sozialisation in der Gefühls- und Verhaltensäußerung geprägt
- Kann Aggression/Wut/Ärger nicht adäquat äußern

▶ Ressourcen
- Reagiert positiv auf therapeutische Gespräche
- Kann sein Verhalten in Gesprächen reflektieren
- Lässt sich ablenken

Pflegeziele
- Erhält konkretes Feed-back
- Kann Wut, Aggression und Ärger in einer adäquaten Form äußern

Pflegeintervention
- Soziales Verhalten und Umgang mit Wut, Ärger und Aggression beobachten

---

Pflegeziele
- Wut, Ärger und Aggression werden in adäquater Weise wahrgenommen und ausgelebt
- Kann sich ausdrücken und Wünsche/Bedürfnisse adäquat äußern
- Verhält sich angemessen in sozialen Lebenssituationen

Pflegeintervention
- Selbstsicherheitstraining in Form von Rollenspielen durchführen

Handlungsleitende Pflegeinterventionen
Teilnehmende Personen bestimmen
Zeitdauer der Gruppenangebote bestimmen

AEDL Kommunizieren können

Pflegeziele
- Nimmt eigene Wünsche und Bedürfnisse wahr
- Steht zu Entscheidungen und übernimmt dafür die Verantwortung
- Verbalisiert Wünsche und Bedürfnisse deutlich und fordert sie ein
- Erkennt Zusammenhänge zwischen eigenem Verhalten und Pflegediagnose
- Entwickelt Lösungswege im Gespräch

Pflegeintervention
- Themenzentriertes therapeutisches Pflegefachgespräch führen

Handlungsleitende Pflegeinterventionen
Inhalt des themenzentrierten Pflegefachgesprächs bestimmen
- Informationssammlung
- Pflege-, Betreuungs- und Behandlungsprozess
- Ursachenanalyse
- Strategien zur Krankheitsbewältigung
- Motivation/Aktivierung
- Alltagsbewältigung
- Förderung der Entscheidungsfindung
- Zukunftsperspektive
- Unterstützung der Orientierung
- Unterstützung des Realitätsbezugs
- Krisenintervention
- Aktuelle Bedürfnisse/Wünsche
- Instruktion/Anleitung
- Feed-back-Gespräch
- Sonstige Gesprächsinhalte

Zeitdauer des Gesprächs angeben

Literatur: 44, 101, 102, 121, 125, 168, 208, 267, 269, 272, 273

Pflegediagnose
Der Bewohner zeigt einen inkongruenten Kommunikationsstil

▶ Kennzeichen
- Berichtet zum wiederholten Male von Ereignissen, die so wie berichtet nicht stimmen können
- Verbale Äußerungen und nonverbale Signale stimmen nicht überein

▶ Ursachen
- Selbstschutz
- Psychische Störung
- Beeinträchtigung durch Störungen von Mimik oder Gestik

▶ Ressourcen
- Reagiert positiv auf therapeutische Gespräche
- Kann sein Verhalten in Gesprächen reflektieren

Pflegeziele
- Kann das persönliche Verhalten reflektieren

Pflegeintervention
- Auf inkongruente Kommunikation beobachten

Pflegeziele
- Gefühl und verbale Äußerungen stimmen überein
- Kennt die Wirkung auf Mitmenschen bei inkongruentem Verhalten
- Kennt Verhaltensweisen, die Missverständnisse verhindern, und wendet diese an
- Ist motiviert, Kongruenz zu erreichen

Pflegeintervention
- Klientenzentriertes Pflegefachgespräch über inkongruentes Verhalten und inkongruenten Kommunikationsstil führen

Pflegeziele
- Erhält Feed-back aus der Gruppe

Pflegeintervention
- Feed-back im Gruppengespräch ermöglichen

Handlungsleitende Pflegeinterventionen
Teilnehmende Personen bestimmen
Zeitdauer des Gruppengesprächs bestimmen

AEDL Kommunizieren können

Pflegeziele	Pflegeintervention	Handlungsleitende Pflegeinterventionen
• Erkennt eine einheitliche Zielsetzung im therapeutischen Team und akzeptiert diese	• Verhaltensstrategien bezüglich des Feed-backs an den Bewohner im Team absprechen	**Beteiligte Personen bestimmen** • Bewohner • Pflegeperson • Ärztlicher Dienst • Psychologe • Sozialarbeiter • Ergotherapeut • Krankengymnast • Logotherapeut • Beschäftigungstherapeut • Geistlicher Beistand • Sonstige Personen **Zeitdauer angeben**

Literatur: 44, 101, 102, 121, 125, 168, 208, 267, 269, 272, 273

Pflegediagnose
Der Bewohner neigt dazu, den Gesprächspartner zu manipulieren, zu lenken oder zu dirigieren

▶ Kennzeichen	▶ Ursachen	▶ Ressourcen
• Benutzt bei der Kommunikation häufig suggestive Fragestellungen • Zeigt gegenüber Gesprächspartnern Imponiergehabe • Provoziert oder beleidigt Gesprächspartner • Schmeichelt sich durch Komplimente/ausgewählte Höflichkeiten ein • Übt sozialen Druck auf Mitmenschen (Familienangehörige) aus	• Bedürfnis nach Macht und Anerkennung • Bedürfnis nach Selbstbestätigung • Manie • Neurotische Störung	• Reagiert positiv auf therapeutische Gespräche • Kann sein Verhalten in Gesprächen reflektieren

Pflegeziele	Pflegeintervention	
• Kann den eigenen Kommunikationsstil einschätzen • Erkennt eine einheitliche Zielsetzung im therapeutischen Team und akzeptiert diese	• Kommunikationsverhalten beobachten	

Pflegeziele	Pflegeintervention	
• Kann den eigenen Kommunikationsstil einschätzen	• Klientenzentrierte Pflegefachgespräche zum Erlernen eines ausgewogenen Gesprächsstils führen	

Pflegeziele	Pflegeintervention	Handlungsleitende Pflegeinterventionen
• Erhält Feed-back aus der Gruppe	• Feed-back im Gruppengespräch ermöglichen	**Teilnehmende Personen bestimmen** **Zeitdauer des Gruppengesprächs bestimmen**

Literatur: 44, 101, 102, 121, 125, 168, 208, 267, 269, 272, 273

AEDL Kommunizieren können

Pflegediagnose
Der Bewohner ist in der Kommunikation gehemmt

▶ **Kennzeichen**
- Fehlender Blickkontakt
- Traut sich im Gespräch nicht, einen eigenen Standpunkt zu vertreten
- Weigert sich zu antworten/zu sprechen
- Kann in einer Gruppe nicht sprechen, bringt keinen Ton heraus
- Äußert, Hemmungen beim Sprechen in Gruppen zu haben
- Neurophysiologische Hemmung
- Psychomotorische Retardierung (Hemmung)

▶ **Ursachen**
- Depressionen
- Angst
- Fehlendes Selbstwertgefühl
- Entwicklungsalter
- Sprachstörung
- Psychotische Störung
- Psychopharmaka

▶ **Ressourcen**
- Versteht das Therapiekonzept und ist bereit, sich aktiv zu beteiligen
- Reagiert positiv auf therapeutische Gespräche

Pflegeziele
- Kommuniziert ohne Angst und Hemmung, nimmt Kontakt auf

Pflegeintervention
- Im klientenzentrierten Pflegefachgespräch Lösungswege für den Umgang mit Hemmungen entwickeln

Pflegeziele
- Therapie- und Interventionsangebote sind individuell abgestimmt
- Behandlungs- und Therapiekonzept sind transparent und vom therapeutischen Team umgesetzt
- Aktive Beteiligung an der Behandlungsplanung mit dem therapeutischen Team ist sichergestellt

Pflegeintervention
- Inhalt des therapeutischen Gesprächs und weiterer Behandlungs- und Therapiestrategien im Team besprechen

Handlungsleitende Pflegeinterventionen
Beteiligte Personen bestimmen
- Bewohner
- Pflegeperson
- Ärztlicher Dienst
- Psychologe
- Sozialarbeiter
- Ergotherapeut
- Krankengymnast
- Logotherapeut
- Beschäftigungstherapeut
- Geistlicher Beistand
- Sonstige Personen

Zeitdauer angeben

Pflegeziele
- Wut, Ärger und Aggression werden in adäquater Weise wahrgenommen und ausgelebt
- Kann sich ausdrücken und Wünsche/Bedürfnisse adäquat äußern
- Verhält sich angemessen in sozialen Lebenssituationen

Pflegeintervention
- Selbstsicherheitstraining in Form von Rollenspielen durchführen

Handlungsleitende Pflegeinterventionen
Teilnehmende Personen bestimmen
Zeitdauer der Gruppenangebote bestimmen

Literatur: 44, 101, 102, 121, 125, 168, 208, 267, 269, 272, 273

AEDL Kommunizieren können

Pflegediagnose
Der Bewohner drängt sich in Gesprächen in den Mittelpunkt/Vordergrund

▶ Kennzeichen	▶ Ursachen	▶ Ressourcen
• Unterbricht Gesprächspartner häufig • Lässt Gesprächspartner nicht zu Wort kommen • Neigt dazu, durch eine „Pseudo-Offenheit" die Gespräche an sich zu ziehen	• Fehlendes Selbstwertgefühl • Bedürfnis nach Selbstbestätigung	• Reagiert positiv auf therapeutische Gespräche • Kann sein Verhalten in Gesprächen reflektieren

Pflegeziele
- Kann das persönliche Handeln hinterfragen und ändern

Pflegeintervention
- Kommunikationsverhalten beobachten und dokumentieren

Pflegeziele
- Kann das persönliche Handeln hinterfragen und ändern

Pflegeintervention
- Im klientenzentrierten Gespräch Ursachen/Zusammenhänge erkennen und Problemlösungswege entwickeln

Pflegeziele
- Therapie- und Interventionsangebote sind individuell abgestimmt
- Behandlungs- und Therapiekonzept sind transparent und vom therapeutischen Team umgesetzt
- Aktive Beteiligung an der Behandlungsplanung mit dem therapeutischen Team ist sichergestellt

Pflegeintervention
- Inhalt des therapeutischen Gesprächs und weiterer Behandlungs- und Therapiestrategien im Team besprechen

Handlungsleitende Pflegeinterventionen
Beteiligte Personen bestimmen
- Bewohner
- Pflegeperson
- Ärztlicher Dienst
- Psychologe
- Sozialarbeiter
- Ergotherapeut
- Krankengymnast
- Logotherapeut
- Beschäftigungstherapeut
- Geistlicher Beistand
- Sonstige Personen

Zeitdauer angeben

Pflegeziele
- Kann zuhören und lässt Mitmenschen zu Wort kommen

Pflegeintervention
- Verhalten im Rahmen alltagsweltlicher Gespräche spiegeln

Pflegeziele
- Kann zuhören und lässt Mitmenschen zu Wort kommen

Pflegeintervention
- Redefluss unterbrechen

Pflegeziele
- Kann zuhören und lässt Mitmenschen zu Wort kommen

Pflegeintervention
- Mitmenschen unterstützen, zu Wort zu kommen

Pflegeziele
- Kann zuhören und lässt Mitmenschen zu Wort kommen

Pflegeintervention
- Redepausen zur Unterbrechung des Redeflusses vereinbaren

AEDL Kommunizieren können

Pflegeziele	Pflegeintervention	Handlungsleitende Pflegeinterventionen
• Erhält Feed-back aus der Gruppe	• Feed-back im Gruppengespräch ermöglichen	**Teilnehmende Personen bestimmen** **Zeitdauer des Gruppengesprächs bestimmen**

Literatur: 44, 101, 102, 121, 125, 168, 267, 269, 272, 273

Pflegediagnose
Der Bewohner zeigt im Rahmen der Kommunikation geringe Selbstachtung/Selbsthass

▶ Kennzeichen	▶ Ursachen	▶ Ressourcen
• Spricht geringschätzig von sich selbst • Lacht über sich selbst, macht sich bewusst selbst lächerlich	• Fehlendes Selbstwertgefühl • Fehlende Selbstachtung • Misserfolgsgeprägte Sozialisation	• Reagiert positiv auf therapeutische Gespräche

Pflegeziele	Pflegeintervention	
• Entwickelt Achtung vor sich selbst	• Beobachtete Selbsthass-Tendenzen dokumentieren	

Pflegeziele	Pflegeintervention	
• Entwickelt ein positives Selbstwertgefühl • Entwickelt Achtung vor sich selbst	• Im klientenzentrierten Pflegefachgespräch Problemlösungen entwickeln	

Pflegeziele	Pflegeintervention	Handlungsleitende Pflegeinterventionen
• Entwickelt ein positives Selbstwertgefühl • Entwickelt Achtung vor sich selbst	• Selbstachtung und Selbstwertgefühl stärken	• Gewünschtes Verhalten durch Lob fördern • Im therapeutischen Team Verhaltensweisen zur Stärkung des Selbstkonzepts vereinbaren • Einüben, sich selbst zu belohnen

Pflegeziele	Pflegeintervention	Handlungsleitende Pflegeinterventionen
• Therapie- und Interventionsangebote sind individuell abgestimmt • Behandlungs- und Therapiekonzept sind transparent und vom therapeutischen Team umgesetzt • Aktive Beteiligung an der Behandlungsplanung mit dem therapeutischen Team ist sichergestellt	• Inhalt des therapeutischen Gesprächs und weiterer Behandlungs- und Therapiestrategien im Team besprechen	**Beteiligte Personen bestimmen** • Bewohner • Pflegeperson • Ärztlicher Dienst • Psychologe • Sozialarbeiter • Ergotherapeut • Krankengymnast • Logotherapeut • Beschäftigungstherapeut • Geistlicher Beistand • Sonstige Personen **Zeitdauer angeben**

Literatur: 44, 101, 102, 121, 125, 168, 267, 269, 272, 273

AEDL Kommunizieren können

▶ Pflegediagnosen: Beeinträchtigte Interaktion

Pflegediagnose
Der Bewohner ist beim Aufbau und Aufrechterhalten von Beziehungen eingeschränkt

▶ **Kennzeichen**

- Berichtet von der Unfähigkeit, Beziehungen aufzubauen/Kontakt herzustellen
- Berichtet von der Unfähigkeit, Beziehungen aufrechtzuerhalten/zu pflegen
- Fehlende soziale Integration
- Bekommt keine/wenig Besuche von Freunden/Angehörigen
- Berichtet, keine Freunde und/oder sozialen Kontakte zu haben
- Zieht sich vom sozialen Geschehen zurück
- Zeigt misstrauisches Verhalten
- Äußert Misstrauen gegenüber den Mitmenschen
- Äußert Misstrauen gegenüber der Therapie und/oder dem Behandlungsteam

▶ **Ursachen**

- Psychiatrische Erkrankung
- Psychopharmaka
- Psychische Ursache
- Negative Erfahrungen
- Äußert, Angst davor zu haben, durch soziale Beziehungen psychische Verletzungen/Enttäuschungen zu erfahren
- Äußert, Hemmungen beim Beziehungsaufbau/bei der Kontaktaufnahme mit Sozialpartnern zu haben
- Beziehungswahn

▶ **Ressourcen**

- Zeigt Verhaltensweisen, die die Therapie unterstützen
- Äußert, Spaß an den Gruppenangeboten zu haben
- Erkennt die Notwendigkeit der getroffenen Intervention und kooperiert mit dem therapeutischen Team

Pflegeziele
- Baut Vertrauen zum therapeutischen Team auf

Pflegeintervention
- Vertrauensbildende Maßnahmen durch gemeinsame Aktivitäten mit dem Bewohner durchführen

Pflegeziele
- Kann ein Vertrauensverhältnis zum Gesprächspartner aufbauen
- Spricht die Bezugsperson bei Problemen selbstständig an

Pflegeintervention
- Bezugsperson festlegen

Pflegeziele
- Zuwendung und Vertrauensaufbau sind unterstützt

Pflegeintervention
- An Gruppenaktivitäten zum Aufbau gegenseitigen Vertrauens gemeinsam teilnehmen

Handlungsleitende Pflegeinterventionen
- Volleyball spielen
- Tischtennis spielen
- Handball spielen
- Fußball spielen
- Federball spielen
- Tennis spielen

Gesellschaftsspiele spielen
- Mensch ärgere Dich nicht
- Monopoly
- Mikado
- Domino
- Kartenspiele

Teilnehmende Personen bestimmen

Unter Beteiligung von Pflegepersonen aktivieren

AEDL Kommunizieren können

Pflegeziele	Pflegeintervention	Handlungsleitende Pflegeinterventionen
• Selbstständigkeit ist gefördert • Konzentriert sich auf lebenspraktische Tätigkeiten	• Lebenspraktisches Einzeltraining durchführen	• Mahlzeiten kochen • Einkaufen gehen • Küchendienst übernehmen • In einer Diskussionsgruppe über das Tagesgeschehen sprechen • Zimmer reinigen • Tisch für die Mahlzeiten decken/abdecken • Blumenpflege durchführen • Wäsche versorgen **Art der Unterstützungsleistung bestimmen** • Beim Durchführen anleiten • Beim Durchführen beaufsichtigen • Durchgeführte Tätigkeiten in themenzentriertem Gespräch reflektieren • Gemeinsam partnerschaftlich durchführen **Zeitdauer der Einzelförderung bestimmen**
Pflegeziele • Therapie- und Interventionsangebote sind individuell abgestimmt • Behandlungs- und Therapiekonzept sind transparent und vom therapeutischen Team umgesetzt • Aktive Beteiligung an der Behandlungsplanung mit dem therapeutischen Team ist sichergestellt	**Pflegeintervention** • Inhalt des therapeutischen Gesprächs und weiterer Behandlungs- und Therapiestrategien im Team besprechen	**Handlungsleitende Pflegeinterventionen** **Beteiligte Personen bestimmen** • Bewohner • Pflegeperson • Ärztlicher Dienst • Psychologe • Sozialarbeiter • Ergotherapeut • Krankengymnast • Logotherapeut • Beschäftigungstherapeut • Geistlicher Beistand • Sonstige Personen **Zeitdauer angeben**

Literatur: 15, 101, 102, 125, 199, 208, 209, 266, 267, 272, 273

Pflegediagnose
Der Bewohner hat Schwierigkeiten bei der Informationsverarbeitung

▶ Kennzeichen	▶ Ursachen	▶ Ressourcen
• Aufgenommene Informationen/Wahrnehmungen können nicht/nur schwer selektiert werden • Erlebt Gefühlsäußerungen als bedrohlich • Kann Beziehungen nicht/nur schwer definieren/einordnen und sich adäquat verhalten • Kann Double-Bind-Aussagen nicht einordnen • Ist sehr feinfühlig	• Hebephrenie • Schizophrene Psychose • Psychose • Psychotische Störung • Denkinkohärenz/Denkzerfahrenheit • Kognitive Fähigkeiten sind eingeschränkt	• Kann einfachen Aufforderungen folgen

Pflegeziele	Pflegeintervention
• Fühlt sich angenommen und akzeptiert • Kann Vertrauen aufbauen	• Akzeptierende, wertschätzende Grundhaltung einnehmen

AEDL Kommunizieren können

Pflegeziele
- Erkennt und akzeptiert die therapeutische Distanz

Pflegeintervention
- Therapeutische Beziehung und Distanz klar definieren

Pflegeziele
- Einer Reizüberflutung ist vorgebeugt
- Kann Informationen aufnehmen und verarbeiten
- Erkennt Double-Bind-Aussagen und benennt sie

Pflegeintervention
- Einfache und konkrete Gesprächsinhalte sowie kurze Sätze und klare Sprache bei den Pflegegesprächen verwenden

---

Pflegeziele
- Fühlt sich angenommen und entwickelt Vertrauen

Pflegeintervention
- Klar und kongruent kommunizieren

Pflegeziele
- Kann Gefühle zum Ausdruck bringen

Pflegeintervention
- Gefühlsäußerungen unterstützen

Pflegeziele
- Einer Reizüberflutung ist vorgebeugt
- Stressbeladene Situationen und Überforderung sind vermieden

Pflegeintervention
- Dosiert kritische Bemerkungen anbringen

Pflegeziele
- Einer Reizüberflutung ist vorgebeugt

Pflegeintervention
- Dosiert mit Gefühlsäußerungen konfrontieren

Pflegeziele
- Alltagskompetenzen sind sichergestellt

Pflegeintervention
- Pflegefachgespräche zur Alltagsbewältigung führen

Handlungsleitende Pflegeinterventionen
- Zum Aufstehen auffordern
- Auffordern, die Nachtruhe einzuhalten
- Zur Medikamenteneinnahme motivieren
- Tagesablauf besprechen
- An Vereinbarungen erinnern

Zeitdauer des Alltagsbewältigungsgesprächs bestimmen

Pflegeziele
- Nimmt eigene Wünsche und Bedürfnisse wahr
- Steht zu Entscheidungen und übernimmt dafür die Verantwortung
- Verbalisiert Wünsche und Bedürfnisse deutlich und fordert sie ein
- Erkennt Zusammenhänge zwischen eigenem Verhalten und Pflegediagnose
- Entwickelt Lösungswege im Gespräch

Pflegeintervention
- Themenzentriertes therapeutisches Pflegefachgespräch führen

Handlungsleitende Pflegeinterventionen

Inhalt des themenzentrierten Pflegefachgesprächs bestimmen
- Informationssammlung
- Pflege-, Betreuungs- und Behandlungsprozess
- Ursachenanalyse
- Strategien zur Krankheitsbewältigung
- Motivation/Aktivierung
- Alltagsbewältigung
- Förderung der Entscheidungsfindung
- Zukunftsperspektive
- Unterstützung der Orientierung

AEDL Kommunizieren können

- Unterstützung des Realitätsbezugs
- Krisenintervention
- Aktuelle Bedürfnisse/Wünsche
- Instruktion/Anleitung
- Feed-back-Gespräch
- Sonstige Gesprächsinhalte

Zeitdauer des Gesprächs angeben

Pflegeziele
- Therapie- und Interventionsangebote sind individuell abgestimmt
- Behandlungs- und Therapiekonzept sind transparent und vom therapeutischen Team umgesetzt
- Aktive Beteiligung an der Behandlungsplanung mit dem therapeutischen Team ist sichergestellt

Pflegeintervention
- Inhalt des therapeutischen Gesprächs und weiterer Behandlungs- und Therapiestrategien im Team besprechen

Handlungsleitende Pflegeinterventionen
Beteiligte Personen bestimmen
- Bewohner
- Pflegeperson
- Ärztlicher Dienst
- Psychologe
- Sozialarbeiter
- Ergotherapeut
- Krankengymnast
- Logotherapeut
- Beschäftigungstherapeut
- Geistlicher Beistand
- Sonstige Personen

Zeitdauer angeben

Literatur: 44, 101, 102, 121, 125, 168, 266, 267, 272, 273

Pflegediagnose
Der Bewohner zeigt gereiztes/aggressives Verhalten, es kommt zu Interaktionsstörungen

▶ **Kennzeichen**
- Macht zynische Bemerkungen, stichelt und/oder tyrannisiert verbal
- Nimmt eine „Jetzt-erst-recht-Haltung" ein
- Ist auf eigene Haltung/eigenen Standpunkt fixiert
- Sucht Fehler beim Gegenüber
- Fehlende soziale Integration
- Äußert sich durch verbale Angriffe
- Neigt dazu, Gesprächspartner zu beschimpfen
- Zeigt Angriffshaltung

▶ **Ursachen**
- Psychiatrische Erkrankung
- Degenerativer Prozess des Gehirns

▶ **Ressourcen**
- Lässt sich ablenken
- Reagiert positiv auf therapeutische Gespräche
- Kann sein Verhalten in Gesprächen reflektieren

Pflegeziele
- Benennt den Grund der gereizten Reaktion

Pflegeintervention
- Im klientenzentrierten Pflegefachgespräch Ursachen klären und Problemlösungswege entwickeln

Pflegeziele
- Therapie- und Interventionsangebote sind individuell abgestimmt

Pflegeintervention
- Inhalt des therapeutischen Gesprächs und weiterer Behandlungs- und Therapiestrategien im Team besprechen

Handlungsleitende Pflegeinterventionen
Beteiligte Personen bestimmen
- Bewohner
- Pflegeperson
- Ärztlicher Dienst

AEDL Kommunizieren können

- Behandlungs- und Therapiekonzept sind transparent und vom therapeutischen Team umgesetzt
- Aktive Beteiligung an der Behandlungsplanung mit dem therapeutischen Team ist sichergestellt

- Psychologe
- Sozialarbeiter
- Ergotherapeut
- Krankengymnast
- Logotherapeut
- Beschäftigungstherapeut
- Geistlicher Beistand
- Sonstige Personen

Zeitdauer angeben

Pflegeziele
- Benennt den Grund der gereizten Reaktion

Pflegeintervention
- Im Klärungsgespräch die Technik der Metakommunikation anwenden

Pflegeziele
- Erhält Feed-back aus der Gruppe

Pflegeintervention
- Feed-back im Gruppengespräch ermöglichen

Handlungsleitende Pflegeinterventionen
Teilnehmende Personen bestimmen
Zeitdauer des Gruppengesprächs bestimmen

Literatur: 44, 101, 102, 121, 125, 168, 267, 272, 273

Pflegediagnose
Der Bewohner kann nicht zuhören/sich nur schwer auf Gespräche konzentrieren

▶ **Kennzeichen**
- Die Aufmerksamkeit ist geteilt
- Wirkt teilnahmslos und reagiert nicht auf Ansprache
- Antwort ist nicht adäquat zum Gesprächsinhalt/Gesprächsfluss

▶ **Ursachen**
- Konzentrationsdefizit
- Demenzielle Veränderung
- Psychische Störung

▶ **Ressourcen**
- Kann sich auf kurze Gespräche konzentrieren
- Kann einfachen Aufforderungen folgen

Pflegeziele
- Alle wichtigen Informationen werden aufgenommen

Pflegeintervention
- Sich vergewissern, ob der Bewohner Gesprächsinhalten folgen kann und aufnahmebereit ist

Pflegeziele
- Alle wichtigen Informationen werden aufgenommen
- Kann dem Gespräch konzentriert zuhören
- Kann Gesprächsinhalten folgen und sie verstehen

Pflegeintervention
- Gesprächszeiten auf höchstens 15 Minuten begrenzen

Literatur: 44, 98, 101, 102, 121, 125, 168, 267, 272, 273

AEDL Kommunizieren können

Pflegediagnose
Der Bewohner ist schwerhörig, die Kommunikation ist erschwert

► Kennzeichen	► Ursachen	► Ressourcen
• Fragt häufig nach oder versteht andere Gesprächsinhalte • Zeigt misstrauisches Verhalten • Zieht sich vom sozialen Geschehen zurück • Äußert, das Gefühl zu haben, es würde über die eigene Person gesprochen • Ohrgeräusche	• Altersbedingte Schwerhörigkeit • Schwerhörigkeit infolge eines Knallschadens • Schwerhörigkeit infolge eines Gehörsturzes • Schwerhörigkeit infolge einer veränderten Reizaufnahme aufgrund von Erkrankungen am Ohr • Veranlagungsbedingte Schwerhörigkeit	• Hat noch einen Rest an Hörfähigkeit • Ist sicher im Umgang mit den Hörgeräten • Kann Mimik und Gestik deuten

Pflegeziele	Pflegeintervention
• Kommunikation und Informationsweitergabe sind sichergestellt	• Langsam, mittellaut und deutlich sprechen

Pflegeziele	Pflegeintervention
• Kommunikation und Informationsweitergabe sind sichergestellt • Kann Wörter von den Lippen ablesen	• Beim Sprechen dem Bewohner das Gesicht zuwenden

Pflegeziele	Pflegeintervention
• Kommunikation und Informationsweitergabe sind sichergestellt	• Zeichensprache einsetzen

Pflegeziele	Pflegeintervention	Handlungsleitende Pflegeinterventionen
• Akzeptiert den Einsatz der Hörhilfe und erlebt diesen als positiv • Nimmt mit Hörhilfen an der Kommunikation teil	• Benutzung eines Hörgeräts ermöglichen	• Termin für die Anpassung eines Hörgeräts koordinieren • Zum Bedienen des Hörgeräts anleiten

Pflegeziele	Pflegeintervention	Handlungsleitende Pflegeinterventionen
• Hörgerät ist funktionstüchtig • Führt die Funktionsüberprüfung des Hörgeräts selbstständig durch • Hörgerät wird richtig bedient	• Hörgerät reinigen und auf Funktionalität überprüfen	**Funktion überprüfen und Hörgerät reinigen**

Pflegeziele	Pflegeintervention
• Ist am Umgebungsgeschehen beteiligt und hat sozialen Kontakt	• Für kommunikationsförderndes Stationsmilieu sorgen

AEDL Kommunizieren können

Pflegeziele
- Fühlt sich sicher durch Informationen

Pflegeintervention
- Regelmäßig überprüfen, ob die Informationen verstanden wurden

Pflegeziele
- Fühlt sich sicher durch Informationen

Pflegeintervention
- Bei Gruppengesprächen immer wieder über Gesprächsinhalte informieren

Literatur: 44, 50, 98, 121, 168, 272, 273

Pflegediagnose
Der Bewohner kann aufgrund von körperlicher Schwäche kaum kommunizieren

► Kennzeichen
- Kann Worte nicht deutlich aussprechen
- Möchte mit niemandem sprechen
- Luft bleibt beim Sprechen weg
- Äußert, dass das Sprechen Mühe macht

► Ursachen
- Herzinsuffizienz
- Lungenödem
- Herz-Kreislauf-Instabilität
- Erschöpfung
- Erschöpfung der Atemmuskulatur

► Ressourcen
- Kann Hilfe annehmen
- Ist fähig, sich kurz zu äußern

Pflegeziele
- Fühlt sich angenommen und verstanden
- Kommunikation ist ohne große Anstrengung möglich

Pflegeintervention
- Durch Berührung Kontakt aufnehmen

Pflegeziele
- Fühlt sich angenommen und verstanden
- Kommunikation ist ohne große Anstrengung möglich

Pflegeintervention
- Ja/Nein-Fragen stellen

Pflegeziele
- Fühlt sich angenommen und verstanden
- Kommunikation ist ohne große Anstrengung möglich

Pflegeintervention
- Alle Pflegetätigkeiten konsequent beschreiben

Literatur: 68, 121, 272, 273

AEDL Kommunizieren können

Pflegediagnose
Der Bewohner kann nicht in gewohnter Weise Kontakt aufnehmen

▶ **Kennzeichen**
- Rituale erscheinen befremdlich
- Muss eine Distanz zum Gegenüber wahren
- Kann/darf keinen Besuch empfangen
- Fähigkeit sich zu bewegen ist eingeschränkt

▶ **Ursachen**
- Sprachstörung
- Anderer kultureller Kontext
- Spricht eine andere Landessprache (Sprachhindernisse)
- Ist in einer Isoliereinheit untergebracht
- Ist fixiert

▶ **Ressourcen**
- Ist bereit, Kommunikationshilfen einzusetzen
- Angebot eines Dolmetschers wird angenommen
- Versteht die Notwendigkeit einer Schutzisolation und unterstützt sie
- Kennt die Schutz- und Hygienemaßnahmen und hält sie ein
- Toleriert die Fixierungsmaßnahme

Pflegeziele
- Fühlt sich nicht abgeschoben und allein gelassen

Pflegeintervention
- Häufige Kontaktaufnahme in Form von alltagsweltlichen Pflegefachgesprächen sicherstellen

Handlungsleitende Pflegeinterventionen
- Zum Aufstehen auffordern
- Auffordern, die Nachtruhe einzuhalten
- Zur Medikamenteneinnahme motivieren
- Tagesablauf besprechen
- An Vereinbarungen erinnern
- **Zeitdauer des Alltagsbewältigungsgesprächs bestimmen**

Pflegeziele
- Kennt vorbeugende Maßnahmen

Pflegeintervention
- Pflegemaßnahmen erklären

Pflegeziele
- Fühlt sich nicht abgeschoben und allein gelassen

Pflegeintervention
- Beruhigende Gespräche bzw. Worte an den Bewohner richten

Literatur: 98, 121, 125, 167, 168, 272, 273

▶ **Pflegediagnosen: Sprach- und Sprechstörungen**

Pflegediagnose
Der Bewohner ist in der verbalen Kommunikation aufgrund einer globalen Aphasie beeinträchtigt

▶ **Kennzeichen**
- Hat eine Sprachproduktionsstörung
- Hat eine Sprachverständnisstörung
- Versteht verbale Anordnungen nicht und kann daher nicht darauf reagieren
- Kann nicht lesen und schreiben
- Kann nur „sinnlose" Silben wie „lalala" sprechen
- Gereizte Reaktion bei Unverständnis anderer

▶ **Ursachen**
- Multiple Sklerose
- Apoplektischer Insult
- Neurologische Hirnschädigung
- Organisch bedingte Hirnschädigung
- Hirntumor
- Minderdurchblutung des Sprachzentrums

▶ **Ressourcen**
- Verhält sich entsprechend der Anleitung und Anweisung
- Ist bereit, Kommunikationshilfen einzusetzen
- Zeigt Verhaltensweisen, die die Therapie unterstützen
- Zeigt Motivation, die Übungen durchzuführen

AEDL Kommunizieren können

Pflegeziele
- Fühlt sich angenommen und akzeptiert

Pflegeintervention
- Wertschätzende Grundhaltung einnehmen

Pflegeziele
- Fühlt sich ernst genommen
- Kann Gesprächsinhalten folgen und sie verstehen

Pflegeintervention
- Langsam und deutlich sprechen

Pflegeziele
- Fühlt sich angenommen und akzeptiert

Pflegeintervention
- Über jede Pflegetätigkeit informieren

Pflegeziele
- Kennt Möglichkeiten, aktiv den Therapieerfolg zu unterstützen
- Lernt, wieder zu sprechen und sich zu verständigen
- Kontinuität von Behandlung und Therapie ist sichergestellt

Pflegeintervention
- Sicherstellen, dass die logopädischen Termine eingehalten werden

Handlungsleitende Pflegeinterventionen
- Zum vereinbarten Termin innerhalb der Einrichtung bringen
- Zum vereinbarten Termin außerhalb der Einrichtung bringen
- **Zeitdauer angeben**
- **Zusätzliche Pflegepersonen erforderlich**

Pflegeziele
- Fühlt sich angenommen und akzeptiert
- Sprachverständnis ist gefördert
- Kann sich verständlich machen

Pflegeintervention
- Kommunikationshilfsmittel zur Unterstützung der Verständigung einsetzen

Handlungsleitende Pflegeinterventionen
- Kommunikator einsetzen
- Bildtafeln verwenden
- Papier und Stift zur Verfügung stellen

Pflegeziele
- Kontinuität von Behandlung und Therapie ist sichergestellt

Pflegeintervention
- Logotherapeutische Übungen nach dem vereinbarten Behandlungskonzept durchführen

Handlungsleitende Pflegeinterventionen
- **Logotherapeutische Übungen durchführen**
- Entsprechend dem Behandlungskonzept zu den Übungen anleiten
- Entsprechend dem Behandlungskonzept bei den Übungen unterstützen
- Mit angeleitetem Pflegepersonal durchführen
- Mit angeleiteten Angehörigen durchführen
- Mit Logotherapeuten durchführen

Pflegeziele
- Sprachverständnis ist gefördert
- Kann sich verständlich machen
- Angehörige und Besucher sind informiert und unterstützen die Therapie

Pflegeintervention
- Angehörige in die Besonderheiten, die als Besucher zu beachten sind, einweisen/zum richtigen Umgang anleiten

Pflegeziele
- Erhält einen Termin

Pflegeintervention
- Termine mit der Logopädie organisieren

Literatur: 26, 58, 69, 80, 85, 121, 168, 267, 272, 273

AEDL Kommunizieren können

Pflegediagnose
Der Bewohner ist in der verbalen Kommunikation aufgrund einer sensorischen Aphasie (Wernicke-Aphasie) beeinträchtigt

▶ **Kennzeichen**
- Wörter sind lautlich entstellt, es entstehen unverständliche Begriffsvariationen
- Hat eine Sprachverständnisstörung
- Verwechselt Worte und Laute
- Satzbau wird nicht richtig umgesetzt
- Kann Gegenstände nicht richtig benennen
- Gereizte Reaktion bei Unverständnis anderer

▶ **Ursachen**
- Multiple Sklerose
- Apoplektischer Insult
- Neurologische Hirnschädigung
- Organisch bedingte Hirnschädigung
- Hirntumor
- Minderdurchblutung des Sprachzentrums

▶ **Ressourcen**
- Kann die gesundheitliche Einschränkung richtig erfassen und einschätzen
- Ist bereit, Kommunikationshilfen einzusetzen
- Zeigt Verhaltensweisen, die die Therapie unterstützen

Pflegeziele
- Fühlt sich angenommen und akzeptiert

Pflegeintervention
- Wertschätzende Grundhaltung einnehmen

Pflegeziele
- Sprachverständnis ist unterstützt, Verständigung ist möglich

Pflegeintervention
- Durch gemeinsames Handeln versuchen, sich zu verständigen

Pflegeziele
- Fühlt sich angenommen und akzeptiert
- Sprachverständnis ist gefördert
- Kann sich verständlich machen

Pflegeintervention
- Alltagsweltliche Gegenstände immer gleichzeitig benennen und zeigen

---

Pflegeziele
- Fühlt sich ernst genommen
- Kann Gesprächsinhalten folgen und sie verstehen

Pflegeintervention
- Langsam und deutlich sprechen

Pflegeziele
- Fühlt sich angenommen und akzeptiert

Pflegeintervention
- Über jede Pflegetätigkeit informieren

Pflegeziele
- Kennt Möglichkeiten, aktiv den Therapieerfolg zu unterstützen
- Lernt, wieder zu sprechen und sich zu verständigen
- Kontinuität von Behandlung und Therapie ist sichergestellt

Pflegeintervention
- Sicherstellen, dass die logopädischen Termine eingehalten werden

Handlungsleitende Pflegeinterventionen
- Zum vereinbarten Termin innerhalb der Einrichtung bringen
- Zum vereinbarten Termin außerhalb der Einrichtung bringen
- **Zeitdauer angeben**
- **Zusätzliche Pflegepersonen erforderlich**

Pflegeziele
- Fühlt sich angenommen und akzeptiert
- Sprachverständnis ist gefördert
- Kann sich verständlich machen

Pflegeintervention
- Kommunikationshilfsmittel zur Unterstützung der Verständigung einsetzen

Handlungsleitende Pflegeinterventionen
- Kommunikator einsetzen
- Bildtafeln verwenden
- Papier und Stift zur Verfügung stellen

AEDL Kommunizieren können

Pflegeziele	Pflegeintervention	Handlungsleitende Pflegeinterventionen
• Kontinuität von Behandlung und Therapie ist sichergestellt	• Logotherapeutische Übungen nach dem vereinbarten Behandlungskonzept durchführen	**Logotherapeutische Übungen durchführen** • Entsprechend dem Behandlungskonzept zu den Übungen anleiten • Entsprechend dem Behandlungskonzept bei den Übungen unterstützen • Mit angeleitetem Pflegepersonal durchführen • Mit angeleiteten Angehörigen durchführen • Mit Logotherapeuten durchführen

Pflegeziele	Pflegeintervention
• Sprachverständnis ist gefördert • Kann sich verständlich machen • Angehörige und Besucher sind informiert und unterstützen die Therapie	• Angehörige in die Besonderheiten, die als Besucher zu beachten sind, einweisen/zum richtigen Umgang anleiten

Pflegeziele	Pflegeintervention
• Erhält einen Termin	• Termine mit der Logopädie organisieren

Literatur: 26, 58, 69, 80, 85, 98, 121, 168, 267, 272, 273

Pflegediagnose
Der Bewohner ist in der verbalen Kommunikation aufgrund einer motorischen Aphasie (Broca-Aphasie) beeinträchtigt

▶ Kennzeichen	▶ Ursachen	▶ Ressourcen
• Es kommt beim Sprechen zu Lautverwechslungen • Hat eine monotone Artikulation • Kann nicht lesen und schreiben • Satzbau erinnert an den Telegrammstil • Sprache ist verwaschen • Sprache ist bruchstückhaft/stockend	• Multiple Sklerose • Apoplektischer Insult • Neurologische Hirnschädigung • Organisch bedingte Hirnschädigung • Hirntumor • Minderdurchblutung des Sprachzentrums	• Verhält sich entsprechend der Anleitung und Anweisung • Ist bereit, Kommunikationshilfen einzusetzen • Zeigt Verhaltensweisen, die die Therapie unterstützen • Erkennt die Notwendigkeit der getroffenen Intervention und kooperiert mit dem therapeutischen Team

Pflegeziele	Pflegeintervention
• Gesprochenes von Mitmenschen ist verstanden • Bildet Sätze und drückt sich adäquat aus • Ist motiviert, immer wieder Sprechversuche zu unternehmen	• Langsam und in einfachen, kurzen Sätzen sprechen

Pflegeziele	Pflegeintervention
• Kann die Mitmenschen verstehen und sich verständlich machen • Ist motiviert, immer wieder Sprechversuche zu unternehmen	• Ja/Nein-Fragen nutzen, um die Kommunikation zu unterstützen

AEDL Kommunizieren können

Pflegeziele
- Gesprochenes von Mitmenschen ist verstanden
- Ist motiviert, immer wieder Sprechversuche zu unternehmen

Pflegeintervention
- Fehler nicht verbessern und zum Sprechen motivieren

Pflegeziele
- Gesprochenes von Mitmenschen ist verstanden
- Ist motiviert, immer wieder Sprechversuche zu unternehmen

Pflegeintervention
- Begonnene Sätze nicht vervollständigen

Pflegeziele
- Gesprochenes von Mitmenschen ist verstanden

Pflegeintervention
- Zeit zur Wortfindung lassen

Pflegeziele
- Gesprochenes von Mitmenschen ist verstanden
- Ist motiviert, immer wieder Sprechversuche zu unternehmen

Pflegeintervention
- Worte nicht in den Mund legen

Pflegeziele
- Gesprochenes von Mitmenschen ist verstanden
- Ist motiviert, immer wieder Sprechversuche zu unternehmen

Pflegeintervention
- Sprechbereitschaft durch häufigen Kontakt fördern

Pflegeziele
- Gesprochenes von Mitmenschen ist verstanden
- Ist motiviert, immer wieder Sprechversuche zu unternehmen

Pflegeintervention
- Grammatik und Satzbau fördern

Pflegeziele
- Kennt Möglichkeiten, aktiv den Therapieerfolg zu unterstützen
- Lernt, wieder zu sprechen und sich zu verständigen
- Kontinuität von Behandlung und Therapie ist sichergestellt

Pflegeintervention
- Sicherstellen, dass die logopädischen Termine eingehalten werden

Handlungsleitende Pflegeinterventionen
- Zum vereinbarten Termin innerhalb der Einrichtung bringen
- Zum vereinbarten Termin außerhalb der Einrichtung bringen

Zeitdauer angeben

Zusätzliche Pflegepersonen erforderlich

Pflegeziele
- Erhält einen Termin

Pflegeintervention
- Termine mit der Logopädie organisieren

Literatur: 26, 58, 69, 80, 85, 98, 121, 168, 267, 272, 273

AEDL Kommunizieren können

Pflegediagnose
Der Bewohner ist in der verbalen Kommunikation aufgrund einer anamnestischen Aphasie beeinträchtigt

▶ **Kennzeichen**
- Hat Wortfindungsstörungen
- Der Redefluss ist immer wieder durch die Suche nach passenden Wörtern unterbrochen
- Bildet teilweise inhaltsleere Redefloskeln

▶ **Ursachen**
- Multiple Sklerose
- Apoplektischer Insult
- Neurologische Hirnschädigung
- Organisch bedingte Hirnschädigung
- Hirntumor
- Minderdurchblutung des Sprachzentrums

▶ **Ressourcen**
- Zeigt Verhaltensweisen, die die Therapie unterstützen
- Ist bereit, Kommunikationshilfen einzusetzen

Pflegeziele
- Kann sich ausdrücken und Wünsche/Bedürfnisse adäquat äußern
- Unternimmt Sprechversuche und beteiligt sich am Gespräch

Pflegeintervention
- Zeit geben, um Worte zu finden

Pflegeziele
- Unternimmt Sprechversuche und beteiligt sich am Gespräch

Pflegeintervention
- Aussprechen lassen

Pflegeziele
- Gesprochenes von Mitmenschen ist verstanden
- Ist motiviert, immer wieder Sprechversuche zu unternehmen

Pflegeintervention
- Fehler nicht verbessern und zum Sprechen motivieren

Pflegeziele
- Gesprochenes von Mitmenschen ist verstanden
- Ist motiviert, immer wieder Sprechversuche zu unternehmen

Pflegeintervention
- Begonnene Sätze nicht vervollständigen

Pflegeziele
- Sprechblockaden sind reduziert

Pflegeintervention
- Für entspannte, entkrampfte Gesprächsatmosphäre sorgen

Pflegeziele
- Erhält einen Termin

Pflegeintervention
- Termine mit der Logopädie organisieren

Pflegeziele
- Kennt Möglichkeiten, aktiv den Therapieerfolg zu unterstützen
- Lernt, wieder zu sprechen und sich zu verständigen

Pflegeintervention
- Sicherstellen, dass die logopädischen Termine eingehalten werden

Handlungsleitende Pflegeinterventionen
- Zum vereinbarten Termin innerhalb der Einrichtung bringen
- Zum vereinbarten Termin außerhalb der Einrichtung bringen

AEDL Kommunizieren können

- Kontinuität von Behandlung und Therapie ist sichergestellt

Zeitdauer angeben
Zusätzliche Pflegepersonen erforderlich

Literatur: 26, 58, 69, 80, 85, 121, 168, 267, 272, 273

Pflegediagnose
Der Bewohner hat Sprechschwierigkeiten und kann sich nicht in gewohnter Weise artikulieren

▶ **Kennzeichen**
- Hat eine Redeflussstörung (Stottern/Poltern)
- Hat eine reaktive Sprechhemmung, die sich durch Schweigen äußert
- Ist heiser
- Kann Worte nicht deutlich aussprechen
- Ist stimmlos

▶ **Ursachen**
- Autistische Störung
- Mutismus (beharrliches Schweigen)
- Einseitige Rekurrensparese
- Beidseitige Rekurrensparese
- Intraoperative Irritation des Nervs
- Intraoperative Verletzung des Nervs
- Lokales Wundödem
- Larynxtumor
- Kehlkopfoperation
- Anlage eines Tracheostomas

▶ **Ressourcen**
- Ist bereit, Kommunikationshilfen einzusetzen
- Kann Hilfsmittel gezielt einsetzen
- Erkennt die Notwendigkeit der getroffenen Intervention und kooperiert mit dem therapeutischen Team

Pflegeziele	Pflegeintervention	Handlungsleitende Pflegeinterventionen
• Fühlt sich angenommen und akzeptiert • Kann sich verständlich machen	• Nonverbale Kommunikation ermöglichen	
• Unterstützt die Therapie aktiv	• Auffordern, auf die Stimmschonung zu achten	
• Kann sich ohne Anstrengung mitteilen	• Sprachverhalten so gestalten, dass dem Bewohner Passivität ermöglicht wird	
• Kann sich verständlich machen	• Sprechhilfen einsetzen	• Kommunikator einsetzen • Bildtafeln verwenden • Papier und Stift zur Verfügung stellen
• Fühlt sich angenommen und akzeptiert • Sprachverständnis ist gefördert • Kann sich verständlich machen	• Kommunikationshilfsmittel zur Unterstützung der Verständigung einsetzen	• Kommunikator einsetzen • Bildtafeln verwenden • Papier und Stift zur Verfügung stellen
• Kennt Möglichkeiten, aktiv den Therapieerfolg zu unterstützen • Lernt, wieder zu sprechen und sich zu verständigen	• Sicherstellen, dass die logopädischen Termine eingehalten werden	• Zum vereinbarten Termin innerhalb der Einrichtung bringen • Zum vereinbarten Termin außerhalb der Einrichtung bringen

AEDL Kommunizieren können

		Zeitdauer angeben
• Kontinuität von Behandlung und Therapie ist sichergestellt		Zusätzliche Pflegepersonen erforderlich

Pflegeziele
- Sprachverständnis ist gefördert
- Kann sich verständlich machen
- Angehörige und Besucher sind informiert und unterstützen die Therapie

Pflegeintervention
- Angehörige in die Besonderheiten, die als Besucher zu beachten sind, einweisen/zum richtigen Umgang anleiten

Pflegeziele
- Kontinuität von Behandlung und Therapie ist sichergestellt

Pflegeintervention
- Logotherapeutische Übungen nach dem vereinbarten Behandlungskonzept durchführen

Handlungsleitende Pflegeinterventionen
Logotherapeutische Übungen durchführen
- Entsprechend dem Behandlungskonzept zu den Übungen anleiten
- Entsprechend dem Behandlungskonzept bei den Übungen unterstützen
- Mit angeleitetem Pflegepersonal durchführen
- Mit angeleiteten Angehörigen durchführen
- Mit Logotherapeuten durchführen

Pflegeziele
- Erhält einen Termin

Pflegeintervention
- Termine mit der Logopädie organisieren

Literatur: 66, 121, 168, 197, 228, 243, 272, 273

Pflegediagnose
Der Bewohner hat Sprechschwierigkeiten aufgrund von Rigor und Akinese

▶ **Kennzeichen**
- Steifigkeit von Gesichts-, Lippen- und Zungenmuskeln
- Die Sprachmelodie ist gleichförmig und/oder monoton

▶ **Ursachen**
- Morbus Parkinson
- Psychopharmaka

▶ **Ressourcen**
- Zeigt Verhaltensweisen, die die Therapie unterstützen
- Erkennt die Notwendigkeit der getroffenen Intervention und kooperiert mit dem therapeutischen Team
- Kann die Maßnahme nach Anleitung selbstständig durchführen

Pflegeziele
- Kann sich ausdrücken und wird verstanden

Pflegeintervention
- Sprache, Mimik und Gestik beobachten

Pflegeziele
- Kennt Möglichkeiten, aktiv den Therapieerfolg zu unterstützen
- Lernt, wieder zu sprechen und sich zu verständigen
- Kontinuität von Behandlung und Therapie ist sichergestellt

Pflegeintervention
- Sicherstellen, dass die logopädischen Termine eingehalten werden

Handlungsleitende Pflegeintervention
- Zum vereinbarten Termin innerhalb der Einrichtung bringen
- Zum vereinbarten Termin außerhalb der Einrichtung bringen

Zeitdauer angeben

Zusätzliche Pflegepersonen erforderlich

AEDL Kommunizieren können

Pflegeziele
- Kann sich ausdrücken und wird verstanden
- Unternimmt Sprechversuche und beteiligt sich am Gespräch
- Sprechmelodie ist erhalten

Pflegeintervention
- Zu Sprachübungen entsprechend dem logotherapeutischen Konzept anleiten

Pflegeziele
- Führt die Sprechübungen regelmäßig durch

Pflegeintervention
- Kontrollieren, ob die Übungen regelmäßig und exakt durchgeführt werden

Pflegeziele
- Kontinuität von Behandlung und Therapie ist sichergestellt

Pflegeintervention
- Logotherapeutische Übungen nach dem vereinbarten Behandlungskonzept durchführen

Handlungsleitende Pflegeinterventionen

Logotherapeutische Übungen durchführen
- Entsprechend dem Behandlungskonzept zu den Übungen anleiten
- Entsprechend dem Behandlungskonzept bei den Übungen unterstützen
- Mit angeleitetem Pflegepersonal durchführen
- Mit angeleiteten Angehörigen durchführen
- Mit Logotherapeuten durchführen

Pflegeziele
- Sprachverständnis ist gefördert
- Kann sich verständlich machen
- Angehörige und Besucher sind informiert und unterstützen die Therapie

Pflegeintervention
- Angehörige in die Besonderheiten, die als Besucher zu beachten sind, einweisen/zum richtigen Umgang anleiten

Pflegeziele
- Beweglichkeit der Gesichts-, Lippen- und Zungenmuskeln ist erhalten
- Nonverbale Kommunikation ist möglich

Pflegeintervention
- Lockerungsübungen für Gesichtsmuskeln durchführen

Pflegeziele
- Beweglichkeit der Gesichts-, Lippen- und Zungenmuskeln ist erhalten
- Nonverbale Kommunikation ist möglich

Pflegeintervention
- Gesichtsmassage zur Lockerung der Gesichtsmuskeln durchführen

Pflegeziele
- Beweglichkeit der Gesichts-, Lippen- und Zungenmuskeln ist erhalten
- Nonverbale Kommunikation ist möglich

Pflegeintervention
- Lockerungsübungen für Mund, Lippen und Zunge durchführen

Literatur: 66, 121, 168, 243, 267, 272, 273

AEDL Kommunizieren können

Pflegediagnose
Der Bewohner ist stimmlos und in der verbalen Kommunikation voll beeinträchtigt

▶ **Kennzeichen**
- Kann keine Sprachlaute bilden

▶ **Ursachen**
- Taubstummheit
- Operativer Eingriff mit Folge von Stimmlosigkeit
- Kehlkopferkrankung
- Lähmung der Stimmbänder
- Tumor mit Beeinträchtigung der Stimmbänder

▶ **Ressourcen**
- Zeigt Verhaltensweisen, die die Therapie unterstützen
- Ist motiviert, neu zu lernen
- Kognitive Fähigkeiten, neu zu lernen, sind vorhanden
- Ist bereit, Kommunikationshilfen einzusetzen
- Kann Hilfsmittel gezielt einsetzen

Pflegeziele	Pflegeintervention	Handlungsleitende Pflegeinterventionen
• Kennt Möglichkeiten, aktiv den Therapieerfolg zu unterstützen • Lernt, wieder zu sprechen und sich zu verständigen • Kontinuität von Behandlung und Therapie ist sichergestellt	• Sicherstellen, dass die logopädischen Termine eingehalten werden	• Zum vereinbarten Termin innerhalb der Einrichtung bringen • Zum vereinbarten Termin außerhalb der Einrichtung bringen **Zeitdauer angeben** **Zusätzliche Pflegepersonen erforderlich**

Pflegeziele	Pflegeintervention	
• Kann sich verbal mitteilen	• Sprechkanülen einsetzen	

Pflegeziele	Pflegeintervention	Handlungsleitende Pflegeinterventionen
• Kontinuität von Behandlung und Therapie ist sichergestellt	• Logotherapeutische Übungen nach dem vereinbarten Behandlungskonzept durchführen	**Logotherapeutische Übungen durchführen** • Entsprechend dem Behandlungskonzept zu den Übungen anleiten • Entsprechend dem Behandlungskonzept bei den Übungen unterstützen • Mit angeleitetem Pflegepersonal durchführen • Mit angeleiteten Angehörigen durchführen • Mit Logotherapeuten durchführen

Pflegeziele	Pflegeintervention	
• Erhält einen Termin	• Termine mit der Logopädie organisieren	

Literatur: 21, 168, 272, 273

AEDL Kommunizieren können

Pflegediagnose
Der Bewohner hat eine hastige/überstürzte Sprechweise

▶ **Kennzeichen**
- Sehr schnelles Sprechtempo
- Verschluckt Worte durch Hast und Schnelligkeit beim Sprechen

▶ **Ursachen**
- Steht unter starker Anspannung/Stress

▶ **Ressourcen**
- Zeigt Verhaltensweisen, die die Therapie unterstützen
- Verhält sich entsprechend der Anleitung und Anweisung

Pflegeziele
- Spricht langsam mit Pausen

Pflegeintervention
- Zu langsamem, lautem Sprechen anhalten

Pflegeziele
- Spricht langsam mit Pausen

Pflegeintervention
- Zur Atemkontrolle beim Sprechen auffordern

Pflegeziele
- Kennt Möglichkeiten, aktiv den Therapieerfolg zu unterstützen
- Lernt, wieder zu sprechen und sich zu verständigen
- Kontinuität von Behandlung und Therapie ist sichergestellt

Pflegeintervention
- Sicherstellen, dass die logopädischen Termine eingehalten werden

Handlungsleitende Pflegeinterventionen
- Zum vereinbarten Termin innerhalb der Einrichtung bringen
- Zum vereinbarten Termin außerhalb der Einrichtung bringen

Zeitdauer angeben

Zusätzliche Pflegepersonen erforderlich

Pflegeziele
- Kontinuität von Behandlung und Therapie ist sichergestellt

Pflegeintervention
- Logotherapeutische Übungen nach dem vereinbarten Behandlungskonzept durchführen

Handlungsleitende Pflegeinterventionen

Logotherapeutische Übungen durchführen
- Entsprechend dem Behandlungskonzept zu den Übungen anleiten
- Entsprechend dem Behandlungskonzept bei den Übungen unterstützen
- Mit angeleitetem Pflegepersonal durchführen
- Mit angeleiteten Angehörigen durchführen
- Mit Logotherapeuten durchführen

Pflegeziele
- Erhält einen Termin

Pflegeintervention
- Termine mit der Logopädie organisieren

Literatur: 121, 168, 267, 272, 273

AEDL Kommunizieren können

▶ **Pflegediagnosen: Eingeschränkte Sehfähigkeit**

Pflegediagnose
Der Bewohner ist blind, visuelle Informationen fehlen

▶ Kennzeichen	▶ Ursachen	▶ Ressourcen
• Sieht einen nicht an, wenn man das Zimmer betritt bzw. spricht • Äußert, nicht sehen zu können • Stößt überall an • Geht mit nach vorn ausgestreckten Armen	• Angeborene Beeinträchtigung • Folge einer Erkrankung am Auge • Traumatischer Unfall	• Zeigt Bereitschaft, sich mit Anleitung in der neuen Umgebung zu orientieren

Pflegeziele	Pflegeintervention
• Fühlt sich sicher durch Informationen	• Sich beim Betreten des Zimmers vorstellen und über weitere Aktivitäten informieren

Pflegeziele	Pflegeintervention
• Findet die täglichen Gebrauchsgegenstände selbstständig • Kann die täglichen Gebrauchsgegenstände benutzen	• Feste Plätze für Gegenstände vereinbaren

Pflegeziele	Pflegeintervention
• Fühlt sich sicher durch Informationen • Nimmt die Mahlzeiten selbstständig ein • Findet sich bei der Nahrungsaufnahme zurecht	• Berichten, wie die Speisen auf dem Teller/dem Tablett angerichtet sind

Pflegeziele	Pflegeintervention
• Fühlt sich sicher durch Informationen	• Informationsschriften und Aufklärungsinformationen vorlesen

Pflegeziele	Pflegeintervention	Handlungsleitende Pflegeinterventionen
• Selbstständigkeit ist gefördert	• Zum Zurechtfinden in der neuen Umgebung anleiten	**Orientierungsübungen durchführen** • Gemeinsam Orientierungsprogramm erarbeiten und durchführen • Rundgang durch den Lebensraum machen und die Zimmer benennen lassen • Orientierungspunkte besprechen • Selbstständig zum Zimmer finden lassen • Orientierungsprogramm auf weitere Umgebung ausdehnen (Garten, Park etc.) **Zeitdauer des Gesprächs angeben**

Pflegeziele	Pflegeintervention
• Verletzungen sind vermieden • Selbstständigkeit ist gefördert • Fühlt sich angenommen und hat keine Ängste	• Glocke in Griffnähe platzieren

Literatur: 121, 168, 272, 273

AEDL Kommunizieren können

Pflegediagnose
Der Bewohner kann schlecht sehen, visuelle Informationen fehlen

▶ **Kennzeichen**
- Sieht einen nicht an, wenn man das Zimmer betritt bzw. spricht
- Äußert, nicht sehen zu können
- Stößt überall an
- Geht mit nach vorn ausgestreckten Armen

▶ **Ursachen**
- Blindheit
- Diabetes-Spätfolgen

▶ **Ressourcen**
- Körperliche Fähigkeit, sich frei zu bewegen, ist vorhanden
- Zeigt Bereitschaft, sich mit Anleitung in der neuen Umgebung zu orientieren

Pflegeziele
- Verletzungen sind vermieden
- Selbstständigkeit ist gefördert
- Fühlt sich angenommen und hat keine Ängste

Pflegeintervention
- Glocke in Griffnähe platzieren

Pflegeziele
- Findet die täglichen Gebrauchsgegenstände selbstständig
- Kann die täglichen Gebrauchsgegenstände benutzen

Pflegeintervention
- Feste Plätze für Gegenstände vereinbaren

Pflegeziele
- Selbstständigkeit ist gefördert

Pflegeintervention
- Zum Zurechtfinden in der neuen Umgebung anleiten

Handlungsleitende Pflegeinterventionen
Orientierungsübungen durchführen
- Gemeinsam Orientierungsprogramm erarbeiten und durchführen
- Rundgang durch den Lebensraum machen und die Zimmer benennen lassen
- Orientierungspunkte besprechen
- Selbstständig zum Zimmer finden lassen
- Orientierungsprogramm auf weitere Umgebung ausdehnen (Garten, Park etc.)

Zeitdauer des Gesprächs angeben

Pflegeziele
- Fühlt sich sicher durch Informationen

Pflegeintervention
- Informationsschriften und Aufklärungsinformationen vorlesen

Literatur: 121, 168, 172, 272, 273

AEDL Sich bewegen können

▶ **Pflegediagnosen: Beeinträchtigte körperliche Mobilität – Paralyse (Plegie), Parese, Spastik**

Pflegediagnose
Der Bewohner hat eine Hemiplegie/Hemiparese und kann sich nicht selbstständig im Raum bewegen

▶ Kennzeichen	▶ Ursachen	▶ Ressourcen
• Fehlende Muskelkraft • Fehlende Muskelmasse • Reduzierte Bewegungskontrolle • Beeinträchtigte Bewegungskoordination • Reduzierte Beweglichkeit der Gelenke • Erschöpfungszustände • Äußert fehlende Sensibilität auf der betroffenen Seite	• Hemiplegie rechts • Hemiplegie links • Hemiparese links • Hemiparese rechts	• Ist bereit, die Defizite zu kompensieren und neu zu lernen • Führt Bewegungen nach Anweisung/Anleitung durch • Übt konsequent die neuen Bewegungsabläufe ein • Kann die Maßnahme nach Anleitung selbstständig durchführen

Pflegeziele	Pflegeintervention
• Selbstständigkeit ist durch Kompensation von lähmungsbedingten Defiziten unterstützt • Kann Bewegungen selbstständig einleiten	• Zum Rollen auf die Seite anleiten

Pflegeziele	Pflegeintervention	Handlungsleitende Pflegeinterventionen
• Selbstständigkeit ist erhalten • Kann Bewegungen selbstständig einleiten • Kennt Spastik reduzierende Bewegungsmuster und kann diese einsetzen	• Mobilisation nach dem Bobath-Konzept durchführen	**Nach dem Bobath-Konzept mobilisieren** • Lagerungswechsel nach dem Bobath-Konzept durchführen • Zum selbstständigen Drehen im Bett anleiten • Gleichgewichtstraining durchführen • Sitzen im Bett unterstützen/fördern • Sitzen am Tisch unterstützen/fördern • Gehübungen durchführen

Literatur: 16, 85, 117, 263, 267, 273

Pflegediagnose
Der Bewohner hat ein erhöhtes Risiko für die Entwicklung von pathologischen Bewegungsmustern (Spastik)

▶ Kennzeichen	▶ Ursachen	▶ Ressourcen
• Hemiplegie rechts • Hemiplegie links • Paraplegie • Tetraplegie	• PRIND (Prolongiertes Reversibles Ischämisches Neurologisches Defizit) • Apoplektischer Insult • Multiple Sklerose • Tumor • Wirbelfraktur	• Ist bereit, die Defizite zu kompensieren und neu zu lernen • Kennt Spastik auslösende Faktoren und vermeidet diese • Übt konsequent die neuen Bewegungsabläufe ein

Pflegeziele	Pflegeintervention
• Sich entwickelnde Spastik wird frühzeitig erkannt	• Muskelspannung analysieren und auf Anzeichen abnormer Bewegungsmuster (Spastik) beobachten

AEDL Sich bewegen können

Pflegeziele	Pflegeintervention	
• Kann sich orientieren und nimmt das Körperschema wahr • Abnorme Haltungsmuster sind vermieden	• Alle Aktivitäten über die gelähmte Seite erfolgen lassen	

Pflegeziele	Pflegeintervention	
• Nimmt das eigene Körperschema wahr	• Über bewegungsfördernde Umgebungsgestaltung/Verhaltensweisen informieren/aufklären	

Pflegeziele	Pflegeintervention	Handlungsleitende Pflegeinterventionen
• Spastizität ist reduziert bzw. abgebaut	• Spastik reduzierende Grundsätze bei der Mobilisation beachten	**Spastik reduzierende Mobilisation durchführen** • Berührungen der Handinnenfläche vermeiden • Keine Gegenstände in die betroffene Hand legen • Zug an den Fingern oder Armen vermeiden • Druck auf die Zehenballen verhindern • Bewegungsabläufe zuerst durchdenken, anschließend mit Konzentration durchführen • Blase vor der Mobilisation entleeren

Pflegeziele	Pflegeintervention	Handlungsleitende Pflegeinterventionen
• Spastizität ist reduziert bzw. abgebaut	• Therapeutische Lagerung nach Bobath-Konzept entsprechend dem Lagerungsplan durchführen	**Therapeutische Lagerung nach dem Bobath-Konzept durchführen** • Therapeutische Rückenlagerung durchführen • Therapeutische Lagerung auf der betroffenen Seite durchführen • Therapeutische Lagerung auf der gesunden Seite durchführen

Pflegeziele	Pflegeintervention	
• Sich entwickelnde Spastik wird frühzeitig erkannt	• Bettbügel entfernen, um einseitige Bewegungsmuster zu vermeiden	

Pflegeziele	Pflegeintervention	Handlungsleitende Pflegeinterventionen
• Spastizität ist reduziert bzw. abgebaut	• Warmes Bewegungsbad zur Lösung einer Spastik durchführen	**Warmes Bewegungsbad durchführen** • Armbad mit Spastik lösenden Ausstreichungen durchführen • Termine für das Bewegungsbad organisieren • Auffordern, zum Bewegungsbad zu gehen

Pflegeziele	Pflegeintervention	Handlungsleitende Pflegeinterventionen
• Normale Bewegungsabläufe sind angebahnt	• Mobilisations- und Bewegungsübungen zur Anbahnung normaler Bewegungsmuster durchführen	• Durch Pflegeperson mobilisieren • Im Rahmen der pflegerischen Versorgung mobilisieren • Durch Physiotherapeuten mobilisieren **Mobilisation durchführen** • Schultermobilisation durchführen • Hüftmobilisation durchführen • Becken heben, im Bett liegend

AEDL Sich bewegen können

- Vom Liegen zum Sitzen an den Bettrand bringen
- Vom Sitzen zum Aufstehen und vom Stehen zum Sitzen bringen
- Vom Bett zum Stuhl transferieren
- Gehen

Art der Unterstützungsleistung bestimmen
- Überaktivität der nicht betroffenen Seite vermeiden
- Pflegerische Hilfestellung über die gelähmte Seite erfolgen lassen
- Fazilitationstechniken einsetzen
- Inhibitationstechniken einsetzen

Pflegeziele	Pflegeintervention	Handlungsleitende Pflegeinterventionen
• Normale Bewegungsabläufe sind angebahnt • Stabilität der betroffenen Extremität ist verbessert	• Luftbandagen im Rehabilitationsverlauf einsetzen	• Luftbandage zur Stabilisation der oberen Extremität einsetzen • Luftbandage zur Stabilisation der unteren Extremität einsetzen • Luftbandage zur Normalisierung der Muskelspannung einsetzen • Luftbandage zur Verminderung des Hypertonus einsetzen • Luftbandage zur Normalisierung der Muskellänge einsetzen • Luftbandage zur Kontrakturenprophylaxe anwenden • Luftbandage zur Schmerz- und Ödemprophylaxe einsetzen **Luftbandagen URIAS Stroke Rehabilitation Splint auswählen** • Langarm-Splint • Ellenbogen-Splint • Unterarm-Splint • Handgelenk-Splint • Hand-Splint • Baby-Splint • Bein-Splint • Fuß-Splint • Schuh-Splint

Pflegeziele	Pflegeintervention	Handlungsleitende Pflegeinterventionen
• Termin wird wahrgenommen	• Zum Bewegungsbad bringen	• Zum vereinbarten Termin innerhalb der Einrichtung bringen • Zum vereinbarten Termin außerhalb der Einrichtung bringen **Zeitdauer angeben** **Zusätzliche Pflegepersonen erforderlich**

Pflegeziele	Pflegeintervention	Handlungsleitende Pflegeinterventionen
• Einer Kontraktur ist vorgebeugt • Herz-Kreislauf-Aktivität ist angeregt	• Mit Hilfsmitteln in die vertikale Ebene mobilisieren	• In speziellen Mobilisationslehnstuhl mobilisieren • In Aufrichtstuhl mobilisieren • In Stehbett transferieren • Mit Stehbrett mobilisieren **Anzahl der Pflegepersonen eintragen**

Literatur: 50, 85, 94, 98, 167, 168, 267

AEDL Sich bewegen können

Pflegediagnose
Der Bewohner hat ein spastisches Beugemuster im Arm, Gefahr der Kontraktur

▶ **Kennzeichen**
- Innenrotation des Arms
- Beschreibt Schmerzen beim Bewegen
- Beugung im Ellenbogen
- Daumen liegt in der Handinnenfläche
- Erhöhter Widerstand entgegen der Bewegungsrichtung
- Erhöhter Widerstand bei passiver Bewegung

▶ **Ursachen**
- Hemiplegie
- Neurologische Hirnschädigung
- Multiple Sklerose

▶ **Ressourcen**
- Gelenke sind physiologisch beweglich
- Kann durch gezielte Entspannung Spastik lösen
- Kennt Spastik auslösende Faktoren und vermeidet diese
- Zeigt Verhaltensweisen, die die Therapie unterstützen
- Kann die vereinbarte Therapie selbstständig durchführen

Pflegeziele	Pflegeintervention	
• Spastisches Haltungsmuster ist gelöst	• Schaumgummistreifen mit Fingerlöchern verwenden	

Pflegeziele	Pflegeintervention	
• Spastisches Haltungsmuster ist gelöst • Kann Spastik selbst lösen, um normale Bewegungsabläufe anzubahnen	• Bei Hemiplegie vor der Mobilisation den Kopf zur betroffenen Seite neigen	

Pflegeziele	Pflegeintervention	Handlungsleitende Pflegeinterventionen
• Kann Spastik selbst lösen, um normale Bewegungsabläufe anzubahnen • Spastizität ist reduziert bzw. abgebaut	• Spastik im betroffenen Arm lösen	**Spastik im betroffenen Arm lösen** • Schulterblatt nach vorn bringen • Asymmetrischen tonischen Nackenreflex nutzen • Betroffenen Arm ausstreichen • Kreisende Bewegung des Handgelenks und Außenrotation durchführen • Daumengrundgelenk massieren und Daumen in Abduktionsstellung bringen

Pflegeziele	Pflegeintervention	Handlungsleitende Pflegeinterventionen
• Normale Bewegungsabläufe sind angebahnt • Stabilität der betroffenen Extremität ist verbessert	• Luftbandagen im Rehabilitationsverlauf einsetzen	• Luftbandage zur Stabilisation der oberen Extremität einsetzen • Luftbandage zur Stabilisation der unteren Extremität einsetzen • Luftbandage zur Normalisierung der Muskelspannung einsetzen • Luftbandage zur Verminderung des Hypertonus einsetzen • Luftbandage zur Normalisierung der Muskellänge einsetzen • Luftbandage zur Kontrakturenprophylaxe anwenden • Luftbandage zur Schmerz- und Ödemprophylaxe einsetzen **Luftbandagen URIAS Stroke Rehabilitation Splint auswählen** • Langarm-Splint • Ellenbogen-Splint • Unterarm-Splint

AEDL Sich bewegen können

- Handgelenk-Splint
- Hand-Splint
- Baby-Splint
- Bein-Splint
- Fuß-Splint
- Schuh-Splint

Literatur: 16, 85, 117, 263, 267, 273

Pflegediagnose
Der Bewohner hat ein erhöhtes Risiko zur Subluxation des Schultergelenks

▶ **Kennzeichen**

- Sichtbare Abflachung des Oberarms am Schulterdach
- Tastbare Lücke zwischen Schulterdach und Humeruskopf
- Äußert Schmerzen im Schultergelenk
- Lehnt Bewegungen ab

▶ **Ursachen**

- Eigengewicht des betroffenen Arms in Verbindung mit Hypotonus der Schultermuskulatur
- Hypertonus einzelner Strukturen, die das Schulterblatt medial ziehen
- Lagerungs- und Mobilisationsfehler

▶ **Ressourcen**

- Schultergelenk ist schmerzfrei
- Erkennt die Notwendigkeit der getroffenen Intervention und kooperiert mit dem therapeutischen Team
- Übernimmt Eigenverantwortung bei der Prophylaxe eines Mikrotraumas im Schultergelenk
- Kann die Maßnahme nach Anleitung selbstständig durchführen

Pflegeziele

- Schultergelenk ist schmerzfrei
- Übernimmt Eigenverantwortung bei der Prophylaxe eines Mikrotraumas im Schultergelenk

Pflegeintervention

- Prophylaktische Pflegemaßnahmen zur Vermeidung von Mikrotraumata des Schultergelenks durchführen

Handlungsleitende Pflegeinterventionen

Prophylaktische Maßnahmen, um Mikroverletzungen im Schulterbereich zu vermeiden

- Arme bei der Mobilisation bilateral führen zur Aufhebung des spastischen „Musters"
- Zur Unterstützung des betroffenen Arms am Ellenbogen anleiten
- Im Achselbereich bei der Mobilisation nur in Außenrotation des betroffenen Arms unterstützen
- Bei Lagerung auf der betroffenen Seite das Gewicht des Oberkörpers nicht vollständig auf das Schultergelenk legen
- Verhindern, dass der betroffene Arm durch das Eigengewicht aufgrund der Schwerkraft aus der Gelenkpfanne rutscht
- Kinästhetische Bewegungsmuster einsetzen, die dem Bobath-Konzept nicht widersprechen, um ein Ziehen am Schultergelenk zu verhindern

Pflegeziele

- Schulterschmerz und -subluxation ist vorgebeugt

Pflegeintervention

- Schultermobilisation durchführen

Handlungsleitende Pflegeinterventionen

- Schultermobilisation im Liegen durchführen
- Schultermobilisation im Sitzen durchführen

Mobilisation durchführen durch

- Physiotherapeut
- Pflegeperson

Literatur: 16, 71, 85, 117, 267

AEDL Sich bewegen können

Pflegediagnose
Der Bewohner benutzt nur die gesunde Seite bei Bewegungsabläufen, Gefahr spastischer Haltungsmuster

▶ **Kennzeichen**
- Integriert die betroffene Seite nicht in Bewegungsabläufe
- Zieht sich mit der gesunden Seite hoch
- Benutzt den Bettgalgen

▶ **Ursachen**
- Hemiplegie rechts
- Hemiplegie links

▶ **Ressourcen**
- Ist bereit, die Defizite zu kompensieren und neu zu lernen
- Kennt Spastik auslösende Faktoren und vermeidet diese
- Übt konsequent die neuen Bewegungsabläufe

Pflegeziele
- Körperwahrnehmung ist aktiviert und stimuliert

Pflegeintervention
- Körpermitte durch basal stimulierende Körperwaschung nach Bobath bewusst machen

Handlungsleitende Pflegeinterventionen
- Basal stimulierende Teilkörperwaschung durchführen
- Basal stimulierende Ganzkörperwaschung durchführen
- Intimwaschung im Anschluss an die stimulierende Waschung durchführen

Besonderheiten bei der Durchführung beachten
- Raue Waschlappen/Handtücher verwenden
- Waschwasser nach Wunsch vorbereiten
- Waschrichtung von der nicht betroffenen zur betroffenen Seite wählen
- Aufmerksamkeit auf die Wahrnehmung richten
- Spastik auslösende Berührungen vermeiden
- Haarwuchsrichtung beachten

Pflegeziele
- Abnorme Haltungsmuster sind vermieden

Pflegeintervention
- Entfernen des Bettbügels, um einseitige Bewegungsmuster zu vermeiden

Pflegeziele
- Normale Bewegungsabläufe sind angebahnt

Pflegeintervention
- Beidseitige Bewegungsmuster bei der Mobilisation einüben und umsetzen

Literatur: 16, 85, 267

AEDL Sich bewegen können

▶ Pflegediagnosen: Beeinträchtigte körperliche Mobilität – postoperativ

Pflegediagnose
Der Bewohner darf/kann das Bein nur teilbelasten, eingeschränkte Mobilität

▶ Kennzeichen	▶ Ursachen	▶ Ressourcen
• Operationswunde am rechten Bein • Operationswunde am linken Bein • Gipsverband am rechten Bein • Gipsverband am linken Bein • Gibt Hinweise zu der Anordnung • Anordnung über Teilbelastung des rechten Beins • Anordnung über Teilbelastung des linken Beins	• Operativer Eingriff am Bein • Anordnung des behandelnden Arztes • Übungsstabile Osteosynthese	• Kognitive Fähigkeiten unterstützen die Bewegungsübungen • Darf aus medizinischer Sicht mobilisiert werden • Verhält sich entsprechend der Anleitung und Anweisung • Kann Unterarmgehstützen effektiv einsetzen • Zeigt/äußert starkes Interesse mitzuarbeiten • Hält sich an das postoperativ notwendige Bewegungsverhalten

Pflegeziele	Pflegeintervention	
• Ist über die Wichtigkeit der Arztanordnung und deren Einhaltung informiert und hält sich daran	• Informationsgespräch über die Notwendigkeit der Teilbelastung führen	

Pflegeziele	Pflegeintervention	Handlungsleitende Pflegeinterventionen
• Kennt das Bewegungsverhalten und die Belastbarkeit des operierten Beins • Sichere Mobilisation und Fortbewegung sind gewährleistet	• Postoperativ bei der Mobilisation anleiten und unterstützen	**Beim Aufstehen unterstützen** • Spiralförmig aufstehen • Zu selbstständigem Aufstehen anleiten **Gehübungen durchführen** • Gehübungen mit Hilfsmitteln durchführen • Mit Hilfe gehen • Ohne Belastung des betroffenen Beins gehen • Mit Teilbelastung des betroffenen Beins gehen • Mit einer Prothese gehen **Erschwerte Bedingungen feststellen** • Zu- und Ableitungssysteme • Kreislaufinstabilität • Abwehrhaltung • Lähmung • Kontraktur • Spasmus

Pflegeziele	Pflegeintervention	Handlungsleitende Pflegeinterventionen
• Bewegungsverhalten ist bekannt und umgesetzt • Hält die Anordnungen zur Belastung exakt ein	• Gehen mit Unterarmgehstützen im Drei-Punkt-Gang mit der angeordneten Teilbelastung einüben	**Unter Anleitung Drei-Punkt-Gang mit Unterarmgehstützen einüben** • Nach Arztanordnung teilbelasten **Durchführen durch** • Krankengymnasten

Pflegeziele	Pflegeintervention	
• Entlastet das betroffene Bein korrekt	• Gangbild beobachten und Teilbelastung kontrollieren	

AEDL Sich bewegen können

Pflegeziele	Pflegeintervention	Handlungsleitende Pflegeinterventionen
• Entlastet das betroffene Bein korrekt	• Gehen mit Unterarmgehstützen im Drei-Punkt-Gang mit Fußsohlenkontakt einüben	**Unter Anleitung Drei-Punkt-Gang mit Unterarmgehstützen einüben** • Nach Arztanordnung teilbelasten **Durchführen durch** • Krankengymnasten

Literatur: 121, 161, 168, 197, 228

Pflegediagnose
Der Bewohner darf das betroffene Bein eingriffsbedingt nicht belasten

▶ **Kennzeichen**
- Operationswunde am rechten Bein
- Operationswunde am linken Bein
- Gipsverband am rechten Bein
- Gipsverband am linken Bein
- Gibt Hinweise zu der Anordnung
- Anordnung über Entlastung des rechten Beins
- Anordnung über Entlastung des linken Beins

▶ **Ursachen**
- Operativer Eingriff am Bein
- Anordnung des behandelnden Arztes
- Instabile Osteosynthese
- Bandruptur im Sprunggelenk
- Trümmerfrakturen der Beine

▶ **Ressourcen**
- Hält sich an das postoperativ notwendige Bewegungsverhalten
- Kognitive Fähigkeiten unterstützen die Bewegungsübungen
- Zeigt/äußert starkes Interesse mitzuarbeiten
- Hat eine übungsstabile Versorgung erhalten
- Kann Unterarmgehstützen effektiv einsetzen

Pflegeziele	Pflegeintervention
• Ist über die Wichtigkeit der Arztanordnung und deren Einhaltung informiert und hält sich daran	• Informationsgespräch über die Notwendigkeit der Entlastung/Teilbelastung führen

Pflegeziele	Pflegeintervention
• Sicherheit ist gewährleistet	• Gehstöcke auf Funktionsfähigkeit, Sicherheit und richtige Einstellung inspizieren

Pflegeziele	Pflegeintervention
• Bewegungsverhalten ist bekannt und umgesetzt	• Gehen mit Gehstöcken im Zwei-Punkt-Gang ohne Belastung einüben

Literatur: 21, 161, 168, 197, 228

AEDL Sich bewegen können

Pflegediagnose
Der Bewohner hat eine Amputation der unteren Extremität und ist in der Bewegungsfreiheit eingeschränkt

▶ **Kennzeichen**
- Beeinträchtigung des Gleichgewichts
- Kann nicht ohne Hilfsmittel gehen
- Ist unsicher im Einsatz von Hilfsmitteln
- Äußert Schmerzen und Unbehagen beim Tragen der Prothese
- Unsicherheit beim Gehen mit der Prothese
- Kann sich die Prothese nicht selbstständig anlegen

▶ **Ursachen**
- Amputation in Höhe des Oberschenkels rechts
- Amputation in Höhe des Unterschenkels rechts
- Amputation in Höhe des Oberschenkels links
- Amputation in Höhe des Unterschenkels links
- Traumatische Amputationsverletzung
- Amputation aufgrund peripherer Verschlusskrankheit
- Amputation aufgrund diabetischer Angiopathie

▶ **Ressourcen**
- Ist motiviert, Hilfsmittel einzusetzen
- Zeigt einen großen Willen, wieder gehen zu lernen
- Akzeptiert die Unterstützung von Angehörigen
- Körperliche Ressourcen für Kompensationsmechanismen sind vorhanden
- Ist motiviert, neue Bewegungsmuster zu lernen
- Akzeptiert die körperliche Einschränkung

Pflegeziele
- Ist über Verhaltensmaßnahmen informiert und setzt diese um
- Ist zur aktiven Mitarbeit motiviert

Pflegeintervention
- Aufklärungsgespräch über Bewegungsverhalten führen

Handlungsleitende Pflegeinterventionen
Bewegungsverhalten und Bewegungsübungen festlegen

Pflegeziele
- Beweglichkeit des Stumpfs ist unterstützt

Pflegeintervention
- Bewegungs- und Mobilisationsübungen nach Plan durchführen

Pflegeziele
- Ist über Verhaltensmaßnahmen informiert und setzt diese um

Pflegeintervention
- Mit Gehhilfen mobilisieren

Handlungsleitende Pflegeinterventionen
Beim Aufstehen unterstützen
- Spiralförmig aufstehen
- Zu selbstständigem Aufstehen anleiten

Gehübungen durchführen
- Gehübungen mit Hilfsmitteln durchführen
- Mit Hilfe gehen
- Ohne Belastung des betroffenen Beins gehen
- Mit Teilbelastung des betroffenen Beins gehen
- Mit einer Prothese gehen

Erschwerte Bedingungen feststellen
- Zu- und Ableitungssysteme
- Kreislaufinstabilität
- Abwehrhaltung
- Lähmung
- Kontraktur
- Spasmus

Pflegeziele
- Fühlt sich beim Gehen/bei den Gehübungen sicher

Pflegeintervention
- Beim Anlegen der Beinprothese unterstützen

Literatur: 121, 161, 168, 197, 228

AEDL Sich bewegen können

▶ **Pflegediagnosen: Immobilitätssyndrome**

Pflegediagnose
Der Bewohner hat ein erhöhtes Dekubitusrisiko

▶ **Kennzeichen**

- Fehlende/eingeschränkte Mobilität im Bett
- Keine Spontanbewegung
- Spontanbewegung ist reduziert
- Kann gefährdete Körperstellen nicht entlasten
- Beim Umlagern sind belastete Hautstellen gerötet

▶ **Ursachen**

- Adipositas
- Feuchtigkeit
- Herzinsuffizienz
- Diabetes mellitus
- Fieber
- Inkontinenz
- Ernährungsdefizit
- Flüssigkeitsdefizit/Dehydration/ Exsikkose
- Bettlägerigkeit
- Immobilität
- Bewegungsmangel
- Bewusstlosigkeit
- Apathisch-gehemmte Depression
- Lähmung
- Ruhigstellung
- Eingeschränkte Körperwahrnehmung
- Bewegungseinschränkung durch Extension
- Bewegungseinschränkung durch Gipsschale

▶ **Ressourcen**

- Akzeptiert die Unterstützung von Angehörigen
- Hat physiologische Hautverhältnisse
- Darf aus medizinischer Sicht mobilisiert werden
- Zeigt/äußert starkes Interesse, das Bett zu verlassen
- Ist motiviert, Hilfsmittel zur Steigerung der Mobilität einzusetzen

Pflegeziele

- Dekubitusgefahr ist eingeschätzt
- Maßnahmen zur Erhaltung der Integrität der Haut sind rechtzeitig eingeleitet

Pflegeintervention

- Dekubitusgefährdung mithilfe einer Risikoeinschätzungsskala ermitteln

Handlungsleitende Pflegeinterventionen

Risikoeinschätzungsskala zur Dekubitusgefährdung verwenden

- Erweiterte Norton-Skala
- Braden-Skala
- Waterlow-Skala
- Andersen-Skala
- Medley-Skala

Pflegeziele

- Veränderungen der Haut sind frühzeitig erkannt

Pflegeintervention

- Hautinspektion bei jeder Lagerung/Pflegeintervention durchführen

Handlungsleitende Pflegeinterventionen

Hautinspektion durchführen von

- Fersen
- Gesäß
- Ellenbogen
- Fingertest bei geröteten Hautstellen durchführen

Pflegeziele

- Ist über die Pflegemaßnahmen informiert und zur Mitarbeit motiviert

Pflegeintervention

- Informationsgespräch über den Zusammenhang von Bewegung und Dekubitusentstehung führen

AEDL Sich bewegen können

Pflegeziele
- Haut ist ausreichend durchblutet
- Normaler Haut- und Gewebezustand ist aufrechterhalten

Pflegeintervention
- Lagerungs-/Bewegungsplan erstellen, Lagerungswechsel nach Plan durchführen

Handlungsleitende Pflegeinterventionen
- Durchführung im Lagerungsplan dokumentieren
- Lagerungsintervalle im Pflegeplan dokumentieren

Lagerungsart bestimmen
- 30°-Lagerung nach Seiler rechts durchführen
- 30°-Lagerung nach Seiler links durchführen
- Rückenlagerung durchführen
- 135°-Lagerung durchführen
- Bauchlagerung durchführen

Bewegungsintervalle festlegen
- Bei geringem Risiko drei- bis vierstündliche Bewegungsintervalle
- Bei mittlerem Risiko zwei- bis dreistündliche Bewegungsintervalle
- Bei hohem Risiko Bewegungsintervalle alle zwei Stunden
- Bei sehr hohem Risiko individuelle Bewegungsintervalle

Pflegeziele
- Die Hautdurchblutung ist angeregt
- Herz-Kreislauf-Aktivität ist angeregt

Pflegeintervention
- Maßnahmen zur Mobilisation durchführen

Handlungsleitende Pflegeinterventionen
Mobilisation durchführen
Art der Mobilisation bestimmen
- Am Bettrand sitzen (Querbettsitzen)
- Im Rollstuhl/Lehnstuhl sitzen
- Aufstehen/Transfer durchführen
- Gehen
- Mit Gehhilfen gehen

Erschwerte Bedingungen feststellen
- Zu- und Ableitungssysteme
- Kreislaufinstabilität
- Abwehrhaltung
- Lähmung
- Kontraktur
- Spasmus

Art der Unterstützungsleistung bestimmen
- Beaufsichtigen
- Teilweise übernehmen
- Vollständig übernehmen
- Zur Durchführung anleiten

Hilfsmittel einsetzen
- Rollator
- Gehkrücken
- Rollstuhl

Pflegeziele
- Druckentlastung gefährdeter Körperstellen ist sichergestellt

Pflegeintervention
- Hohllagerung/Freilagerung gefährdeter Körperstellen durchführen

Handlungsleitende Pflegeinterventionen
Hohllagerung/Freilagerung durchführen
- Mit der 5-Kissen-Methode
- Mit der 3-Kissen-Methode
- Der Ferse mit Lagerungskissen
- Der Ellenbogen mit Lagerungshilfsmitteln
- Der Ohren mit Lagerungshilfsmitteln

Pflegeziele
- Haut ist ausreichend durchblutet

Pflegeintervention
- Weichlagerung durchführen

Handlungsleitende Pflegeinterventionen
Weichlagerung durchführen mit
- Lagerungskissen
- Schaumstoff

AEDL Sich bewegen können

- Gelkissen

Weichlagerung durchführen von
- Fersen
- Ellenbogen
- Gesäß
- Ohren

Pflegeziele	Pflegeintervention	Handlungsleitende Pflegeinterventionen
• Haut ist ausreichend durchblutet • Auflagedruck ist reduziert	• Spezielle Weichlagerungsmatratzen zur Auflagedruckreduzierung einsetzen	**Weichlagerungsmatratzen zur Druckreduktion einsetzen** • Schaumstoffquadermatratze • Wasserbett • Luftkissenbett • Großzellige Wechseldruckmatratze • Air-fluidized-Unterlage (Luftgebläsebett) • Superweiche Schaumstoffmatratze **Antidekubitusmatratze einsetzen** • In ein Antidekubitusbett umbetten • Bei der Aufnahme ein Antidekubitusbett auswählen • Technische Einstellungen der Antidekubitusmatratze überprüfen
Pflegeziele	**Pflegeintervention**	**Handlungsleitende Pflegeinterventionen**
• Scherkräfte sind reduziert/aufgehoben	• Scherkräfte reduzieren	• Felle einsetzen (echte Felle) • Vorsichtig und fachgerecht mobilisieren
Pflegeziele	**Pflegeintervention**	
• Haut ist ausreichend durchblutet • Auflagedruck ist reduziert	• Gelkissen einsetzen	
Pflegeziele	**Pflegeintervention**	
• Druckentlastung gefährdeter Körperstellen ist sichergestellt	• Zur regelmäßigen Druckentlastung von gefährdeten Hautarealen anleiten	
Pflegeziele	**Pflegeintervention**	
• Mikrobewegungen sind systematisch erfasst und bei der Interventionsplanung genutzt	• Bewegungsmessungen zur Erfassung der Mikrobewegungen und zur Einschätzung des Dekubitusrisikos durchführen, Lagerungsintervalle festlegen	

Literatur: 20, 25, 33, 42, 43, 48, 86, 98, 114, 121, 169, 195, 202, 214, 233, 234, 270, 273

AEDL Sich bewegen können

Pflegediagnose
Der Bewohner hat aufgrund einer Bewegungseinschränkung einen reduzierten venösen Rückfluss, Thrombosegefahr

▶ Kennzeichen	▶ Ursachen	▶ Ressourcen
• Fehlende/eingeschränkte Mobilität im Bett • Verordnete Bewegungseinschränkung • Vermeidet Bewegung • Lehnt Bewegungen ab • Zeigt Vermeidungsreaktion, indem Bewegungen im Bett umgangen werden	• Verordnete Bettruhe • Bettruhe aufgrund von Aktivitätsintoleranz • Bewusstlosigkeit • Lähmung • Gipsverband oder Schienenlagerung • Schmerzbedingte Schonatmung • Postoperative Einschränkung • Aktivitätsintoleranz • Herz-Kreislauf-Instabilität	• Kennt Vorbeugungsmaßnahmen und unterstützt diese aktiv • Kann die Muskelpumpe selbstständig einsetzen • Toleriert Antithrombose-/Kompressionsstrümpfe • Toleriert den Kompressionsverband • Zeigt Verhaltensweisen, die die Therapie unterstützen • Kann die Zusammenhänge zwischen Bewegungsmangel und Thrombosegefahr erklären

Pflegeziele	Pflegeintervention	Handlungsleitende Pflegeinterventionen
• Thromboserisiko ist eingeschätzt	• Thrombosegefährdung mithilfe einer Messskala einschätzen	• Autar DVT Scale verwenden (Autar, 1996) • Messskala der Thrombosegefährung nach Kümpel verwenden (Kümpel, P. 1995) • Skala zur Erfassung des Thromboserisikos nach Frowein verwenden (Frowein, 1997)
• Ist über die Pflegemaßnahmen informiert und zur Mitarbeit motiviert	• Notwendigkeit präventiver Maßnahmen aufzeigen und Pflegeinterventionen planen	**Thromboseprophylaxe durchführen** • Informationsgespräch über Gefahren und Vorbeugung führen • Zu aktiven Bewegungsübungen mit täglicher Kontrolle anleiten • Bewegungsübungen durchführen
• Adäquate systemische Gewebedurchblutung ist sichergestellt	• Kompressionsstrümpfe anpassen und beim Anlegen unterstützen	**Kompressionsstrümpfe aussuchen: Größe/Produktname** **Beim Anlegen der Kompressionsstrümpfe unterstützen** • Beim An- und Ausziehen unterstützen • An- und Ausziehen übernehmen • Beim An- und Ausziehen anleiten • Kompressionsstrümpfe wechseln, Häufigkeit angeben **Spezielle Pflege beim Tragen von Stützstrumpfhosen durchführen** • Fußbad durchführen • Hautpflege vor dem Anziehen der Kompressionsstrümpfe durchführen
• Unterstützt die prophylaktischen Maßnahmen • Zieht die Kompressionsstrümpfe selbstständig an und aus	• Beim Anziehen der Kompressionsstrümpfe anleiten	

AEDL Sich bewegen können

Pflegeziele
- Ist über die Pflegemaßnahmen informiert und zur Mitarbeit motiviert

Pflegeintervention
- Kompressionsverband durchführen

Pflegeziele
- Veränderungen werden frühzeitig erkannt und dokumentiert

Pflegeintervention
- Extremitäten auf Anzeichen einer entstehenden Thrombose beobachten

---

Pflegeziele
- Adäquate systemische Gewebedurchblutung ist sichergestellt

Pflegeintervention
- Korrekten Sitz der Kompressionsstrümpfe/des -verbands kontrollieren

---

Pflegeziele
- Ist über die Pflegemaßnahmen informiert und zur Mitarbeit motiviert

Pflegeintervention
- Zu aktiven Bewegungsübungen anleiten

Pflegeziele
- Venöser Rückfluss ist gefördert

Pflegeintervention
- Untere Extremitäten hochlagern

Pflegeziele
- Venöser Rückfluss ist gefördert
- Herz-Kreislauf-Aktivität ist angeregt

Pflegeintervention
- Frühmobilisation mit Gehübungen durchführen

Handlungsleitende Pflegeinterventionen

Mobilisation durchführen

Art der Mobilisation bestimmen
- Am Bettrand sitzen (Querbettsitzen)
- Im Rollstuhl/Lehnstuhl sitzen
- Aufstehen/Transfer durchführen
- Gehen
- Mit Gehhilfen gehen

Erschwerte Bedingungen feststellen
- Zu- und Ableitungssysteme
- Kreislaufinstabilität
- Abwehrhaltung
- Lähmung
- Kontraktur
- Spasmus

Art der Unterstützungsleistung bestimmen
- Beaufsichtigen
- Teilweise übernehmen
- Vollständig übernehmen
- Zur Durchführung anleiten

Hilfsmittel einsetzen
- Rollator
- Gehkrücken
- Rollstuhl

Pflegeziele
- Venöser Rückfluss ist gefördert
- Herz-Kreislauf-Aktivität ist angeregt

Pflegeintervention
- Pumpstiefel/Vakuumstiefel anlegen

AEDL Sich bewegen können

Pflegeziele
- Ist über die Pflegemaßnahmen informiert und zur Mitarbeit motiviert
- Venöser Rückfluss ist gefördert

Pflegeintervention
- Bettfahrrad einsetzen

Pflegeziele
- Gerinnungsbereitschaft ist gesenkt, Thrombose ist vermieden

Pflegeintervention
- Angeordnete Antikoagulanzien verabreichen

Handlungsleitende Pflegeinterventionen

Injektionen vorbereiten und verabreichen
- Subkutane Injektionen (s. c.)
- Intramuskuläre Injektionen (i. m.)
- Intravenöse Injektionen (i. v.)
- I. v. Injektionen lt. Arztanordnung über liegenden Zugang (Intensivstation) verabreichen

---

Pflegeziele
- Venöser Rückfluss ist gefördert

Pflegeintervention
- Im Rahmen von Körperwaschung und Hautpflege Beine in Richtung Herz ausstreichen

---

Literatur: 8, 60, 64, 167, 168, 172, 272, 273

Pflegediagnose
Der Bewohner hat Risikofaktoren, die eine Thromboseentstehung begünstigen

▶ **Kennzeichen**
- Verlangsamte Blutströmungsgeschwindigkeit
- Gefäßwandschaden
- Erhöhte Gerinnungsneigung

▶ **Ursachen**
- Flüssigkeitsdefizit/Dehydration/Exsikkose
- Blutverlust
- Diarrhö
- Erbrechen
- Bluteindickung bei Polyglobulie
- Gerinnungsneigung bei viraler Infektionserkrankung
- Ovulationshemmer
- Kortison-Therapie
- Großer operativer Eingriff
- Gefäßwandschädigung
- Thrombophlebitis
- Ausgeprägte Beinvarizen
- Schäden nach Varizenstripping
- Entzündung der Gefäße
- Schäden nach operativem Eingriff

▶ **Ressourcen**
- Kann die Muskelpumpe selbstständig einsetzen
- Kennt Vorbeugungsmaßnahmen und unterstützt diese aktiv
- Toleriert den Kompressionsverband
- Toleriert Antithrombose-/Kompressionsstrümpfe
- Kann die Zusammenhänge zwischen Bewegungsmangel und Thrombosegefahr erklären
- Zeigt Verhaltensweisen, die die Therapie unterstützen

Pflegeziele
- Kennt die Behandlungsziele und ist zur Mitarbeit motiviert

Pflegeintervention
- Beratungsgespräch über Verhaltensmaßnahmen führen

Pflegeziele
- Fließeigenschaft des Bluts ist verbessert
- Flüssigkeitsbilanz ist ausgeglichen

Pflegeintervention
- Nach Arztrücksprache 2,5 Liter Flüssigkeit zuführen

Handlungsleitende Pflegeinterventionen

Flüssigkeitszufuhr regeln
- Zieleinfuhr mit dem Arzt vereinbaren
- Flüssigkeit nach Trinkfahrplan zuführen
- Trinkfahrplan erstellen und aktualisieren (a)
- Flüssigkeit nach Flüssigkeitsbilanz des Vortags verabreichen

AEDL Sich bewegen können

Art der Verabreichung bestimmen
- Flüssigkeit mit Teelöffel zuführen
- Flüssigkeit mit Esslöffel zuführen
- Flüssigkeit mit Trinkhalm zuführen
- Flüssigkeit mit Schnabelbecher zuführen
- Flüssigkeit mit Tasse/Glas zuführen

Art der Unterstützungsleistung bestimmen
- Beaufsichtigen
- Unterstützen
- Teilweise übernehmen
- Vollständig übernehmen
- Anleiten

Pflegeziele	Pflegeintervention	Handlungsleitende Pflegeinterventionen
Gerinnungsbereitschaft ist gesenkt, Thrombose ist vermieden	Antikoagulanzien nach Arztverordnung verabreichen	**Injektionen vorbereiten und verabreichen** • Subkutane Injektionen (s. c.) • Intramuskuläre Injektionen (i. m.) • Intravenöse Injektionen (i. v.) • I. v. Injektionen lt. Arztanordnung über liegenden Zugang (Intensivstation) verabreichen
Pflegeziele Venöser Rückfluss ist gewährleistet, Gefäßlumen ist frei	**Pflegeintervention** Weich lagern und für störungsfreien venösen Rückfluss sorgen	
Pflegeziele Venöser Rückfluss ist gefördert	**Pflegeintervention** Kompressionsstrumpf Klasse II–III verwenden	**Handlungsleitende Pflegeinterventionen** **Kompressionsstrümpfe aussuchen:** **Größe/Produktname** **Beim Anlegen der Kompressionsstrümpfe unterstützen** • Beim An- und Ausziehen unterstützen • An- und Ausziehen übernehmen • Beim An- und Ausziehen anleiten • Kompressionsstrümpfe wechseln, Häufigkeit angeben **Spezielle Pflege beim Tragen von Stützstrumpfhosen durchführen** • Fußbad durchführen • Hautpflege vor dem Anziehen der Kompressionsstrümpfe durchführen
Pflegeziele Venöser Rückfluss ist gefördert	**Pflegeintervention** Mobilisation durchführen	**Handlungsleitende Pflegeinterventionen** **Mobilisation durchführen** **Art der Mobilisation bestimmen** • Am Bettrand sitzen (Querbettsitzen) • Im Rollstuhl/Lehnstuhl sitzen • Aufstehen/Transfer durchführen • Gehen • Mit Gehhilfen gehen **Erschwerte Bedingungen feststellen** • Zu- und Ableitungssysteme • Kreislaufinstabilität • Abwehrhaltung • Lähmung • Kontraktur • Spasmus

AEDL Sich bewegen können

Art der Unterstützungsleistung bestimmen
- Beaufsichtigen
- Teilweise übernehmen
- Vollständig übernehmen
- Zur Durchführung anleiten

Hilfsmittel einsetzen
- Rollator
- Gehkrücken
- Rollstuhl

Pflegeziele	Pflegeintervention	
• Postoperative Nachblutung in das Gewebe ist reduziert	• Intraoperativ einen sehr straffen Kompressionsverband verwenden	

Pflegeziele	Pflegeintervention	Handlungsleitende Pflegeinterventionen
• Hämodynamik ist verbessert, Strömungsgeschwindigkeit ist beschleunigt	• Kompressionsstrumpf, Klasse V, maßangefertigt, verwenden	**Kompressionsstrümpfe aussuchen:** Größe/Produktname **Beim Anlegen der Kompressionsstrümpfe unterstützen** • Beim An- und Ausziehen unterstützen • An- und Ausziehen übernehmen • Beim An- und Ausziehen anleiten • Kompressionsstrümpfe wechseln, Häufigkeit angeben **Spezielle Pflege beim Tragen von Stützstrumpfhosen durchführen** • Fußbad durchführen • Hautpflege vor dem Anziehen der Kompressionsstrümpfe durchführen

Pflegeziele	Pflegeintervention
• Hämodynamik ist verbessert, Strömungsgeschwindigkeit ist beschleunigt	• Intermittierende Venenkompression durchführen (Pneumomassage)

Literatur: 8, 60, 64, 167, 168, 172, 272, 273

Pflegediagnose
Der Bewohner neigt zu Juckreiz/Unverträglichkeitsreaktionen durch das Tragen der Kompressionsstrümpfe/-strumpfhosen

▶ Kennzeichen	▶ Ursachen	▶ Ressourcen
• Äußert Juckreiz auf der Haut • Trockene, spröde Haut • Schuppende Haut • Gerötete Haut	• Unverträglichkeit der Materialien	• Baumwollkompressionsstrumpfhosen werden vertragen • Toleriert den Kompressionsverband

Pflegeziele	Pflegeintervention
• Gezielte Maßnahmen sind eingeleitet • Hautzustand ist eingeschätzt	• Hautverhältnisse analysieren

AEDL Sich bewegen können

Pflegeziele	Pflegeintervention	Handlungsleitende Pflegeinterventionen
• Toleriert das Tragen von Kompressionsstrümpfen	• Intensive Hautpflege der Beine durchführen	**Hautpflege durchführen**

Pflegeziele	Pflegeintervention
• Toleriert das Tragen von Kompressionsstrümpfen	• Strümpfe mit einem höheren Baumwollanteil anbieten

Pflegeziele	Pflegeintervention
• Kompressionsverband wird toleriert	• Wickeln der Beine mit elastischen Langzugbinden durchführen

Literatur: 8, 60, 64, 167, 168, 172, 272, 273

Pflegediagnose
Der Bewohner hat ein erhöhtes Risiko zur Bildung einer Kontraktur

▶ **Kennzeichen**
- Keine Spontanbewegung
- Spontanbewegung ist reduziert
- Fehlende Lagerungsveränderung
- Schonhaltung
- Äußert Schmerzen im Gelenk
- Vermeidet Bewegung

▶ **Ursachen**
- Immobilität
- Großflächige Narben in Gelenknähe
- Schmerzzustände
- Verletzung
- Verbrennungswunde
- Rheuma
- Fehlende willentliche Kontrolle über die Körperhaltung
- Spastizität
- Gipsverband
- Extensionsbehandlung
- Fixateur externe
- Abnorme Körperhaltung aufgrund von psychosozialer/kognitiver Einschränkung
- Lähmung

▶ **Ressourcen**
- Kennt Vorbeugungsmaßnahmen und unterstützt diese aktiv
- Kognitive Fähigkeiten unterstützen die Bewegungsübungen
- Darf aus medizinischer Sicht mobilisiert werden
- Zeigt/äußert starkes Interesse, das Bett zu verlassen
- Ist motiviert, Hilfsmittel zur Steigerung der Mobilität einzusetzen

Pflegeziele	Pflegeintervention
• Krankhafte Veränderungen sind frühzeitig erkannt	• Beweglichkeit der Gelenke und Körperhaltung beobachten/Ergebnisse dokumentieren

Pflegeziele	Pflegeintervention
• Ist über Verhaltensmaßregeln informiert und unterstützt die Therapie • Ist über Verhaltensmaßnahmen informiert und zu Bewegungsübungen motiviert	• Informationsgespräch über Bewegungsverhalten führen und gemeinsam Bewegungsübungen festlegen

Pflegeziele	Pflegeintervention
• Funktion und Beweglichkeit der Gelenke sind erhalten	• Aktive Bewegungsübungen in den Grundmustern der Gelenke, nicht in extremen Haltungsmustern, durchführen

AEDL Sich bewegen können

Pflegeziele	Pflegeintervention	
• Funktion und Beweglichkeit der Gelenke sind erhalten	• Aktivitäten/Eigeninitiative positiv verstärken	

Pflegeziele	Pflegeintervention	
• Funktion und Beweglichkeit der Gelenke sind erhalten	• Alltagsbewegungen unterstützen und fördern	

Pflegeziele	Pflegeintervention	Handlungsleitende Pflegeinterventionen
• Funktion und Beweglichkeit der Gelenke sind erhalten	• Frühmobilisation bzw. Mobilisation festlegen und durchführen	**Mobilisation durchführen** **Art der Mobilisation bestimmen** • Am Bettrand sitzen (Querbettsitzen) • Im Rollstuhl/Lehnstuhl sitzen • Aufstehen/Transfer durchführen • Gehen • Mit Gehhilfen gehen **Erschwerte Bedingungen feststellen** • Zu- und Ableitungssysteme • Kreislaufinstabilität • Abwehrhaltung • Lähmung • Kontraktur • Spasmus **Art der Unterstützungsleistung bestimmen** • Beaufsichtigen • Teilweise übernehmen • Vollständig übernehmen • Zur Durchführung anleiten **Hilfsmittel einsetzen** • Rollator • Gehkrücken • Rollstuhl

Pflegeziele	Pflegeintervention	Handlungsleitende Pflegeinterventionen
• Funktion und Beweglichkeit der Gelenke sind erhalten	• Lagerung zwischen Streckstellung, Beugestellung und/oder physiologischer Mittelstellung der Gelenke abwechseln	• Durchführung im Lagerungsplan dokumentieren • Lagerungsintervalle im Pflegeplan dokumentieren **Lagerungsart bestimmen** • 30°-Lagerung nach Seiler rechts durchführen • 30°-Lagerung nach Seiler links durchführen • Rückenlagerung durchführen • 135°-Lagerung durchführen • Bauchlagerung durchführen **Bewegungsintervalle festlegen** • Bei geringem Risiko drei- bis vierstündliche Bewegungsintervalle • Bei mittlerem Risiko zwei- bis dreistündliche Bewegungsintervalle • Bei hohem Risiko Bewegungsintervalle alle zwei Stunden • Bei sehr hohem Risiko individuelle Bewegungsintervalle

Pflegeziele	Pflegeintervention	
• Ist auf aktive Bewegungsübungen vorbereitet	• Assistive Bewegungsübungen durchführen	

AEDL Sich bewegen können

Pflegeziele	Pflegeintervention	Handlungsleitende Pflegeinterventionen
• Einer Kontraktur ist vorgebeugt • Herz-Kreislauf-Aktivität ist angeregt	• Mit Hilfsmitteln in die vertikale Ebene mobilisieren	• In speziellen Mobilisationslehnstuhl mobilisieren • In Aufrichtstuhl mobilisieren • In Stehbett transferieren • Mit Stehbrett mobilisieren **Anzahl der Pflegepersonen eintragen**

Literatur: 104, 121, 124, 137, 168, 272, 273

Pflegediagnose
Der Bewohner ist aufgrund von Bewegungsmangel spitzfußgefährdet

▶ Kennzeichen	▶ Ursachen	▶ Ressourcen
• Fehlende Spontanbewegung im Fußgelenk • Sprunggelenke bleiben unverändert in Streckstellung	• Immobilität • Schmerzzustände • Verletzung • Verbrennungswunde • Lähmung • Spastizität • Gipsverband • Extensionsbehandlung • Fixateur externe • Fehlende kognitive Fähigkeit, aktive Bewegungsübungen durchzuführen	• Kennt Vorbeugungsmaßnahmen und unterstützt diese aktiv • Kognitive Fähigkeiten unterstützen die Bewegungsübungen • Darf aus medizinischer Sicht mobilisiert werden • Äußert Einsicht in die Pflegemaßnahme • Zeigt/äußert starkes Interesse, das Bett zu verlassen • Ist motiviert, Hilfsmittel zur Steigerung der Mobilität einzusetzen

Pflegeziele	Pflegeintervention	
• Physiologische Beweglichkeit des Sprunggelenks ist erhalten	• Zu aktiven Bewegungsübungen anleiten	

Pflegeziele	Pflegeintervention	Handlungsleitende Pflegeinterventionen
• Physiologische Beweglichkeit des Sprunggelenks ist erhalten	• Passive Bewegungsübungen durchführen	**Art der Bewegungsübungen bestimmen** • Aktive Bewegungsübungen durchführen • Passive Bewegungsübungen durchführen • Assistive Bewegungsübungen durchführen **Topologie/Körperstelle bestimmen** • Rechtes Kniegelenk • Linkes Kniegelenk **Bewegungsübungen durchführen** • Zu Bewegungsübungen anleiten • Mit der elektrischen Bewegungsschiene durchführen • KG-Termine koordinieren

Pflegeziele	Pflegeintervention	
• Physiologische Beweglichkeit des Sprunggelenks ist erhalten	• Zeitweise hohe Turnschuhe anziehen	

Pflegeziele	Pflegeintervention	
• Physiologische Beweglichkeit des Sprunggelenks ist erhalten	• Fußbrett/-stütze anbieten	

AEDL Sich bewegen können

Pflegeziele
- Physiologische Beweglichkeit des Sprunggelenks ist erhalten

Pflegeintervention
- Assistive Bewegungsübungen durchführen

Literatur: 104, 121, 124, 137, 168, 272, 273

Pflegediagnose
Der Bewohner kann keine aktiven Bewegungsübungen durchführen (Kontrakturgefahr)

▶ Kennzeichen
- Keine Spontanbewegung
- Fehlende Lagerungsveränderung
- Schonhaltung
- Äußert Schmerzen im Gelenk

▶ Ursachen
- Bewusstlosigkeit
- Apallisches Syndrom
- Schmerzzustände
- Verletzung
- Verbrennungswunde
- Fehlende willentliche Kontrolle über die Körperhaltung
- Spastizität
- Gipsverband
- Extensionsbehandlung
- Fixateur externe
- Abnorme Körperhaltung aufgrund von psychosozialer/ kognitiver Einschränkung

▶ Ressourcen
- Kennt Vorbeugungsmaßnahmen und unterstützt diese aktiv
- Kognitive Fähigkeiten unterstützen die assistiven Bewegungsübungen
- Darf aus medizinischer Sicht mobilisiert werden
- Zeigt/äußert starkes Interesse mitzuarbeiten
- Ist motiviert, Hilfsmittel zur Steigerung der Mobilität einzusetzen

Pflegeziele
- Funktion und Beweglichkeit der Gelenke sind erhalten
- Einer Kontraktur ist vorgebeugt

Pflegeintervention
- Passive Bewegungsübungen in den Grundmustern der Gelenke durchführen

Handlungsleitende Pflegeinterventionen
Bewegungsübungen festlegen
- Passive Bewegungsübungen der großen Gelenke durchführen
- Bewegungsübungen durch Krankengymnasten durchführen

Bewegungsübungen der Gelenke durchführen
- Hüftgelenke
- Handgelenke
- Fingergelenke
- Sprunggelenke
- Kniegelenke
- Schultergelenke
- Ellenbogengelenke

Pflegeziele
- Funktion und Beweglichkeit der Gelenke sind erhalten

Pflegeintervention
- Häufige Lagewechsel durchführen

Handlungsleitende Pflegeinterventionen
- Durchführung im Lagerungsplan dokumentieren
- Lagerungsintervalle im Pflegeplan dokumentieren

Lagerungsart bestimmen
- 30°-Lagerung nach Seiler rechts durchführen
- 30°-Lagerung nach Seiler links durchführen
- Rückenlagerung durchführen
- 135°-Lagerung durchführen
- Bauchlagerung durchführen
- **Bewegungsintervalle festlegen**
- Bei geringem Risiko drei- bis vierstündliche Bewegungsintervalle

AEDL Sich bewegen können

- Bei mittlerem Risiko zwei- bis dreistündliche Bewegungsintervalle
- Bei hohem Risiko Bewegungsintervalle alle zwei Stunden
- Bei sehr hohem Risiko individuelle Bewegungsintervalle

Literatur: 104, 121, 124, 137, 168, 272, 273

Pflegediagnose
Der Bewohner hat ein erhöhtes Dekubitusrisiko, da die Haut zusätzlich durch äußere Einflüsse geschädigt wird

▶ **Kennzeichen**
- Bei potenziellen Gefahren können keine Kennzeichen angegeben werden

▶ **Ursachen**
- Urininkontinenz
- Stuhlinkontinenz
- Vorliegen von Hautreaktionen auf Pflegeprodukte
- Hautmazerationen/Intertrigo aufgrund von Feuchtigkeit
- Bestrahlung
- Veränderter Hautturgor
- Vorschädigung der Haut aufgrund von Hauterkrankungen

▶ **Ressourcen**
- Toleriert die Pflegeintervention

Pflegeziele
- Haut ist intakt und vor äußeren Einflüssen geschützt

Pflegeintervention
- Hautschutz nach jeder Reinigung des Gesäßes auftragen

Handlungsleitende Pflegeinterventionen
Hautschutz auftragen

Pflegeziele
- Haut ist intakt und vor äußeren Einflüssen geschützt

Pflegeintervention
- Schonende Hautreinigung durchführen

Pflegeziele
- Trockenes Hautmilieu ist sichergestellt

Pflegeintervention
- Inkontinenzhilfen gezielt einsetzen

Handlungsleitende Pflegeinterventionen
Inkontinenzhilfen einsetzen
- Slipeinlagen verwenden
- Kleine Einlagen-Vorlagen mit Netzhose verwenden
- Große Vorlage mit Netzhose wechseln (WV)
- Geschlossene Slips verwenden
- Inkontinenzhosen verwenden
- Kondom-Urinal für Männer verwenden
- Incogyn-System für Frauen verwenden
- Fäkalkollektor verwenden

Art der Unterstützungsleistung bestimmen
- Anwendung der Inkontinenzhilfen beaufsichtigen
- Über Inkontinenzhilfen beraten
- Zum Einsatz von Inkontinenzhilfen anleiten
- Teilweise übernehmen
- Vollständig übernehmen

Literatur: 20, 25, 33, 42, 43, 48, 86, 98, 114, 121, 169, 195, 202, 214, 233, 234, 270, 273

AEDL Sich bewegen können

Pflegediagnose
Der Bewohner hat eine reduzierte Mikrozirkulation der Haut, erhöhtes Dekubitusrisiko

▶ **Kennzeichen**
- Wachsbleiche Haut
- Zyanosezeichen
- Bläulich-rötliche, netzförmige Zeichnung, Marmorierung der Haut
- Kühle Haut

▶ **Ursachen**
- Anämie
- Herzinsuffizienz
- Flüssigkeitsdefizit/Dehydration/Exsikkose
- Zentralisation
- Herz-Kreislauf-Instabilität

▶ **Ressourcen**
- Toleriert die Pflegeintervention

Pflegeziele
- Haut ist ausreichend durchblutet

Pflegeintervention
- Hautmassage der druckbelasteten Körperstellen in Verbindung mit Körper- und Hautpflege durchführen

---

Pflegeziele
- Haut ist ausreichend durchblutet

Pflegeintervention
- Hautmassage mit durchblutungsfördernden ätherischen Ölen (Rosmarinöl) durchführen

Handlungsleitende Pflegeinterventionen
Durchblutungsfördernde Hautmassage durchführen
- Rosmarinöl verwenden

Pflegeziele
- Haut ist ausreichend durchblutet

Pflegeintervention
- Für krümel- und faltenfreie, trockene Wäsche sorgen

Pflegeziele
- Haut ist ausreichend durchblutet

Pflegeintervention
- Warmes Vollbad mit Kohlensäurezusatz durchführen

Literatur: 20, 25, 33, 42, 43, 48, 86, 98, 114, 121, 169, 195, 202, 214, 233, 234, 270, 273

AEDL Sich bewegen können

▶ Pflegediagnosen: Beeinträchtigte körperliche Mobilität

Pflegediagnose
Der Bewohner hat eine eingeschränkte/fehlende Fähigkeit, sich unabhängig im Lebensraum zu bewegen

▶ **Kennzeichen**

- Fehlende/eingeschränkte Transferfähigkeit
- Fehlende/eingeschränkte Gehfähigkeit
- Fehlende/eingeschränkte Mobilität im Bett
- Reduzierte Bewegungskontrolle
- Fortbewegung ist ohne Hilfsmittel/Hilfspersonen nicht möglich
- Kann nicht allein aus dem Stuhl aufstehen
- Verändertes Gangbild
- Unkontrollierte Bewegungsmuster
- Fehlende Fähigkeit zu sitzen
- Beeinträchtigung des Gleichgewichts
- Kann den Körper nicht von einer Seite auf die andere drehen
- Stolpert häufig
- Beschreibt, sich häufig anzustoßen
- Kurzatmigkeit bei Bewegung

▶ **Ursachen**

- Eingeschränkte körperliche Belastungsfähigkeit
- Schmerzzustände
- Veränderung des Muskeltonus
- Beeinträchtigte Reizempfindung
- Funktionseinschränkung der Gelenke
- Psychische Störung
- Verminderte Muskelkraft
- Lähmung
- Beeinträchtigung des Bewegungsapparats
- Beeinträchtigungen des neuromuskulären Systems

▶ **Ressourcen**

- Kognitive Fähigkeiten unterstützen die Bewegungsübungen
- Darf aus medizinischer Sicht mobilisiert werden
- Zeigt/äußert starkes Interesse mitzuarbeiten
- Ist motiviert, Hilfsmittel zur Steigerung der Mobilität einzusetzen
- Lässt sich durch Aufforderung zu Bewegungsabläufen motivieren
- Ist motiviert, die Bewegungsabläufe mit Gehhilfen neu zu lernen
- Kann bei konzentrierten Bewegungsabläufen ein harmonisches Gangbild umsetzen

Pflegeziele
- Ursachen sind analysiert und gezielte Pflegeinterventionen eingeleitet

Pflegeintervention
- Ursachen analysieren und entsprechende Pflegeinterventionen einleiten

Pflegeziele
- Beweglichkeit und Muskelkraft bleiben erhalten
- Beweglichkeit und Muskelkraft werden kontinuierlich gesteigert

Pflegeintervention
- Beweglichkeit/Mobilität durch kontinuierliche Mobilisation fördern

Handlungsleitende Pflegeinterventionen

Mobilisation durchführen

Art der Mobilisation bestimmen
- Am Bettrand sitzen (Querbettsitzen)
- Im Rollstuhl/Lehnstuhl sitzen
- Aufstehen/Transfer durchführen
- Gehen
- Mit Gehhilfen gehen

Erschwerte Bedingungen feststellen
- Zu- und Ableitungssysteme
- Kreislaufinstabilität
- Abwehrhaltung
- Lähmung
- Kontraktur
- Spasmus

Art der Unterstützungsleistung bestimmen
- Beaufsichtigen
- Teilweise übernehmen
- Vollständig übernehmen
- Zur Durchführung anleiten

AEDL Sich bewegen können

Hilfsmittel einsetzen
- Rollator
- Gehkrücken
- Rollstuhl

Pflegeziele	Pflegeintervention	Handlungsleitende Pflegeinterventionen
• Bewegt sich selbstständig fort	• Fortbewegungsfähigkeit durch Gehtraining fördern	**Gehübungen durchführen** • Gehübungen mit Hilfsmitteln durchführen • Ohne Belastung des betroffenen Beins gehen • Mit Teilbelastung des betroffenen Beins gehen • Mit einer Prothese gehen **Hilfsmittel einsetzen** • Gehstock • Unterarmgehstützen • Gehwagen mit Achselstützen • Gehbock/Gehgestell • Rollmobil und Unterarmauflage **Durchführende Person(en) bestimmen** • Gehübungen mit Pflegeperson durchführen • Gehübungen mit zwei Pflegepersonen durchführen • Gehübungen mit Physiotherapeut durchführen • Gehübungen durchführen
• Bewältigt Transfer in den Rollstuhl selbstständig	• Transferfähigkeit durch Erlernen von Bewegungsabläufen im Sinne der Kinästhetik fördern	**Kinästhetische Bewegungstechniken einsetzen** • Zu kinästhetischen Bewegungstechniken anleiten • Kinästhetische Bewegungs- und Transfertechniken anwenden **Ressourcen gezielt nutzen** • Haltungsressourcen nutzen • Bewegungsressourcen nutzen
• Beweglichkeit und Muskelkraft werden kontinuierlich gesteigert	• Beweglichkeit durch Bewegungsübungen erhalten/wiederherstellen	**Bewegungsübungen festlegen** • Passive Bewegungsübungen der großen Gelenke durchführen • Bewegungsübungen durch Krankengymnasten durchführen **Bewegungsübungen der Gelenke durchführen** • Hüftgelenke • Handgelenke • Fingergelenke • Sprunggelenke • Kniegelenke • Schultergelenke • Ellenbogengelenke

AEDL Sich bewegen können

Pflegeziele	Pflegeintervention	Handlungsleitende Pflegeinterventionen
• Schmerztherapie ist optimiert	• Schmerztherapie unterstützen	**Schmerztherapie lt. Arztanordnung durchführen** • Schmerzmedikation über Spritzenpumpe lt. Arzt verabreichen • Schmerzmedikation lt. Therapieplan über s. c. Injektion verabreichen • Schmerzmedikation lt. Therapieplan über i. m. Injektion verabreichen • Orale Schmerzmedikation lt. Therapieplan verabreichen • Schmerztherapie mit Zäpfchen lt. Therapieplan durchführen • Schmerzpflaster lt. Arztanordnung anbringen **Bedarfsmedikation lt. Arzt verabreichen** • Schmerzen, bei denen die Bedarfsmedikation verabreicht werden darf, beschreiben
Pflegeziele	Pflegeintervention	Handlungsleitende Pflegeinterventionen
• Verlauf der Bewegungseinschränkung kann nachvollzogen werden	• Muskel-, Gelenk- und Bewegungsstatus ermitteln und dokumentieren	• Muskel-, Gelenk- und Bewegungsstatus mit einem Erfassungsinstrument ermitteln • Muskel-, Gelenk- und Bewegungsstatuserhebung durch Krankengymnasten erstellen • Assessment der Bewegungsfähigkeit durch Pflegeperson durchführen

Literatur: 2, 39, 50, 76, 91, 122, 162, 167, 168, 172, 228, 272, 273

Pflegediagnose
Der Bewohner hat keine/eine eingeschränkte Transferfähigkeit

▶ **Kennzeichen**
- Einschränkung beim Transfer vom Bett zum Stuhl und zurück
- Kann sich nicht selbstständig vom Rollstuhl auf die Toilette setzen und zurückbewegen
- Kann nicht selbstständig in das Auto ein- und aus ihm aussteigen
- Kann nicht selbstständig in die Badewanne ein- und aus ihr aussteigen

▶ **Ursachen**
- Bewusstlosigkeit
- Apallisches Syndrom
- Eingeschränkte körperliche Belastungsfähigkeit
- Schmerzzustände
- Veränderung des Muskeltonus
- Beeinträchtigte Reizempfindung
- Funktionseinschränkung der Gelenke
- Psychische Störung
- Qualitative Bewusstseinsveränderung
- Morbus Parkinson
- Hemiplegie
- Lähmung aufgrund von Querschnitt

▶ **Ressourcen**
- Führt Bewegungen nach Anweisung/Anleitung durch
- Akzeptiert die Unterstützung von Angehörigen
- Kognitive Fähigkeiten unterstützen die Bewegungsübungen
- Darf aus medizinischer Sicht mobilisiert werden
- Zeigt/äußert starkes Interesse mitzuarbeiten
- Ist motiviert, Hilfsmittel zur Steigerung der Mobilität einzusetzen

Pflegeziele	Pflegeintervention	Handlungsleitende Pflegeinterventionen
• Sicherer Transfer ist gewährleistet • Eigenaktivität ist gefördert • Ist über die geplanten Bewegungsabläufe informiert	• Beim Transfer vom Bett in den (Roll-)Stuhl unterstützen	• Patientenlifter benutzen • Drehscheibe einsetzen • Rutschbrett einsetzen • Transfer mit Stecklaken unterstützen • Gehgürtel einsetzen **Transfer ohne Hilfsmittel durchführen**

AEDL Sich bewegen können

- Mit Bewegungsunterstützung durch Pflegeperson aufstehen; Bewegung wird durch Zug und Druck auf Körperteile aktiv unterstützt/gehalten
- Mit Bewegungsunterstützung durch Pflegeperson umsetzen; Bewegung wird durch Zug und Druck auf Körperteile aktiv unterstützt/gehalten; der Bewohner wird gedreht und abgesetzt
- Transfer durch Schultergriff und Gewichtsverlagerung der Pflegeperson unterstützen; zum Stehen bringen; im blockierten Stand drehen und absetzen

Pflegeziele
- Sicherer Transfer ist gewährleistet

Pflegeintervention
- Beim Transfer aus dem (Roll-)Stuhl zum Bett unterstützen

Handlungsleitende Pflegeinterventionen
- Patientenlifter benutzen
- Drehscheibe einsetzen
- Rutschbrett einsetzen
- Transfer mit Stecklaken unterstützen
- Gehgürtel einsetzen

Transfer ohne Hilfsmittel durchführen
- Mit Bewegungsunterstützung durch Pflegeperson aufstehen; Bewegung wird durch Zug und Druck auf Körperteile aktiv unterstützt/gehalten
- Mit Bewegungsunterstützung durch Pflegeperson umsetzen; Bewegung wird durch Zug und Druck auf Körperteile aktiv unterstützt/gehalten; der Bewohner wird gedreht und abgesetzt
- Transfer durch Schultergriff und Gewichtsverlagerung der Pflegeperson unterstützen; zum Stehen bringen; im blockierten Stand drehen und absetzen

Pflegeziele
- Intimsphäre ist gewahrt
- Sicherer Transfer ist gewährleistet
- Kontinenztraining ist unterstützt

Pflegeintervention
- Beim Transfer vom Rollstuhl auf die Toilette und zurück unterstützen

Handlungsleitende Pflegeinterventionen
- Patientenlifter benutzen
- Drehscheibe einsetzen
- Gehgürtel einsetzen

Transfer ohne Hilfsmittel durchführen
- Mit Bewegungsunterstützung durch Pflegeperson aufstehen; Bewegung wird durch Zug und Druck auf Körperteile aktiv unterstützt/gehalten
- Mit Bewegungsunterstützung durch Pflegeperson umsetzen; Bewegung wird durch Zug und Druck auf Körperteile aktiv unterstützt/gehalten; der Bewohner wird gedreht und abgesetzt
- Transfer durch Schultergriff und Gewichtsverlagerung der Pflegeperson unterstützen; zum Stehen bringen; im blockierten Stand drehen und absetzen

Pflegeziele
- Sicherheit ist gewährleistet

Pflegeintervention
- Beim Transfer in die Badewanne und aus der Badewanne unterstützen

Handlungsleitende Pflegeinterventionen
Hilfsmittel einsetzen
- Badelift
- Badewannensitz
- Badewannenbrett

Transfer ohne Hilfsmittel durchführen
- Transferhilfe über den seitlichen Rand der Badewanne durchführen

AEDL Sich bewegen können

Pflegeziele
- Kennt die Bewegungstechniken und unterstützt den Bewegungsablauf aktiv

Pflegeintervention
- Beim Aufsetzen im Bett unterstützen

Pflegeziele
- Der Kraftaufwand beim Transfer ist reduziert

Pflegeintervention
- Hilfsmittel beim Transfer einsetzen

Handlungsleitende Pflegeinterventionen
- Patientenlifter benutzen
- Rollbord zum Transfer von Bett zu Bett
- Drehscheibe einsetzen
- Transfer mit Stecklaken unterstützen
- Rutschbrett einsetzen

Pflegeziele
- Beweglichkeit und Muskelkraft werden kontinuierlich gesteigert

Pflegeintervention
- Beweglichkeit durch Bewegungsübungen erhalten/wiederherstellen

Handlungsleitende Pflegeinterventionen

Bewegungsübungen festlegen
- Passive Bewegungsübungen der großen Gelenke durchführen
- Bewegungsübungen durch Krankengymnasten durchführen

Bewegungsübungen der Gelenke durchführen
- Hüftgelenke
- Handgelenke
- Fingergelenke
- Sprunggelenke
- Kniegelenke
- Schultergelenke
- Ellenbogengelenke

Literatur: 2, 39, 50, 91, 124, 162, 167, 168, 171, 172, 228, 271, 272, 273

AEDL Sich bewegen können

Pflegediagnose
Der Bewohner hat eine Kontraktur und ist in der Beweglichkeit eingeschränkt

▶ **Kennzeichen**

- Störungen/Einschränkungen im Bewegungsablauf
- Bewegungseinschränkung im Bereich der Aktivitäten des täglichen Lebens
- Beugestellung betroffener Gelenke
- Funktionseinschränkung der Hand
- Funktionseinschränkung der Finger
- Funktionseinschränkung der Ellenbogen
- Funktionseinschränkung der Schulter
- Funktionseinschränkung des Fußes
- Bewegungseinschränkung des betroffenen Kniegelenks
- Funktionseinschränkung der Zehen
- Beidseitig
- Verbunden mit Atrophie
- Verbunden mit Verkürzung der Muskelfasern
- Verlust der Hautelastizität über dem Gelenk

▶ **Ursachen**

- Frakturkrankheit bei Gipsverband
- Längere Ruhigstellung
- Anhaltende Schonstellung
- Lähmung
- Großflächige Narben in Gelenknähe
- Pflege- und Behandlungsfehler

▶ **Ressourcen**

- Führt Bewegungen nach Anweisung/Anleitung durch
- Zeigt Verhaltensweisen, die die Therapie unterstützen
- Kognitive Fähigkeiten unterstützen die Bewegungsübungen
- Darf aus medizinischer Sicht mobilisiert werden
- Zeigt/äußert starkes Interesse mitzuarbeiten
- Ist motiviert, Hilfsmittel zur Steigerung der Mobilität einzusetzen

Pflegeziele
- Bewegungseinschränkung ist spezifiziert

Pflegeintervention
- Beweglichkeit und Funktionseinschränkung beobachten

Pflegeziele
- Akzeptiert die Bewegungseinschränkung
- Beweglichkeit ist gefördert
- Körperliche Mobilität ist verbessert
- Bewegungseinschränkung ist weitestgehend kompensiert

Pflegeintervention
- Assistive und passive Bewegungsübungen durchführen

Handlungsleitende Pflegeinterventionen

Assistive Bewegungsübungen durchführen
- Assistive Bewegungsübungen durchführen
- Handgelenke
- Schultergelenke
- Ellenbogengelenke
- Hüftgelenke
- Kniegelenke
- Sprunggelenke

Passive Bewegungsübungen durchführen
- Passive Bewegungsübungen durchführen
- Handgelenke
- Schultergelenke
- Ellenbogengelenke
- Hüftgelenke
- Kniegelenke
- Sprunggelenke

Aktive Bewegungsübungen durchführen
- Zu aktiven Bewegungsübungen anleiten
- Gehübungen durchführen
- Dehnungsübungen durchführen

Durchführende Person(en) bestimmen
- Pflegeperson
- Physiotherapeut

AEDL Sich bewegen können

Pflegeziele
- Beweglichkeit ist gefördert
- Körperliche Mobilität ist verbessert

Pflegeintervention
- Gemeinsam Mobilisationsplan (Zeitplan) aufstellen

Pflegeziele
- Akzeptiert die Bewegungseinschränkung
- Bewegungseinschränkung ist weitestgehend kompensiert

Pflegeintervention
- Hilfsmittel organisieren und zu ihrem Einsatz anleiten

Handlungsleitende Pflegeinterventionen

Hilfsmittel organisieren/einsetzen
- Gehstock
- Unterarmgehstützen
- Gehwagen mit Achselstützen
- Gehbock/Gehgestell
- Rollmobil und Unterarmauflage

Art der Unterstützungsleistung bestimmen
- Gehen
- Teilweise übernehmen
- Beim Einsatz der Hilfsmittel anleiten
- Gehübungen beaufsichtigen

Durchführende Person(en) bestimmen
- Pflegeperson
- Zwei Pflegepersonen sind erforderlich
- Physiotherapeut

Pflegeziele
- Kann sich selbstständig fortbewegen

Pflegeintervention
- Täglich Gehübungen durchführen

Handlungsleitende Pflegeinterventionen

Beim Aufstehen unterstützen
- Spiralförmig aufstehen
- Zu selbstständigem Aufstehen anleiten

Gehübungen durchführen
- Gehübungen mit Hilfsmitteln durchführen
- Mit Hilfe gehen
- Ohne Belastung des betroffenen Beins gehen
- Mit Teilbelastung des betroffenen Beins gehen
- Mit einer Prothese gehen

Erschwerte Bedingungen feststellen
- Zu- und Ableitungssysteme
- Kreislaufinstabilität
- Abwehrhaltung
- Lähmung
- Kontraktur
- Spasmus

Pflegeziele
- Führt die Bewegungsübungen schmerzfrei durch

Pflegeintervention
- Warmes Bewegungsbad (34 °C) durchführen

Pflegeziele
- Unterstützt die Therapie aktiv

Pflegeintervention
- Über Ursachen und Zusammenhänge der Kontraktur aufklären

Literatur: 2, 39, 50, 91, 162, 167, 168, 172, 228, 272, 273

AEDL Sich bewegen können

Pflegediagnose
Der Bewohner ist in der Bewegungsfreiheit aufgrund von Instabilität im Bewegungsapparat eingeschränkt, Gefahr von Komplikationen

▶ **Kennzeichen**
- Beschreibt Rückenschmerzen
- Beschreibt Schmerzen beim Bewegen

▶ **Ursachen**
- Osteoporose
- Veränderung der Knochenstruktur
- Wirbelfraktur

▶ **Ressourcen**
- Führt Bewegungen nach Anweisung/Anleitung durch
- Zeigt Bereitschaft, knochenschonende Bewegungstechniken zu lernen
- Entwickelt kreative Möglichkeiten, die Bewegungseinschränkung zu kompensieren

Pflegeziele	Pflegeintervention	Handlungsleitende Pflegeinterventionen
• Bewegt sich frei und selbstbestimmt	• Stützenden/stabilisierenden Verband nach Anordnung anlegen	• Orthese anlegen • Korsett anlegen • Fingerschiene anlegen • Schienenverband anlegen • Überbrückungsmieder anlegen • Halbelastisches Mieder anlegen
• Komplikationen ist vorgebeugt	• Belastungsreduzierende, schonende Bewegungstechniken einsetzen	• Zum Drehen en bloc auf die Seite anleiten • Zum Aufstehen durch Ablegen des Oberkörpergewichts über den Arm anleiten • Zum rückenschonenden Aufstehen durch Abstützen der Hände auf der Bettkante anleiten

Literatur: 167, 168, 172, 228, 267, 272, 273

Pflegediagnose
Der Bewohner hat fehlendes Vertrauen in seine körperliche Belastungsfähigkeit und zeigt Vermeidungsverhalten

▶ **Kennzeichen**
- Vermeidet aufzustehen/zu gehen
- Vermeidet Bewegung
- Zeigt Vermeidungsreaktion, indem Bewegungen im Bett umgangen werden
- Berichtet über fehlendes Vertrauen in die eigene körperliche Belastungsfähigkeit

▶ **Ursachen**
- Negative Erfahrungen
- Angstzustände

▶ **Ressourcen**
- Kennt die Belastungsgrenze und kann sich damit arrangieren
- Kann die körperliche Belastbarkeit einschätzen und fordert rechtzeitig Unterstützung an
- Zeigt Verhaltensweisen, die die Therapie unterstützen

Pflegeziele	Pflegeintervention	
• Ursachen sind erkannt	• Ursachen für die Aktivitätsintoleranz ermitteln und mit dem Bewohner und dem Arzt besprechen	

Pflegeziele	Pflegeintervention	Handlungsleitende Pflegeinterventionen
• Körperliche Leistungsfähigkeit ist gesteigert	• Körperliches Bewegungsprogramm zur Steigerung der Leistungsfähigkeit entwickeln	**Aktivierungsprogramm nach Vereinbarung durchführen**

AEDL Sich bewegen können

- Aktivierungsprogramm in Absprache mit den Beteiligten aufstellen
- An den Bettrand setzen
- Vor das Bett stellen und wenige Schritte gehen
- Kurze Strecken in Begleitung gehen
- Größere Strecken in Begleitung gehen
- Treppen steigen

Literatur: 50, 167, 168, 172, 272, 273

Pflegediagnose
Der Bewohner leidet an Mobilitätseinschränkungen durch Gelenkschmerzen und/oder Gelenksteife

▶ Kennzeichen	▶ Ursachen	▶ Ressourcen
• Reduzierte Beweglichkeit der Gelenke • Bewegungsabläufe sind verlangsamt • Beschreibt Schmerzen beim Bewegen • Anlaufschmerz • Belastungsschmerz • Schwellung des betroffenen Gelenks • Rötung des Gelenks • Überwärmung des betroffenen Gelenks • Schonhaltung • Gelenkdeformation	• Rheuma • Arthritis • Systemischer Lupus erythematodes • Degenerativer Prozess	• Zeigt Verhaltensweisen, die die Therapie unterstützen • Ist motiviert, Hilfsmittel zur Steigerung der Mobilität einzusetzen • Unterstützt die Schmerztherapie • Äußert Schmerzzustände und kann diese beschreiben • Erkennt die Notwendigkeit der Bewegungsübungen • Führt Bewegungen nach Anweisung/Anleitung durch • Führt die Bewegungsübungen regelmäßig durch

Pflegeziele	Pflegeintervention	Handlungsleitende Pflegeinterventionen
• Schmerztherapie ist optimiert	• Schmerztherapie verbessern	**Schmerztherapie lt. Arztanordnung durchführen** • Schmerzmedikation über Spritzenpumpe lt. Arzt verabreichen • Schmerzmedikation lt. Therapieplan über s. c. Injektion verabreichen • Schmerzmedikation lt. Therapieplan über i. m. Injektion verabreichen • Orale Schmerzmedikation lt. Therapieplan verabreichen • Schmerztherapie mit Zäpfchen lt. Therapieplan durchführen • Schmerzpflaster lt. Arztanordnung anbringen **Bedarfsmedikation lt. Arzt verabreichen** • Schmerzen, bei denen die Bedarfsmedikation verabreicht werden darf, beschreiben

Pflegeziele	Pflegeintervention	Handlungsleitende Pflegeinterventionen
• Ist unabhängig in den Aktivitäten des täglichen Lebens	• Körperliche Mobilität durch Hilfsmitteleinsatz optimieren	**Hilfsmittel zur Unterstützung bei den ATL organisieren**

Pflegeziele	Pflegeintervention
• Akut betroffene Gelenke sind geschont und in ihrer Funktion erhalten	• Gelenke schonen durch Lagerung und/oder Schienung nach Arztanordnung

AEDL Sich bewegen können

Pflegeziele
- Die Schmerzlinderung ist durch die physikalische Therapie unterstützt
- Entzündungsprozesse sind durch die physikalische Therapie gehemmt

Pflegeintervention
- Physikalische Therapie nach Anordnung durchführen

Handlungsleitende Pflegeinterventionen

Physikalische Therapie durchführen

Kälteanwendung durchführen
- Eisbeutel auflegen
- Kühlelemente auflegen
- Kalte Kompressen/Auflagen einsetzen
- Alkoholumschläge einsetzen

Wärmeanwendung durchführen
- Wärmflasche auflegen
- Warme Kataplasmen (Breiumschläge) einsetzen
- Heublumensäckchen einsetzen
- Feuchtwarme Wickel einsetzen
- Rotlicht-Bestrahlung durchführen

Pflegeziele
- Nutzt eigene Ressourcen zur Schmerzlinderung
- Äußert eigene Schmerzeinschätzung

Pflegeintervention
- Schmerzen mithilfe eines Schmerzerhebungsprotokolls dokumentieren

Pflegeziele
- Funktion der betroffenen Gelenke ist erhalten

Pflegeintervention
- Bewegungsübungen durchführen wie durch Arzt und Krankengymnast verordnet

Handlungsleitende Pflegeinterventionen

Bewegungsübungen festlegen
- Passive Bewegungsübungen der großen Gelenke durchführen
- Bewegungsübungen durch Krankengymnasten durchführen

Bewegungsübungen der Gelenke durchführen
- Hüftgelenke
- Handgelenke
- Fingergelenke
- Sprunggelenke
- Kniegelenke
- Schultergelenke
- Ellenbogengelenke

Literatur: 2, 39, 50, 91, 162, 167, 168, 172, 228, 272, 273

Pflegediagnose
Der Bewohner hat nur ungenügende physische Kraft/Energie, sich zu bewegen, um die gewünschten täglichen Aktivitäten auszuführen

▶ **Kennzeichen**
- Beschreibt belastungsabhängige Schwäche
- Körperliche Schwäche
- Kurzatmigkeit bei Bewegung
- Äußert, keine Kraft mehr zu haben
- Bewegt sich wenig
- Fühlt sich müde und matt
- Erschöpfungszustände

▶ **Ursachen**
- Fehlende Motivation
- Reduzierter Allgemeinzustand
- Mangelndes Training
- Bestehende Herz-/Kreislaufprobleme
- Lungenerkrankung
- Schilddrüsenfunktionsstörung
- Flüssigkeitsdefizit/Dehydration/Exsikkose
- Anämie
- Psychische Erkrankung

▶ **Ressourcen**
- Kann die körperliche Belastbarkeit einschätzen und fordert rechtzeitig Unterstützung an
- Kennt die Belastungsgrenze und kann sich damit arrangieren
- Kennt Kräfte schonende Methoden, die Körperpflege durchzuführen
- Akzeptiert die Unterstützung von Angehörigen
- Zeigt Verhaltensweisen, die die Therapie unterstützen

AEDL Sich bewegen können

Pflegeziele	Pflegeintervention	
• Zustände und Symptome, die eine erneute medizinische Beurteilung erfordern, sind erkannt und weitergeleitet	• Ursachen für die Aktivitätsintoleranz ermitteln und mit dem Bewohner und dem Arzt besprechen	

Pflegeziele	Pflegeintervention	Handlungsleitende Pflegeinterventionen
• Körperliche Leistungsfähigkeit ist gesteigert	• Körperliches Bewegungsprogramm zur Steigerung der Leistungsfähigkeit entwickeln	**Aktivierungsprogramm nach Vereinbarung durchführen** • Aktivierungsprogramm in Absprache mit den Beteiligten aufstellen • An den Bettrand setzen • Vor das Bett stellen und wenige Schritte gehen • Kurze Strecken in Begleitung gehen • Größere Strecken in Begleitung gehen • Treppen steigen

Pflegeziele	Pflegeintervention
• Körperliche Leistungsfähigkeit ist gesteigert • Körperliche Aktivität ist erhöht	• Belastung bei Bewegungsabläufen und Mobilisation langsam steigern

Literatur: 50, 167, 168, 172, 272, 273

Pflegediagnose
Der Bewohner hat ein erhöhtes Sturzrisiko, es besteht Verletzungsgefahr

► Kennzeichen	► Ursachen	► Ressourcen
• Sturzneigung • Bekannte Stürze in der Anamnese • Äußert Angst vor einem Sturz • Häufig sichtbare blaue Flecken • Nach vorn gebeugte Haltung beim Gehen • Gleichgewichtsstörung beim Gehen • Unsicherheit beim Gehen • Unsicherheit beim Gehen mit der Prothese	• Einnahme von Antidepressiva • Einnahme von Neuroleptika • Psychopharmaka • Einnahme von Tranquilizern • Motorischer Verlust oder Schwäche bei neurologischer Störung • Epilepsie • Demenz • Orientierungsstörung • Verwirrtheitszustand • Neigung zu Schwindelanfällen • Mobilitätseinschränkung • Sehschwäche	• Führt Bewegungen nach Anweisung/Anleitung durch • Kennt Vorbeugungsmaßnahmen und unterstützt diese aktiv • Hält Absprachen ein • Kann Gehhilfen gezielt und sicher einsetzen • Ist motiviert, neue Bewegungsmuster zu lernen • Toleriert die Fixierungsmaßnahme • Toleriert Bettgitter

Pflegeziele	Pflegeintervention
• Ist über die grundsätzlichen Prinzipien informiert und wendet diese an	• Grundsätze bei der Mobilisation einhalten

Pflegeziele	Pflegeintervention
• Ist über die grundsätzlichen Prinzipien informiert und wendet diese an	• Informationsgespräch über Sicherheitsmaßnahmen führen

AEDL Sich bewegen können

Pflegeziele	Pflegeintervention	Handlungsleitende Pflegeinterventionen
• Sturzgefahr ist reduziert	• Durch entsprechende Umfeldgestaltung Sturzrisiko reduzieren	**Durch entsprechende Umgefeldgestaltung Sturzrisiko reduzieren** • Stolperfallen herausfinden und entfernen • Für festes Schuhwerk sorgen • Lichtverhältnisse verbessern • Nachtbeleuchtung sicherstellen • Klingel und Rufanlagen anpassen • Zum gezielten Einsatz von Hilfsmitteln anleiten **Hilfsmittel einsetzen** • Haltegriffe gezielt einsetzen • Toilettensitzerhöhung nutzen • Gehhilfen gezielt einsetzen • Antirutschmaterialien nutzen

Pflegeziele	Pflegeintervention	Handlungsleitende Pflegeinterventionen
• Bewegt sich sicher in der Umgebung	• Bewegungs-, Transfer- und Gehfähigkeit fördern	**Unterstützen durch** • Eine Pflegeperson • Zwei Pflegepersonen • Mithilfe der Krankengymnasten **Art der Mobilisation bestimmen** • An den Bettrand setzen • Vor dem Bett stehen • Im Rollstuhl/Lehnstuhl sitzen • Im Flur/in der Einrichtung gehen • Treppen steigen **Art der Unterstützung beim Transfer bestimmen** • Aufstehen/Transfer durchführen • Transfer teilweise übernehmen • Transfer voll übernehmen • Zum Transfer anleiten **Beim Gehen unterstützen** • Gehen • Beim Gehen anleiten • Beim Gehen teilweise übernehmen • Mit Gehhilfen gehen

Pflegeziele	Pflegeintervention	Handlungsleitende Pflegeinterventionen
• Verletzungen sind vermieden	• Schutzprotektoren oder Sturzhelme zum Schutz einsetzen	**Spezielle Schutzprotektoren oder Sturzhelme einsetzen** • Hüftprotektoren anlegen • Sturzhelm aufsetzen • Ellenbogenprotektoren einsetzen • Knieprotektoren einsetzen **Zeit/Bedingung der Anwendung bestimmen** • Bei bestimmtem Verhalten des Betroffenen • Kontinuierlich am Tag • Sonstige Gründe

Pflegeziele	Pflegeintervention
• Verletzungen sind vermieden	• Höhenverstellbares Bett so weit wie möglich herunterfahren

Pflegeziele	Pflegeintervention
• Einem Sturz ist vorgebeugt	• Bettgitter anbringen und nutzen

AEDL Sich bewegen können

Pflegeziele	Pflegeintervention	
• Verletzungen sind vermieden	• Auffangmatte vor das Bett legen	

Pflegeziele	Pflegeintervention	Handlungsleitende Pflegeinterventionen
• Sicherheit ist gewährleistet	• Fixierungsmaßnahmen durchführen	**Fixierungsmaßnahmen durchführen** • Entsprechend dem richterlichen Erlass • Auf Wunsch des Betroffenen **Art der Fixierung bestimmen** • Bauchgurt benutzen • Armfixierung durchführen • Tischbrett im Rollstuhl anbringen • Bettgitter hochstellen **Zeit/Bedingung der Anwendung bestimmen** • Bei bestimmtem Verhalten des Betroffenen • Kontinuierlich am Tag • Im Bett • Nur zur Nachtruhe • Sonstige Gründe **Ergebnisse dokumentieren** • Dokumentation der Fixierungsmaßnahmen auf dem Fixierungsprotokoll

Pflegeziele	Pflegeintervention
• Sturzereignisse sind nachvollziehbar und auswertbar dokumentiert • Prophylaktische Maßnahmen können abgeleitet werden	• Sturzereignisse werden mithilfe des Sturzereignisprotokolls dokumentiert und ausgewertet

Literatur: 13, 45, 93, 95, 105, 145, 170, 238, 239, 272, 273

▶ Pflegediagnosen: Gehfähigkeit

Pflegediagnose
Der Bewohner ist in der Gehfähigkeit eingeschränkt

▶ Kennzeichen	▶ Ursachen	▶ Ressourcen
• Eingeschränkte Fähigkeit, auf einer ebenen Fläche zu gehen • Eingeschränkte Fähigkeit, auf einer unebenen Fläche zu gehen • Eingeschränkte Fähigkeit, ansteigende oder absteigende Wege zu gehen • Eingeschränkte Fähigkeit, Treppen zu gehen • Eingeschränkte Fähigkeit, Kurven zu gehen • Beeinträchtigung der Gehgeschwindigkeit • Neigt zu Stürzen	• Gleichgewichtsstörung • Neurologische Erkrankung • Kreislaufstörung • Körperliche Schwäche • Ängstliches Verhalten • Erhöhter Muskeltonus, vorgebeugte Körperhaltung • Schmerzzustände • Gelenkerkrankung • Sehschwäche	• Hält Absprachen ein • Ist motiviert, die Bewegungsabläufe mit Gehhilfen neu zu lernen • Kann Gehhilfen gezielt und sicher einsetzen • Ist motiviert, neue Bewegungsmuster zu lernen • Kann sich mit dem Rollstuhl selbstständig fortbewegen • Führt Bewegungen nach Anweisung/Anleitung durch • Nimmt die vorbereiteten Medikamente zuverlässig ein

AEDL Sich bewegen können

Pflegeziele	Pflegeintervention	Handlungsleitende Pflegeinterventionen
• Bewegt sich in der Alltagsumgebung sicher	• Beim Gehen und bei der Mobilisation unterstützen	**Beim Aufstehen unterstützen** • Spiralförmig aufstehen • Zu selbstständigem Aufstehen anleiten **Gehübungen durchführen** • Gehübungen mit Hilfsmitteln durchführen • Mit Hilfe gehen • Ohne Belastung des betroffenen Beins gehen • Mit Teilbelastung des betroffenen Beins gehen • Mit einer Prothese gehen **Erschwerte Bedingungen feststellen** • Zu- und Ableitungssysteme • Kreislaufinstabilität • Abwehrhaltung • Lähmung • Kontraktur • Spasmus
• Ist über die Möglichkeit von Hilfsmitteln informiert • Kann Gehhilfen sicher einsetzen	• Beim Einsatz von Gehhilfen anleiten/unterstützen	**Gehübungen durchführen** • Gehübungen mit Hilfsmitteln durchführen • Ohne Belastung des betroffenen Beins gehen • Mit Teilbelastung des betroffenen Beins gehen • Mit einer Prothese gehen **Hilfsmittel einsetzen** • Gehstock • Unterarmgehstützen • Gehwagen mit Achselstützen • Gehbock/Gehgestell • Rollmobil und Unterarmauflage **Durchführende Person(en) bestimmen** • Gehübungen mit Pflegeperson durchführen • Gehübungen mit zwei Pflegepersonen durchführen • Gehübungen mit Physiotherapeut durchführen • Gehübungen durchführen
• Bewegungsablauf ist harmonisch • Normale Bewegungsabläufe sind angebahnt	• Spannungs- und Bewegungsübungen zur Verbesserung von Muskelkraft und Beweglichkeit durchführen	
• Bewegungsmuster sind analysiert	• Bewegungsabläufe und Körperhaltung beobachten	
• Bewegungs- und Gehübungen sind schmerzfrei	• Analgetika nach Arztanordnung verabreichen	**Schmerztherapie lt. Arztanordnung durchführen** • Schmerzmedikation über Spritzenpumpe lt. Arzt verabreichen

AEDL Sich bewegen können

- Schmerzmedikation lt. Therapieplan über s. c. Injektion verabreichen
- Schmerzmedikation lt. Therapieplan über i. m. Injektion verabreichen
- Orale Schmerzmedikation lt. Therapieplan verabreichen
- Schmerztherapie mit Zäpfchen lt. Therapieplan durchführen
- Schmerzpflaster lt. Arztanordnung anbringen

Bedarfsmedikation lt. Arzt verabreichen

- Schmerzen, bei denen die Bedarfsmedikation verabreicht werden darf, beschreiben

Literatur: 2, 39, 50, 91, 162, 167, 168, 172, 228, 272, 273

Pflegediagnose
Der Bewohner neigt zu Herz-/Kreislaufproblemen bei der Mobilisation

► **Kennzeichen**
- Äußert plötzliches Schwindelgefühl
- Kaltschweißigkeit bei der Mobilisation
- Blasse Gesichtsfarbe
- Kreislaufkollaps bei der Mobilisation

► **Ursachen**
- Herz-Kreislauf-Instabilität
- Hypotones Kreislaufverhältnis
- Herzinsuffizienz
- Postoperative Phase/Narkoseüberhang
- Auswirkung einer OP
- Myokardinfarkt

► **Ressourcen**
- Meldet sich bei Schwindelgefühl sofort
- Kann die Herz-Kreislauf-Situation selbst gut einschätzen

Pflegeziele
- Herz-Kreislauf-Situation ist vor der Mobilisation eingeschätzt

Pflegeintervention
- Blutdruckkontrollen vor den Maßnahmen zur Mobilisation durchführen

Handlungsleitende Pflegeinterventionen
Blutdruck vor der Mobilisation kontrollieren

Pflegeziele
- Herz-Kreislauf-Aktivität ist angeregt

Pflegeintervention
- Vor der Mobilisation Bewegungsübungen im Liegen durchführen

Handlungsleitende Pflegeinterventionen

Unterstützen durch
- Eine Pflegeperson
- Zwei Pflegepersonen
- Mithilfe der Krankengymnasten

Art der Mobilisation bestimmen
- An den Bettrand setzen
- Vor dem Bett stehen
- Im Rollstuhl/Lehnstuhl sitzen
- Im Flur/in der Einrichtung gehen
- Treppen steigen

Art der Unterstützung beim Transfer bestimmen
- Aufstehen/Transfer durchführen
- Transfer teilweise übernehmen
- Transfer voll übernehmen
- Zum Transfer anleiten

Beim Gehen unterstützen
- Gehen
- Beim Gehen anleiten
- Beim Gehen teilweise übernehmen
- Mit Gehhilfen gehen

AEDL Sich bewegen können

Pflegeziele	Pflegeintervention	Handlungsleitende Pflegeinterventionen
• Herz-Kreislauf-System ist stabil • Hypotoner Dysregulation ist vorgebeugt	• Kompressionsstrümpfe vor dem Aufstehen anlegen	**Kompressionsstrümpfe aussuchen:** Größe/Produktname **Beim Anlegen der Kompressionsstrümpfe unterstützen** • Beim An- und Ausziehen unterstützen • An- und Ausziehen übernehmen • Beim An- und Ausziehen anleiten • Kompressionsstrümpfe wechseln, Häufigkeit angeben **Spezielle Pflege beim Tragen von Stützstrumpfhosen durchführen** • Fußbad durchführen • Hautpflege vor dem Anziehen der Kompressionsstrümpfe durchführen
Pflegeziele	**Pflegeintervention**	
• Mobilität ist gefördert	• Zum Benutzen von Handläufen anleiten	
Pflegeziele	**Pflegeintervention**	**Handlungsleitende Pflegeinterventionen**
• Sichere Mobilisation und Fortbewegung sind gewährleistet	• Mobilisation nur unter Aufsicht/Begleitung einer Pflegeperson durchführen	**Mobilisation durchführen** **Art der Mobilisation bestimmen** • Am Bettrand sitzen (Querbettsitzen) • Im Rollstuhl/Lehnstuhl sitzen • Aufstehen/Transfer durchführen • Gehen • Mit Gehhilfen gehen **Erschwerte Bedingungen feststellen** • Zu- und Ableitungssysteme • Kreislaufinstabilität • Abwehrhaltung • Lähmung • Kontraktur • Spasmus **Art der Unterstützungsleistung bestimmen** • Beaufsichtigen • Teilweise übernehmen • Vollständig übernehmen • Zur Durchführung anleiten **Hilfsmittel einsetzen** • Rollator • Gehkrücken • Rollstuhl

Literatur: 39, 50, 91, 162, 167, 168, 172, 228, 272, 273

Pflegediagnose
Der Bewohner benötigt zum Gehen und Fortbewegen Gehhilfen und ist in der Anwendung unsicher

▶ **Kennzeichen**
- Äußert Unsicherheit in der Anwendung der Gehhilfen
- Gangbild mit den Gehhilfen ist unharmonisch
- Kann mit Gehhilfen nicht gehen

▶ **Ursachen**
- Ärztlich angeordnete Entlastung
- Ärztlich angeordnete Teilbelastung
- Ärztlich angeordnete Vollbelastung
- Desorientierung
- Verminderte Muskelkraft
- Gangunsicherheit

▶ **Ressourcen**
- Führt Bewegungen nach Anweisung/Anleitung durch
- Ist motiviert, die Bewegungsabläufe mit Gehhilfen neu zu lernen
- Körperliche Ressourcen zum Gehen mit Gehhilfen sind vorhanden

AEDL Sich bewegen können

Pflegeziele	Pflegeintervention	Handlungsleitende Pflegeinterventionen
• Gehhilfen sind sicher eingesetzt	• Zur Handhabung/zum Einsatz von Gehstöcken/Unterarmgehstützen anleiten	**Gehstöcke/Unterarmgehstützen einsetzen** • Vier-Punkt-Gang • Drei-Punkt-Gang • Zwei-Punkt-Gang ohne Belastung • Zwei-Punkt-Gang mit Teilbelastung **Teilbelastung in kg angeben** **Besonderheiten bei der Anleitung beachten** **Zum Gehtraining mit Gehhilfen anleiten** • Rollator • Deltarad • Eulenburg-Gehwagen • Vier-Punkt-Gehstützen • Gehbock
Pflegeziele • Sicherheit ist gewährleistet	**Pflegeintervention** • Gehhilfen auf Sicherheit und Funktionsfähigkeit inspizieren	
Pflegeziele • Gehhilfen sind sicher eingesetzt	**Pflegeintervention** • Gangbild und Handhabung der Gehstöcke beobachten	
Pflegeziele • Gehhilfen sind sicher eingesetzt	**Pflegeintervention** • Zum Gehen mit Gehhilfen anleiten/dieses einüben	

Literatur: 2, 50, 162, 167, 168, 172, 228, 272, 273

▶ Pflegediagnosen: Bewegungsverhalten/-muster

Pflegediagnose
Der Bewohner bewegt sich steif aufgrund eines erhöhten Muskeltonus

▶ Kennzeichen	▶ Ursachen	▶ Ressourcen
• Erhöhter Widerstand bei passiver Bewegung • Bewegungsabläufe sind verlangsamt • Trippelnder Gang • Schlürfender Gang • Nach vorn gebeugte Haltung beim Gehen • Protraktion des Kopfs • Vorliegendes spastisches Haltungsmuster • Rigor	• Morbus Parkinson • Störung des extrapyramidalen Systems	• Führt Bewegungen nach Anweisung/Anleitung durch • Zeigt Verhaltensweisen, die die Therapie unterstützen • Ist motiviert, Hilfsmittel zur Steigerung der Mobilität einzusetzen • Erkennt die Notwendigkeit der Bewegungsübungen • Führt die Bewegungsübungen regelmäßig durch

Pflegeziele	Pflegeintervention
• Kann eigene Fähigkeiten und Belastbarkeit einschätzen • Ist zur aktiven Mitarbeit motiviert	• Fähigkeiten beobachten und analysieren

AEDL Sich bewegen können

Pflegeziele	Pflegeintervention	Handlungsleitende Pflegeinterventionen
• Bewegungsablauf ist harmonisch • Kann eigene Fähigkeiten und Belastbarkeit einschätzen • Ist über Verhaltensmaßnahmen informiert und setzt diese um • Ist zur aktiven Mitarbeit motiviert	• Grundsätze im Bewegungsablauf aufzeigen/zur Durchführung anleiten	**Grundsätze im Bewegungsablauf einüben** • Immer nur eine Bewegung ausführen • Komplexe Bewegungsabläufe vermeiden • Beim Gehen die Füße bewusst anheben • Große Schritte machen • Mit den Fersen bewusst abrollen • Auf korrekte Körperhaltung achten
• Kann eigene Fähigkeiten und Belastbarkeit einschätzen • Ist zur aktiven Mitarbeit motiviert	• Für eine sichere Umgebung sorgen	**Für eine sichere Umgebung sorgen** • Stolperfallen herausfinden und entfernen • Lichtverhältnisse verbessern • Gefährliche Gegenstände entfernen • Gefährliche Hindernisse aus dem Weg räumen **Immer wiederkehrende Pflegeinterventionen** • Brille überprüfen und anbieten • Hörgerät anbieten • Anti-Rutsch-Socken anziehen • Gehhilfen anbieten und die Benutzung einüben • Bewegungs- und Gleichgewichtsübungen durchführen
• Sturzgefahr ist reduziert	• Gehhilfen einsetzen	**Gehübungen durchführen** • Gehübungen mit Hilfsmitteln durchführen • Mit Unterstützung gehen **Ressourcen/Besonderheiten bestimmen**
• Kann eigene Fähigkeiten und Belastbarkeit einschätzen • Bewegt sich entspannt • Ist zur aktiven Mitarbeit motiviert	• Aktive Bewegungsübungen durchführen	
• Kann eigene Fähigkeiten und Belastbarkeit einschätzen • Ist zur aktiven Mitarbeit motiviert	• Schwimmübungen anbieten	• Zum vereinbarten Termin innerhalb der Einrichtung bringen • Zum vereinbarten Termin außerhalb der Einrichtung bringen **Zeitdauer angeben** **Zusätzliche Pflegepersonen erforderlich**
• Kann eigene Fähigkeiten und Belastbarkeit einschätzen • Körperliche Aktivität ist erhöht	• Spaziergang mit Pflegeperson durchführen	**Zeitdauer angeben**
• Kann eigene Fähigkeiten und Belastbarkeit einschätzen	• In eine Gruppe integrieren, die regelmäßig spazieren geht	• Zu Spaziergängen auffordern • Mit dem Bewohner spazieren gehen

AEDL Sich bewegen können

- Mobilität und soziale Kontakte sind erhalten
- Körperliche Aktivität ist erhöht

- Spaziergänge mit Angehörigen organisieren
- **Spaziergänge mit dem Bewohner durchführen**
- In der Gruppe mit dem Bewohner spazieren gehen
- **Zeit angeben**

Pflegeziele	Pflegeintervention
Konzentriert sich bewusst auf die Bewegungsabläufe	Bewusst auf Körperhaltung und geplante Bewegung konzentrieren

Pflegeziele	Pflegeintervention
Reflektiert und korrigiert die eigene Körperhaltung	Spiegel einsetzen

Pflegeziele	Pflegeintervention
Kann eigene Fähigkeiten und Belastbarkeit einschätzen Ist zur aktiven Mitarbeit motiviert	Physiologische Haltung durch häufiges Loben positiv verstärken

Pflegeziele	Pflegeintervention	Handlungsleitende Pflegeinterventionen
Termin wird wahrgenommen	Zur Bewegungstherapie begleiten/bringen	Zum vereinbarten Termin innerhalb der Einrichtung bringen Zum vereinbarten Termin außerhalb der Einrichtung bringen **Zeitdauer angeben** **Zusätzliche Pflegepersonen erforderlich**

Literatur: 39, 50, 91, 168, 172, 243, 267, 272, 273

Pflegediagnose
Der Bewohner hat eine nach vorn geneigte Körperhaltung, es besteht erhöhte Sturzgefahr

▶ **Kennzeichen**
- Nach vorn übergebeugter Oberkörper
- Arme schwingen nicht mit
- Hat einen trippelnden, schlurfenden Gang
- Bewegungsabläufe sind verlangsamt

▶ **Ursachen**
- Morbus Parkinson

▶ **Ressourcen**
- Kann bei konzentrierten Bewegungsabläufen ein harmonisches Gangbild umsetzen
- Nimmt nach Aufforderung eine physiologische Körperhaltung ein

Pflegeziele	Pflegeintervention	Handlungsleitende Pflegeinterventionen
Termin wird wahrgenommen	Krankengymnastische Übungen abklären und koordinieren	Zum vereinbarten Termin innerhalb der Einrichtung bringen Zum vereinbarten Termin außerhalb der Einrichtung bringen **Zeitdauer angeben** **Zusätzliche Pflegepersonen erforderlich**

AEDL Sich bewegen können

Pflegeziele	Pflegeintervention	Handlungsleitende Pflegeinterventionen
• Hat eine aufrechte Körperhaltung	• Gehtraining mit aufrechter Körperhaltung durchführen	**Unterstützen durch** • Eine Pflegeperson • Zwei Pflegepersonen • Mithilfe der Krankengymnasten **Art der Mobilisation bestimmen** • An den Bettrand setzen • Vor dem Bett stehen • Im Rollstuhl/Lehnstuhl sitzen • Im Flur/in der Einrichtung gehen • Treppen steigen **Art der Unterstützung beim Transfer bestimmen** • Aufstehen/Transfer durchführen • Transfer teilweise übernehmen • Transfer voll übernehmen • Zum Transfer anleiten **Beim Gehen unterstützen** • Gehen • Beim Gehen anleiten • Beim Gehen teilweise übernehmen • Mit Gehhilfen gehen

Literatur: 39, 50, 91, 168, 172, 243, 267, 272, 273

Pflegediagnose
Der Bewohner leidet an einem unkontrollierten Zittern/Tremor und kann Dinge des täglichen Lebens nicht halten und schwerlich feinmotorische Bewegungen ausführen

▶ Kennzeichen	▶ Ursachen	▶ Ressourcen
• Rhythmisches Zittern • Unwillkürliches Zittern • Abwechselnde Kontraktion gegensätzlicher Muskelgruppen • Grobschlägiger Tremor • Mittelschlägiger Tremor • Feinschlägiger Tremor • Verschüttet Getränke beim Halten der Trinkgefäße • Intentionstremor • Ruhetremor • Pillendrehertremor • Ständiges Kopfnicken	• Seniler Tremor • Multiple Sklerose • Morbus Parkinson • Kleinhirnerkrankung	• Kann Hilfsmittel gezielt einsetzen • Akzeptiert die körperliche Einschränkung

Pflegeziele	Pflegeintervention	Handlungsleitende Pflegeinterventionen
• Beherrscht feinmotorische Übungen	• Ergotherapeutische Behandlung abklären und koordinieren	• Zum vereinbarten Termin innerhalb der Einrichtung bringen • Zum vereinbarten Termin außerhalb der Einrichtung bringen **Zeitdauer angeben** **Zusätzliche Pflegepersonen erforderlich**

Pflegeziele	Pflegeintervention	Handlungsleitende Pflegeinterventionen
• Defizite sind durch Erlernen und Einüben von Strategien kompensiert	• Hilfsmittel zur Unterstützung bei den Aktivitäten des täglichen Lebens organisieren	**Hilfsmittel zur Unterstützung bei den ATL organisieren**

Literatur: 39, 50, 91, 168, 172, 243, 267, 272, 273

AEDL Sich bewegen können

Pflegediagnose
Der Bewohner zeigt eine Hypo- oder Akinese und ist in der selbstständigen Lebensgestaltung eingeschränkt

▶ Kennzeichen	▶ Ursachen	▶ Ressourcen
• Zeigt einen Mangel an Eigeninitiative und Energie • Sperrung, die sich bis zum Stupor steigern kann • Liegt anscheinend teilnahmslos und äußerst gespannt im Bett • Erhöhter Widerstand bei passiver Bewegung • Verharrt in einer fremdbestimmten, auffälligen, unbequemen Körperhaltung	• Psychiatrische Erkrankung • Schizophrenie, katatone Form • Depressionen	• Lässt sich durch Aufforderung zu Bewegungsabläufen motivieren • Akzeptiert die Unterstützung von Angehörigen • Toleriert die therapeutische/pflegerische Intervention

Pflegeziele	Pflegeintervention	Handlungsleitende Pflegeinterventionen
• Sicherheit ist gewährleistet • Körperlichen Schäden ist vorgebeugt	• Genaue Beobachtung auf Veränderungen durchführen/Ergebnisse dokumentieren	**Auf Anzeichen einer Verschlechterung beobachten** • Wegen der Gefahr der perniziösen Katatonie Temperatur kontrollieren • Auf Zeichen von Gespanntheit beobachten • Auf beginnende Erregungszeichen achten
• Ist bei der Körperpflege unterstützt • Physiologisches Hautverhältnis ist hergestellt • Physiologische Ernährung ist sichergestellt • Flüssigkeitsbilanz ist ausgeglichen	• Aktivitäten des täglichen Lebens abhängig von den Ressourcen und Fähigkeiten des Bewohners übernehmen	**Hilfsmittel zur Unterstützung bei den ATL organisieren**
• Den Erregungszustand erhöhende Faktoren sind vermieden	• Reizüberflutung vermeiden und für Ruhe sorgen	• Für gedämpftes Licht sorgen • Lärm reduzieren • Unruhe auf der Station/im Zimmer vermeiden • Aktivitäten kanalisieren

Literatur: 101, 102, 121, 125, 267, 272, 273

AEDL Sich bewegen können

Pflegediagnose
Der Bewohner zeigt einen unstillbaren Bewegungsdrang, psychomotorische Unruhe, Gefahr der reduzierten Erholungspausen und Sozialkontakte sowie Verletzungsgefahr

▶ Kennzeichen	▶ Ursachen	▶ Ressourcen
• Zielloses Hin-und-Her-Gehen im Lebensraum • Gesteigerter Sprechantrieb • Reduzierte Erholungspausen • Bewegungsstereotypie • Kniebeugen und andere Turnübungen • Sinnloses Nachahmen von Handlungen der Umgebung • Zeigt extreme Unruhezustände mit erhöhter Gefahr der Selbstgefährdung	• Demenz • Psychose • Morbus Alzheimer	• Lässt sich unterbrechen • Nimmt therapeutische Anregungen an

Pflegeziele	Pflegeintervention	
• Ist in den Tagesablauf der Station/des Pflegebereichs integriert • Motorische Aktivitäten sind in produktive Tätigkeiten des täglichen Lebens gelenkt	• Tages- und wochenstrukturierende Maßnahmen durchführen	

Pflegeziele	Pflegeintervention	
• Kann nachts schlafen • Zeigt Verhaltensweisen, die auf Ermüdung hinweisen	• Durch körperliche Aktivität für eine natürliche Ermüdung sorgen	

Pflegeziele	Pflegeintervention	Handlungsleitende Pflegeinterventionen
• Kann eigene Fähigkeiten und Belastbarkeit einschätzen • Ist zur aktiven Mitarbeit motiviert	• Für eine sichere Umgebung sorgen	**Für eine sichere Umgebung sorgen** • Stolperfallen herausfinden und entfernen • Lichtverhältnisse verbessern • Gefährliche Gegenstände entfernen • Gefährliche Hindernisse aus dem Weg räumen **Immer wiederkehrende Pflegeinterventionen** • Brille überprüfen und anbieten • Hörgerät anbieten • Anti-Rutsch-Socken anziehen • Gehhilfen anbieten und die Benutzung einüben • Bewegungs- und Gleichgewichtsübungen durchführen

Pflegeziele	Pflegeintervention	
• Unruhezustände werden ausgelebt	• Freiräume zum Auslegen der psychomotorischen Unruhezustände einräumen	

Pflegeziele	Pflegeintervention	
• Psychomotorische Unruhezustände sind gemindert	• Rückzugsmöglichkeiten einräumen	

AEDL Sich bewegen können

Pflegeziele	Pflegeintervention	Handlungsleitende Pflegeinterventionen
• Komplikationen sind frühzeitig erkannt und abgewendet	• Vitalwerte beobachten	**Vitalzeichenkontrolle mithilfe eines Überwachungsprotokolls durchführen** **Bewusstseinskontrolle durchführen** • Auf qualitative Veränderungen beobachten • Auf quantitative Veränderungen beobachten

Pflegeziele	Pflegeintervention
• Ausreichende Ruhephasen werden eingehalten	• Für Pausen und Ruhephasen sorgen

Literatur: 101, 102, 121, 125, 267, 272, 273

Pflegediagnose
Der Bewohner hat Weglauftendenzen, Gefahr der Selbstgefährdung

▶ **Kennzeichen**
- Verlässt den Lebensraum ständig
- Findet nicht mehr in den Lebensraum zurück
- Umtriebigkeit und psychomotorische Unruhe
- Orientierungsstörung
- Gedächtnisstörung

▶ **Ursachen**
- Demenz
- Morbus Alzheimer
- Psychische Erkrankung
- Schizophrene Psychose
- Suchterkrankung

▶ **Ressourcen**
- Weglauftendenzen lassen sich durch Integration in den Stationsablauf reduzieren
- Freut sich, wenn er zurück in die Wohngruppe kommt

Pflegeziele	Pflegeintervention
• Weglaufen des Bewohners ist sofort erkannt	• Alle Mitarbeiter über die Weglauftendenz informieren

Pflegeziele	Pflegeintervention	Handlungsleitende Pflegeinterventionen
• Weglauftendenzen sind reduziert	• Tages- und wohnstrukturierende Maßnahmen durchführen	• Morgengymnastik durchführen • Mahlzeiten gemeinsam einnehmen • Am gemeinsamen Kaffeetrinken teilnehmen • Am positiven Tagesrückblick teilnehmen • Entspannungstraining besuchen • An der Stationsgesprächsrunde (dem Stationsmeeting/-forum) teilnehmen **Art der Unterstützungsleistung bestimmen** • Auffordern, den Termin des Gruppenangebots einzuhalten • Zur Teilnahme an den Aktivitäten motivieren • Bei der Teilnahme an den Angeboten/ihrer Durchführung unterstützen **Zeit angeben**

Pflegeziele	Pflegeintervention
• Kann sofort identifiziert und in den Wohnbereich zurückgeführt werden	• Kleidungsstücke mit Namen und Adresse des Bewohners versehen

AEDL Sich bewegen können

Pflegeziele	Pflegeintervention
• Einer Selbst- und Fremdgefährdung ist vorgebeugt	• Den Bewohner auf Verkehrsfähigkeit überprüfen

Literatur: 101, 102, 121, 125, 126, 267, 272, 273

▶ Pflegediagnose: Sturzgefahr

Pflegediagnose
Der Bewohner hat Angst vor einem Sturz

▶ Kennzeichen
- Äußert Angst vor einem Sturz
- Äußert Gefühle wie Unsicherheit, Sorge und Verzweiflung
- Zittern
- Erhöhter Muskeltonus
- Anspannung der Gesichtsmuskulatur
- Zeigt Vermeidungshaltung

▶ Ursachen
- Empfundene Bedrohung des Selbstkonzepts durch die Unsicherheit bei der Fortbewegung
- Bereits erlebte Stürze
- Unsichere Persönlichkeit

▶ Ressourcen
- Ist motiviert, Hilfsmittel einzusetzen
- Ist motiviert, neu zu lernen
- Kann Hilfe annehmen
- Kognitive Fähigkeiten sind vorhanden

Pflegeziele	Pflegeintervention	
• Fühlt sich angenommen und verstanden	• Ängste ernst nehmen und ansprechen	
• Kennt und akzeptiert die eigenen Grenzen	• Bewegungsabläufe einüben und trainieren, die eine sichere Fortbewegung ermöglichen	
• Hat Bewältigungsstrategien entwickelt	• Unterstützen, die Funktionseinschränkung zu akzeptieren und Bewältigungsstrategien zu entwickeln	
• Sicherheit ist gewährleistet	• Sicherheitsmaßnahmen durchführen	**Handlungsleitende Pflegeinterventionen** **Sicherheitsmaßnahmen durchführen** • Bettgitter wie gesetzlich vorgesehen anbringen • Zum Aufstehen mit Pflegepersonen anleiten

Literatur: 13, 45, 93, 95, 105, 145, 170, 238, 239, 272, 273

AEDL Vitale Funktionen des Lebens aufrechterhalten können

▶ **Pflegediagnosen: Unwirksamer Atemvorgang**

Pflegediagnose
Der Bewohner hat Atemnot und ist dadurch in der körperlichen Leistungsfähigkeit eingeschränkt

▶ **Kennzeichen**
- Ruhedyspnoe
- Orthopnoe
- Belastungsdyspnoe Grad I
- Belastungsdyspnoe Grad II
- Belastungsdyspnoe Grad III
- Einsatz der Atemhilfsmuskulatur
- Erhöhte Herzfrequenz
- Verminderung der arteriellen Sauerstoffsättigung
- Zyanosezeichen
- Unphysiologische Atemgeräusche
- Äußert Gefühle wie Unsicherheit, Sorge und Verzweiflung
- Unruhezustände

▶ **Ursachen**
- Asthma bronchiale
- Chronisch obstruktive Lungenerkrankung
- Bekannte kardiologische Grunderkrankung
- Bekannte pulmonale Grunderkrankung
- Erschöpfung der Atemmuskulatur
- Gleichgewicht zwischen Ventilation und Perfusion ist beeinträchtigt
- Psychische Störung
- Stoffwechselstörung

▶ **Ressourcen**
- Kann Hilfe annehmen
- Kennt die körperlichen Ressourcen und teilt sich die Kräfte ein
- Kann die körperliche Belastbarkeit einschätzen und fordert rechtzeitig Unterstützung an
- Zeigt Verhaltensweisen, die die Therapie unterstützen
- Äußert, wenn eine Pause notwendig ist
- Ist motiviert, die Leistungsfähigkeit zu trainieren

Pflegeziele	Pflegeintervention	Handlungsleitende Pflegeinterventionen
• Kann eigene Fähigkeiten und Belastbarkeit einschätzen	• Fähigkeiten und Aktivitätstoleranz gemeinsam analysieren	
• Eine Verschlechterung des Krankheitsbilds ist frühzeitig erkannt	• Atemqualität prüfen und auf Zeichen von Sauerstoffmangel beobachten	**Atemsituation beobachten** • Atemfrequenz und Atemqualität beobachten • Peak-Flow-Messung durchführen • Blutgasanalyse (BGA) durchführen • Auf Zyanosezeichen beobachten • Sauerstoffverabreichung kontrollieren
• Erstickungsangst ist reduziert • Hat eine freie und erleichterte Atmung	• Atemerleichternde Lagerung durchführen	**Atemerleichternde Lagerung bei Atemnot** • Sitzposition im Bett mit Unterstützung der Arme durch Lagerungskissen schaffen • Reitersitz ermöglichen • A-Lagerung durchführen • V-Lagerung durchführen • I-Lagerung durchführen • T-Lagerung durchführen
• Einer Infektion ist vorgebeugt bzw. sie ist rechtzeitig erkannt	• Hygienemaßnahmen im Zusammenhang mit der Sauerstoffverabreichung durchführen	**Hygienemaßnahmen im Zusammenhang mit der Sauerstoffverabreichung durchführen**
• Kann eigene Fähigkeiten und Belastbarkeit einschätzen	• Ruhepausen festlegen und für Einhaltung sorgen	

AEDL Vitale Funktionen des Lebens aufrechterhalten können

Pflegeziele	Pflegeintervention	Handlungsleitende Pflegeinterventionen
• Körperlicher Überforderung ist vorgebeugt	• In Abhängigkeit von der Atemsituation stufenweise mobilisieren	**Mobilisation durchführen** **Art der Mobilisation bestimmen** • Am Bettrand sitzen (Querbettsitzen) • Im Rollstuhl/Lehnstuhl sitzen • Aufstehen/Transfer durchführen • Gehen • Mit Gehhilfen gehen **Erschwerte Bedingungen feststellen** • Zu- und Ableitungssysteme • Kreislaufinstabilität • Abwehrhaltung • Lähmung • Kontraktur • Spasmus **Art der Unterstützungsleistung bestimmen** • Beaufsichtigen • Teilweise übernehmen • Vollständig übernehmen • Zur Durchführung anleiten **Hilfsmittel einsetzen** • Rollator • Gehkrücken • Rollstuhl
• Erstickungsangst ist reduziert • Sauerstoffversorgung ist gewährleistet	• Sauerstoff nach Arztanordnung verabreichen	**Sauerstoff nach Arztanordnung verabreichen** • Sauerstoff in der Akutphase verabreichen • Kontinuierlich Sauerstoff verabreichen • Intermittierend Sauerstoff verabreichen **Sauerstoff verabreichen mit** • Sauerstoffsonde • Sauerstoffbrille • Sauerstoffmaske **Sauerstoffkonzentration angeben** **Pflege bei Sauerstofftherapie durchführen** • Nasen- und Sondenpflege durchführen (N) • Schlauchsystem aseptisch aufbereiten
• Sauerstofftherapie ist erfolgreich durchgeführt • Sauerstoffsättigung ist verbessert	• Auf Wirkung und Nebenwirkung der Sauerstoffgabe achten	
• Sichere Sauerstofftherapie ist gewährleistet	• Sauerstoffvorrat in der Flasche berechnen und bei Bedarf Sauerstoffflasche wechseln	
• Fühlt sich ernst genommen • Dyspnoe ist erfasst und eingeschätzt	• Intensität der Dyspnoe mithilfe einer Einschätzungsskala ermitteln	

AEDL Vitale Funktionen des Lebens aufrechterhalten können

Pflegeziele	Pflegeintervention
• Atemwege sind frei	• Bei der Benutzung der zu inhalierenden Medikation (Dosieraerosole) unterstützen

Pflegeziele	Pflegeintervention
• Kann die Atemsituation selbstständig einschätzen und die Asthmatherapie entsprechend unterstützen • Selbstapplikation von Medikamenten ist effektiv und fachgerecht	• Zum fachgerechten Einsatz von Dosieraerosol anleiten/diesen einüben

Literatur: 22, 98, 116, 121, 124, 143, 155, 167, 168, 172, 272, 273

Pflegediagnose
Der Bewohner hat akute Atemnot, Gefahr der respiratorischen Insuffizienz mit Hypoxämie

▶ Kennzeichen	▶ Ursachen	▶ Ressourcen
• Äußert Todesangst • Äußert ein Gefühl der Hilflosigkeit • Verminderung der arteriellen Sauerstoffsättigung • Erhöhung von PCO2 • Verminderung von PO2 • Erhöhte Herzfrequenz • Verminderung des Atemzugvolumens • Einsatz der Atemhilfsmuskulatur • Inspiratorischer Stridor • Exspiratorischer Stridor	• Medikamenteneinwirkung • Medikamentöse • Relaxation • Zerebrale Hypoxie • Erhöhter Hirndruck • Neurogene Störung • Neurologische Unreife • Trauma • Rippenserienfraktur • Pneumothorax • Hämatothorax • Tumor • Spasmus • Fremdkörper • Infektion • Pneumonie • Aspiration • Lungenembolie • Lungenfibrose • Metabolischer Faktor • Erschöpfung	• Kann die Atemtechnik der Lippenbremse gezielt einsetzen • Kann über die Ängste sprechen • Kennt krankheits- bzw. symptomauslösende Faktoren und kann diese vermeiden • Erkennt die Notwendigkeit der getroffenen Intervention und kooperiert mit dem therapeutischen Team

Pflegeziele	Pflegeintervention	Handlungsleitende Pflegeinterventionen
• Atemnot ist aufgehoben • Herz-Kreislauf-System ist stabil • Hat eine freie und erleichterte Atmung	• Atemerleichternde Lagerung durchführen	**Atemerleichternde Lagerung bei Atemnot** • Sitzposition im Bett mit Unterstützung der Arme durch Lagerungskissen schaffen • Reitersitz ermöglichen • A-Lagerung durchführen • V-Lagerung durchführen • I-Lagerung durchführen • T-Lagerung durchführen

Pflegeziele	Pflegeintervention	Handlungsleitende Pflegeinterventionen
• Eine Verschlechterung des Krankheitsbilds ist frühzeitig erkannt	• Atemqualität prüfen und auf Zeichen von Sauerstoffmangel beobachten	**Atemsituation beobachten** • Atemfrequenz und Atemqualität beobachten • Peak-Flow-Messung durchführen

AEDL Vitale Funktionen des Lebens aufrechterhalten können

	• Blutgasanalyse (BGA) durchführen • Auf Zyanosezeichen beobachten • Sauerstoffverabreichung kontrollieren

Pflegeziele
- Atemnot ist aufgehoben
- Herz-Kreislauf-System ist stabil
- Hat eine freie und erleichterte Atmung

Pflegeintervention
- Herzbettlagerung durchführen

Pflegeziele
- Veränderungen sind frühzeitig erkannt
- Alle wichtigen Informationen sind weitergeleitet
- Sauerstoffgehalt im Blutkreislauf ist überwacht

Pflegeintervention
- Blutgasanalyse durchführen und die Ergebnisse dem Arzt mitteilen

Pflegeziele
- Herz-Kreislauf-System ist stabil

Pflegeintervention
- Vitalzeichenkontrolle durchführen

Handlungsleitende Pflegeinterventionen

Überwachungsmonitor benutzen
- Überwachungsmonitor benutzen
- Pulsfrequenz/-qualität messen
- Blutdruckwert messen
- Atemfrequenz/-qualität messen
- Körpertemperatur messen
- Sauerstoffsättigung mit Oximeter überprüfen

Vitalzeichenwerte manuell messen
- Pulsfrequenz/-qualität messen
- Blutdruckwert messen
- Atemfrequenz/-qualität messen
- Körpertemperatur messen
- Besonderheiten bei der Messung bestimmen
- Am rechten Arm messen
- Am linken Arm messen

Pflegeziele
- Atemnot ist aufgehoben
- Herz-Kreislauf-System ist stabil

Pflegeintervention
- In der Akutphase Infusionstherapie unterbrechen (bei Lungenödem)

Pflegeziele
- Atemnot ist aufgehoben
- Sauerstoffversorgung ist gewährleistet
- Herz-Kreislauf-System ist stabil

Pflegeintervention
- Sauerstoff nach Arztanordnung verabreichen

Handlungsleitende Pflegeinterventionen

Sauerstoff nach Arztanordnung verabreichen
- Sauerstoff in der Akutphase verabreichen
- Kontinuierlich Sauerstoff verabreichen
- Intermittierend Sauerstoff verabreichen

Sauerstoff verabreichen mit
- Sauerstoffsonde
- Sauerstoffbrille
- Sauerstoffmaske

Sauerstoffkonzentration angeben

Pflege bei Sauerstofftherapie durchführen
- Nasen- und Sondenpflege durchführen (N)
- Schlauchsystem aseptisch aufbereiten

AEDL Vitale Funktionen des Lebens aufrechterhalten können

Pflegeziele	Pflegeintervention
• Äußert, dass sich die Ängste auf ein erträgliches Maß reduziert haben • Fühlt sich beruhigt	• Angst reduzierende individuelle Pflegeinterventionen durchführen

Literatur: 22, 116, 121, 143, 167, 168, 172, 272, 273

▶ Pflegediagnosen: Belüftungsstörungen

Pflegediagnose
Der Bewohner atmet oberflächlich, Gefahr der Atelektase

▶ Kennzeichen	▶ Ursachen	▶ Ressourcen
• Vermeidet es, tief Luft zu holen • Schonhaltung im Oberkörperbereich • Oberflächliche Bauchatmung • Oberflächliche Brustatmung	• Rippenprellung • Immobilität • Störung des Atemzentrums • Schmerzbedingte Schonatmung • Operativer Eingriff im Brust-/Thoraxbereich	• Zeigt Verhaltensweisen, die die Therapie unterstützen • Kann der Aufforderung zu Atemübungen folgen • Führt die Atemübungen nach Aufforderung und Anleitung selbstständig durch

Pflegeziele	Pflegeintervention	Handlungsleitende Pflegeinterventionen
• Pneumonie-/Atelektasengefahr ist erkannt • Komplikationen ist vorgebeugt • Atemsituation ist eingeschätzt	• Atemsituation/Pneumonierisiko mithilfe einer Atemskala einschätzen	**Atemsituation einschätzen** • Atemtiefe • Atemfrequenz • Strömungsgeräusche zur Einschätzung der Lungenbelüftung auskultieren **Pneumonierisiko einschätzen** • Pneumonierisiko mit der Atemskala nach Bienstein einschätzen • Atemwerte erneut bestimmen **Sonstiges**

Pflegeziele	Pflegeintervention
• Wissensdefizit über Ursachen und Maßnahmen ist aufgehoben	• Informationsgespräch über mögliche Komplikationen bei oberflächlicher Atmung führen

Pflegeziele	Pflegeintervention	Handlungsleitende Pflegeinterventionen
• Kennt die Behandlungsziele und ist zur Mitarbeit motiviert	• Zu selbstständigem Atemtraining anleiten	**Zu folgenden Atemübungen anleiten** • Bewusste Bauch-Brust-Atmung durchführen • Flankenatmung intensivieren • Auf „fff" vertieft ausatmen **Anleiten und betreuen** • Informationsbroschüre aushändigen • Übungen gemeinsam durchgehen • Durchführung der Atemübungen kontrollieren • Erfolg bei der Atemübung besprechen und reflektieren

Pflegeziele	Pflegeintervention	Handlungsleitende Pflegeinterventionen
• Lungen werden gleichmäßig und physiologisch belüftet, Atelektasen ist vorgebeugt	• Atemübungen durchführen	**Atemübungen durchführen** • Kontaktatmen – Basaltexte durchführen

AEDL Vitale Funktionen des Lebens aufrechterhalten können

- Flankenatmung intensivieren
- Therapeutische Nasenenge durchführen
- Tief auf „fff" ausatmen
- Zwerchfellatmung üben
- Atemübungen mit dem Atemtherapeuten durchführen

Pflegeziele
- Lungen werden gleichmäßig und physiologisch belüftet, Atelektasen ist vorgebeugt
- Tiefe Inspiration ist provoziert

Pflegeintervention
- Atemübungen mit der therapeutischen Nasenenge durchführen

Pflegeziele
- Lungen werden gleichmäßig und physiologisch belüftet, Atelektasen ist vorgebeugt

Pflegeintervention
- Zum Atemtraining mit der „Blubberflasche" anleiten

Pflegeziele
- Lungen werden gleichmäßig und physiologisch belüftet, Atelektasen ist vorgebeugt

Pflegeintervention
- Atemtraining mit einem Atemtrainer durchführen

Handlungsleitende Pflegeinterventionen

Atemflussorientierte Atemtrainer einsetzen
- Mediflow
- Triflo II

Volumenorientierte Atemtrainer einsetzen
- Coach
- Voldyne

Totraumvergrößerer einsetzen
- Giebel-Rohr

Art der Hilfestellung bestimmen
- Zum richtigen Einsatz des Geräts anleiten
- Übungen gemeinsam mit Anweisungen durchführen
- Kontrollieren, ob die Maßnahmen durchgeführt werden

Pflegeziele
- Lungen werden gleichmäßig und physiologisch belüftet, Atelektasen ist vorgebeugt
- Lunge ist durch die Dehnung des knöchernen Brustkorbs entfaltet
- Verwachsungen und Verklebungen der Pleura ist vorgebeugt

Pflegeintervention
- Dehnlagerung durchführen

Handlungsleitende Pflegeinterventionen

Dehnlagerung durchführen
- Halbmondlagerung im Wechsel rechts und links durchführen
- V-Lagerung oder Schiffchenlagerung durchführen
- T-Lagerung durchführen

Literatur: 22, 108, 116, 121, 143, 167, 168, 190, 197, 228, 272, 273

AEDL Vitale Funktionen des Lebens aufrechterhalten können

Pflegediagnose
Der Bewohner atmet oberflächlich, kann aktive Atemübungen nicht durchführen, Gefahr von Pneumonie und Atelektase

► **Kennzeichen**
- Reagiert nicht auf Ansprache/Zuruf
- Reagiert nicht auf Aufforderung zu Atemübungen
- Vermeidet es, tief Luft zu holen
- Schonhaltung im Oberkörperbereich
- Oberflächliche Bauchatmung
- Oberflächliche Brustatmung

► **Ursachen**
- Rippenprellung
- Immobilität
- Störung des Atemzentrums
- Schmerzbedingte Schonatmung
- Bewusstlosigkeit
- Demenz

► **Ressourcen**
- Atmet bei guter Einstellung mit Schmerzmedikation vertieft
- Toleriert die therapeutische/pflegerische Intervention
- Toleriert die atemunterstützende Lagerung

Pflegeziele
- Lungen werden gleichmäßig und physiologisch belüftet, Atelektasen ist vorgebeugt
- Lunge ist durch die Dehnung des knöchernen Brustkorbs entfaltet
- Verwachsungen und Verklebungen der Pleura ist vorgebeugt

Pflegeintervention
- Dehnlagerung durchführen

Handlungsleitende Pflegeinterventionen

Dehnlagerung durchführen
- Halbmondlagerung im Wechsel rechts und links durchführen
- V-Lagerung oder Schiffchenlagerung durchführen
- T-Lagerung durchführen

Pflegeziele
- Atmung ist vertieft
- Wohlbefinden und Entspannung sind unterstützt

Pflegeintervention
- ASE – Atemstimulierende Einreibung durchführen

Handlungsleitende Pflegeinterventionen

Atemstimulierende/rhythm. Einreibung durchführen

Lagerung bei der ASE bestimmen
- Sitzend, mit den Armen auf den Tisch oder die Stuhllehne gestützt, durchführen
- In 135°-Lage im Bett durchführen

Literatur: 22, 116, 121, 132, 190, 272, 273, 276

Pflegediagnose
Der Bewohner atmet aufgrund von Schmerzen oberflächlich, Gefahr der Atelektase und der Pneumonie

► **Kennzeichen**
- Atmet oberflächlich
- Überwiegend Brustatmung
- Vermeidet es, tief Luft zu holen
- Schonhaltung im Oberkörperbereich

► **Ursachen**
- Rippenprellung
- Operativer Eingriff im Brust-/Thoraxbereich
- Operativer Eingriff im Bauchraum

► **Ressourcen**
- Atmet bei guter Einstellung mit Schmerzmedikation vertieft
- Kann der Aufforderung zu Atemübungen folgen
- Führt die Atemübungen nach Aufforderung und Anleitung selbstständig durch

Pflegeziele
- Schmerztherapie ist optimiert

Pflegeintervention
- Schmerz beobachten und mithilfe eines Schmerzprotokolls dokumentieren

AEDL Vitale Funktionen des Lebens aufrechterhalten können

Pflegeziele	Pflegeintervention	Handlungsleitende Pflegeinterventionen
• Führt die Atemübungen trotz Schmerzen motiviert durch • Schmerzen sind reduziert	• Analgetika nach Arztanordnung entsprechend der Ergebnisse des Schmerzprotokolls verabreichen	**Schmerztherapie lt. Arztanordnung durchführen** • Schmerzmedikation über Spritzenpumpe lt. Arzt verabreichen • Schmerzmedikation lt. Therapieplan über s. c. Injektion verabreichen • Schmerzmedikation lt. Therapieplan über i. m. Injektion verabreichen • Orale Schmerzmedikation lt. Therapieplan verabreichen • Schmerztherapie mit Zäpfchen lt. Therapieplan durchführen • Schmerzpflaster lt. Arztanordnung anbringen **Bedarfsmedikation lt. Arzt verabreichen** • Schmerzen, bei denen die Bedarfsmedikation verabreicht werden darf, beschreiben
• Führt die Atemübungen trotz Schmerzen motiviert durch	• Im Informationsgespräch die Verbindung von oberflächlicher Atmung bei Schmerzen und der Entstehung der Pneumonie aufzeigen	
• Führt die Atemübungen trotz Schmerzen motiviert durch • Bewegt sich schmerzfrei	• Gegendruck auf die Wunde oder die Schmerz ausstrahlende Region ausüben	
• Schmerzen sind reduziert	• Schmerz erleichternde Lagerung durchführen	
• Atmung ist vertieft • Wohlbefinden und Entspannung sind unterstützt	• ASE – Atemstimulierende Einreibung durchführen	**Atemstimulierende/rhythm. Einreibung durchführen** **Lagerung bei der ASE bestimmen** • Sitzend, mit den Armen auf den Tisch oder die Stuhllehne gestützt, durchführen • In 135°-Lage im Bett durchführen
• Führt die Atemübungen trotz Schmerzen motiviert durch	• Zu selbstständigem Atemtraining anleiten	**Zu folgenden Atemübungen anleiten** • Bewusste Bauch-Brust-Atmung durchführen • Flankenatmung intensivieren • Auf „fff" vertieft ausatmen **Anleiten und betreuen** • Informationsbroschüre aushändigen • Übungen gemeinsam durchgehen • Durchführung der Atemübungen kontrollieren • Erfolg bei der Atemübung besprechen und reflektieren

AEDL Vitale Funktionen des Lebens aufrechterhalten können

Pflegeziele	Pflegeintervention	Handlungsleitende Pflegeinterventionen
• Atmung ist vertieft • Führt die Atemübungen trotz Schmerzen motiviert durch	• Atemübungen durchführen	**Atemübungen durchführen** • Kontaktatmen – Basaltexte durchführen • Flankenatmung intensivieren • Therapeutische Nasenenge durchführen • Tief auf „fff" ausatmen • Zwerchfellatmung üben • Atemübungen mit dem Atemtherapeuten durchführen

Literatur: 22, 121, 162, 168, 190, 197, 228, 272, 273

► Pflegediagnosen: Ungenügende Selbstreinigungsfunktion der Atemwege

Pflegediagnose
Der Bewohner ist im Bereich des Abhustens von Bronchialsekret beeinträchtigt, Gefahr der Atelektase

► Kennzeichen	► Ursachen	► Ressourcen
• Fehlender Hustenreflex • Äußert ein Wissensdefizit über die Technik des produktiven Abhustens • Fehlende Kraft zum Abhusten • Äußert Angst vor den Schmerzen beim Abhusten • Unphysiologische Atemgeräusche	• Bewusstlosigkeit • Beatmung • Neurologische Störung • Postoperative Schmerzen/Ängste • Scham bei Inkontinenz	• Zeigt Interesse, die Abhusttechnik zu lernen • Zeigt Verhaltensweisen, die die Therapie unterstützen • Erkennt die Notwendigkeit der getroffenen Intervention und kooperiert mit dem therapeutischen Team • Toleriert die atemunterstützende Lagerung

Pflegeziele	Pflegeintervention	
• Kennt Möglichkeiten, aktiv den Therapieerfolg zu unterstützen • Bronchialsekret ist gelöst • Atemwege sind frei	• Zu produktivem Abhusten anleiten	

Pflegeziele	Pflegeintervention	
• Abhusten von Sekret ist erleichtert und produktiv • Bronchialsekret ist gelöst • Atemwege sind frei	• Beim produktiven Abhusten unterstützen	

Pflegeziele	Pflegeintervention	
• Kann Auswurf abhusten und abwerfen	• Zellstoff und Abwurfschale bereitstellen, Expektoration regelmäßig unter Beachtung der Hygienerichtlinien entsorgen	

Pflegeziele	Pflegeintervention	Handlungsleitende Pflegeinterventionen
• Atemwege sind frei	• Mund-/Nasenraum unter Beachtung der Hygienevorschriften absaugen	**Bronchialsekret absaugen** **Anzahl der benötigten Pflegepersonen bestimmen**

AEDL Vitale Funktionen des Lebens aufrechterhalten können

Pflegeziele	Pflegeintervention	Handlungsleitende Pflegeinterventionen
• Atemwege sind frei	• Endotracheal absaugen	**Endotracheal absaugen** • Absaugvorgang mit Einmalkatheter unter sterilen Kautelen durchführen • Geschlossenes Absaugsystem einsetzen **Anzahl der benötigten Pflegepersonen bestimmen**
• Abhusten und Sekrettransport aus den Bronchien ist unterstützt • Atemwege sind frei	• Quincke-Hängelage durchführen	
• Therapie ist sichergestellt	• Inhalationsgerät aufbauen	
• Abhusten und Sekrettransport aus den Bronchien sind unterstützt	• Kontinuierlichen axialen Lagewechsel in einem motorbetriebenen Spezialbett durchführen	
• Bronchialsekret ist gelöst • Atemluft ist angefeuchtet • Bronchialsekret wird abgehustet	• Inhalation durchführen	• Mit Wasserdampf inhalieren • Mit physiologischer Kochsalzlösung und Düsenvernebler inhalieren • Mit Medikament laut Arztanordnung und Düsenvernebler inhalieren **Art der Hilfestellung bestimmen** • Während der Inhalationsdauer unterstützen • Zur Inhalation anleiten
• Reinigungsfunktion der Atemwege ist unterstützt	• Atemluft anfeuchten	**Atemluft anfeuchten mit** • Ultraschallvernebler • Wärme-/Feuchtigkeitsaustauscher • Kaskaden • Künstliche Nase einsetzen • Mit physiologischer Kochsalzlösung und Düsenvernebler inhalieren **Zeitangaben zum Anfeuchten der Atemluft machen** • Kontinuierlich • Intermittierend • Ultraschallvernebler auf-/abbauen • Schlauchsystem des Ultraschallverneblers wechseln

Literatur: 22, 56, 57, 98, 108, 116, 121, 124, 143, 167, 168, 172, 261, 272, 273

AEDL Vitale Funktionen des Lebens aufrechterhalten können

Pflegediagnose
Der Bewohner hat festsitzendes Bronchialsekret, Gefahr der Atelektase

▶ **Kennzeichen**
- Unphysiologische Atemgeräusche
- Rasselgeräusche beim Atmen
- Knistern
- Giemen (trockenes, pfeifähnliches Atemgeräusch, z. B. bei Asthma)
- Pfeifen
- Unproduktiver Husten
- Äußert das Gefühl, Sekret in der Lunge zu haben
- Berichtet über Atembeschwerden
- Produktives Absaugen

▶ **Ursachen**
- Glasig zäher Schleim bei Asthma bronchiale
- Zäher Schleim bei Mukoviszidose
- Unproduktiver Husten
- Erschöpfung
- Beatmung

▶ **Ressourcen**
- Beherrscht eine produktive Hustentechnik
- Hält sich an den Trinkfahrplan
- Die Angehörigen verabreichen die Flüssigkeit nach Trinkfahrplan
- Erkennt die Notwendigkeit der getroffenen Intervention und kooperiert mit dem therapeutischen Team

---

Pflegeziele
- Pflegeinterventionen sind rechtzeitig eingeleitet
- Atemsituation ist eingeschätzt

Pflegeintervention
- Atemsituation beobachten und Ergebnisse dokumentieren

Pflegeziele
- Bronchialsekret ist gelöst
- Flüssigkeitsbilanz ist ausgeglichen

Pflegeintervention
- Flüssigkeitbedarf ermitteln und Unterstützung bei der Flüssigkeitszufuhr festlegen

Handlungsleitende Pflegeinterventionen
- Zieleinfuhr mit dem Arzt vereinbaren
- Flüssigkeitszufuhr kontrollieren und dokumentieren
- Flüssigkeit vorbereiten und in Reichweite platzieren
- Trinkfahrplan gemeinsam aufstellen
- Trinkfahrplan kontinuierlich aktualisieren und den jeweiligen Bedürfnissen anpassen

Art und Weise der Flüssigkeitsverabreichung bestimmen
- Flüssigkeit mit Teelöffel zuführen
- Flüssigkeit mit Esslöffel zuführen
- Flüssigkeit mit Trinkhalm zuführen
- Flüssigkeit mit Schnabelbecher zuführen
- Flüssigkeit mit Tasse/Glas zuführen

Art der Unterstützungsleistung bestimmen
- Unterstützen
- Beaufsichtigen
- Anleiten
- Vollständig übernehmen
- Teilweise übernehmen

Pflegeziele
- Bronchialsekret ist gelöst
- Atemluft ist angefeuchtet
- Bronchialsekret wird abgehustet

Pflegeintervention
- Inhalation durchführen

Handlungsleitende Pflegeinterventionen
- Mit Wasserdampf inhalieren
- Mit physiologischer Kochsalzlösung und Düsenvernebler inhalieren
- Mit Medikament laut Arztanordnung und Düsenvernebler inhalieren

Art der Hilfestellung bestimmen
- Während der Inhalationsdauer unterstützen
- Zur Inhalation anleiten

AEDL Vitale Funktionen des Lebens aufrechterhalten können

Pflegeziele
- Pflegeinterventionen sind rechtzeitig eingeleitet
- Atemsituation ist eingeschätzt

Pflegeintervention
- Mit hyperämisierenden Cremes, Lösungen oder Gels einreiben

Pflegeziele
- Bronchialsekret ist gelöst

Pflegeintervention
- Atemübungen mit dem VRP (Vario-Resistance-Pressure-Gerät) durchführen

Handlungsleitende Pflegeinterventionen
- Zum Erlernen der Pflegeintervention anleiten
- Bei der Pflegeintervention unterstützen

Pflegeziele
- Bronchialsekret ist gelöst
- Bronchialsekret wird abgehustet

Pflegeintervention
- Manuelle Vibrationsmassage durchführen

Handlungsleitende Pflegeinterventionen

Vibrationsmassage durchführen

Durchführen durch
- Pflegepersonal
- Physiotherapeuten

Lagerungsposition bei der Vibrationsmassage bestimmen
- Sitzend, Arme auf der Rückenlehne eines Stuhls aufgestützt
- Angelehnt, im Bett sitzend
- In 135°-Lagerung r. und l. wechselnd
- In 90°-Lagerung r. und l. wechselnd
- In 30°-Lagerung r. und l. wechselnd
- In Quincke-Hängelage

Pflegeziele
- Bronchialsekret ist gelöst

Pflegeintervention
- Vibrationsmassage mit dem Vibrationsgerät durchführen

Handlungsleitende Pflegeinterventionen

Vibrationsmassage durchführen

Durchführen durch
- Pflegepersonal
- Physiotherapeuten

Lagerungsposition bei der Vibrationsmassage bestimmen
- Sitzend, Arme auf der Rückenlehne eines Stuhls aufgestützt
- Angelehnt, im Bett sitzend
- In 135°-Lagerung r. und l. wechselnd
- In 90°-Lagerung r. und l. wechselnd
- In 30°-Lagerung r. und l. wechselnd
- In Quincke-Hängelage

Pflegeziele
- Bronchialsekret ist gelöst

Pflegeintervention
- Brustwickel anwenden, um zusätzlich Sekret zu lösen

Handlungsleitende Pflegeinterventionen
- Feuchtwarmen Kartoffelbrustwickel einsetzen
- Feuchtwarmen Zitronenbrustwickel einsetzen
- Senfwickel einsetzen

Pflegeziele
- Pflegeinterventionen sind rechtzeitig eingeleitet
- Atemsituation ist eingeschätzt

Pflegeintervention
- Thymianbad durchführen

Pflegeziele
- Bronchialsekret ist gelöst
- Atemwege sind frei

Pflegeintervention
- Lagerungsdrainagen zum Sekrettransport einsetzen

Handlungsleitende Pflegeinterventionen

Lagerungsdrainagen einsetzen
- R. und l. oberer Lungenlappen (apikale Segmente), sitzende Position

AEDL Vitale Funktionen des Lebens aufrechterhalten können

- R. Oberlappen (posteriores Segment), 135° l. Seite, l. Arm nach hinten ausstrecken
- L. Oberlappen (posteriores Segment), 135° r., nach vorn und erhöht lagern
- R. und l. Oberlappen (anteriore Segmente), flache Rückenlage, Knie unterstützen
- L. unteres Ende Oberlappen (Lingula), 45° r. Seite, Fußende ca. 30 cm erhöhen
- R. Mittellappen, 45° l. Seite, Fußende 30 cm erhöht
- R. und l. Unterlappen (apikale Segmente), Bauchlage, Füße unterstützen
- R. und l. Unterlappen (anterobasale Segmente), Rückenlage, Knie unterstützt, Fußende 40 cm erhöht
- R. und l. Unterlappen (posterobasale Segmente), Kopftieflage
- R. Unterlappen (laterobasales Segment), l. Seitenlage, Fußende ca. 40 cm erhöht
- L. Unterlappen (laterobasales Segment), r. Seitenlage, Fußende ca. 40 cm erhöht

Pflegeziele
- Kann Auswurf abhusten und abwerfen

Pflegeintervention
- Zellstoff und Abwurf bereitstellen und regelmäßig entsorgen

Pflegeziele
- Einer Infektion/Keimverschleppung ist vorgebeugt

Pflegeintervention
- Mundspülung ermöglichen

Handlungsleitende Pflegeinterventionen

Mund- und Zahnhygiene sicherstellen
- Materialien zur Mund- und Zahnhygiene bereitstellen
- Zahnpflege mit Zahnbürste und Zahnpasta durchführen
- Zahn(teil)prothese reinigen
- Zahnprothesenreinigung und Mundspülung durchführen
- Spezielle Mundpflege durchführen

Bei der Mundpflege helfen
- Beaufsichtigen
- Teilweise übernehmen
- Durch Unterstützen helfen
- Vollständig übernehmen
- Zur Pflegeintervention anleiten

Mundpflege durchführen

Pflegeziele
- Bronchialsekret ist gelöst

Pflegeintervention
- Atemwege mit einem Ultraschallvernebler anfeuchten

Handlungsleitende Pflegeinterventionen

Atemluft anfeuchten mit
- Ultraschallvernebler
- Mit Wasserdampf inhalieren
- Ultraschallvernebler auf-/abbauen
- Schlauchsystem des Ultraschallverneblers wechseln

Pflegeziele
- Therapie ist sichergestellt

Pflegeintervention
- Inhalationsgerät aufbauen

AEDL Vitale Funktionen des Lebens aufrechterhalten können

Pflegeziele	Pflegeintervention	Handlungsleitende Pflegeinterventionen
• Reinigungsfunktion der Atemwege ist unterstützt	• Atemluft anfeuchten	**Atemluft anfeuchten mit** • Ultraschallvernebler • Wärme-/Feuchtigkeitsaustauscher • Kaskaden • Künstliche Nase einsetzen • Mit physiologischer Kochsalzlösung und Düsenvernebler inhalieren **Zeitangaben zum Anfeuchten der Atemluft machen** • Kontinuierlich • Intermittierend • Ultraschallvernebler auf-/abbauen • Schlauchsystem des Ultraschallverneblers wechseln

Literatur: 22, 98, 108, 116, 121, 143, 167, 168, 272, 273

▶ Pflegediagnosen: Kreislaufregulationsstörungen

Pflegediagnose
Der Bewohner hat eine reduzierte Herzleistung, es besteht die Gefahr von Komplikationen und Aktivitätsintoleranz

▶ Kennzeichen	▶ Ursachen	▶ Ressourcen
• Hypertonie • Hypotonie • Schwankende Blutdruckwerte • Jugularvenenstauung • Arrhythmien • Farbveränderung der Haut • Kaltschweißigkeit • Munddreieck • Äußert Schmerzen im Brustbereich • Wassereinlagerung/Gewichtszunahme • Rasselgeräusche beim Atmen • Tachypnoe • Unruhezustände • Bewusstseinsveränderung	• Herzinsuffizienz • Entzündliche Herzerkrankung • Rechtsherzinsuffizienz • Linksherzinsuffizienz • Myokardinfarkt • Chronisch obstruktive Lungenerkrankung • Operativer Eingriff am Herz	• Hält die Verhaltensmaßregeln ein • Kann die Zusammenhänge zwischen notwendiger Verhaltensänderung und Krankheit/Symptomen erklären • Passt sich dem veränderten Aktionspotenzial an • Ist motiviert, die Pflegemaßnahme zu unterstützen, und zeigt entsprechende Verhaltensweisen • Findet Freude an ruhigeren Aktivitäten

Pflegeziele	Pflegeintervention	Handlungsleitende Pflegeinterventionen
• Herz-Kreislauf-Situation ist kontinuierlich eingeschätzt	• Vitalzeichenkontrolle durchführen	**Überwachungsmonitor benutzen** • Überwachungsmonitor benutzen • Pulsfrequenz/-qualität messen • Blutdruckwert messen • Atemfrequenz/-qualität messen • Körpertemperatur messen • Sauerstoffsättigung mit Oximeter überprüfen **Vitalzeichenwerte manuell messen** • Pulsfrequenz/-qualität messen • Blutdruckwert messen • Atemfrequenz/-qualität messen • Körpertemperatur messen • Besonderheiten bei der Messung bestimmen

AEDL Vitale Funktionen des Lebens aufrechterhalten können

- Am rechten Arm messen
- Am linken Arm messen

Pflegeziele
- Herz-Kreislauf-Situation ist kontinuierlich eingeschätzt

Pflegeintervention
- Durch Monitoring Herzaktivität kontinuierlich überwachen

Pflegeziele
- Erstickungsangst ist reduziert
- Sauerstoffversorgung ist gewährleistet

Pflegeintervention
- Sauerstoff nach Arztanordnung verabreichen

Handlungsleitende Pflegeinterventionen
Sauerstoff nach Arztanordnung verabreichen
- Sauerstoff in der Akutphase verabreichen
- Kontinuierlich Sauerstoff verabreichen
- Intermittierend Sauerstoff verabreichen

Sauerstoff verabreichen mit
- Sauerstoffsonde
- Sauerstoffbrille
- Sauerstoffmaske

Sauerstoffkonzentration angeben
Pflege bei Sauerstofftherapie durchführen
- Nasen- und Sondenpflege durchführen (N)
- Schlauchsystem aseptisch aufbereiten

Pflegeziele
- Flüssigkeits- und Elektrolythaushalt sind ausgeglichen

Pflegeintervention
- ZVD-Messung durchführen

Pflegeziele
- Infusionstherapie lt. Arztanordnung ist sichergestellt

Pflegeintervention
- Infusionstherapie laut Arztanordnung vorbereiten und Infusionen anhängen

Handlungsleitende Pflegeinterventionen
Infusionen ohne Zusätze anhängen
- 1–2 Infusionen anhängen
- 3–4 Infusionen anhängen
- 5 und > Infusionen anhängen

Infusionen mit Zusätzen anhängen
- 1–2 Infusionen mit Zusätzen anhängen
- 3–4 Infusionen mit Zusätzen anhängen
- 5 und > Infusionen mit Zusätzen anhängen

Besondere Infusionslösungen anhängen
- Zytostase vorbereiten und anhängen
- Infusionslösung mit Trockenpulver herstellen
- Zwei- und Dreiwegehähne auswechseln
- Hahnenbank austauschen
- Besonderheiten bestimmen
- Über Infusomat verabreichen
- Über Perfusor verabreichen
- Über Tropfenzähler verabreichen

Tropfgeschwindigkeit einstellen

Pflegeziele
- Sichere Medikamentenverabreichung nach Arztanordnung ist gewährleistet

Pflegeintervention
- Medikamente mithilfe eines Perfusors intravenös verabreichen

Handlungsleitende Pflegeinterventionen
Infusionen ohne Zusätze anhängen
- 1–2 Infusionen anhängen
- 3–4 Infusionen anhängen
- 5 und > Infusionen anhängen

Infusionen mit Zusätzen anhängen
- 1–2 Infusionen mit Zusätzen anhängen
- 3–4 Infusionen mit Zusätzen anhängen
- 5 und > Infusionen mit Zusätzen anhängen

AEDL Vitale Funktionen des Lebens aufrechterhalten können

Besondere Infusionslösungen anhängen
- Zytostase vorbereiten und anhängen
- Infusionslösung mit Trockenpulver herstellen
- Zwei- und Dreiwegehähne auswechseln
- Hahnenbank austauschen
- Besonderheiten bestimmen
- Über Infusomat verabreichen
- Über Perfusor verabreichen
- Über Tropfenzähler verabreichen

Tropfgeschwindigkeit einstellen

Pflegeziele
- Körperlicher Überforderung ist vorgebeugt

Pflegeintervention
- In Abhängigkeit von der Atemsituation stufenweise mobilisieren

Handlungsleitende Pflegeinterventionen

Mobilisation durchführen

Art der Mobilisation bestimmen
- Am Bettrand sitzen (Querbettsitzen)
- Im Rollstuhl/Lehnstuhl sitzen
- Aufstehen/Transfer durchführen
- Gehen
- Mit Gehhilfen gehen

Erschwerte Bedingungen feststellen
- Zu- und Ableitungssysteme
- Kreislaufinstabilität
- Abwehrhaltung
- Lähmung
- Kontraktur
- Spasmus

Art der Unterstützungsleistung bestimmen
- Beaufsichtigen
- Teilweise übernehmen
- Vollständig übernehmen
- Zur Durchführung anleiten

Hilfsmittel einsetzen
- Rollator
- Gehkrücken
- Rollstuhl

Pflegeziele
- Fühlt sich angenommen und verstanden
- Kennt die Behandlungsziele und ist zur Mitarbeit motiviert

Pflegeintervention
- Gesprächsbereitschaft signalisieren und kurzes Gespräch über Befindlichkeit und Wünsche führen, außerdem über den Pflege- und Behandlungsprozess informieren

---

Pflegeziele
- Fühlt sich angenommen und verstanden
- Entwickelt eine Zukunftsperspektive mit den Einschränkungen der Behinderung

Pflegeintervention
- Beratungsgespräch über die Zukunft führen, falls erwünscht

Pflegeziele
- Urinausscheidung ist erhöht

Pflegeintervention
- Stundenurinkontrolle durchführen und bei der Negativ-Bilanzierung unterstützen

Handlungsleitende Pflegeinterventionen

Flüssigkeitsbilanzierung durchführen
- ZVD-Messung durchführen
- Flüssigkeitsbilanzierung durchführen
- Stundenurinkontrolle durchführen
- Ausfuhr berechnen

AEDL Vitale Funktionen des Lebens aufrechterhalten können

- Einfuhr berechnen
- Bilanzprotokoll erstellen

Flüssigkeitszufuhr lt. Arztanordnung festlegen

- Positiv-Bilanz
- Negativ-Bilanz
- Ausgeglichene Bilanz

Erfassungszeitraum bestimmen/sonstige Angaben

- Blase am Ende des Erfassungszeitraums entleeren lassen
- Ergebnisse in die Dokumentation eintragen
- Erfassungszeitraum bestimmen

Pflegeziele	Pflegeintervention	Handlungsleitende Pflegeinterventionen
• Therapie ist sichergestellt	• Bei diagnostischen Untersuchungen des Herzes unterstützen/diese vorbereiten	• 12-Kanal-EKG anlegen und schreiben • Langzeit-EKG anlegen und schreiben • Bei elektrophysiologischen Untersuchungen assistieren • Bei der Herzkatheteruntersuchung assistieren

Literatur: 50, 108, 121, 143, 167, 168, 245, 258, 272, 273

Pflegediagnose
Der Bewohner neigt zu hypotonen Kreislaufveränderungen, Gefahr von Komplikationen

▶ **Kennzeichen**

- Konzentrationsschwäche
- Äußerungen über Leistungsschwäche
- Blutdruckwerte unter 105/60 mmHg
- Körperliche Schwäche
- Kreislaufkollaps bei der Mobilisation
- Sturzneigung
- Schwindelgefühl beim Aufstehen
- Schwindelgefühl beim Aufsetzen
- Oligurie: Harnausscheidung zwischen 100 und 500 ml täglich
- Anurie: Harnausscheidung weniger als 100 ml pro Tag

▶ **Ursachen**

- Herzinsuffizienz
- Nebennierenerkrankung
- Hypovolämie
- Orthostatische Dysregulation
- Gefäßwandschädigung
- Arzneimitteleinnahme gegen Hypertonie

▶ **Ressourcen**

- Hält die Verhaltensmaßregeln ein
- Kennt krankheits- bzw. symptomauslösende Faktoren und kann diese vermeiden
- Erkennt/fühlt die Blutdruckveränderungen und meldet sich
- Setzt Maßnahmen zur Blutdruckstabilisierung selbstständig ein

Pflegeziele	Pflegeintervention	Handlungsleitende Pflegeinterventionen
• Herz-Kreislauf-System ist stabil • Komplikationen ist vorgebeugt	• Herz-Kreislauf-Situation beobachten, erfassen und dokumentieren	**Überwachungsmonitor benutzen** • Überwachungsmonitor benutzen • Pulsfrequenz/-qualität messen • Blutdruckwert messen • Atemfrequenz/-qualität messen • Körpertemperatur messen • Sauerstoffsättigung mit Oximeter überprüfen **Vitalzeichenwerte manuell messen** • Pulsfrequenz/-qualität messen

AEDL Vitale Funktionen des Lebens aufrechterhalten können

- Blutdruckwert messen
- Atemfrequenz/-qualität messen
- Körpertemperatur messen
- Besonderheiten bei der Messung bestimmen
- Am rechten Arm messen
- Am linken Arm messen

Pflegeziele	Pflegeintervention	Handlungsleitende Pflegeinterventionen
• Herz-Kreislauf-System ist stabil • Äußert Gefühl der Sicherheit • Verletzungen sind vermieden	• Vor der Mobilisation kreislaufstabilisierende Interventionen durchführen	**Kreislaufstabilisierende Maßnahmen vor der Mobilisation durchführen** • Blutdruckkontrolle durchführen • Aktive Bewegungsübungen im Bett durchführen • Antithrombosestrümpfe anziehen

Pflegeziele	Pflegeintervention
• Herz-Kreislauf-System ist stabil • Akzeptiert Unterstützung in den Aktivitäten des täglichen Lebens • Kann die persönliche Belastbarkeit einschätzen	• Individuelle Leistungsfähigkeit erfassen und körperliche Aktivitäten festlegen

Pflegeziele	Pflegeintervention	Handlungsleitende Pflegeinterventionen
• Flüssigkeitsbilanz ist ausgeglichen	• Flüssigkeitsbilanzierung durchführen	**Ein-/Ausfuhr kontrollieren** • Einfuhr kontrollieren • Ausfuhr kontrollieren • Flüssigkeitsbilanzierung durchführen • Stundenurinkontrolle durchführen **Erfassungszeitraum bestimmen/sonstige Angaben** • Blase am Ende des Erfassungszeitraums entleeren lassen • Einfuhr berechnen • Ausfuhr berechnen • Ergebnisse in die Dokumentation eintragen • Erfassungszeitraum bestimmen

Pflegeziele	Pflegeintervention
• Urinausscheidung ist eingeschätzt, Komplikationen werden erkannt	• Urinausscheidung beobachten

Literatur: 50, 108, 121, 143, 167, 168, 245, 258, 272, 273

AEDL Vitale Funktionen des Lebens aufrechterhalten können

Pflegediagnose
Der Bewohner neigt zu hypertonen Blutdruckwerten, Gefahr von Komplikationen

▶ **Kennzeichen**
- Äußert Kopfschmerzen
- Ohrgeräusche
- Herzklopfen
- Erhöhter Blutdruck
- Schwindelgefühl
- Schweißausbruch
- Roter Kopf

▶ **Ursachen**
- Übergewicht
- Alkoholkonsum
- Fehlernährung
- Steht unter starker Anspannung/Stress
- Nierenarterienstenose
- Erkankung des Nierenparenchyms
- Einnahme bestimmter Arzneimittel
- Hormonstörung
- Schwangerschaftsinduzierte Hypertonie

▶ **Ressourcen**
- Akzeptiert die Notwendigkeit der Diät (bestimmte Einschränkungen)
- Kennt Vorbeugungsmaßnahmen und unterstützt diese aktiv
- Hält die Verhaltensmaßregeln ein
- Erkennt/fühlt die Blutdruckveränderungen und meldet sich
- Ist aktiv daran interessiert, Lebensgewohnheiten zu verändern

Pflegeziele
- Komplikationen sind frühzeitig erkannt und abgewendet

Pflegeintervention
- Herz-Kreislauf-Situation beobachten, erfassen und dokumentieren

Handlungsleitende Pflegeinterventionen

Überwachungsmonitor benutzen
- Überwachungsmonitor benutzen
- Pulsfrequenz/-qualität messen
- Blutdruckwert messen
- Atemfrequenz/-qualität messen
- Körpertemperatur messen
- Sauerstoffsättigung mit Oximeter überprüfen

Vitalzeichenwerte manuell messen
- Pulsfrequenz/-qualität messen
- Blutdruckwert messen
- Atemfrequenz/-qualität messen
- Körpertemperatur messen
- Besonderheiten bei der Messung bestimmen
- Am rechten Arm messen
- Am linken Arm messen

Pflegeziele
- Akzeptiert Unterstützung in den Aktivitäten des täglichen Lebens
- Kann die persönliche Belastbarkeit einschätzen

Pflegeintervention
- Individuelle Leistungsfähigkeit erfassen und körperliche Aktivitäten festlegen

Pflegeziele
- Komplikationen sind frühzeitig erkannt und abgewendet

Pflegeintervention
- Vor mobilisierenden Maßnahmen Blutdruck kontrollieren

Pflegeziele
- Komplikationen sind frühzeitig erkannt und abgewendet
- Bluthochdruck auslösende Faktoren sind identifiziert und abgebaut

Pflegeintervention
- Gespräch über psychosoziale Stresssituation führen

Literatur: 50, 108, 121, 143, 167, 168, 245, 258, 272, 273

AEDL Vitale Funktionen des Lebens aufrechterhalten können

Pflegediagnose
Der Bewohner hat eine instabile Herz-Kreislauf-Situation, Gefahr von Komplikationen

▶ **Kennzeichen**
- Eingeschränkte Leistungsfähigkeit
- Äußert Schmerzen im Brustbereich
- Fühlt sich chronisch müde und matt
- Beschreibt plötzliches Herzrasen
- Hat Synkopen
- Beschreibt fehlende Zukunftsperspektiven
- Atemnot und Druck auf der Brust

▶ **Ursachen**
- Herzinsuffizienz
- Herzrhythmusstörungen
- Extrasystole
- Tachykardie
- Entzündliche Herzerkrankung

▶ **Ressourcen**
- Passt sich dem veränderten Aktionspotenzial an
- Findet Freude an ruhigeren Aktivitäten

Pflegeziele
- Komplikationen ist vorgebeugt
- Herz-Kreislauf-System ist entlastet

Pflegeintervention
- Für Einhaltung der Bettruhe sorgen

Pflegeziele
- Herz-Kreislauf-Situation ist kontinuierlich eingeschätzt

Pflegeintervention
- Vitalzeichenkontrolle durchführen

Handlungsleitende Pflegeinterventionen

Überwachungsmonitor benutzen
- Überwachungsmonitor benutzen
- Pulsfrequenz/-qualität messen
- Blutdruckwert messen
- Atemfrequenz/-qualität messen
- Körpertemperatur messen
- Sauerstoffsättigung mit Oximeter überprüfen

Vitalzeichenwerte manuell messen
- Pulsfrequenz/-qualität messen
- Blutdruckwert messen
- Atemfrequenz/-qualität messen
- Körpertemperatur messen
- Besonderheiten bei der Messung bestimmen
- Am rechten Arm messen
- Am linken Arm messen

Pflegeziele
- Körperlicher Überforderung ist vorgebeugt

Pflegeintervention
- In Abhängigkeit von der Atemsituation stufenweise mobilisieren

Handlungsleitende Pflegeinterventionen

Mobilisation durchführen

Art der Mobilisation bestimmen
- Am Bettrand sitzen (Querbettsitzen)
- Im Rollstuhl/Lehnstuhl sitzen
- Aufstehen/Transfer durchführen
- Gehen
- Mit Gehhilfen gehen

Erschwerte Bedingungen feststellen
- Zu- und Ableitungssysteme
- Kreislaufinstabilität
- Abwehrhaltung
- Lähmung
- Kontraktur
- Spasmus

AEDL Vitale Funktionen des Lebens aufrechterhalten können

Art der Unterstützungsleistung bestimmen
- Beaufsichtigen
- Teilweise übernehmen
- Vollständig übernehmen
- Zur Durchführung anleiten

Hilfsmittel einsetzen
- Rollator
- Gehkrücken
- Rollstuhl

Pflegeziele
- Fühlt sich angenommen und verstanden
- Kennt die Behandlungsziele und ist zur Mitarbeit motiviert

Pflegeintervention
- Gesprächsbereitschaft signalisieren und kurzes Gespräch über Befindlichkeit und Wünsche führen, außerdem über den Pflege- und Behandlungsprozess informieren

Pflegeziele
- Fühlt sich angenommen und verstanden
- Entwickelt eine Zukunftsperspektive mit den Einschränkungen der Behinderung

Pflegeintervention
- Beratungsgespräch über die Zukunft führen, falls erwünscht

Pflegeziele
- Herz-Kreislauf-Situation ist kontinuierlich eingeschätzt

Pflegeintervention
- Vitalzeichenkontrolle durchführen

Handlungsleitende Pflegeinterventionen
Überwachungsmonitor benutzen
- Überwachungsmonitor benutzen
- Pulsfrequenz/-qualität messen
- Blutdruckwert messen
- Atemfrequenz/-qualität messen
- Körpertemperatur messen
- Sauerstoffsättigung mit Oximeter überprüfen

Vitalzeichenwerte manuell messen
- Pulsfrequenz/-qualität messen
- Blutdruckwert messen
- Atemfrequenz/-qualität messen
- Körpertemperatur messen
- Besonderheiten bei der Messung bestimmen
- Am rechten Arm messen
- Am linken Arm messen

Pflegeziele
- Erstickungsangst ist reduziert
- Sauerstoffversorgung ist gewährleistet

Pflegeintervention
- Sauerstoff nach Arztanordnung verabreichen

Handlungsleitende Pflegeinterventionen
Sauerstoff nach Arztanordnung verabreichen
- Sauerstoff in der Akutphase verabreichen
- Kontinuierlich Sauerstoff verabreichen
- Intermittierend Sauerstoff verabreichen

Sauerstoff verabreichen mit
- Sauerstoffsonde
- Sauerstoffbrille
- Sauerstoffmaske

Sauerstoffkonzentration angeben

Pflege bei Sauerstofftherapie durchführen
- Nasen- und Sondenpflege durchführen (N)
- Schlauchsystem aseptisch aufbereiten

AEDL Vitale Funktionen des Lebens aufrechterhalten können

Pflegeziele	Pflegeintervention	
• Herz-Kreislauf-Situation ist kontinuierlich eingeschätzt	• Durch Monitoring Herzaktivität kontinuierlich überwachen	

Pflegeziele	Pflegeintervention	Handlungsleitende Pflegeinterventionen
• Sichere Medikamentenverabreichung nach Arztanordnung ist gewährleistet	• Medikamente mithilfe eines Perfusors intravenös verabreichen	**Infusionen ohne Zusätze anhängen** • 1–2 Infusionen anhängen • 3–4 Infusionen anhängen • 5 und > Infusionen anhängen **Infusionen mit Zusätzen anhängen** • 1–2 Infusionen mit Zusätzen anhängen • 3–4 Infusionen mit Zusätzen anhängen • 5 und > Infusionen mit Zusätzen anhängen **Besondere Infusionslösungen anhängen** • Zytostase vorbereiten und anhängen • Infusionslösung mit Trockenpulver herstellen • Zwei- und Dreiwegehähne auswechseln • Hahnenbank austauschen • Besonderheiten bestimmen • Über Infusomat verabreichen • Über Perfusor verabreichen • Über Tropfenzähler verabreichen **Tropfgeschwindigkeit einstellen**

Pflegeziele	Pflegeintervention	Handlungsleitende Pflegeinterventionen
• Infusionstherapie lt. Arztanordnung ist sichergestellt	• Infusionstherapie laut Arztanordnung vorbereiten und Infusionen anhängen	**Infusionen ohne Zusätze anhängen** • 1–2 Infusionen anhängen • 3–4 Infusionen anhängen • 5 und > Infusionen anhängen **Infusionen mit Zusätzen anhängen** • 1–2 Infusionen mit Zusätzen anhängen • 3–4 Infusionen mit Zusätzen anhängen • 5 und > Infusionen mit Zusätzen anhängen **Besondere Infusionslösungen anhängen** • Zytostase vorbereiten und anhängen • Infusionslösung mit Trockenpulver herstellen • Zwei- und Dreiwegehähne auswechseln • Hahnenbank austauschen • Besonderheiten bestimmen • Über Infusomat verabreichen • Über Perfusor verabreichen • Über Tropfenzähler verabreichen **Tropfgeschwindigkeit einstellen**

Pflegeziele	Pflegeintervention	Handlungsleitende Pflegeinterventionen
• Urinausscheidung ist erhöht	• Stundenurinkontrolle durchführen und bei der Negativ-Bilanzierung unterstützen	**Flüssigkeitsbilanzierung durchführen** • ZVD-Messung durchführen • Flüssigkeitsbilanzierung durchführen • Stundenurinkontrolle durchführen • Ausfuhr berechnen • Einfuhr berechnen • Bilanzprotokoll erstellen **Flüssigkeitszufuhr lt. Arztanordnung festlegen** • Positiv-Bilanz • Negativ-Bilanz • Ausgeglichene Bilanz

AEDL Vitale Funktionen des Lebens aufrechterhalten können

		Erfassungszeitraum bestimmen/sonstige Angaben
		• Blase am Ende des Erfassungszeitraums entleeren lassen • Ergebnisse in die Dokumentation eintragen • Erfassungszeitraum bestimmen

Pflegeziele	Pflegeintervention	Handlungsleitende Pflegeinterventionen
• Therapie ist sichergestellt	• Bei diagnostischen Untersuchungen des Herzes unterstützen/diese vorbereiten	• 12-Kanal-EKG anlegen und schreiben • Langzeit-EKG anlegen und schreiben • Bei elektrophysiologischen Untersuchungen assistieren • Bei der Herzkatheteruntersuchung assistieren

Literatur: 50, 108, 121, 143, 167, 168, 245, 258, 272, 273

▶ Pflegediagnosen: Tracheostomie, Intubation und Beatmung

Pflegediagnose
Der Bewohner umgeht die normale Funktion der Nase (physiologische Befeuchtung), Gefahr der Austrocknung der Atemwege

▶ Kennzeichen	▶ Ursachen	▶ Ressourcen
• Sichtbare Borken in der Nase • Zähes Bronchialsekret • Trachealkanüle • Orotrachealer Tubus • Nasotrachealer Tubus	• Beatmung • Anlage eines Tracheostomas • Intubation • Mundatmung	• Äußert Verständnis über die Notwendigkeit der Maßnahme • Hält sich an den Trinkfahrplan • Die Angehörigen verabreichen die Flüssigkeit nach Trinkfahrplan

Pflegeziele	Pflegeintervention	Handlungsleitende Pflegeinterventionen
• Atemwegsschleimhaut ist intakt • Bronchialsekret ist physiologisch • Zilienbeweglichkeit ist aufrechterhalten	• Einatmungsluft anfeuchten	**Atemluft anfeuchten mit** • Ultraschallvernebler • Wärme-/Feuchtigkeitsaustauscher • Kaskaden • Künstliche Nase einsetzen • Mit physiologischer Kochsalzlösung und Düsenvernebler inhalieren **Zeitangaben zum Anfeuchten der Atemluft machen** • Kontinuierlich • Intermittierend • Ultraschallvernebler auf-/abbauen • Schlauchsystem des Ultraschallverneblers wechseln

Pflegeziele	Pflegeintervention	
• Ausreichende Flüssigkeitszufuhr ist sichergestellt	• Flüssigkeitszufuhr festlegen und den Bewohner einweisen	

Pflegeziele	Pflegeintervention	Handlungsleitende Pflegeinterventionen
• Ausreichende Flüssigkeitszufuhr ist sichergestellt	• Flüssigkeit nach Trinkfahrplan verabreichen	**Tägliche Flüssigkeitszufuhr kontrollieren** • Mithilfe des Trinkfahrplans kontrollieren

AEDL Vitale Funktionen des Lebens aufrechterhalten können

- Flüssigkeitszufuhr auf einem Bilanzbogen dokumentieren
- Zieleinfuhr mit dem Arzt vereinbaren
- Trinkfahrplan aktualisieren
- Trinkmenge zusammenzählen und dokumentieren

Literatur: 22, 98, 116, 121, 124, 143, 167, 168, 172, 261, 272, 273

Pflegediagnose
Der Bewohner trägt eine Trachealkanüle/einen Tubus, Gefahr von Fehllage, Drucknekrose und Tracheomalazie

▶ Kennzeichen	▶ Ursachen	▶ Ressourcen
- Trachealkanüle - Orotrachealer Tubus - Nasotrachealer Tubus - Geblockter Cuff	- Manipulationen am Tubus/an der Trachealkanüle - Tracheotomie/Tubus entblockt - Toleriert den Tubus nicht - Toleriert die Trachealkanüle nicht - Zu hoher Cuffdruck	- Physiologische Schleimhautverhältnisse - Verhält sich entsprechend der Anleitung und Anweisung - Toleriert die Intubation - Angehörige zeigen Bereitschaft, neu zu lernen

Pflegeziele	Pflegeintervention	
- Atemwege sind frei - Trachealkanüle/Tubus liegt fachgerecht	- Kanüle/Tubus auf Lageveränderungen beobachten	

Pflegeziele	Pflegeintervention	
- Lungen werden gleichmäßig und physiologisch belüftet, Atelektasen ist vorgebeugt - Fehllage des Tubus ist erkannt	- Lunge nach Manipulationen am Tubus/an der Trachealkanüle auskultieren	

Pflegeziele	Pflegeintervention	Handlungsleitende Pflegeinterventionen
- Korrekte Kanülenlage/Tubuslage ist sichergestellt	- Tubusfixierung bzw. Fixierung der Trachealkanüle durchführen und regelmäßig kontrollieren/erneuern	**Fixierung kontrollieren und erneuern** - Fixierung des orotrachealen Tubus - Fixierung des nasotrachealen Tubus mit Pflasterstreifen auf dem Nasenrücken - Fixierung des nasotrachealen Tubus beim Kind/Neugeborenen auf Nasenrücken und Wangen - Zum Schutz beim Pflasterwechsel der Fixierung dünnen Hydrokolloidverband unterkleben - Trachealkanüle mit Halteband fixieren

Pflegeziele	Pflegeintervention	Handlungsleitende Pflegeinterventionen
- Angeordneter Cuff-Druck ist kontinuierlich sichergestellt	- Cuffdruckkontrollen durchführen, Cuffdruck nach Arztanordnung einstellen (Richtwert: 17–23 mmHg)	**Cuffdruckkontrollen durchführen** - Cuffdruck mithilfe eines Manometers kontrollieren - Angeordneten Cuffdruck kontrollieren - Kehlkopf auskultieren, um festzustellen, ob der Cuff die Trachea dicht abschließt - Die in den Cuff eingespritzte Luftmenge dokumentieren

AEDL Vitale Funktionen des Lebens aufrechterhalten können

Pflegeziele	Pflegeintervention
• Einer Tracheomalazie bzw. Druckstellen ist vorgebeugt	• Cuff lt. Arztanweisung entblocken, bei nicht beatmetem Bewohner

Pflegeziele	Pflegeintervention
• Sicherheit ist gewährleistet	• Beim Tubuswechsel assistieren

Literatur: 22, 98, 116, 118, 119, 121, 124, 143, 167, 168, 172, 261

Pflegediagnose
Der Bewohner trägt eine Trachealkanüle/einen Tubus, Öffnung ist ungeschützt, es besteht Infektionsgefahr und Gefahr des Eindringens von Fremdkörpern

▶ **Kennzeichen**
- Trachealkanülenöffnung ohne künstliche Nase

▶ **Ursachen**
- Wissensdefizit über Verhaltensregeln
- Fehlendes Hygieneempfinden

▶ **Ressourcen**
- Kennt die Schutz- und Hygienemaßnahmen und hält sie ein
- Hält die Verhaltensmaßregeln ein
- Kann die Zusammenhänge zwischen notwendiger Verhaltensänderung und Krankheit/Symptomen erklären
- Ist motiviert, die Pflegemaßnahme zu unterstützen, und zeigt entsprechende Verhaltensweisen

Pflegeziele	Pflegeintervention	Handlungsleitende Pflegeinterventionen
• Eine Verschlechterung des Krankheitsbilds ist frühzeitig erkannt	• Auf Atemqualität, Zeichen eines Sauerstoffmangels und Infektionszeichen beobachten	**Atemsituation beobachten** • Atemfrequenz und Atemqualität beobachten • Peak-Flow-Messung durchführen • Blutgasanalyse (BGA) durchführen • Auf Zyanosezeichen beobachten • Sauerstoffverabreichung kontrollieren

Pflegeziele	Pflegeintervention
• Atemluft ist angefeuchtet	• Künstliche Nase/HME-Filter (Heat and Moisture Exchanger/ Wärme- und Feuchtigkeitsaustauscher) benutzen

Pflegeziele	Pflegeintervention
• Einer Infektion ist vorgebeugt bzw. sie ist rechtzeitig erkannt	• Am Tracheostoma unter sterilen Kautelen hantieren

Pflegeziele	Pflegeintervention
• Einer Infektion ist vorgebeugt bzw. sie ist rechtzeitig erkannt • Dem Eindringen von Wasser oder Fremdkörpern ist vorgebeugt	• Dem Eindringen von Fremdkörpern in das Tracheostoma vorbeugen

Literatur: 98, 116, 121, 124, 143, 167, 168, 172, 261, 272, 273

AEDL Vitale Funktionen des Lebens aufrechterhalten können

Pflegediagnose
Der Bewohner hat einen fehlenden Glottisschluss und kann nicht abhusten, Gefahr der Atelektasenbildung

▶ **Kennzeichen**
- Unphysiologische Atemgeräusche
- Rasselgeräusche beim Atmen
- Knistern
- Giemen (trockenes, pfeifähnliches Atemgeräusch, z. B. bei Asthma)
- Pfeifen
- Unproduktiver Husten

▶ **Ursachen**
- Intubation
- Anlage eines Tracheostomas

▶ **Ressourcen**
- Toleriert die atemunterstützende Lagerung
- Toleriert die therapeutische/pflegerische Intervention

Pflegeziele
- Atemwege sind frei

Pflegeintervention
- Endotracheal absaugen

Handlungsleitende Pflegeinterventionen
Endotracheal absaugen
- Absaugvorgang mit Einmalkatheter unter sterilen Kautelen durchführen
- Geschlossenes Absaugsystem einsetzen

Anzahl der benötigten Pflegepersonen bestimmen

Pflegeziele
- Atemwege sind frei

Pflegeintervention
- Bronchiallavage mit NaCl-Lösung durchführen

Pflegeziele
- Bronchialsekret ist gelöst

Pflegeintervention
- Abhusten bei liegender Intubation/Tracheotomie mithilfe eines Beatmungsbeutels unterstützen

Literatur: 116, 121, 273

AEDL Vitale Funktionen des Lebens aufrechterhalten können

▶ Pflegediagnosen im Zusammenhang mit Wärmeregulation – Hyperthermie

Pflegediagnose
Der Bewohner hat chronisch kalte Füße

▶ **Kennzeichen**
- Äußert Kältegefühl in den Füßen
- Kühle Haut an den Füßen
- Blässe der Haut
- Sensibilitätsstörung

▶ **Ursachen**
- AVK I.–II. Grads
- Morbus Raynaud
- Hypotonie
- Hypotones Kreislaufverhältnis
- Schwere arterielle Durchblutungsstörungen
- Kälteeinwirkung

▶ **Ressourcen**
- Kann die Maßnahme nach Anleitung selbstständig durchführen
- Kennt Vorbeugungsmaßnahmen und unterstützt diese aktiv
- Zieht entsprechend wärmende Kleidungsstücke nach Aufforderung an

Pflegeziele
- Hat warme Füße

Pflegeintervention
- Warmes Fußbad durchführen

Pflegeziele
- Hat warme Füße

Pflegeintervention
- Ansteigendes Fußbad durchführen

Pflegeziele
- Hat warme Füße

Pflegeintervention
- Füße mit einer Wärmflasche im Bett aufwärmen

Pflegeziele
- Verbrennungen durch die Wärmeanwendungen ist vorgebeugt
- Hat warme Füße
- Durchblutungssituation der Füße ist stabil

Pflegeintervention
- Warme, nicht einschnürende, weiche Socken und Schuhe anziehen

Literatur: 121, 130, 167, 168, 272, 273

Pflegediagnose
Der Bewohner friert leicht und fühlt sich dadurch unwohl

▶ **Kennzeichen**
- Äußert Kältegefühl
- Kältezittern
- Äußert Kältegefühl in den Füßen
- Äußert Unbehagen über die Raumtemperatur
- Gänsehaut

▶ **Ursachen**
- Altersbedingte Ursachen
- Infusionstherapie
- Hypotones Kreislaufverhältnis

▶ **Ressourcen**
- Zieht entsprechend wärmende Kleidungsstücke nach Aufforderung an

Pflegeziele
- Kleidung entspricht dem Wärmebedürfnis

Pflegeintervention
- Für angemessene Bekleidung sorgen

AEDL Vitale Funktionen des Lebens aufrechterhalten können

Pflegeziele	Pflegeintervention
• Empfindet Raumtemperatur als angenehm	• Raumtemperatur erhöhen, Baderäume vorheizen (23–25 °C)

Pflegeziele	Pflegeintervention
• Äußert Wohlbefinden	• Zweite Bettdecke besorgen

Literatur: 125, 168, 172, 272, 273

Pflegediagnose
Der Bewohner hat ein erhöhtes Risiko der veränderten Körpertemperatur außerhalb der physiologischen Körpertemperatur

▶ Kennzeichen	▶ Ursachen	▶ Ressourcen
• Bei potenziellen Gefahren können keine Kennzeichen angegeben werden	• Zentraler Venenkatheter • Operativer Eingriff • Blasendauerkatheter • Suprapubischer Blasenkatheter • Drainage • Wunde • Immunabwehrschwäche • Frühgeborene Kinder • Altersbedingte Ursachen • Beeinträchtigung der Wärmeregulation • Umgebungstemperatur	• Erkennt Veränderungen der Körpertemperatur und meldet sich • Akzeptiert die Körpertemperaturmessungen • Kennt die Schutz- und Hygienemaßnahmen und hält sie ein • Ist motiviert, die Pflegemaßnahme zu unterstützen, und zeigt entsprechende Verhaltensweisen

Pflegeziele	Pflegeintervention	Handlungsleitende Pflegeinterventionen
• Einer Infektion ist vorgebeugt bzw. sie ist rechtzeitig erkannt	• Temperaturkontrollen durchführen	**Messmethode auswählen** • Messort rektal • Messort sublingual • Messort axillar • Messort Ohr **Dokumentationsort der Messwerte bestimmen** • In der Fieberkurve dokumentieren • Messwerte in den Pflegeplan eintragen • Messwerte in das Überwachungsprotokoll eintragen **Thermometer wieder aufbereiten** • Schutzhüllen entsorgen, Schmutz abwischen und in Desinfektionslösung nach Plan einlegen • Trocken gelagertes, im Zimmer verbleibendes Thermometer alle drei Tage desinfizieren (lt. Plan)

Pflegeziele	Pflegeintervention
• Körpertemperaturverlauf ist dokumentiert • Gefahr der Hyperthermie ist rechtzeitig erkannt	• Monitoring der Körpertemperatur mit Messsonde durchführen, Temperaturverlauf beobachten und dokumentieren

AEDL Vitale Funktionen des Lebens aufrechterhalten können

Pflegeziele	Pflegeintervention	Handlungsleitende Pflegeinterventionen
• Herz-Kreislauf-Situation ist kontinuierlich eingeschätzt	• Vitalzeichenkontrolle durchführen	**Überwachungsmonitor benutzen** • Überwachungsmonitor benutzen • Pulsfrequenz/-qualität messen • Blutdruckwert messen • Atemfrequenz/-qualität messen • Körpertemperatur messen • Sauerstoffsättigung mit Oximeter überprüfen **Vitalzeichenwerte manuell messen** • Pulsfrequenz/-qualität messen • Blutdruckwert messen • Atemfrequenz/-qualität messen • Körpertemperatur messen • Besonderheiten bei der Messung bestimmen • Am rechten Arm messen • Am linken Arm messen
Pflegeziele • Körpertemperatur ist konstant • Inkubatortemperatur ist eingeschätzt und entspricht den Vorgaben	**Pflegeintervention** • Monitoring der Hauttemperatur zur Überwachung der Inkubatortemperatur durchführen	
Pflegeziele • Körpertemperatur ist konstant • Konstantes Umgebungsmilieu ist sichergestellt	**Pflegeintervention** • Wärmeeinheit oder Inkubator (Isolette) aufbauen und Funktionsfähigkeit überwachen	**Handlungsleitende Pflegeinterventionen** • Inkubator aufbauen • Wärmbetteinheit aufbauen • Vom Inkubator in eine Wärmebetteinheit umbetten • Funktionsfähigkeit des Spezialliegeplatzes überwachen

Literatur: 50, 99, 109, 121, 143, 167, 168, 197, 272, 273

Pflegediagnose
Der Bewohner hat eine Erhöhung der Körpertemperatur über die physiologische Temperatur des menschlichen Körpers hinaus, Gefahr von Komplikationen

▶ **Kennzeichen**
- Subfebrile Temperaturen ab 37,5 °C
- Leichtes Fieber ab 38,1 °C
- Mäßiges Fieber ab 38,6 °C
- Hohes Fieber ab 39,1 °C
- Sehr hohes Fieber ab 40,0 °C
- Körperliche Schwäche
- Äußert Hitzegefühl
- Äußert Kopfschmerzen
- Verwirrung
- Gliederschmerzen
- Schläfrigkeit
- Gerötete Haut
- Überwärmte Haut
- Erhöhte Atemfrequenz
- Tachykardie
- Fieberkrämpfe
- Schüttelfrost

▶ **Ursachen**
- Infektion
- Resorptionsfieber nach operativem Eingriff
- Tumor
- Erhöhte Stoffwechselrate
- Flüssigkeitsdefizit/Dehydration/Exsikkose
- Unfähigkeit zu schwitzen
- Zentral bedingte Dysregulation
- Rheumatische Arthritis

▶ **Ressourcen**
- Akzeptiert die Körpertemperaturmessungen
- Kann die körperliche Belastbarkeit einschätzen und fordert rechtzeitig Unterstützung an
- Erkennt die Notwendigkeit der getroffenen Intervention und kooperiert mit dem therapeutischen Team
- Akzeptiert die angeordnete Bettruhe
- Ist zuverlässig bezüglich der Einnahme der Medikation

AEDL Vitale Funktionen des Lebens aufrechterhalten können

Pflegeziele	Pflegeintervention	Handlungsleitende Pflegeinterventionen
• Einer Infektion ist vorgebeugt bzw. sie ist rechtzeitig erkannt	• Temperaturkontrollen durchführen	**Messmethode auswählen** • Messort rektal • Messort sublingual • Messort axillar • Messort Ohr **Dokumentationsort der Messwerte bestimmen** • In der Fieberkurve dokumentieren • Messwerte in den Pflegeplan eintragen • Messwerte in das Überwachungsprotokoll eintragen **Thermometer wieder aufbereiten** • Schutzhüllen entsorgen, Schmutz abwischen und in Desinfektionslösung nach Plan einlegen • Trocken gelagertes, im Zimmer verbleibendes Thermometer alle drei Tage desinfizieren (lt. Plan)
• Zusätzliche körperliche Belastung ist reduziert	• Für Bettruhe und Ruhe sorgen	
• Körpertemperatur liegt im Normbereich	• Raumtemperatur reduzieren	
• Körpertemperatur liegt im Normbereich • Körperwärme wird durch Wärmestrahlung abgegeben	• Leicht zudecken, Zug vermeiden	
• Wärme ist zur Reduzierung der Körpertemperatur entzogen	• Kälteanwendungen durchführen	**Kälteanwendung durchführen** • Kühle Getränke anbieten • Wadenwickel einsetzen • Kühle Waschung vornehmen **Notfallmaßnahmen bei hohen Temperaturen ergreifen** • Eisbeutel in die Leisten legen • Kühlelemente in die Leisten legen • Kühlmatte einsetzen
• Organismus ist während der Phase des Temperaturanstiegs unterstützt	• Während des Fieberanstiegs (Schüttelfrost) Wärme von außen zuführen	**Wärmeanwendung durchführen** • Zusätzliche Bettdecke benutzen • Wärmflasche auflegen • Thermoelemente verwenden • Rotlicht einsetzen **Zeitpunkt der Wärmezufuhr bestimmen** • Während des Fieberanstieges Wärme zuführen • Kontinuierlich Wärme zuführen

AEDL Vitale Funktionen des Lebens aufrechterhalten können

Pflegeziele	Pflegeintervention	Handlungsleitende Pflegeinterventionen
• Körpertemperatur liegt im Normbereich	• Antipyretika/fiebersenkende Medikamente laut Arztanordnung verabreichen	• Zäpfchen verabreichen • Tabletten verabreichen • Brausetabletten vorbereiten und verabreichen • Tropfen/Saft verabreichen **Art der Unterstützungsleistung bestimmen** • Medikamente selbstständig einnehmen lassen • Medikamentenverabreichung übernehmen • Einnahmeverweigerung überwinden • Medikamente mörsern
• Fieberprozess und Schwitzen sind unterstützt	• Schweißtreibende Tees während des Fieberanstiegs verabreichen	**Schweißtreibende Tees verabreichen** • Lindenblütentee • Holunderblütentee

Literatur: 50, 99, 109, 121, 143, 167, 168, 197, 272, 273

AEDL Essen und Trinken können

▶ Selbstversorgungsdefizit: Die Aktivitäten der Nahrungsaufnahme betreffend

Pflegediagnose
Der Bewohner ist mit der Situation (das Essen und Trinken betreffend) unzufrieden

▶ Kennzeichen	▶ Ursachen	▶ Ressourcen
• Äußert verbal Unzufriedenheit über die Mahlzeiten • Aggressive Reaktion auf die versuchte Nahrungsverabreichung • Fehlende(r) Wille/Einsicht, Nahrung zu sich zu nehmen • Isst Speisen, die von außerhalb beschafft/mitgebracht werden • Äußert Unzufriedenheit über die Abhängigkeit bei der Nahrungszufuhr • Kann die Nahrungsmittel nicht mundgerecht schneiden • Eingeschränkte Fähigkeit, die Nahrung mit dem Besteck aufzunehmen	• Großküchenessen entspricht nicht dem Geschmack • Spezielle Diät • Ungewohnte Essenszeiten • Bewegungseinschränkung	• Äußert konkrete Wünsche und Bedürfnisse • Angehörige bringen besondere Nahrungsmittel mit in die Einrichtung • Akzeptiert die Notwendigkeit der Diät (bestimmte Einschränkungen)

Pflegeziele	Pflegeintervention	
• Akzeptiert die Lebenssituation und kann sich mit ihr arrangieren • Äußert Wohlbefinden bei der Essenseinnahme	• Situationen, die eine Unzufriedenheit auslösen, erfassen und dokumentieren	

Pflegeziele	Pflegeintervention	Handlungsleitende Pflegeinterventionen
• Akzeptiert die Lebenssituation und kann sich mit ihr arrangieren • Wünsche und Gewohnheiten bei der Nahrungsaufnahme sind berücksichtigt	• Wünsche und Bedürfnisse erkennen und beachten	**Wünsche berücksichtigen**

Pflegeziele	Pflegeintervention
• Äußert Wohlbefinden bei der Essenseinnahme • Appetit ist angeregt	• Essenseinnahme angenehm gestalten

Pflegeziele	Pflegeintervention
• Dem Verschlucken ist vorgebeugt	• Für eine Körperhaltung, die die Nahrungsaufnahme erleichtert, sorgen

Pflegeziele	Pflegeintervention
• Äußert Wohlbefinden bei der Essenseinnahme	• Biografiedaten bezüglich der Nahrungsgewohnheiten ermitteln und realisieren

Literatur: 14, 28, 50, 121, 168, 272, 273

AEDL Essen und Trinken können

Pflegediagnose
Der Bewohner ist in der Selbstständigkeit beim Essen und Trinken eingeschränkt

▶ **Kennzeichen**

- Fehlende oder eingeschränkte Fähigkeit, die Aktivitäten zur Nahrungsaufnahme auszuführen
- Kann keine Nahrungsprodukte schneiden/putzen/kochen
- Kann Nahrungsmittelverpackungen nicht öffnen
- Kann die Nahrungsmittel nicht mundgerecht schneiden
- Kann die Nahrung nicht kauen
- Eingeschränkte Fähigkeit, die Nahrung mit dem Besteck aufzunehmen
- Fehlende oder eingeschränkte Fähigkeit, Nahrung zuzubereiten
- Kann die Nahrung auf dem Teller/Tablett nicht sehen

▶ **Ursachen**

- Eingeschränkte körperliche Belastungsfähigkeit
- Quantitative Bewusstseinsveränderung
- Schmerzzustände
- Bewegungseinschränkung
- Unsicheres/ungerichtetes Bewegungsmuster
- Belastungs-/Ruhedyspnoe
- Angstzustände
- Antriebslosigkeit
- Depressive Verstimmung
- Apraxie
- Hypotone Kreislaufveränderung
- Demenz
- Desorientierung
- Gesichtsfeldeinschränkung
- Sehschwäche

▶ **Ressourcen**

- Akzeptiert die Unterstützung von Angehörigen
- Kann Wünsche zur Speisenvorbereitung äußern
- Isst gern
- Ist bereit, mit Hilfmitteln das Essen und Trinken neu zu lernen
- Lässt sich die Nahrung gern verabreichen
- Ist motiviert, ein Ess- und Trinktraining zu absolvieren

Pflegeziele

- Ernährung und ausgeglichener Flüssigkeitshaushalt sind gewährleistet
- Selbstständigkeit bei der Nahrungsaufnahme ist gefördert

Pflegeintervention

- Abhängig vom Unterstützungsbedarf Essen und Trinken anreichen/verabreichen

Handlungsleitende Pflegeinterventionen

Lagerung/Sitzposition bestimmen

- Lagerung zur Nahrungsaufnahme durchführen
- Beim Transfer in den Lehn-/Rollstuhl unterstützen, zum Tisch fahren
- Zur Nahrungsaufnahme zum Tisch führen
- In den Speisesaal fahren/begleiten

Mahlzeiten vorbereiten

- Essenstablett ins Zimmer bringen
- Essenstablett in den Speisesaal bingen
- Essen am Tisch ermöglichen
- Essen im Bett ermöglichen

Art der Unterstützungsleistung bestimmen

- Essen und Trinken mundgerecht vorbereiten
- Nahrungs-/Flüssigkeitszufuhr beaufsichtigen
- Zur selbstständigen Nahrungsaufnahme anleiten
- Verabreichung teilweise übernehmen
- Nahrung/Flüssigkeit verabreichen

Schlucktherapeutische Maßnahmen ergreifen

- Esstraining durchführen
- Kau- und Schlucktraining durchführen
- Trinktraining durchführen

Pflegeziele

- Selbstständigkeit bei der Nahrungsaufnahme ist gefördert

Pflegeintervention

- Nahrung innerhalb des Gesichtsfelds platzieren

AEDL Essen und Trinken können

Pflegeziele	Pflegeintervention	Handlungsleitende Pflegeinterventionen
• Selbstständigkeit bei der Nahrungsaufnahme ist gefördert	• Geeignete Hilfsmittel auswählen und zum Einsatz derselben anleiten	**Esshilfen auswählen** • Gummimatte/Haftmatte • Frühstücksbrett • Spezialteller • Spezialbesteck • Trinkhilfen

Pflegeziele	Pflegeintervention	
• Findet die Speisen/Getränke und kann diese selbstständig einnehmen	• Platzierung der Speisen/Getränke auf dem Tisch/Tablett genau beschreiben	

Pflegeziele	Pflegeintervention	Handlungsleitende Pflegeinterventionen
• Kann Kompensationsmechanismen zum selbstständigen Essen und Trinken einsetzen	• Nahrungseinnahme bei flacher Rückenlage unterstützen	**Lagerung/Vorbereitung bestimmen** • Bettebene schief stellen • Kleines Nackenkissen anbieten • Essenstablett richtig positionieren **Bei der Nahrungsaufnahme helfen** • Zum Einsatz von Hilfsmitteln anleiten • Essen und Trinken mundgerecht vorbereiten • Verabreichung teilweise übernehmen **Beim Trinken helfen** • Löffel verwenden • Trinkhalm verwenden • Schnabelbecher verwenden **Kostaufbau nach Arztanordnung gestalten**

Pflegeziele	Pflegeintervention	Handlungsleitende Pflegeinterventionen
• Kann Kompensationsmechanismen zum selbstständigen Essen und Trinken einsetzen	• Nahrungseinnahme bei ungerichteten/unsicheren Bewegungsmustern unterstützen	**Unterstützende Maßnahmen bei ungerichteten und unsicheren Bewegungsabläufen bestimmen** • Zeit lassen und nicht drängen • Brote vorbereiten und maximal einmal zerteilen **Hilfsmittel beim Essen einsetzen** • Teller mit hohen Seitenrändern • Tassen mit zwei Henkeln • Gummimatte unter dem Teller • Spezialbesteck • Spezielles Frühstückstablett **Beim Trinken helfen** • Löffel verwenden • Trinkhalm verwenden • Schnabelbecher verwenden

Pflegeziele	Pflegeintervention	
• Ist in die selbstständige Nahrungszufuhr zurückgeführt	• Fingerfood anbieten	

Literatur: 14, 28, 50, 121, 168, 254, 272, 273

AEDL Essen und Trinken können

Pflegediagnose
Der Bewohner kann nicht selbstständig essen und trinken

▶ Kennzeichen
- Eingeschränkte Fähigkeit, die Nahrung mit dem Besteck aufzunehmen
- Kann die Nahrungsmittel nicht mundgerecht schneiden
- Kann die Nahrung auf dem Teller/Tablett nicht sehen
- Fehlende oder eingeschränkte Fähigkeit, die Aktivitäten zur Nahrungsaufnahme auszuführen
- Kann die Nahrung nicht kauen

▶ Ursachen
- Eingeschränkte körperliche Belastungsfähigkeit
- Schmerzzustände
- Bewegungseinschränkung
- Unsicheres/ungerichtetes Bewegungsmuster
- Belastungs-/Ruhedyspnoe
- Angstzustände
- Depressive Verstimmung
- Apraxie
- Hypotone Kreislaufveränderung
- Demenz
- Desorientierung
- Gesichtsfeldeinschränkung
- Sehschwäche

▶ Ressourcen
- Akzeptiert die Unterstützung von Angehörigen
- Verabreichte Nahrung wird gern gegessen/getrunken
- Schluckfähigkeit ist voll erhalten

Pflegeziele	Pflegeintervention	Handlungsleitende Pflegeinterventionen
• Physiologische Ernährung ist sichergestellt	• Essen und Trinken verabreichen	**Lagerung zur Nahrungsverabreichung bestimmen** • Zur Nahrungsverabreichung im Bett lagern • Beim Aufstehen unterstützen und zum Tisch führen • Transfer in den Roll-/Lehnstuhl durchführen • In den Speisesaal fahren/begleiten **Nahrung verabreichen** • Physiologische Schluckaktivität kontrollieren • Hauptmahlzeit mit Flüssigkeit verabreichen (H) • Zwischenmahlzeit mit Flüssigkeit verabreichen (Z) • Flüssigkeit verabreichen (F)
Pflegeziele	**Pflegeintervention**	
• Physiologische Ernährung ist sichergestellt	• Nahrungsverabreichung/-aufnahme dokumentieren	
Pflegeziele	Pflegeintervention	Handlungsleitende Pflegeinterventionen
• Physiologische Ernährung ist sichergestellt	• Flüssigkeitszufuhr festlegen und dokumentieren	**Flüssigkeitszufuhr lt. Arztanordnung festlegen** • Flüssigkeitszufuhr mithilfe eines Trinkfahrplans koordinieren • Flüssigkeitszufuhr mithilfe eines Einfuhrprotokolls kontrollieren • Trinkfahrplan erstellen/aktualisieren • 24-h-Flüssigkeitszufuhr berechnen/dokumentieren • Zu selbstständiger Dokumentation der Trinkmenge anleiten/anhalten
Pflegeziele	**Pflegeintervention**	**Handlungsleitende Pflegeinterventionen**
• Physiologische Ernährung ist sichergestellt	• Flüssigkeit verabreichen	**Flüssigkeit verabreichen/Darreichungsform bestimmen** • Flüssigkeit mit Schnabelbecher zuführen

AEDL Essen und Trinken können

- Flüssigkeit mit Tasse/Glas zuführen
- Flüssigkeit mit Trinkhalm zuführen
- Flüssigkeit mit Teelöffel zuführen
- Flüssigkeit mit Esslöffel zuführen

Zeitpunkt des Flüssigkeitsangebots regeln
- Nach Trinkfahrplan
- Nach stationsüblichen Angebotszeiten

Art der Unterstützungsleistung bestimmen
- Getränke bereitstellen
- Zur Flüssigkeitsverabreichung in Sitzposition bringen/anleiten, diese einzunehmen
- Flüssigkeitszufuhr beaufsichtigen
- Flüssigkeitszufuhr teilweise übernehmen
- Flüssigkeit schluckweise verabreichen/vollständig übernehmen
- Hand mit dem Trinkgefäß führen/zum selbstständigen Trinken anleiten

Pflegeziele	Pflegeintervention	
• Physiologische Ernährung ist sichergestellt	• Getränke in erreichbare Nähe stellen	

Pflegeziele	Pflegeintervention	Handlungsleitende Pflegeinterventionen
• Physiologische Ernährung ist sichergestellt • Flüssigkeitsdefizit ist sofort erkannt	• Flüssigkeitshaushalt täglich einschätzen	**Flüssigkeitshaushalt einschätzen** • Hautturgor einschätzen • Schleimhäute/Zunge inspizieren
• Körpergewicht ist konstant	• Gewichtskontrolle durchführen	**Gewicht kontrollieren** • Gewicht mit Sitzwaage kontrollieren • Gewicht mit Stehwaage kontrollieren
• Ist in die selbstständige Nahrungszufuhr zurückgeführt	• Fingerfood anbieten	

Literatur: 14, 28, 50, 121, 168, 254, 272, 273

AEDL Essen und Trinken können

Pflegediagnose
Der Bewohner kann/darf enteral keine Nahrung zu sich nehmen, Gefahr von Komplikationen

▶ **Kennzeichen**

- Fehlende oder eingeschränkte Fähigkeit, die Aktivitäten zur Nahrungsaufnahme auszuführen
- Pflege-/Behandlungsvereinbarungen werden nicht eingehalten
- Fehlende(r) Wille/Einsicht, Nahrung zu sich zu nehmen
- Ärztliche Anordnung aufgrund der medizinischen Diagnose
- Äußerungen über/Beobachtung von Schluckstörungen

▶ **Ursachen**

- Schmerzen bei der Nahrungsaufnahme
- Bewusstlosigkeit
- Nahrungsverweigerung
- Ist dement und kann die Notwendigkeit der Nahrungskarenz nicht verstehen
- Demenz
- Erkrankung des Magen-Darm-Trakts
- Angeordnete Nahrungskarenz
- Operativer Eingriff am Magen-Darm-Trakt
- Akute Pankreatitis
- Unfähigkeit des Verdauungstrakts, Nährstoffe aufzunehmen
- Ileus
- Chronische Darmentzündung
- Stoffwechselentgleisung

▶ **Ressourcen**

- Akzeptiert die Notwendigkeit der Diät (bestimmte Einschränkungen)
- Kann die Zusammenhänge zwischen der notwendigen Diät und Krankheit/Symptomen erklären
- Erkennt die Notwendigkeit der getroffenen Intervention und kooperiert mit dem therapeutischen Team
- Hält sich an die Nahrungskarenz
- Ist bezüglich der Infusionstherapie kooperativ

Pflegeziele

- Ernährung und ausgeglichener Flüssigkeitshaushalt sind gewährleistet

Pflegeintervention

- Angeordnete Infusionstherapie vorbereiten und infundieren

Handlungsleitende Pflegeinterventionen

Infusionen ohne Zusätze anhängen
- 1–2 Infusionen anhängen
- 3–4 Infusionen anhängen
- 5 und > Infusionen anhängen

Infusionen mit Zusätzen anhängen
- 1–2 Infusionen mit Zusätzen anhängen
- 3–4 Infusionen mit Zusätzen anhängen
- 5 und > Infusionen mit Zusätzen anhängen

Besondere Infusionslösungen anhängen
- Zytostase vorbereiten und anhängen
- Infusionslösung mit Trockenpulver herstellen
- Zwei- und Dreiwegehähne auswechseln
- Hahnenbank austauschen
- Besonderheiten bestimmen
- Über Infusomat verabreichen
- Über Perfusor verabreichen
- Über Tropfenzähler verabreichen

Tropfgeschwindigkeit einstellen

Pflegeziele

- Ernährung und ausgeglichener Flüssigkeitshaushalt sind gewährleistet
- Komplikationen ist vorgebeugt

Pflegeintervention

- Infusionstherapie überwachen

Literatur: 30, 73, 121, 156, 168, 272, 273

AEDL Essen und Trinken können

Pflegediagnose
Der Bewohner kann/darf nicht essen und trinken, wird enteral über Sonde ernährt, Gefahr von Komplikationen

▶ Kennzeichen
- Fehlende oder eingeschränkte Fähigkeit, die Aktivitäten zur Nahrungsaufnahme auszuführen
- Fehlende(r) Wille/Einsicht, Nahrung zu sich zu nehmen
- Fehlende Fähigkeit zu schlucken
- Liegende Ernährungssonde
- Liegende PEG
- Liegende PEJ
- Liegende FKJ
- Liegende nasogastrale Sonde
- Liegende nasoduodenale Sonde
- Liegende nasojejunale Sonde
- Gastraler Button

▶ Ursachen
- Schmerzen bei der Nahrungsaufnahme
- Bewusstlosigkeit
- Nahrungsverweigerung
- Demenz
- Angeordnete Nahrungskarenz
- Tumor im Mund- und Halsbereich
- Ösophagusfisteln
- Schluckstörung
- Alterskachexie mit einhergehender Nahrungsverweigerung

▶ Ressourcen
- Toleriert die therapeutische/pflegerische Intervention
- Erkennt die Notwendigkeit der getroffenen Intervention und kooperiert mit dem therapeutischen Team
- Sondennahrung wird gut vertragen

Pflegeziele
- Ernährung und ausgeglichener Flüssigkeitshaushalt sind gewährleistet

Pflegeintervention
- Sondennahrung nach dem angeordneten Ernährungsplan verabreichen

Handlungsleitende Pflegeinterventionen
Sondennahrung lt. Arzt auswählen
- Niedermolekulare, chemisch definierte Diät (ballaststofffrei) (CDD)
- Hochmolekulare, nährstoffdefinierte Diät (NDD)
- NDD ballaststofffrei
- NDD ballaststoffreich
- NDD für Diabetes mellitus
- NDD eiweißmodifiziert
- NDD fettmodifiziert
- CDD für Kinder
- NDD für Kinder

Applikationsform auswählen
- Schwerkraftapplikation
- Nahrung kontinuierlich über Ernährungspumpe verabreichen
- Bolusapplikation

Pflegeziele
- Einer Aspiration ist vorgebeugt

Pflegeintervention
- Entlastungssonde/Magensonde nach Arztanordnung legen

Handlungsleitende Pflegeinterventionen
- Gastrointestinalsonde
- Duodenalsonde
- Jejunalsonde
- Miller-Abbott-Sonde
- Dennis-Sonde
- Eudel*-Sonde

Erschwernisfaktoren beim Legen der Sonde beachten
- Fehlende Kooperation beim Legen der Sonde
- Schluckstörung
- Anatomische Hindernisse/Anomalien
- Sonstige Erschwernisfaktoren
- Zwei Pflegepersonen sind erforderlich

AEDL Essen und Trinken können

Pflegeziele
- Einer Aspiration ist vorgebeugt

Pflegeintervention
- Sondenlage vor jeder Nahrungsverabreichung kontrollieren

Pflegeziele
- Ernährung und ausgeglichener Flüssigkeitshaushalt sind gewährleistet

Pflegeintervention
- Während der Nahrungsverabreichung Kopfteil halbhoch stellen (30–40°)

Pflegeziele
- Ernährung und ausgeglichener Flüssigkeitshaushalt sind gewährleistet

Pflegeintervention
- Magenentleerung überprüfen

Pflegeziele
- Ernährung und ausgeglichener Flüssigkeitshaushalt sind gewährleistet

Pflegeintervention
- Diätaufbau nach Plan durchführen (Bei ungestörter Magenentleerung)

Pflegeziele
- Ernährung und ausgeglichener Flüssigkeitshaushalt sind gewährleistet

Pflegeintervention
- Auf Anzeichen von Unverträglichkeit/Aspiration beobachten

Pflegeziele
- Ernährung und ausgeglichener Flüssigkeitshaushalt sind gewährleistet

Pflegeintervention
- Nahrungsbolus nach Anordnung/Ernährungsplan verabreichen (maximaler Bolus beim Erwachsenen 300 ml)

Handlungsleitende Pflegeinterventionen
Bolusapplikation von Sondennahrung nach Plan durchführen
Sondennahrung festlegen
- Verabreichungsschema der Sondennahrung bestimmen

Pflegeziele
- Ernährung und ausgeglichener Flüssigkeitshaushalt sind gewährleistet

Pflegeintervention
- Applikationsplan aufstellen

Handlungsleitende Pflegeinterventionen
Bolusapplikation von Sondennahrung nach Plan durchführen
Sondennahrung festlegen
- Verabreichungsschema der Sondennahrung bestimmen

Pflegeziele
- Ernährung und ausgeglichener Flüssigkeitshaushalt sind gewährleistet

Pflegeintervention
- Kontinuierliche Nahrungsapplikation mit Ernährungspumpe durchführen

Handlungsleitende Pflegeinterventionen
Kontinuierlich Applikation durchführen
- Mit Ernährungspumpe
- Schwerkraftapplikation (Beutel/Flasche)

Ernährungspumpe einstellen/
Verabreichung von Sondenkost beobachten
- Auf Verträglichkeit beobachten
- Diät langsam aufbauen
- Magen-Darm-Passage kontrollieren

Pflegeziele
- Durchgängigkeit der Ernährungssonde ist sichergestellt

Pflegeintervention
- Ernährungssonde nach Nahrungsapplikation mit Wasser oder Tee durchspülen (keinen Früchtetee verwenden)

AEDL Essen und Trinken können

Pflegeziele	Pflegeintervention	
• Einer Aspiration ist vorgebeugt	• Kopfteil nach Bolusapplikation erst ca. 30–60 Minuten nach der Nahrungsverabreichung absenken	

Pflegeziele	Pflegeintervention	
• Sonde/Ableitungssystem ist sicher fixiert	• Zügelpflaster zur sicheren Fixierung anbringen	

Pflegeziele	Pflegeintervention	Handlungsleitende Pflegeinterventionen
• Ernährung und ausgeglichener Flüssigkeitshaushalt sind gewährleistet	• Magen-/Duodenalsonde beim Neugeborenen legen	• Magensonde legen • Duodenalsonde legen

Literatur: 113, 128, 129, 146, 156, 163, 168, 235, 260, 272, 273

Pflegediagnose
Der Bewohner hat ein erhöhtes Risiko der Darminfektion

▶ Kennzeichen	▶ Ursachen	▶ Ressourcen
• Bei potenziellen Gefahren können keine Kennzeichen angegeben werden	• Mangelnde Hygiene • Klima • Sondennahrung wird selbst zubereitet	• Intakte Körperabwehrlage

Pflegeziele	Pflegeintervention
• Darmflora ist intakt	• Im Umgang mit Sondennahrung hygienisch arbeiten

Literatur: 113, 128, 129, 146, 156, 163, 168, 235, 260, 272, 273

Pflegediagnose
Der Bewohner wird mit Sondennahrung ernährt, Gefahr der Sondenverstopfung

▶ Kennzeichen	▶ Ursachen	▶ Ressourcen
• Bei potenziellen Gefahren können keine Kennzeichen angegeben werden	• Konsistenz der Sondennahrung	

Pflegeziele	Pflegeintervention	Handlungsleitende Pflegeinterventionen
• Sondennahrung kann ungehindert verabreicht werden	• Sonde nach der Nahrungsapplikation durchspülen	**Sonde nach Nahrungsapplikation durchspülen** • Mit stillem Wasser • Mit Tee ohne Fruchtsäure

Literatur: 113, 128, 129, 146, 156, 163, 168, 235, 260, 272, 273

AEDL Essen und Trinken können

Pflegediagnose
Der Bewohner hat eine perkutane Sonde, Gefahr der Infektion der Eintrittsstelle

▶ **Kennzeichen**
- Sekretabsonderung und Verklebungen

▶ **Ursachen**
- Verwendung von Salben mit Salbenstabilisatoren zur Desinfektion
- Unsteril durchgeführter Verbandwechsel

▶ **Ressourcen**

Pflegeziele
- Einstichstelle ist reizlos und nicht infiziert

Pflegeintervention
- Verbandwechsel und Desinfektion/Reinigung der Einstichstelle durchführen

Handlungsleitende Pflegeinterventionen
Verbandmaterialien auswählen

Literatur: 113, 128, 129, 146, 156, 163, 168, 235, 260, 272, 273

▶ Pflegediagnosen: Bestehende Schluckstörungen

Pflegediagnose
Der Bewohner hat eine Schluckstörung, die Fähigkeit, willentlich Flüssigkeit oder feste Nahrung zu schlucken, fehlt/ist eingeschränkt

▶ **Kennzeichen**
- Husten bei/nach dem Schlucken
- Nahrungsreste verbleiben in der Mundhöhle (z. B. Wangentasche)
- Flüssigkeit läuft vor dem Schlucken aus dem Mundwinkel heraus
- Erstickungsanfälle nach dem Schlucken
- Erstickungsanfälle nach dem Schlucken von Flüssigkeit
- Speisebrei wird aus dem Mund gestoßen (Zungenstoß)
- Äußerungen über/Beobachtung von Schluckstörungen

▶ **Ursachen**
- Neurogen bedingte Schluckstörung
- Apoplektischer Insult
- Operativer Eingriff im Kieferbereich
- Tumor
- Veränderter Schluckreflex
- Fehlender Schluck-/Würgereflex
- Fazialisparese
- Mechanische Obstruktion

▶ **Ressourcen**
- Ist motiviert, ein Schluck-/Trinktraining durchzuführen
- Kann Aufforderungen folgen und hält sich an Vorgaben
- Trinkt die vorbereitete Flüssigkeit

Pflegeziele
- Schluckstörung ist rechtzeitig erkannt

Pflegeintervention
- Auf Anzeichen von Ess- und Schluckstörungen beobachten

Pflegeziele
- Schluckstörung ist rechtzeitig erkannt
- Einer Aspiration ist vorgebeugt

Pflegeintervention
- Normale Schluckaktivität kontrollieren

Pflegeziele
- Schluckstörung ist rechtzeitig erkannt

Pflegeintervention
- Ess- bzw. Schluckstörung gezielt analysieren und dokumentieren

AEDL Essen und Trinken können

Pflegeziele
- Schluckstörung ist rechtzeitig erkannt

Pflegeintervention
- Bei vorhandener Fähigkeit, den Speichel zu schlucken, vorsichtig Nahrung verabreichen

Literatur: 7, 14, 28, 30, 50, 112, 121, 124, 168, 190, 272, 273

Pflegediagnose
Der Bewohner kann Speichel nicht schlucken, es besteht ein erhöhtes Aspirationsrisiko

▶ **Kennzeichen**
- Speichel läuft im Liegen aus dem Mundwinkel
- Unkontrolliertes Hinuntergleiten von Speichel
- Husten bei/nach dem Schlucken
- Erstickungsanfälle nach dem Schlucken
- Äußerungen über/Beobachtung von Schluckstörungen

▶ **Ursachen**
- Fehlender Schluck-/Würgereflex
- Frühgeburt
- Veränderter Schluckreflex
- Schluckstörung
- Neurogen bedingte Schluckstörung

▶ **Ressourcen**
- Äußert Einsicht in die Pflegemaßnahme
- Ist motiviert, ein Schluck-/Trinktraining durchzuführen
- Akzeptiert die körperliche Einschränkung

Pflegeziele
- Komplikationen ist vorgebeugt

Pflegeintervention
- Keine Nahrung/Flüssigkeit auf oralem Weg verabreichen

Pflegeziele
- Komplikationen ist vorgebeugt
- Einer Aspiration ist vorgebeugt

Pflegeintervention
- Aspirationsprophylaxe durch Seitenlagerung/Oberkörperhochlagerung durchführen

Literatur: 14, 28, 50, 112, 121, 124, 168, 190, 272, 273

Pflegediagnose
Der Bewohner hat einen verlangsamten Schluckreflex und kann nicht trinken, Flüssigkeit läuft zu schnell in den Schlund und führt zum Verschlucken

▶ **Kennzeichen**
- Husten bei/nach dem Schlucken von Flüssigkeiten
- Erstickungsanfälle nach dem Schlucken von Flüssigkeit
- Äußerungen über/Beobachtung von Schluckstörungen
- Hat Angst vor dem Trinken

▶ **Ursachen**
- Veränderter Schluckreflex
- Schädigung des Nasen-Rachen-Raums
- Frühgeburt
- Respiratorische Veränderung
- Neurogen bedingte Schluckstörung
- Multi-Infarkt-Demenz
- Multiple Sklerose
- Tumor

▶ **Ressourcen**
- Erkennt die Notwendigkeit der getroffenen Intervention und kooperiert mit dem therapeutischen Team
- Kann breiige Nahrung ohne Verschlucken zu sich nehmen
- Kann Flüssigkeiten mit Verdickungsmittel zu sich nehmen

AEDL Essen und Trinken können

Pflegeziele	Pflegeintervention	Handlungsleitende Pflegeinterventionen
• Trinkt selbstständig, ohne zu aspirieren • Flüssigkeitsbilanz ist ausgeglichen • Schluckt, ohne zu aspirieren	• Trinktraining durchführen	**Trinktraining durchführen** • Mit dem Teelöffel trinken • Mit dem Esslöffel trinken • Mit dem Trinkhalm trinken • Mit dem Schnabelbecher trinken • Mit der Tasse trinken **Art der Unterstützungsleistung bestimmen** • Unterstützen und fördern • Beaufsichtigen • Teilweise übernehmen • Vollständig übernehmen • Anleiten **Flüssigkeitskonsistenz langsam reduzieren** • Löffelfeste Flüssigkeit • Cremige Flüssigkeit • Nektarartige Flüssigkeit • Dünne Flüssigkeit **Besonderheiten beachten** • Keine Milchprodukte und fruchtsäurehaltigen Getränke verwenden
• Trinkt selbstständig, ohne zu aspirieren • Flüssigkeitsbilanz ist ausgeglichen • Schluckt, ohne zu aspirieren	• Flüssigkeitsmenge beim Verabreichen von Flüssigkeit langsam steigern	• Flüssigkeit mit Teelöffel zuführen • Flüssigkeit mit Esslöffel zuführen • Flüssigkeit mit Trinkhalm zuführen • Flüssigkeit mit Schnabelbecher zuführen • Flüssigkeit mit Tasse/Glas zuführen **Art der Unterstützungsleistung bestimmen** • Unterstützen und fördern • Beaufsichtigen • Teilweise übernehmen • Vollständig übernehmen • Anleiten
• Trinkt selbstständig, ohne zu aspirieren • Dem Verschlucken ist vorgebeugt • Orale Flüssigkeitszufuhr ist sichergestellt • Flüssigkeitsbilanz ist ausgeglichen • Schluckt, ohne zu aspirieren	• Flüssigkeitskonsistenz langsam reduzieren	• Löffelfeste Flüssigkeit • Cremige Flüssigkeit • Nektarartige Flüssigkeit • Dünne Flüssigkeit **Besonderheiten beachten** • Keine Milchprodukte und fruchtsäurehaltigen • Getränke verwenden
• Trinkt selbstständig, ohne zu aspirieren	• Flüssigkeiten zum Trinken mit Verdickunsgmitteln eindicken	

Literatur: 14, 28, 50, 112, 121, 124, 168, 190, 224, 272, 273

AEDL Essen und Trinken können

Pflegediagnose
Der Bewohner kann nicht trinken, die Flüssigkeit läuft aus dem Mundwinkel heraus (Mundschlussstörung)

▶ Kennzeichen	▶ Ursachen	▶ Ressourcen
• Flüssigkeit läuft vor dem Schlucken aus dem Mundwinkel heraus • Lippenschluss fehlt • Trinkt nicht, äußert Gefühle der Peinlichkeit	• Hypotonus einer Gesichtshälfte • Trinkschwäche • Hypotonus der Lippen • Fazialisparese	• Erkennt die Notwendigkeit der getroffenen Intervention und kooperiert mit dem therapeutischen Team • Ist motiviert, den Lippenschluss zu trainieren • Akzeptiert die körperliche Einschränkung

Pflegeziele	Pflegeintervention	Handlungsleitende Pflegeinterventionen
• Trinkt selbstständig, ohne dass die Flüssigkeit aus dem Mund läuft	• Beim Trinktraining zu kompensatorischen Maßnahmen anleiten	**Kompensatorische Maßnahmen durchführen** • Beim Trinken durch Kieferkontrolle unterstützen • Beim Trinken zur Kieferkontrolle anleiten • Auffordern, den Kopf beim Trinken auf die nicht betroffene Seite zu legen
• Trinkt selbstständig, ohne dass die Flüssigkeit aus dem Mund läuft • Lippenschluss ist stimuliert/unterstützt	• Gesichtsmuskulatur/Lippen vor dem Trinken stimulieren	**Gesichtsmuskulatur stimulieren** • Durch Gesichtsmassage • Durch Tapping • Durch Vibrationsmassage • Betroffene Gesichtshälfte nach Therapieplan des Logotherapeuten stimulieren
• Mundschluss ist sichergestellt	• Mundmotorische Übungen durchführen	**Logotherapeutische Übungen durchführen** • Entsprechend dem Behandlungskonzept zu den Übungen anleiten • Entsprechend dem Behandlungskonzept bei den Übungen unterstützen • Mit angeleitetem Pflegepersonal durchführen • Mit angeleiteten Angehörigen durchführen • Mit Logotherapeuten durchführen
• Kann in der Öffentlichkeit essen und trinken	• Zum selbstständigen Lippenschluss anleiten	
• Trinkt selbstständig, ohne dass die Flüssigkeit aus dem Mund läuft	• Schutz für Kleidung und Bett anbieten	

Literatur: 14, 28, 50, 112, 121, 124, 168, 190, 224, 272, 273

AEDL Essen und Trinken können

Pflegediagnose
Der Bewohner hat Sensibilitätsstörungen und Hypotonus auf einer Gesichtshälfte

▶ Kennzeichen	▶ Ursachen	▶ Ressourcen
• Flüssigkeit läuft vor dem Schlucken aus dem Mundwinkel heraus • Lippenschluss fehlt • Nahrungsreste verbleiben in der Mundhöhle (z. B. Wangentasche) • Trinkt nicht, äußert Gefühle der Peinlichkeit • Äußert fehlende Sensibilität auf der betroffenen Seite	• Hypotonus der Lippen • Hypotonus einer Gesichtshälfte • Fazialisparese	• Erkennt die Notwendigkeit der getroffenen Intervention und kooperiert mit dem therapeutischen Team • Ist motiviert, Neues auszuprobieren • Akzeptiert die körperliche Einschränkung

Pflegeziele	Pflegeintervention	Handlungsleitende Pflegeinterventionen
• Trinkt selbstständig, ohne dass die Flüssigkeit aus dem Mund läuft	• Beim Trinktraining zu kompensatorischen Maßnahmen anleiten	**Kompensatorische Maßnahmen durchführen** • Beim Trinken durch Kieferkontrolle unterstützen • Beim Trinken zur Kieferkontrolle anleiten • Auffordern, den Kopf beim Trinken auf die nicht betroffene Seite zu legen

Pflegeziele	Pflegeintervention	Handlungsleitende Pflegeinterventionen
• Betroffene Gesichtshälfte ist stimuliert • Muskeltonus ist vor der Nahrungsaufnahme erhöht	• Betroffene Gesichtshälfte stimulieren	**Gesichtsmuskulatur stimulieren** • Durch Gesichtsmassage • Durch Tapping • Durch Vibrationsmassage • Betroffene Gesichtshälfte nach Therapieplan des Logotherapeuten stimulieren

Literatur: 14, 28, 50, 112, 121, 124, 168, 190, 224, 272, 273

Pflegediagnose
Der Bewohner ist beim Essen/Schlucken der Nahrung eingeschränkt, Speisen sammeln sich in der Wangentasche der betroffenen Seite

▶ Kennzeichen	▶ Ursachen	▶ Ressourcen
• Nahrungsreste verbleiben in der Mundhöhle (z. B. Wangentasche)	• Hypotonus einer Gesichtshälfte • Fazialisparese	• Erkennt die Notwendigkeit der getroffenen Intervention und kooperiert mit dem therapeutischen Team • Ist motiviert, Neues auszuprobieren • Akzeptiert die körperliche Einschränkung

Pflegeziele	Pflegeintervention	Handlungsleitende Pflegeinterventionen
• Schluckt Speisen, die sich in der Wangentasche sammeln	• Esstraining durchführen	• Mit angeleitetem Pflegepersonal durchführen • Mit angeleiteten Angehörigen durchführen • Mit Logotherapeuten durchführen

Pflegeziele	Pflegeintervention
• Schluckt Speisen, die sich in der Wangentasche sammeln	• Anleiten, die Speisen mit der Zunge aus der Wangentasche zu holen und zu schlucken

AEDL Essen und Trinken können

Pflegeziele
- Schluckt Speisen, die sich in der Wangentasche sammeln

Pflegeintervention
- Mit dem Finger von außen die Wangentasche leerstreichen

Literatur: 14, 28, 50, 112, 124, 168, 190, 224, 272, 273

Pflegediagnose
Der Bewohner ist beim Essen und Trinken eingeschränkt, Speisen und Flüssigkeiten fallen/laufen aus dem Mund/dem Mundwinkel

▶ **Kennzeichen**
- Flüssigkeit läuft vor dem Schlucken aus dem Mundwinkel heraus
- Lippenschluss fehlt
- Nahrungsreste verbleiben in der Mundhöhle (z. B. Wangentasche)
- Trinkt nicht, äußert Gefühle der Peinlichkeit

▶ **Ursachen**
- Hypotonus der Lippen
- Hypotonus einer Gesichtshälfte
- Fazialisparese
- Trinkschwäche

▶ **Ressourcen**
- Erkennt die Notwendigkeit der getroffenen Intervention und kooperiert mit dem therapeutischen Team
- Akzeptiert die körperliche Einschränkung
- Ist motiviert, Neues auszuprobieren

Pflegeziele
- Kann essen und trinken, ohne dass Speisen und Speichel aus dem Mund laufen

Pflegeintervention
- Themenzentriertes Pflegefachgespräch bezüglich der Problematik und der Lösungswege führen

Pflegeziele
- Kann essen und trinken, ohne dass Speisen und Speichel aus dem Mund laufen

Pflegeintervention
- Esstraining mit Spiegelkontrolle durchführen

Handlungsleitende Pflegeinterventionen
- Mit angeleitetem Pflegepersonal durchführen
- Mit angeleiteten Angehörigen durchführen
- Mit Logotherapeuten durchführen

Pflegeziele
- Kann essen und trinken, ohne dass Speisen und Speichel aus dem Mund laufen

Pflegeintervention
- Serviette und Bettschutz anbieten

Pflegeziele
- Trinkt selbstständig, ohne dass die Flüssigkeit aus dem Mund läuft

Pflegeintervention
- Beim Trinktraining zu kompensatorischen Maßnahmen anleiten

Handlungsleitende Pflegeinterventionen
Kompensatorische Maßnahmen durchführen
- Beim Trinken durch Kieferkontrolle unterstützen
- Beim Trinken zur Kieferkontrolle anleiten
- Auffordern, den Kopf beim Trinken auf die nicht betroffene Seite zu legen

Pflegeziele
- Mundschluss ist sichergestellt
- Bewusster Schluckakt ist gefördert

Pflegeintervention
- Anleiten, bewusst zu kauen, Speisen vorzubereiten und die Luft anzuhalten, bevor geschluckt wird

Literatur: 14, 28, 30, 50, 112, 121, 124, 168, 190, 224, 272, 273

AEDL Essen und Trinken können

Pflegediagnose
Der Bewohner bringt die Zungenspitze mit dem Speisebolus nach vorn zwischen Lippe und Zahnreihe, das Essen wird aus dem Mund befördert

▶ **Kennzeichen**
- Speisebrei wird aus dem Mund gestoßen (Zungenstoß)
- Speisen sammeln sich zwischen Lippe und Zahnreihe

▶ **Ursachen**
- Spastische Zunge
- Beeinträchtigung des zentralen Nervensystems
- Apallisches Syndrom

▶ **Ressourcen**
- Ist motiviert, Neues auszuprobieren
- Akzeptiert die körperliche Einschränkung
- Erkennt die Notwendigkeit der getroffenen Intervention und kooperiert mit dem therapeutischen Team

Pflegeziele
- Essen kann in Richtung Schlund befördert werden

Pflegeintervention
- Ess- und Schluckstörung beobachten, analysieren und dokumentieren

Pflegeziele
- Essen kann in Richtung Schlund befördert werden

Pflegeintervention
- Esstraining nach logotherapeutischem Konzept durchführen

Handlungsleitende Pflegeinterventionen

Esstraining durchführen
- Speisebrei möglichst weit hinten auf die Zunge bringen
- Anleiten, die Zungenspitze beim Schlucken fest an den Gaumen zu drücken
- Mit angeleitetem Pflegepersonal durchführen
- Mit angeleiteten Angehörigen durchführen
- Mit Logotherapeuten durchführen

Literatur: 14, 28, 50, 112, 121, 124, 168, 190, 224, 272, 273

AEDL Essen und Trinken können

▶ **Pflegediagnosen: Nährstoffzufuhr entspricht nicht dem Nährstoffbedarf des Körpers**

Pflegediagnose
Der Bewohner vernachlässigt die Nahrungsaufnahme, Gefahr der Gewichtsabnahme/ Mangelernährung

▶ Kennzeichen	▶ Ursachen	▶ Ressourcen
• Isst wenig • Findet aufgrund anderer Aktivitäten keine Zeit zur Nahrungsaufnahme • Legt keinen Wert auf die Qualität der Nahrung • Fehlende(r) Wille/Einsicht, Nahrung zu sich zu nehmen • Wiederausspucken von Nahrung • Aggressive Reaktion auf die versuchte Nahrungsverabreichung • Sichtbare Zeichen von zu wenig Nahrung • Gewichtsabnahme • Untergewicht • Blasse Bindehaut/Schleimhäute • Amenorrhö bei Frauen • Reduzierter Muskeltonus • Veränderte Blutwerte (Anämie, Elektrolytverschiebungen)	• Verwirrtheitszustand • Depressionen • Manie • Irrationale Ängste • Ritualisierte Zwangshandlungen • Übermäßige körperliche Erregung	• Kann einfachen Aufforderungen folgen • Verabreichte Nahrung wird gern gegessen/ getrunken • Kann Aufforderungen folgen und hält sich an Vorgaben • Akzeptiert die Unterstützung von Angehörigen • Trinkt die vorbereitete Flüssigkeit

Pflegeziele	Pflegeintervention	
• Nimmt den empfohlenen Tagesbedarf an Nährstoffen zu sich	• Ursachen für die eingeschränkte Nahrungseinnahme im Gespräch analysieren und Ergebnis dokumentieren	

Pflegeziele	Pflegeintervention	Handlungsleitende Pflegeinterventionen
• Beurteilung von Ernährungslage und Flüssigkeitszufuhr ist sichergestellt	• Nahrungs- und Flüssigkeitszufuhr kontrollieren und dokumentieren	**Nahrungsaufnahme kontrollieren** • Eingenommene Nahrung auf einem Ernährungsprotokoll dokumentieren • Nahrungseinnahme beaufsichtigen • Nahrung verabreichen

Pflegeziele	Pflegeintervention	
• Körpergewicht ist konstant	• Kalorienreiche Snacks und Getränke zwischen den Mahlzeiten anbieten	

Pflegeziele	Pflegeintervention	
• Körpergewicht ist konstant	• Trinknahrung anbieten und Trinkmenge kontrollieren	

AEDL Essen und Trinken können

Pflegeziele	Pflegeintervention	Handlungsleitende Pflegeinterventionen
• Vereinbarungen über die Nahrungszufuhr werden getroffen und eingehalten	• Feste Bezugsperson für die Essensverabreichung einplanen	**Mögliche Pflegeinterventionen durchführen** • Anhalten, in Ruhe aufzuessen • In Phasen extremer Unruhe begleiten, während er Snacks isst • Kompromisse aushandeln • Vereinbarungen in Bezug auf die Essenseinnahme treffen

Pflegeziele	Pflegeintervention
• Wissensdefizit ist aufgehoben	• Über die Wichtigkeit einer ausgewogenen Ernährungs- und Flüssigkeitszufuhr aufklären

Pflegeziele	Pflegeintervention
• Appetit ist angeregt	• Maßnahmen zur Steigerung des Appetits durchführen

Pflegeziele	Pflegeintervention
• Zeigt Interesse an der Nahrungszufuhr	• Gewünschtes Verhalten bei der Nahrungseinnahme positiv verstärken

Pflegeziele	Pflegeintervention	Handlungsleitende Pflegeinterventionen
• Gewichtsreduktion ist sofort erkannt • Körpergewicht ist konstant	• Regelmäßig Gewichtskontrolle durchführen	**Gewicht kontrollieren** • Gewicht mit Sitzwaage kontrollieren • Gewicht mit Stehwaage kontrollieren

Pflegeziele	Pflegeintervention
• Genaue Bemessungsgrundlage für die Einschätzung des Ernährungszustands ist sichergestellt	• Körpergröße ermitteln

Literatur: 28, 50, 112, 121, 124, 168, 190, 224, 272, 273

AEDL Essen und Trinken können

Pflegediagnose
Der Bewohner führt nicht genügend Nahrung zu, um den körperlichen Bedarf zu decken, Anzeichen einer Mangelernährung sind sichtbar

▶ **Kennzeichen**
- Gewichtsabnahme
- Körpergewicht liegt unter dem Idealgewicht
- Fehlende Fettpolster
- Hervortretende Knochen
- Kachexie
- Tief liegende Augen
- Blasse Bindehaut/Schleimhäute
- Haarausfall, lichte Haarpartien
- Reduzierter Muskeltonus
- Diarrhö mit/ohne Fettstuhl
- Erschöpfungszustände
- Äußert eine Abneigung gegen Speisen

▶ **Ursachen**
- Alterskachexie mit einhergehender Nahrungsverweigerung
- Wissensdefizit über einen erhöhten Nahrungsbedarf bei Stoffwechselstörung
- Widerwille bei der Nahrungsaufnahme
- Nahrungsaufnahme verursacht Unbehagen/Schmerzen
- Absorptionsstörung
- Nahrungsmittelunverträglichkeit
- Unfähigkeit zu kauen/schlucken
- Anorexia nervosa
- Unfähigkeit, Nahrung zu beschaffen und zuzubereiten
- Schwere Erkrankung
- Depressionen
- Isolation und Einsamkeit

▶ **Ressourcen**
- Verabreichte Nahrung wird gern gegessen/getrunken
- Erkennt die Notwendigkeit der getroffenen Intervention und kooperiert mit dem therapeutischen Team
- Trinkt die vorbereitete Flüssigkeit
- Vereinbarungen werden eingehalten

Pflegeziele
- Ursachen für die Mangelernährung sind abgeklärt

Pflegeintervention
- Ursachen für die Mangelernährung im Gespräch analysieren und dokumentieren

---

Pflegeziele
- Ausreichende Nahrungs- und Flüssigkeitsaufnahme ist sichergestellt
- Empfohlene Tagesmenge an Nährstoffen ist ermittelt
- Veränderungen werden frühzeitig erkannt und dokumentiert

Pflegeintervention
- Flüssigkeits- und Nahrungszufuhr kontrollieren und dokumentieren

Handlungsleitende Pflegeinterventionen
Nahrungsaufnahme kontrollieren
- Eingenommene Nahrung auf einem Ernährungsprotokoll dokumentieren
- Nahrungseinnahme beaufsichtigen
- Nahrung verabreichen

Pflegeziele
- Körpergewicht ist konstant

Pflegeintervention
- Kalorienmenge zur Aufrechterhaltung des Körpergewichts ermitteln und eine realistische Gewichtszunahme vereinbaren

---

Pflegeziele
- Akzeptiert den aufgestellten Diätplan und hält sich daran

Pflegeintervention
- Einen individuellen Diätplan aufstellen und die Einhaltung der Nahrungszufuhr unterstützen

Handlungsleitende Pflegeinterventionen
Art der Zwischenmahlzeit bestimmen
- Jogurt
- Dessertspeise
- Brot mit Auflage
- Obst
- Trinknahrung
- Zwischenmahlzeit für Diabetiker

Art der Unterstützungsleistung bestimmen
- Zwischenmahlzeit bereitstellen
- Einnahme der Zwischenmahlzeit beaufsichtigen
- Einnahme der Zwischenmahlzeit teilweise unterstützen

AEDL Essen und Trinken können

- Zwischenmahlzeit verabreichen
- Zur selbstständigen Einnahme der Zwischenmahlzeit anleiten

Pflegeziele	Pflegeintervention	Handlungsleitende Pflegeinterventionen
Bis zur Entlassung zeigen sich Anzeichen von Gewichtszunahme	Gewichtskontrollen durchführen	**Gewicht kontrollieren** • Gewicht mit Sitzwaage kontrollieren • Gewicht mit Stehwaage kontrollieren
Lebensbedrohliches Flüssigkeits- und Ernährungsdefizit ist ausgeglichen	Infusionstherapie nach Anordnung durchführen	**Infusionen ohne Zusätze anhängen** • 1–2 Infusionen anhängen • 3–4 Infusionen anhängen • 5 und > Infusionen anhängen **Infusionen mit Zusätzen anhängen** • 1–2 Infusionen mit Zusätzen anhängen • 3–4 Infusionen mit Zusätzen anhängen • 5 und > Infusionen mit Zusätzen anhängen • Zwei- und Dreiwegehähne auswechseln • Hahnenbank austauschen • Besonderheiten bestimmen • Über Infusomat verabreichen • Über Perfusor verabreichen • Über Tropfenzähler verabreichen **Tropfgeschwindigkeit einstellen**
Körpergewicht ist konstant	Durch eine Ernährungssonde zusätzliche Nahrung zuführen	**Sondennahrung lt. Arzt auswählen** • Niedermolekulare, chemisch definierte Diät (ballaststofffrei) (CDD) • Hochmolekulare, nährstoffdefinierte Diät (NDD) • NDD ballaststofffrei • NDD ballaststoffreich • NDD für Diabetes mellitus • NDD eiweißmodifiziert • NDD fettmodifiziert • CDD für Kinder • NDD für Kinder **Applikationsform auswählen** • Schwerkraftapplikation • Nahrung kontinuierlich über Ernährungspumpe verabreichen • Bolusapplikation
Körpergewicht ist konstant	Kalorienreiche Snacks und Getränke anbieten	
Baut Vertrauen zum therapeutischen Team auf Hält sich an Vereinbarungen	Feste Bezugsperson für die Essensverabreichung einplanen	**Mögliche Pflegeinterventionen durchführen** • Anhalten, in Ruhe aufzuessen • In Phasen extremer Unruhe begleiten, während er Snacks isst • Kompromisse aushandeln • Vereinbarungen in Bezug auf die Essenseinnahme treffen

AEDL Essen und Trinken können

Pflegeziele	Pflegeintervention
• Erbrechen nach der Nahrungsaufnahme ist verhindert	• Nach den Mahlzeiten zur Toilette begleiten und selbst herbeigeführtes Erbrechen verhindern

Pflegeziele	Pflegeintervention
• Genaue Bemessungsgrundlage für die Einschätzung des Ernährungszustands ist sichergestellt	• Körpergröße ermitteln

Literatur: 50, 98, 103, 121, 183, 207, 246, 272, 273

Pflegediagnose
Der Bewohner verweigert die Nahrungs-/Flüssigkeitszufuhr, Gefahr des Ernährungs- und Flüssigkeitsdefizits

▶ Kennzeichen	▶ Ursachen	▶ Ressourcen
• Fehlende(r) Wille/Einsicht, Nahrung zu sich zu nehmen • Isst und trinkt nichts • Mundschluss beim Versuch der Nahrungsverabreichung • Schluckverweigerung • Wiederausspucken von Nahrung • Aggressive Reaktion auf die versuchte Nahrungsverabreichung	• Widerwille bei der Nahrungsaufnahme • Irrationale Ängste • Depressionen • Essstörung • Schwere Demenz	• Akzeptiert die Fixierung der Nasensonde • Akzeptiert die Bezugsperson

Pflegeziele	Pflegeintervention
• Einer Zwangsernährung ist vorgebeugt • Ausreichende Nahrungs- und Flüssigkeitsaufnahme ist sichergestellt	• Biografische Hintergründe erfragen

Pflegeziele	Pflegeintervention
• Isst den täglichen Bedarf an Kalorien und trinkt mindestens 1,5 Liter Flüssigkeit	• Bei Essensverweigerung die Essensreichung unterbrechen und zu einem späteren Zeitpunkt erneut versuchen

Pflegeziele	Pflegeintervention
• Zuwendung und Vertrauensaufbau sind unterstützt	• Vor der Nahrungsverabreichung bewusst Kontakt aufnehmen

Pflegeziele	Pflegeintervention	Handlungsleitende Pflegeinterventionen
• Lebensbedrohliches Flüssigkeits- und Ernährungsdefizit ist ausgeglichen	• Durch eine Ernährungssonde zusätzlich Nahrung zuführen	**Sondennahrung lt. Arzt auswählen** • Niedermolekulare, chemisch definierte Diät (ballaststofffrei) (CDD) • Hochmolekulare, nährstoffdefinierte Diät (NDD) • NDD ballaststofffrei • NDD ballaststoffreich • NDD für Diabetes mellitus

AEDL Essen und Trinken können

- NDD eiweißmodifiziert
- NDD fettmodifiziert
- CDD für Kinder
- NDD für Kinder

Applikationsform auswählen
- Schwerkraftapplikation
- Nahrung kontinuierlich über Ernährungspumpe verabreichen
- Bolusapplikation

Pflegeziele	Pflegeintervention	Handlungsleitende Pflegeinterventionen
• Lebensbedrohliches Flüssigkeits- und Ernährungsdefizit ist ausgeglichen	• Zusätzlich Infusionstherapie nach Anordnung durchführen	**Infusionen ohne Zusätze anhängen** • 1–2 Infusionen anhängen • 3–4 Infusionen anhängen • 5 und > Infusionen anhängen **Infusionen mit Zusätzen anhängen** • 1–2 Infusionen mit Zusätzen anhängen • 3–4 Infusionen mit Zusätzen anhängen • 5 und > Infusionen mit Zusätzen anhängen • Zwei- und Dreiwegehähne auswechseln • Hahnenbank austauschen • Besonderheiten bestimmen • Über Infusomat verabreichen • Über Perfusor verabreichen • Über Tropfenzähler verabreichen **Tropfgeschwindigkeit einstellen**
• Beurteilung von Ernährungslage und Flüssigkeitszufuhr ist sichergestellt	• Nahrungs- und Flüssigkeitszufuhr kontrollieren und dokumentieren	**Nahrungsaufnahme kontrollieren** • Eingenommene Nahrung auf einem Ernährungsprotokoll dokumentieren • Nahrungseinnahme beaufsichtigen • Nahrung verabreichen
• Gewichtsreduktion ist sofort erkannt	• Gewichtskontrollen durchführen	**Gewicht kontrollieren** • Gewicht mit Sitzwaage kontrollieren • Gewicht mit Stehwaage kontrollieren
• Genaue Bemessungsgrundlage für die Einschätzung des Ernährungszustands ist sichergestellt	• Körpergröße ermitteln	

Literatur: 121, 168, 172, 272, 273

AEDL Essen und Trinken können

Pflegediagnose
Der Bewohner führt zu viele Nährstoffe (Kalorien) im Vergleich zum Stoffwechselbedarf zu

▶ **Kennzeichen**
- Starke Gewichtszunahme
- Gewichtszunahme
- Übergewicht mehr als 10–20% über dem Idealgewicht
- Äußerungen über gestörtes Essverhalten
- Bewegt sich wenig

▶ **Ursachen**
- Ungleichgewicht zwischen zugeführter Energie und dem Energieverbrauch
- Konzentration der Nahrungsaufnahme auf Fette und Kohlenhydrate
- Essen als Reaktion auf psychische Belastung
- Nahrungsaufnahme ist überwiegend abends
- Nahrungsaufnahme während bestimmter Aktivitäten, z. B. beim Fernsehen
- Zwanghaftes Essen
- Berichtet über fehlendes Sättigungsgefühl

▶ **Ressourcen**
- Akzeptiert die Notwendigkeit der Diät (bestimmte Einschränkungen)
- Erkennt die Notwendigkeit der Gewichtsreduktion
- Äußert den Wunsch abzunehmen
- Ist bereit, die Ernährung umzustellen

Pflegeziele
- Kann die versteckten Kalorien erkennen
- Benennt Umstände, die verändert werden müssen, um abzunehmen

Pflegeintervention
- Zum Führen des Ernährungstagebuchs anleiten, Reflexionsgespräche über die Einträge in das Tagebuch führen

---

Pflegeziele
- Erkennt Situationen, in denen Nahrung eine Ersatzbefriedigung darstellt
- Hat neue Möglichkeiten der Bedürfnisbefriedigung gefunden

Pflegeintervention
- In Gesprächen herausfinden, wann Essen eher ein emotionales statt ein körperliches Bedürfnis befriedigt

---

Pflegeziele
- Diät-/Essensplan wird eingehalten

Pflegeintervention
- Essensplan, der kalorienreduziert ist und eine ausgewogene Ernährung sicherstellt, aufstellen und vereinbaren

---

Pflegeziele
- Kann die Nahrungsmittel entsprechend der Kalorienzahl und dem Nährwert einschätzen

Pflegeintervention
- Diätassistenten einladen/bestellen

Pflegeziele
- Nimmt das vereinbarte Wochenziel an Körpergewicht ab

Pflegeintervention
- Angestrebte wöchentliche/monatliche Gewichtsreduktion festlegen und Gewichtskontrolle durchführen

Handlungsleitende Pflegeinterventionen
Gewicht kontrollieren
- Gewicht mit Sitzwaage kontrollieren
- Gewicht mit Stehwaage kontrollieren

Pflegeziele
- Langfristige Ernährungsumstellung ist sichergestellt

Pflegeintervention
- Kochkurse und Diätberatung vermitteln

AEDL Essen und Trinken können

Pflegeziele	Pflegeintervention	
• Täglicher Kalorienverbrauch des Körpers ist durch Sport gesteigert	• Zu körperlichen Aktivitäten auffordern	

Pflegeziele	Pflegeintervention	Handlungsleitende Pflegeinterventionen
• Nimmt nicht an Körpergewicht zu	• Nahrungszufuhr kontrollieren und beschränken	**Nahrungsaufnahme kontrollieren** • Eingenommene Nahrung auf einem Ernährungsprotokoll dokumentieren • Nahrungseinnahme beaufsichtigen • Nahrung verabreichen

Pflegeziele	Pflegeintervention	Handlungsleitende Pflegeinterventionen
• Kann das Ausmaß des Übergewichts einschätzen	• Übergewicht ermitteln und Analyse des Körperfettanteils durchführen	**Übergewicht einschätzen und Körperfettanalyse durchführen** • Hautfaltendicke-Messung durchführen • BMI errechnen **Gewicht kontrollieren** • Gewicht mit Sitzwaage kontrollieren • Gewicht mit Stehwaage kontrollieren

Pflegeziele	Pflegeintervention	
• Genaue Bemessungsgrundlage für die Einschätzung des Ernährungszustands ist sichergestellt	• Körpergröße ermitteln	

Literatur: 50, 55, 103, 121, 246, 272, 273

▶ Pflegediagnosen: Veränderungen des Flüssigkeitshaushalts

Pflegediagnose
Der Bewohner weist Risikofaktoren auf, die zu einem Flüssigkeitsdefizit führen können, Gefahr der Dehydration

▶ Kennzeichen	▶ Ursachen	▶ Ressourcen
• Trinkt sehr wenig • Äußert, keinen Durst zu haben	• Reduzierte Flüssigkeitszufuhr • Über längere Zeit reduzierte Flüssigkeitszufuhr • Einschränkung bezüglich der Flüssigkeitsaufnahme • Diarrhö • Flüssigkeitsverlust, z. B. durch Sonde/Drainage • Starkes Schwitzen • Fieber • Diuretikagabe • Wissensdefizit über Flüssigkeitsbedarf • Desorientierung • Bewusstlosigkeit	• Erkennt die Notwendigkeit der getroffenen Intervention und kooperiert mit dem therapeutischen Team • Trinkt die vorbereitete Flüssigkeit • Hält sich an den Trinkfahrplan • Die Angehörigen verabreichen die Flüssigkeit nach Trinkfahrplan

AEDL Essen und Trinken können

Pflegeziele	Pflegeintervention	
• Einem Flüssigkeitsdefizit ist vorgebeugt	• Gefahr der Dehydration einschätzen und präventive Maßnahmen planen	

Pflegeziele	Pflegeintervention	Handlungsleitende Pflegeinterventionen
• Flüssigkeitshaushalt ist eingeschätzt	• Flüssigkeitshaushalt mithilfe der Ein- und Ausfuhrkontrolle einschätzen	**Flüssigkeitsbilanzierung durchführen** • ZVD-Messung durchführen • Flüssigkeitsbilanzierung durchführen • Stundenurinkontrolle durchführen • Ausfuhr berechnen • Einfuhr berechnen • Bilanzprotokoll erstellen **Flüssigkeitszufuhr lt. Arztanordnung festlegen** • Positiv-Bilanz • Negativ-Bilanz • Ausgeglichene Bilanz **Erfassungszeitraum bestimmen/sonstige Angaben** • Blase am Ende des Erfassungszeitraums entleeren lassen • Ergebnisse in die Dokumentation eintragen • Erfassungszeitraum bestimmen

Pflegeziele	Pflegeintervention	Handlungsleitende Pflegeinterventionen
• Flüssigkeitsdefizit ist sofort erkannt • Einem Flüssigkeitsdefizit ist vorgebeugt	• Flüssigkeitsbedarf festlegen und Flüssigkeitszufuhr unterstützen	**Flüssigkeitszufuhr regeln** • Zieleinfuhr mit dem Arzt vereinbaren • Flüssigkeit nach Trinkfahrplan zuführen • Trinkfahrplan erstellen und aktualisieren (a) • Flüssigkeit nach Flüssigkeitsbilanz des Vortags verabreichen **Art der Verabreichung bestimmen** • Flüssigkeit mit Teelöffel zuführen • Flüssigkeit mit Esslöffel zuführen • Flüssigkeit mit Trinkhalm zuführen • Flüssigkeit mit Schnabelbecher zuführen • Flüssigkeit mit Tasse/Glas zuführen **Art der Unterstützungsleistung bestimmen** • Beaufsichtigen • Unterstützen • Teilweise übernehmen • Vollständig übernehmen • Anleiten

Pflegeziele	Pflegeintervention	
• Selbstständigkeit und Selbstverantwortung bei der Flüssigkeitszufuhr sind gefördert • Kann den Flüssigkeitsbedarf einschätzen und führt entsprechend Flüssigkeit zu • Kennt Anzeichen eines Flüssigkeitsdefizits und kann rechtzeitig gegensteuern	• Zur Selbstkontrolle der Flüssigkeitszufuhr anleiten	

Literatur: 50, 103, 112, 121, 143, 172, 272, 273

AEDL Essen und Trinken können

Pflegediagnose
Der Bewohner hat ein reduziertes Durstgefühl, Gefahr der Dehydration

▶ **Kennzeichen**
- Trinkt sehr wenig
- Trockene, spröde Haut
- Trockene Schleimhäute
- Leidet an Obstipation
- Äußert, keinen Durst zu haben
- Konzentrierter Urin

▶ **Ursachen**
- Altersbedingt vermindertes Durstgefühl
- Vergisst zu trinken
- Erkrankung des ZNS, die das Durstgefühl beeinträchtigt

▶ **Ressourcen**
- Trinkt die vorbereitete Flüssigkeit
- Hält sich an den Trinkfahrplan
- Die Angehörigen verabreichen die Flüssigkeit nach Trinkfahrplan

Pflegeziele
- Flüssigkeitsbilanz ist ausgeglichen

Pflegeintervention
- Flüssigkeitsbedarf festlegen und Trinkfahrplan vereinbaren/erstellen

Pflegeziele
- Selbstständigkeit und Selbstverantwortung bei der Flüssigkeitszufuhr sind gefördert
- Zieleinfuhr ist erreicht

Pflegeintervention
- Flüssigkeitsbedarf festlegen und Flüssigkeitszufuhr unterstützen

Handlungsleitende Pflegeinterventionen

Flüssigkeitszufuhr regeln
- Zieleinfuhr mit dem Arzt vereinbaren
- Flüssigkeit nach Trinkfahrplan zuführen
- Trinkfahrplan erstellen und aktualisieren (a)
- Flüssigkeit nach Flüssigkeitsbilanz des Vortags verabreichen

Art der Verabreichung bestimmen
- Flüssigkeit mit Teelöffel zuführen
- Flüssigkeit mit Esslöffel zuführen
- Flüssigkeit mit Trinkhalm zuführen
- Flüssigkeit mit Schnabelbecher zuführen
- Flüssigkeit mit Tasse/Glas zuführen

Art der Unterstützungsleistung bestimmen
- Beaufsichtigen
- Unterstützen
- Teilweise übernehmen
- Vollständig übernehmen
- Anleiten

Pflegeziele
- Flüssigkeitsbilanz ist ausgeglichen

Pflegeintervention
- Ein- und Ausfuhrkontrolle mithilfe des Bilanzbogens durchführen

Handlungsleitende Pflegeinterventionen

Flüssigkeitsbilanzierung durchführen
- ZVD-Messung durchführen
- Flüssigkeitsbilanzierung durchführen
- Stundenurinkontrolle durchführen
- Ausfuhr berechnen
- Einfuhr berechnen
- Bilanzprotokoll erstellen

Flüssigkeitszufuhr lt. Arztanordnung festlegen
- Positiv-Bilanz
- Negativ-Bilanz
- Ausgeglichene Bilanz

Erfassungszeitraum bestimmen/sonstige Angaben
- Blase am Ende des Erfassungszeitraums entleeren lassen
- Ergebnisse in die Dokumentation eintragen
- Erfassungszeitraum bestimmen

Literatur: 50, 103, 112, 121, 143, 172, 272, 273

AEDL Essen und Trinken können

▶ Pflegediagnosen: Diät, Ernährung und Unverträglichkeiten

Pflegediagnose
Der Bewohner ist zuckerkrank, durch die Nahrungsaufnahme kommt es zu starken Blutzuckerschwankungen, Gefahr der Hyper- oder Hypoglykämie

▶ Kennzeichen	▶ Ursachen	▶ Ressourcen
• Glukose im Urin • Erhöhte Blutzuckerwerte • Äußert Übelkeitsgefühl • Erschöpfungszustände • Beschreibt starkes Durstgefühl • Schweißausbruch • Unruhezustände • Äußert ein Wissensdefizit über die richtige Applikation einer Insulinverabreichung	• Diabetes mellitus Typ I • Diabetes mellitus Typ II	• Erkennt die Notwendigkeit der getroffenen Intervention und kooperiert mit dem therapeutischen Team • Kann die Blutzuckerwerte einschätzen und Symptome richtig erkennen • Ist an der selbstständigen Versorgung interessiert • Kann sich das Insulin selbst verabreichen • Angehörige sind bereit, die Spritzentechnik zu lernen • Kann die BZ-Werte selbstständig ermitteln • Kann die Nahrungsmittel gut nach BE-Einheiten einschätzen

Pflegeziele	Pflegeintervention	Handlungsleitende Pflegeinterventionen
• Ist über Verhaltensmaßregeln informiert und unterstützt die Therapie • Blutzuckerspiegel ist ausgeglichen	• Nahrungszufuhr zur Optimierung des Blutzuckerspiegels festlegen und gestalten	**BE-Zufuhr gewährleisten** • Informationsgespräch über Nahrungszufuhr bei Diabetes führen • Diätberatung organisieren • Nahrungsaufnahme auf 6–7 kleine Mahlzeiten aufteilen
• Ist über Verhaltensmaßregeln informiert und unterstützt die Therapie • Blutzuckerspiegel ist ausgeglichen	• Blutzuckerkontrollen festlegen/durchführen	**Blutzuckerkontrollen durchführen** • Blutzuckerbestimmung mit Haemo-Glucotest 20–800 R • Mit elektronischem Messgerät und Codestreifen • Mithilfe des Labors • **Unterstützungsleistung bestimmen** • Zur Selbstbestimmung des BZ-Werts anleiten • BZ-Kontrolle übernehmen • BZ-Kontrolle durch Laborassistentin durchführen
• Ist über Verhaltensmaßregeln informiert und unterstützt die Therapie • Blutzuckerspiegel ist ausgeglichen	• Ess-Spritz-Abstand einhalten	**Ess-Spritz-Abstand festlegen**
• Ist über Verhaltensmaßregeln informiert und unterstützt die Therapie • Blutzuckerspiegel ist ausgeglichen	• Diabetesdiät nach Anordnung bestellen	

AEDL Essen und Trinken können

Pflegeziele
- Ist über Verhaltensmaßregeln informiert und unterstützt die Therapie
- Blutzuckerspiegel ist ausgeglichen

Pflegeintervention
- Auf Anzeichen von Hyper-/Hypoglykämie beobachten

Literatur: 103, 168, 172

Pflegediagnose
Der Bewohner hat ein Wissensdefizit über die Möglichkeiten der Insulintherapie

▶ **Kennzeichen**
- Kann Fragen bezüglich der Erkrankung und der Verhaltensmaßregeln nicht beantworten
- Kann keine Zusammenhänge bezüglich der Erkrankung und der Ernährung/Insulintherapie erklären
- Pflege-/Behandlungsvereinbarungen werden nicht eingehalten
- Kann die Insulinverabreichung nicht selbstständig durchführen
- Ermittelt die BZ-Werte falsch

▶ **Ursachen**
- Informationsmaterial, Anleitung und Informationsquellen reichen nicht aus
- Unfähigkeit, die angebotene Information zu nutzen
- Fehlendes Interesse
- Geringe Lernbereitschaft und Ausdauer
- Fehlende kognitive Fähigkeiten

▶ **Ressourcen**
- Ist motiviert, neu zu lernen
- Zeigt Verhaltensweisen, die die Therapie unterstützen

Pflegeziele
- Unabhängigkeit von festen Essenszeiten ist erreicht
- Freie Lebensgestaltung ist unterstützt

Pflegeintervention
- Bei der ICT (Intensivierte konventionelle Insulintherapie) anleiten/unterstützen

Handlungsleitende Pflegeinterventionen
- Zur Berechnung der Bolusrate anleiten
- Zur selbstständigen Blutzuckerbestimmung anleiten
- Zur selbstständigen Insulinverabreichung anleiten
- Im Umgang mit dem Pen anleiten

Intensivierte konventionelle Insulintherapie (ICT) übernehmen
- Bolusrate berechnen
- BZ-Kontrolle übernehmen
- Insulin mit der Insulinspritze aufziehen
- Insulin mit der Insulinspritze verabreichen
- Insulin mit dem Pen verabreichen

Pflegeziele
- Freie Lebensgestaltung ist unterstützt

Pflegeintervention
- Bei der kontinuierlichen subkutanen Insulintherapie mit Insulinpumpe unterstützen

Literatur: 103, 168, 172

AEDL Sich pflegen können

▶ Selbstversorgungsdefizit: Körperpflege und Baden

Pflegediagnose
Der Bewohner kann sich nicht selbstständig waschen

▶ **Kennzeichen**

- Die Fähigkeit, die Körperpartien zu waschen, ist eingeschränkt
- Pflegeutensilien können nicht selbstständig oder adäquat benutzt werden
- Kann die Waschgelegenheit nicht selbstständig aufsuchen
- Zeigt keine Eigeninitiative, die Körperwaschung durchzuführen

▶ **Ursachen**

- Apraxie
- Angstzustände
- Schmerzzustände
- Reifungsfaktoren
- Bewegungseinschränkung
- Depressive Verstimmung
- Veränderte Wahrnehmung
- Belastungs-/Ruhedyspnoe
- Postoperative Einschränkung
- Hypotone Kreislaufveränderung
- Neuromuskuläre Beeinträchtigung
- Der Wille, die Körperwaschung durchzuführen, fehlt
- Kognitive Fähigkeiten sind eingeschränkt
- Eingeschränkte körperliche Belastungsfähigkeit
- Anordnung des behandelnden Arztes

▶ **Ressourcen**

- Ist motiviert, die Pflegemaßnahme zu unterstützen, und zeigt entsprechende Verhaltensweisen
- Kann sitzen
- Kann selbstständig sitzen
- Akzeptiert die Unterstützung von Angehörigen
- Kann Aufforderungen folgen und hält sich an Vorgaben
- Kann Oberkörper/Gesicht selbstständig waschen
- Kann unter Aufsicht und Anleitung die Körperwaschung selbstständig durchführen

Pflegeziele

- Äußert Wohlbefinden
- Fühlt sich angenommen und verstanden
- Körperhygiene ist gewährleistet
- Bedürfnisse und Wünsche sind beachtet

Pflegeintervention

- Ganzkörperwaschung (GW) individuell durchführen

Handlungsleitende Pflegeinterventionen
Ganzkörperwaschung (GW) durchführen

- GW im Bett durchführen
- GW am Bettrand durchführen
- GW am Waschbecken durchführen
- GW in der Dusche durchführen

Bei der Körperwaschung helfen

- Beaufsichtigen
- Durch Unterstützen helfen
- Teilweise übernehmen
- Vollständig übernehmen
- Aktivieren/anleiten

Besonderheiten beachten

- Ritualisierung einhalten

Verwendete Pflegeprodukte auswählen

Pflegeziele

- Führt die Körperpflege selbstständig durch

Pflegeintervention

- Teilkörperwaschung (TW) individuell durchführen

Handlungsleitende Pflegeinterventionen
Teilkörperwaschung (TW) Oberkörper/Unterkörper durchführen

- TW Oberkörper im Bett
- TW Oberkörper am Bettrand
- TW Oberkörper am Waschbecken
- TW Unterkörper im Bett
- TW Unterkörper am Bettrand
- TW Unterkörper am Waschbecken

Teilkörperwaschung (TW) Gesicht/Hände durchführen

- TW Gesicht/Hände im Bett
- TW Gesicht/Hände am Bettrand
- TW Gesicht/Hände am Waschbecken

AEDL Sich pflegen können

Bei der Körperwaschung helfen
- Beaufsichtigen
- Durch Unterstützen helfen
- Teilweise übernehmen
- Vollständig übernehmen
- Aktivieren/anleiten

Besonderheiten beachten
- Ritualisierung einhalten

Verwendete Pflegeprodukte auswählen

Pflegeziele
- Fühlt sich durch den bekannten Ablauf der Pflegeintervention sicher

Pflegeintervention
- Körperwaschung planvoll durchführen

Pflegeziele
- Äußert Wohlbefinden nach der Pflegeintervention
- Fühlt sich erfrischt und sauber

Pflegeintervention
- Beim Duschen individuell unterstützen

Handlungsleitende Pflegeinterventionen
- Teilwaschung Oberkörper durchführen
- Teilwaschung Unterkörper durchführen
- Ganzwaschung in der Dusche durchführen
- Haarwäsche beim Duschen durchführen

Beim Duschen helfen
- Materialien bereitlegen
- Beaufsichtigen
- Durch Unterstützen helfen
- Teilweise übernehmen
- Vollständig übernehmen
- Aktivieren/anleiten

Besonderheiten beachten
- Ritualisierung einhalten

Art und Weise des Duschens bestimmen
- Im Sitzen/auf dem Duschstuhl duschen
- Im Stehen duschen
- Im Liegen mithilfe eines Duschwagens duschen

Pflegeziele
- Kann sich beim Baden entspannen
- Fühlt sich erfrischt und sauber

Pflegeintervention
- Beim Baden unterstützen

Handlungsleitende Pflegeinterventionen
- Bad und Pflegeutensilien vorbereiten
- Beim Wanneneinstieg/-ausstieg helfen
- Lifter für den Transfer einsetzen
- Vom Stuhl in die Badewanne transferieren

Art des Bads bestimmen
- Warmes Vollbad
- Heißes Vollbad
- Ansteigendes Halbbad
- Absteigendes Halbbad

Bei der Körperwaschung helfen
- Beaufsichtigen
- Durch Unterstützen helfen
- Teilweise übernehmen
- Vollständig übernehmen
- Aktivieren/anleiten

Besonderheiten bestimmen
- Ritualisierung einhalten

Hilfsmittel einsetzen
- Badewannensitz
- Badewannen-Sicherheitsmatten
- Badewannenbrett

AEDL Sich pflegen können

Pflegeziele	Pflegeintervention	Handlungsleitende Pflegeinterventionen
• Kann sich im Bad waschen • Transfer in das Bad und zurück ist sicher durchgeführt	• Beim Aufsuchen und Verlassen des Bads individuell unterstützen	• Zum Bad und zurück begleiten • Beim Gehen zum Waschbecken unterstützen • Mit dem Rollstuhl zum Bad fahren

Literatur: 50, 75, 98, 121, 140, 163, 164, 168, 172, 272, 273, 278

Pflegediagnose
Der Bewohner kann aufgrund einer Bewegungseinschränkung nur einen Teil der Körperwaschung selbstständig übernehmen

▶ **Kennzeichen**
- Die Fähigkeit, die Körperpartien zu waschen, ist eingeschränkt
- Der Wasserhahn kann nicht selbstständig bedient werden
- Pflegeutensilien können nicht selbstständig oder adäquat benutzt werden

▶ **Ursachen**
- Lähmung
- Lähmungserscheinung
- Hemiplegie
- Anordnung des behandelnden Arztes
- Auswirkung einer OP
- Schmerzzustände
- Neuromuskuläre Beeinträchtigung
- Amputation
- Extensionsbehandlung
- Eingeschränkte Beweglichkeit der Gelenke
- Infusionstherapie
- Körperliche Schwäche

▶ **Ressourcen**
- Kann die Mundspülung/Mundpflege selbstständig durchführen
- Kann Oberkörper/Gesicht selbstständig waschen
- Ist motiviert, Teile der Körperpflege je nach körperlichem Zustand selbstständig zu übernehmen
- Akzeptiert die Unterstützung von Angehörigen
- Entwickelt kreative Möglichkeiten, die Bewegungseinschränkung zu kompensieren
- Kann selbstständig sitzen
- Kann den Wasserhahn bedienen
- Kann Pflegeutensilien selbstständig benutzen

Pflegeziele	Pflegeintervention	
• Eigenaktivität ist gefördert • Erkennt eigene Ressourcen und Möglichkeiten und entwickelt Handlungsstrategien/Verhaltensweisen, um diese zu aktivieren • Eigenaktivität bei der Körperwaschung ist entsprechend den körperlichen Ressourcen geplant	• Ressourcen und Einschränkungen systematisch ermitteln	

Pflegeziele	Pflegeintervention	Handlungsleitende Pflegeinterventionen
• Ist bei der Körperpflege unterstützt • Selbstständigkeit ist gefördert • Äußert Zufriedenheit über die erreichte Eigenaktivität	• Bei der Körperpflege anleiten und unterstützen	**Teilkörperwaschung (TW) Oberkörper/Unterkörper durchführen** • TW Oberkörper im Bett • TW Oberkörper am Bettrand • TW Oberkörper am Waschbecken • TW Unterkörper im Bett • TW Unterkörper am Bettrand • TW Unterkörper am Waschbecken **Teilkörperwaschung (TW) Gesicht/Hände durchführen** • TW Gesicht/Hände im Bett • TW Gesicht/Hände am Bettrand • TW Gesicht/Hände am Waschbecken **Bei der Körperwaschung helfen** • Beaufsichtigen • Durch Unterstützen helfen

AEDL Sich pflegen können

- Teilweise übernehmen
- Vollständig übernehmen
- Aktivieren/anleiten

Besonderheiten beachten
- Ritualisierung einhalten

Verwendete Pflegeprodukte auswählen

Pflegeziele	Pflegeintervention	Handlungsleitende Pflegeinterventionen
• Ist bei der Körperpflege unterstützt • Selbstständigkeit ist gefördert	• Waschschüssel und Pflegeutensilien zur Körperpflege bereitstellen	**Körperpflegeutensilien bereitstellen** • Waschschüssel mit Waschwasser • Pflegeutensilien • Zahnputzmaterialien • Mundspülung • Handtücher • Waschlappen **Vorbereitungsort bestimmen** • Im Bad vorbereiten • Am Nachttisch/Tisch vorbereiten
• Kann sich im Bad waschen • Unterstützt aktiv die Körperwaschung im Bad	• Beim Aufsuchen und Verlassen des Bads unterstützen	• Zum Bad und zurück begleiten • Beim Gehen zum Waschbecken unterstützen • Mit dem Rollstuhl zum Bad fahren

Literatur: 121, 168, 172, 272, 273

Pflegediagnose
Der Bewohner ist in der körperlichen Belastbarkeit bei der Körperpflege eingeschränkt, Selbstversorgungsdefizit Waschen

▶ Kennzeichen	▶ Ursachen	▶ Ressourcen
• Auftretende Kreislaufveränderung (Blässe, Kaltschweißigkeit, Tachykardie, Tachypnoe, Schwindel und anderes mehr) • Die Fähigkeit, die Körperpartien zu waschen, ist eingeschränkt • Kann die Waschgelegenheit nicht selbstständig aufsuchen	• Reduzierter Allgemeinzustand • Herzinsuffizienz • Verminderter Atemvorgang • Auswirkung einer OP	• Kann sitzen • Kann selbstständig sitzen • Akzeptiert die Unterstützung von Angehörigen • Ist motiviert, Teile der Körperpflege je nach körperlichem Zustand selbstständig zu übernehmen • Kann die körperliche Belastbarkeit einschätzen und fordert rechtzeitig Unterstützung an

Pflegeziele	Pflegeintervention	Handlungsleitende Pflegeinterventionen
• Veränderungen werden frühzeitig erkannt und dokumentiert	• Vitalzeichenkontrolle durchführen	**Überwachungsmonitor benutzen** • Überwachungsmonitor benutzen • Pulsfrequenz/-qualität messen • Blutdruckwert messen • Atemfrequenz/-qualität messen • Körpertemperatur messen • Sauerstoffsättigung mit Oximeter überprüfen **Vitalzeichenwerte manuell messen** • Pulsfrequenz/-qualität messen • Blutdruckwert messen • Atemfrequenz/-qualität messen • Körpertemperatur messen

AEDL Sich pflegen können

- Besonderheiten bei der Messung bestimmen
- Am rechten Arm messen
- Am linken Arm messen

Pflegeziele
- Veränderungen werden frühzeitig erkannt und dokumentiert

Pflegeintervention
- Regelmäßig nach dem Befinden erkundige

Pflegeziele
- Veränderungen werden frühzeitig erkannt und dokumentiert
- Eigenaktivität bei der Körperwaschung ist entsprechend den körperlichen Ressourcen geplant

Pflegeintervention
- Ganzkörperwaschung (GW) unter Berücksichtigung der Aktivitätstoleranz durchführen

Handlungsleitende Pflegeinterventionen
Ganzkörperwaschung (GW) durchführen
- GW im Bett durchführen
- GW am Bettrand durchführen
- GW am Waschbecken durchführen
- GW in der Dusche durchführen

Bei der Körperwaschung helfen
- Beaufsichtigen
- Durch Unterstützen helfen
- Teilweise übernehmen
- Vollständig übernehmen
- Aktivieren/anleiten

Besonderheiten beachten
- Ritualisierung einhalten

Verwendete Pflegeprodukte auswählen

Pflegeziele
- Transfer in das Bad und zurück ist sicher durchgeführt

Pflegeintervention
- Beim Aufsuchen und Verlassen des Bads unterstützen

Handlungsleitende Pflegeinterventionen
- Zum Bad und zurück begleiten
- Beim Gehen zum Waschbecken unterstützen
- Mit dem Rollstuhl zum Bad fahren

Pflegeziele
- Einer Überforderung ist vorgebeugt

Pflegeintervention
- Teilkörperwaschung (TW) individuell entsprechend der Aktivitätstoleranz durchführen

Handlungsleitende Pflegeinterventionen
Teilkörperwaschung (TW) Oberkörper/Unterkörper durchführen
- TW Oberkörper im Bett
- TW Oberkörper am Bettrand
- TW Oberkörper am Waschbecken
- TW Unterkörper im Bett
- TW Unterkörper am Bettrand
- TW Unterkörper am Waschbecken

Teilkörperwaschung (TW) Gesicht/Hände durchführen
- TW Gesicht/Hände im Bett
- TW Gesicht/Hände am Bettrand
- TW Gesicht/Hände am Waschbecken

Bei der Körperwaschung helfen
- Beaufsichtigen
- Durch Unterstützen helfen
- Teilweise übernehmen
- Vollständig übernehmen
- Aktivieren/anleiten

Besonderheiten beachten
- Ritualisierung einhalten

Verwendete Pflegeprodukte auswählen

Literatur: 168, 272, 273

AEDL Sich pflegen können

Pflegediagnose
Der Bewohner ist im Bereich der Körperpflege aufgrund einer Bewusstseinsveränderung voll abhängig

▶ Kennzeichen	▶ Ursachen	▶ Ressourcen
• Keine verbale Reaktion • Öffnet die Augen auf Aufforderung nicht • Fehlende Reaktion auf Schmerzreize • Fehlende motorische Reaktion • Fehlende Reaktion auf Berührung • Keine Spontanbewegung	• Stoffwechselbedingtes Koma • Großer operativer Eingriff • Bewusstlosigkeit durch Koma • Schädel-Hirn-Trauma • Apallisches Syndrom	• Reagiert positiv auf die therapeutische Körperwaschung • Kann sich bei der Körperwaschung entspannen

Pflegeziele	Pflegeintervention
• Erlebt die Körperpflege als angenehm und ist entspannt • Ist über die Pflegetätigkeit informiert	• Über jede Pflegetätigkeit/Pflegehandlung/Aktion im Umfeld informieren

Pflegeziele	Pflegeintervention	Handlungsleitende Pflegeinterventionen
• Körperhygiene ist gewährleistet	• Ganzkörperwaschung (GW) im Bett durchführen	**Ganzkörperwaschung (GW) durchführen** • GW im Liegen vollständig übernehmen • Im Liegen mithilfe eines Duschwagens duschen **Besonderheiten beachten** • Ritualisierung einhalten **Verwendete Pflegeprodukte auswählen**

Pflegeziele	Pflegeintervention	Handlungsleitende Pflegeinterventionen
• Körperwahrnehmung ist aktiviert und stimuliert • Unterschiedlichste Sinne sind durch Reize zur Förderung von Orientierung und Wahrnehmung stimuliert	• Belebende Körperwaschung durchführen	**Belebende Körperwaschung durchführen** • Kühles Waschwasser verwenden (30–37 °C) • Gegen die Haarwuchsrichtung waschen • Raue Waschlappen/Handtücher verwenden • Intimwaschung während der belebenden Körperwaschung durchführen **Besonderheiten beachten** **Belebenden Waschzusatz wählen/zubereiten** • Rosmarinaufguss/-tee • Majoran – ätherisches Öl

Pflegeziele	Pflegeintervention	Handlungsleitende Pflegeinterventionen
• Ist ruhig und kann sich entspannen • Abwehrhaltung und Angst sind reduziert • Anspannungen sind gelöst	• Beruhigende Körperwaschung durchführen	**Beruhigende Körperwaschung durchführen** • Weiche Waschlappen/Handtücher verwenden • Warmes Wasser verwenden (ca. 40 °C) • Mit der Haarwuchsrichtung waschen • Intimpflege vor der beruhigenden Waschung durchführen **Besonderheiten beachten** **Beruhigende Waschzusätze verwenden** • Lavendel – ätherisches Öl • Sandelholz – ätherisches Öl • Rosenholz – ätherisches Öl

AEDL Sich pflegen können

Pflegeziele	Pflegeintervention	Handlungsleitende Pflegeinterventionen
• Körperwahrnehmung ist aktiviert und stimuliert	• Anregende Waschwasserzusätze verwenden	**Anregende Waschwasserzusätze verwenden** • Rosmarin-Bademilch verwenden

Literatur: 21, 121, 168, 190, 272, 273

Pflegediagnose
Der Bewohner darf sich bei der Körperpflege aufgrund einer verminderten Herzleistung nicht anstrengen

▶ Kennzeichen	▶ Ursachen	▶ Ressourcen
• Schwankende Blutdruckwerte • Tachykardie • Kaltschweißigkeit • Bewusstseinseintrübung • Jugularvenenstauung • Erschöpfungszustände • Zyanosezeichen • Blässe der Haut • Dyspnoe	• Herz-Kreislauf-Instabilität • Herzinsuffizienz • Herzinfarkt • Rechts-Links-Herzinsuffizienz	• Kann die körperliche Belastbarkeit einschätzen und fordert rechtzeitig Unterstützung an • Akzeptiert die Unterstützung von Angehörigen • Kennt Kräfte schonende Methoden, die Körperpflege durchzuführen • Ist motiviert, stufenweise die eigene Kondition zu steigern • Ist motiviert, Teile der Körperpflege je nach körperlichem Zustand selbstständig zu übernehmen

Pflegeziele	Pflegeintervention	Handlungsleitende Pflegeinterventionen
• Körperhygiene ist gewährleistet • Herz-Kreislauf-System ist entlastet	• Situationseinschätzung mit kontinuierlicher Belastungskontrolle durchführen	**Überwachungsmonitor benutzen** • Überwachungsmonitor benutzen • Pulsfrequenz/-qualität messen • Blutdruckwert messen • Atemfrequenz/-qualität messen • Körpertemperatur messen • Sauerstoffsättigung mit Oximeter überprüfen **Vitalzeichenwerte manuell messen** • Pulsfrequenz/-qualität messen • Blutdruckwert messen • Atemfrequenz/-qualität messen • Körpertemperatur messen • Besonderheiten bei der Messung bestimmen • Am rechten Arm messen • Am linken Arm messen

Pflegeziele	Pflegeintervention	Handlungsleitende Pflegeinterventionen
• Körperhygiene ist gewährleistet • Herz-Kreislauf-System ist entlastet	• Körperpflege nach der Mobilisationsstufe und Belastungssituation durchführen	**Körperpflege nach Mobilisationsstufe durchführen** • Mobilisationsstufe 1 Ganzwaschung im Bett liegend durchführen • Mobilisationsstufe 2 Teilwaschung im Bett liegend, selbstständiges Waschen von Gesicht und Oberkörper • Mobilisationsstufe 3 Im Bett liegend selbstständig waschen • Mobilisationsstufe 4 Teilwaschung im Bett sitzend durchführen • Mobilisationsstufe 5 Teilwaschung am Bettrand durchführen • Mobilisationsstufe 6 Am Bettrand selbstständig waschen

AEDL Sich pflegen können

- Mobilisationsstufe 7
  Am Waschbecken selbstständig waschen
- Mobilisationsstufe 8
  Selbstständig duschen/waschen

Besonderheiten laut ärztlicher Anordnung beachten

Pflegeziele	Pflegeintervention	Handlungsleitende Pflegeinterventionen
• Körperhygiene ist gewährleistet • Herz-Kreislauf-System ist entlastet	• Bei Veränderungen der Vitalzeichen die Körperpflege abbrechen	**Körperpflege abbrechen bei** • Pulsfrequenz über 110/Min. • Blutdruck über 160 mmHg

Pflegeziele	Pflegeintervention
• Herz-Kreislauf-System ist entlastet	• Bei der Körperwaschung nicht auf die linke Seite drehen

Pflegeziele	Pflegeintervention
• Herz-Kreislauf-System ist entlastet	• Ruhe ausstrahlen und jeden Stress bei der Körperpflege vermeiden

Literatur: 83, 121, 167, 168, 172, 272, 273

Pflegediagnose
Der Bewohner kann aufgrund einer Hemiplegie die Körperwaschung nicht selbstständig durchführen

▶ **Kennzeichen**
- Integriert die betroffene Seite nicht in Bewegungsabläufe
- Schwäche auf der betroffenen Seite
- Tonus reicht nicht aus, um aktiv beim Waschen/Kleiden zu unterstützen
- Schlaffe Lähmung auf der betroffenen Seite
- Spastische Lähmung auf der betroffenen Seite
- Gleichgewichtsstörung beim Sitzen
- Kann während des Waschens und Kleidens nicht symmetrisch sitzen
- Kann stehen, sich aber nicht gleichzeitig waschen/kleiden
- Ignoriert die betroffene Seite
- Ignoriert Objekte auf der betroffenen Seite
- Vernachlässigt bei der Körperpflege die betroffene Seite
- Spürt die Temperatur des Wassers wegen Hyposensibilität nicht

▶ **Ursachen**
- Apoplektischer Insult
- Schädel-Hirn-Trauma
- Hirnblutung
- Neurologische Erkrankung
- Hirntumor

▶ **Ressourcen**
- Ist motiviert, neue Bewegungsmuster zu lernen
- Ist motiviert, Teile der Körperpflege je nach körperlichem Zustand selbstständig zu übernehmen
- Kann selbstständig sitzen
- Akzeptiert die Unterstützung von Angehörigen
- Kann sitzen
- Kann Aufforderungen folgen und hält sich an Vorgaben
- Entwickelt kreative Möglichkeiten, die Bewegungseinschränkung zu kompensieren

AEDL Sich pflegen können

Pflegeziele
- Gelähmte Körperregion ist in Handlungsmuster integriert

Pflegeintervention
- Betroffene Körperregion bei der Körperpflege gezielt mit einbeziehen

---

Pflegeziele
- Gelähmte Körperregion ist in Handlungsmuster integriert
- Körperwahrnehmung ist aktiviert und stimuliert
- Fühlt die eigene Körpermitte

Pflegeintervention
- Basal stimulierende Körperwäsche nach Bobath durchführen

Handlungsleitende Pflegeinterventionen
- Basal stimulierende Teilkörperwaschung durchführen
- Basal stimulierende Ganzkörperwaschung durchführen
- Intimwaschung im Anschluss an die stimulierende Waschung durchführen

Besonderheiten bei der Durchführung beachten
- Raue Waschlappen/Handtücher verwenden
- Waschwasser nach Wunsch vorbereiten
- Waschrichtung von der nicht betroffenen zur betroffenen Seite wählen
- Aufmerksamkeit auf die Wahrnehmung richten
- Spastik auslösende Berührungen vermeiden
- Haarwuchsrichtung beachten

Pflegeziele
- Selbstständigkeit ist gefördert
- Kennt Spastik reduzierende Bewegungsmuster und kann diese einsetzen

Pflegeintervention
- Körperwaschung nach dem NDT-Konzept (Neuro-Developmental Treatment) durchführen

Handlungsleitende Pflegeinterventionen

Körperwaschung nach dem NDT-Konzept durchführen
- 1. Lernebene
  Waschen und Kleiden im Bett liegend durchführen, Pflegeperson übernimmt die Durchführung
- 2. Lernebene
  Waschen und Kleiden im Bett liegend durch Pflegeperson durchführen, betroffenen Arm gezielt stimulieren
- 3. Lernebene
  Waschen und Kleiden mit aufgerichtetem Oberkörper durch Pflegeperson durchführen
- 4. Lernebene
  Waschen und Kleiden mit aufgerichtetem Oberkörper durchführen, wäscht die Körperregionen im Sitzen selbstständig, Pflegeperson kontrolliert Schulterblatt, inhibiert Bewegungsabläufe
- 5. Lernebene
  Waschen und Kleiden im Sitzen mit Anziehtraining durchführen, Oberkörper selbstständig waschen, Pflegeperson beobachtet und faziliert bei Bedarf
- 6. Lernebene
  Waschen und Kleiden im Sitzen und teilweise im Stand durchführen, Pflegeperson inhibiert Bewegungsabläufe
- 7. Lernebene
  Waschen und Kleiden im Stand durchführen, zur selbstständigen Durchführung anleiten, bei Bedarf Bewegungsabläufe inhibieren

---

Literatur: 16, 21, 71, 121, 168, 272, 273

AEDL Sich pflegen können

Pflegediagnose
Der Bewohner ist unruhig, desorientiert, bei der Körperpflege orientierungslos und kann diese nicht sinnvoll gestalten

▶ Kennzeichen
- Die Fähigkeit, die Körperpartien zu waschen, ist eingeschränkt
- Motorische Unruhezustände
- Pflegeutensilien können nicht selbstständig oder adäquat benutzt werden
- Einsicht der Notwendigkeit von Körperpflege fehlt

▶ Ursachen
- Orientierungsstörung
- Chronische Desorientierung
- Akute Desorientierung
- Kognitive Fähigkeiten sind eingeschränkt
- Demenz
- Morbus Alzheimer
- Psychose
- Intoxikation
- Chorea Huntington

▶ Ressourcen
- Äußert Einsicht in die Pflegemaßnahme
- Reagiert positiv auf die therapeutische Körperwaschung
- Akzeptiert die Unterstützung von Angehörigen
- Kann unter Aufsicht und Anleitung die Körperwaschung selbstständig durchführen

---

Pflegeziele
- Selbstständigkeit ist erhalten
- Fühlt sich sicher und angenommen

Pflegeintervention
- Ganzkörperwaschung (GW) mit einheitlich festgelegter Vorgehensweise durchführen

Handlungsleitende Pflegeinterventionen

Ganzkörperwaschung (GW) durchführen
- GW im Bett durchführen
- GW am Bettrand durchführen
- GW am Waschbecken durchführen
- GW in der Dusche durchführen

Bei der Körperwaschung helfen
- Beaufsichtigen
- Durch Unterstützen helfen
- Teilweise übernehmen
- Vollständig übernehmen
- Aktivieren/anleiten

Besonderheiten beachten
- Ritualisierung einhalten

Verwendete Pflegeprodukte auswählen

Pflegeziele
- Selbstständigkeit ist erhalten
- Abwehrhaltung und Angst sind reduziert

Pflegeintervention
- Kontinuität und feste Gewohnheiten bei der Körperpflege berücksichtigen

Handlungsleitende Pflegeinterventionen

Vorgehensweise des Waschrituals festlegen

Biografische Hintergrundinformationen berücksichtigen

Pflegeziele
- Selbstständigkeit ist erhalten
- Ist weder über- noch unterfordert

Pflegeintervention
- Überforderung und Unterforderung bei der Körperpflege vermeiden

Handlungsleitende Pflegeinterventionen

Über-/Unterforderung vermeiden
- Entscheidungen so gering wie möglich halten
- Einfache Anweisungen/Hinweise geben
- Ressourcen ausschöpfen

Pflegeziele
- Selbstständigkeit ist erhalten

Pflegeintervention
- Teilkörperwaschung (TW) mit einheitlich festgelegter Vorgehensweise durchführen

Handlungsleitende Pflegeinterventionen

Teilkörperwaschung (TW) Oberkörper/Unterkörper durchführen
- TW Oberkörper im Bett
- TW Oberkörper am Bettrand
- TW Oberkörper am Waschbecken
- TW Unterkörper im Bett
- TW Unterkörper am Bettrand
- TW Unterkörper am Waschbecken

Teilkörperwaschung (TW) Gesicht/Hände durchführen
- TW Gesicht/Hände im Bett
- TW Gesicht/Hände am Bettrand

AEDL Sich pflegen können

- TW Gesicht/Hände am Waschbecken

Bei der Körperwaschung helfen
- Beaufsichtigen
- Durch Unterstützen helfen
- Teilweise übernehmen
- Vollständig übernehmen
- Aktivieren/anleiten

Besonderheiten beachten
- Ritualisierung einhalten

Verwendete Pflegeprodukte auswählen

Literatur: 102, 126, 172, 272, 273

Pflegediagnose
Der Bewohner ist im Ablauf der Körperpflege unkoordiniert

▶ **Kennzeichen**
- Die Fähigkeit, die Körperpartien zu waschen, ist eingeschränkt
- Verwirrung
- Widerstand ist wahrnehmbar
- Unfähigkeit, die Körperpflege selbstständig und strukturiert durchzuführen
- Arbeitsabläufe entsprechen nicht dem Standard
- Äußerungen über Unzufriedenheit
- Reagiert gereizt

▶ **Ursachen**
- Kommunikationsschwierigkeiten
- Fühlt sich nicht verstanden
- Fühlt sich nicht ernst genommen
- Wünsche werden nicht ausreichend berücksichtigt
- Demenzielle Veränderung

▶ **Ressourcen**
- Äußert Einsicht in die Pflegemaßnahme
- Nimmt die vereinbarten Veränderungen der Pflegeintervention an
- Ist an der Zusammenarbeit interessiert
- Hält Absprachen ein

Pflegeziele
- Körperpflege und gemeinsame Tätigkeiten sind harmonisch im Ablauf
- Widerstand bei der Durchführung der Körperpflege durch Ängste/Unsicherheit ist abgebaut
- Ablauf der Körperpflege ist reibungslos

Pflegeintervention
- Genaue Anweisungen bei der Durchführung gemeinsamer Pflegetätigkeiten geben

Literatur: 50, 75, 98, 121, 140, 163, 164, 168, 172, 272, 273, 278

AEDL Sich pflegen können

Pflegediagnose
Der Bewohner führt die Körperpflege nicht gründlich genug durch

▶ Kennzeichen

- Unfähigkeit, die Körperpflege selbstständig und strukturiert durchzuführen
- Lehnt die Unterstützung bei der Körperpflege ab
- Zeigt keine Eigeninitiative, die Körperwaschung durchzuführen
- Vernachlässigt die Körperpflege
- Äußert, dass ihm die Körperpflege zu anstrengend ist
- Lehnt es ab, die Körperpflege durchzuführen
- Einsicht der Notwendigkeit von Körperpflege fehlt
- Körpergeruch nach Schweiß

▶ Ursachen

- Aufmerksamkeitsdefizit
- Konzentrationsdefizit
- Veränderter Denkprozess
- Beeinträchtigte Gedächtnisleistung
- Orientierungsstörung
- Demenz
- Depression
- Psychotische Störung
- Psychische Verwahrlosung
- Mangelnde Zukunftsperspektive
- Das Bedürfnis nach regelmäßiger Hygiene ist reduziert

▶ Ressourcen

- Verhält sich entsprechend der Anleitung und Anweisung
- Kennt Kräfte schonende Methoden, die Körperpflege durchzuführen
- Akzeptiert die Unterstützung von Angehörigen
- Führt unter Anleitung die Körperpflege gründlich durch

Pflegeziele
- Hat eine gesunde Einstellung zur Körperhygiene

Pflegeintervention
- Ursachen im therapeutischen Gespräch klären

Handlungsleitende Pflegeinterventionen
Zeitdauer des Gesprächs angeben

Pflegeziele
- Hat eine gesunde Einstellung zur Körperhygiene

Pflegeintervention
- Vorbildfunktion im Bereich Körperhygiene übernehmen

Pflegeziele
- Hat eine gesunde Einstellung zur Körperhygiene

Pflegeintervention
- Bei der Körperpflege unterstützen

Handlungsleitende Pflegeinterventionen
Teilkörperwaschung (TW) Oberkörper/Unterkörper durchführen
- TW Oberkörper im Bett
- TW Oberkörper am Bettrand
- TW Oberkörper am Waschbecken
- TW Unterkörper im Bett
- TW Unterkörper am Bettrand
- TW Unterkörper am Waschbecken

Teilkörperwaschung (TW) Gesicht/Hände durchführen
- TW Gesicht/Hände im Bett
- TW Gesicht/Hände am Bettrand
- TW Gesicht/Hände am Waschbecken

Bei der Körperwaschung helfen
- Beaufsichtigen
- Durch Unterstützen helfen
- Teilweise übernehmen
- Vollständig übernehmen
- Aktivieren/anleiten

Besonderheiten beachten
- Ritualisierung einhalten

Verwendete Pflegeprodukte auswählen

AEDL Sich pflegen können

Pflegeziele
- Hat eine gesunde Einstellung zur Körperhygiene
- Abwehrhaltung und Angst sind reduziert
- Selbstständigkeit ist gefördert
- Eigenverantwortung ist gefördert

Pflegeintervention
- Zur Körperpflege motivieren

Handlungsleitende Pflegeinterventionen

Bei depressivem, neurotischem Zustand motivieren
- Zwang und Druck vermeiden
- Unterstützend eingreifen
- Perspektiven aufzeigen
- Verhaltenstherapeutisches Training durchführen

Bei psychotischen Störungen motivieren
- Führung ist erforderlich
- Verhaltenstherapeutische Vorgehensweise anwenden
- Gewünschtes Verhalten positiv verstärken
- Körperpflege ritualisieren
- Auf Selbstständigkeit achten

Pflegeziele
- Saubere und intakte Kleidung ist vorhanden

Pflegeintervention
- Regelmäßig für saubere Wäsche sorgen

Handlungsleitende Pflegeinterventionen

Kleidung zurechtlegen
- Tägl. frische Unterwäsche
- Tägl. frische Socken
- Tägl. Kleiderwechsel
- Alle zwei Tage Kleiderwechsel
- Kleiderwechsel bei Bedarf

Pflegeziele
- Hat eine gesunde Einstellung zur Körperhygiene
- Selbstständigkeit ist gefördert

Pflegeintervention
- Beim Baden anleiten/unterstützen

Handlungsleitende Pflegeinterventionen
- Bad und Pflegeutensilien vorbereiten
- Beim Wanneneinstieg/-ausstieg helfen
- Lifter für den Transfer einsetzen
- Vom Stuhl in die Badewanne transferieren

Art des Bads bestimmen
- Warmes Vollbad
- Heißes Vollbad
- Ansteigendes Halbbad
- Absteigendes Halbbad

Bei der Körperwaschung helfen
- Beaufsichtigen
- Durch Unterstützen helfen
- Teilweise übernehmen
- Vollständig übernehmen
- Aktivieren/anleiten

Besonderheiten bestimmen
- Ritualisierung einhalten

Hilfsmittel einsetzen
- Badewannensitz
- Badewannen-Sicherheitsmatten
- Badewannenbrett

Pflegeziele
- Hat eine gesunde Einstellung zur Körperhygiene
- Selbstständigkeit ist gefördert

Pflegeintervention
- Beim Duschen anleiten/unterstützen

Handlungsleitende Pflegeinterventionen
- Teilwaschung Oberkörper durchführen
- Teilwaschung Unterkörper durchführen
- Ganzwaschung in der Dusche durchführen
- Haarwäsche beim Duschen durchführen

AEDL Sich pflegen können

Beim Duschen helfen
- Materialien bereitlegen
- Beaufsichtigen
- Durch Unterstützen helfen
- Teilweise übernehmen
- Vollständig übernehmen
- Aktivieren/anleiten

Besonderheiten beachten
- Ritualisierung einhalten

Art und Weise des Duschens bestimmen
- Im Sitzen/auf dem Duschstuhl duschen
- Im Stehen duschen
- Im Liegen mithilfe eines Duschwagens duschen

Literatur: 101, 121, 168, 172, 272, 273

Pflegediagnose
Der Bewohner kann sich nicht selbstständig duschen/baden

▶ **Kennzeichen**
- Kann nicht selbstständig in die Badewanne ein- und aus ihr aussteigen
- Kann die Waschgelegenheit nicht selbstständig aufsuchen
- Fähigkeit, sich zu duschen oder zu baden ist eingeschränkt
- Pflegeutensilien können nicht selbstständig oder adäquat benutzt werden
- Kann sich nicht waschen und abtrocknen
- Kann nicht allein in der Dusche stehen
- Kann aus Sicherheitsgründen nicht allein in der Badewanne sitzen
- Erkennt die Notwendigkeit eines Bads nicht

▶ **Ursachen**
- Apallisches Syndrom
- Bewusstlosigkeit durch Koma
- Hemiplegie
- Körperliche Schwäche
- Belastungsintoleranz
- Neuromuskuläre Beeinträchtigung
- Psychiatrische Erkrankung
- Demenz
- Morbus Alzheimer

▶ **Ressourcen**
- Kann sitzen
- Badet gern
- Kann die Maßnahme nach Anleitung selbstständig durchführen
- Ist motiviert, Teile der Körperpflege je nach körperlichem Zustand selbstständig zu übernehmen
- Kann selbstständig sitzen
- Akzeptiert die Unterstützung von Angehörigen
- Duscht gern
- Badet/duscht gern und kann sich dabei entspannen

Pflegeziele
- Fühlt sich erfrischt und sauber
- Äußert Wohlbefinden nach der Pflegeintervention

Pflegeintervention
- Beim Duschen individuell unterstützen

Handlungsleitende Pflegeinterventionen
- Teilwaschung Oberkörper durchführen
- Teilwaschung Unterkörper durchführen
- Ganzwaschung in der Dusche durchführen
- Haarwäsche beim Duschen durchführen

Beim Duschen helfen
- Materialien bereitlegen
- Beaufsichtigen
- Durch Unterstützen helfen
- Teilweise übernehmen
- Vollständig übernehmen
- Aktivieren/anleiten

Besonderheiten beachten
- Ritualisierung einhalten

AEDL Sich pflegen können

Art und Weise des Duschens bestimmen
- Im Sitzen/auf dem Duschstuhl duschen
- Im Stehen duschen
- Im Liegen mithilfe eines Duschwagens duschen

Pflegeziele	Pflegeintervention	Handlungsleitende Pflegeinterventionen
• Fühlt sich erfrischt und sauber • Kann sich beim Baden entspannen	• Beim Baden unterstützen	• Bad und Pflegeutensilien vorbereiten • Beim Wanneneinstieg/-ausstieg helfen • Lifter für den Transfer einsetzen • Vom Stuhl in die Badewanne transferieren **Art des Bads bestimmen** • Warmes Vollbad • Heißes Vollbad • Ansteigendes Halbbad • Absteigendes Halbbad **Bei der Körperwaschung helfen** • Beaufsichtigen • Durch Unterstützen helfen • Teilweise übernehmen • Vollständig übernehmen • Aktivieren/anleiten **Besonderheiten bestimmen** • Ritualisierung einhalten **Hilfsmittel einsetzen** • Badewannensitz • Badewannen-Sicherheitsmatten • Badewannenbrett

Pflegeziele	Pflegeintervention	
• Fühlt sich erfrischt und sauber	• Nach dem Bad für eine Ruhe- bzw. Erholungsphase sorgen	

Pflegeziele	Pflegeintervention	Handlungsleitende Pflegeinterventionen
• Fühlt sich erfrischt und sauber	• Geeignete Badehilfsmittel auswählen und einsetzen	**Badehilfsmittel auswählen** • Badewannensitz • Badehelfer drehbar • Badelift • Badewannen-Sicherheitsmatten • Kopf- und Nackenstütze

Literatur: 121, 168, 172, 272, 273

AEDL Sich pflegen können

▶ **Pflegediagnosen im Bereich der Körperpflege**

Pflegediagnose
Der Bewohner schwitzt stark, Gefahr der Hautschädigung

▶ Kennzeichen	▶ Ursachen	▶ Ressourcen
• Körpergeruch nach Schweiß • Schweißausbruch • Vermehrte Schweißproduktion • Feuchte Haut • Großperliger, warmer Schweiß auf der Stirn	• Hohe Außentemperatur • Anlagebedingt • Adipositas • Hormonelle Schwankungen • Fieber • Neurologische Erkrankung • Morbus Parkinson • Vegetative Störungen	• Akzeptiert die Unterstützung von Angehörigen • Verwendet Pflegeprodukte, die gut vertragen werden • Ist motiviert, die Körperpflege entsprechend häufig durchzuführen • Es steht ausreichend Kleidung zum Wechseln bereit • Hat physiologische Hautverhältnisse

Pflegeziele	Pflegeintervention	Handlungsleitende Pflegeinterventionen
• Schweißbildung ist reduziert	• Schweiß reduzierende Körperwaschung durchführen	**Schweiß reduzierende Körperwaschung durchführen** • Weiche Waschlappen/Handtücher verwenden • Wassertemperatur der Körpertemperatur entsprechend einrichten • Mit der Haarwuchsrichtung waschen • Haut trockentupfen **Schweiß reduzierende Waschzusätze verwenden** • Pfefferminztee (1 l Tee und 4 l Wasser) • Salbeitee (1 l Tee und 4 l Wasser)

Pflegeziele	Pflegeintervention	
• Ursachen sind erkannt	• Hyperhidrosis beobachten und dokumentieren	

Pflegeziele	Pflegeintervention	
• Hautzustand ist eingeschätzt	• Hautinspektion durchführen	

Pflegeziele	Pflegeintervention	Handlungsleitende Pflegeinterventionen
• Schweißbildung ist reduziert • Physiologisches Hautverhältnis ist hergestellt	• Wäsche und Bettwäsche nach Bedarf wechseln	• Kleidungsstücke auswechseln • Bett frisch beziehen • Bettwäsche teilweise auswechseln

Literatur: 2, 66, 121, 172, 243, 272, 273

AEDL Sich pflegen können

Pflegediagnose
Der Bewohner hat Körpergeruch, fühlt sich dadurch gestört/Umfeld fühlt sich gestört

▶ **Kennzeichen**
- Körpergeruch nach Schweiß
- Unangenehmer Geruch der feuchten Hautfalten
- Hat unangenehmen Fußgeruch

▶ **Ursachen**
- Schlecht belüftete Körperstellen
- Mangelnde Körperhygiene
- Bromhidrose bei Nierenerkrankung
- Bromhidrose bei Stoffwechselerkrankung
- Bromhidrose bei Lungenerkrankung
- Änderungen des Hormonhaushalts
- Der Wille, die Körperwaschung durchzuführen, fehlt

▶ **Ressourcen**
- Äußert Einsicht in die Pflegemaßnahme
- Ist motiviert, Teile der Körperpflege je nach körperlichem Zustand selbstständig zu übernehmen
- Akzeptiert die Unterstützung von Angehörigen
- Ist motiviert, Neues auszuprobieren

Pflegeziele
- Kennt Maßnahmen zur Vorbeugung von Körpergeruch und kann diese gezielt einsetzen

Pflegeintervention
- Schweiß reduzierende Körperwaschung durchführen

Handlungsleitende Pflegeinterventionen
Schweiß reduzierende Körperwaschung durchführen
- Weiche Waschlappen/Handtücher verwenden
- Wassertemperatur der Körpertemperatur entsprechend einrichten
- Mit der Haarwuchsrichtung waschen
- Haut trockentupfen

Schweiß reduzierende Waschzusätze verwenden
- Pfefferminztee (1 l Tee und 4 l Wasser)
- Salbeitee (1 l Tee und 4 l Wasser)

Pflegeziele
- Körpergeruch ist vorgebeugt

Pflegeintervention
- Problemzonen häufig waschen

Handlungsleitende Pflegeinterventionen
Problemzonen bestimmen

Pflegeziele
- Körpergeruch ist vorgebeugt

Pflegeintervention
- Deodorant verwenden

Handlungsleitende Pflegeinterventionen
Deodorant verwenden

Pflegeziele
- Körpergeruch ist vorgebeugt

Pflegeintervention
- Wäschewechsel bei Bedarf ermöglichen

Handlungsleitende Pflegeinterventionen
- Kleidungsstücke auswechseln
- Bett frisch beziehen
- Bettwäsche teilweise auswechseln

Literatur: 121, 168, 172, 272, 273

AEDL Sich pflegen können

▶ **Pflegediagnosen im Bereich mit der Mundpflege**

Pflegediagnose
Der Bewohner neigt zu Zahnfleischbluten

▶ **Kennzeichen**
- Zahnfleischbluten beim Zähneputzen
- Zahnfleischbluten beim Biss in einen Apfel

▶ **Ursachen**
- Zahnfleischentzündung (Gingivitis)
- Parodontitis
- Veränderte Mundschleimhaut
- Mangelnde Mund-/Zahnhygiene
- Ernährungsfehler

▶ **Ressourcen**
- Kennt Vorbeugungsmaßnahmen und unterstützt diese aktiv
- Kennt Maßnahmen, um die Blutung zu stillen

Pflegeziele
- Zahnfleisch ist intakt

Pflegeintervention
- Schonende Technik beim Zähneputzen mit weicher Zahnbürste vermitteln

Pflegeziele
- Zahnfleisch ist intakt

Pflegeintervention
- Geeignete Zahnbürste auswählen

Pflegeziele
- Zahnfleisch ist intakt

Pflegeintervention
- Gründliche Reinigung der Zahnbürste nach jeder Benutzung durchführen

Pflegeziele
- Zahnfleisch ist intakt

Pflegeintervention
- Geeignete Zahnpasta auswählen

Literatur: 121, 168, 172, 272, 273

Pflegediagnose
Der Bewohner kann die Mundpflege nicht selbstständig ausführen

▶ **Kennzeichen**
- Kann die Pflegeutensilien zur Zahn-/Mund-/Prothesenpflege nicht einsetzen
- Kann die Waschgelegenheit nicht selbstständig aufsuchen

▶ **Ursachen**
- Bewusstlosigkeit
- Apallisches Syndrom
- Degenerative Gelenkerkrankung der Hände
- Eingeschränkte körperliche Belastungsfähigkeit
- Schmerzzustände
- Bewegungseinschränkung
- Belastungs-/Ruhedyspnoe
- Angstzustände
- Depressive Verstimmung
- Apraxie
- Hypotone Kreislaufveränderung

▶ **Ressourcen**
- Kann den Mund mit Mundwasser ausspülen
- Öffnet den Mund und lässt die Mundpflege durchführen
- Kann mit Unterstützung und Anleitung die Mundpflege durchführen

AEDL Sich pflegen können

Pflegeziele	Pflegeintervention	Handlungsleitende Pflegeinterventionen
• Zahnhygiene ist gewährleistet • Ist über die persönliche Zahnhygiene informiert	• Mund- und Zahnhygiene durch Mundpflege und systematisches Zähneputzen unterstützen	**Mund- und Zahnhygiene sicherstellen** • Materialien zur Mund- und Zahnhygiene bereitstellen • Zahnpflege mit Zahnbürste und Zahnpasta durchführen • Zahn(teil)prothese reinigen • Zahnprothesenreinigung und Mundspülung durchführen • Spezielle Mundpflege durchführen **Bei der Mundpflege helfen** • Beaufsichtigen • Teilweise übernehmen • Durch Unterstützen helfen • Vollständig übernehmen • Zur Pflegeintervention anleiten **Mundpflege durchführen**

Pflegeziele	Pflegeintervention	
• Mundbakterien und Kariesentwicklung sind reduziert	• Mindestens 3 Minuten putzen	

Literatur: 59, 81, 82, 121, 168, 172, 230, 272, 273

Pflegediagnose
Der Bewohner hat eine Zahnprothese und kann diese nicht in gewohnter Weise pflegen

▶ Kennzeichen	▶ Ursachen	▶ Ressourcen
• Kann die Pflegeutensilien zur Zahn-/Mund-/Prothesenpflege nicht einsetzen • Kann den Mund nicht selbstständig ausspülen • Kann die Zahnbürste nicht benutzen • Zeigt kein Interesse an der regelmäßigen Zahnhygiene • Kann die Zahnprothese nicht selbstständig aus dem Mund herausnehmen und einsetzen • Ablauf der Zahnpflege ist nicht bekannt	• Eingeschränkte körperliche Belastungsfähigkeit • Degenerative Gelenkerkrankung der Hände • Schmerzzustände • Bewegungseinschränkung • Belastungs-/Ruhedyspnoe • Angstzustände • Depressive Verstimmung • Apraxie • Hypotone Kreislaufveränderung • Demenzielle Veränderung	• Kann den Mund mit Mundwasser ausspülen • Öffnet den Mund und lässt die Mundpflege durchführen • Kann mit Unterstützung und Anleitung die Mundpflege durchführen • Entwickelt kreative Möglichkeiten, die Bewegungseinschränkung zu kompensieren • Kann die Zahnprothese selbstständig aus dem Mund nehmen und wieder einsetzen • Toleriert das Herausnehmen und Wiedereinsetzen der Zahnprothese

Pflegeziele	Pflegeintervention	Handlungsleitende Pflegeinterventionen
• Mundschleimhaut ist intakt • Führt die Pflege der Zahnprothese selbstständig durch	• Bei der Zahnprothesenpflege unterstützen	**Bei der Zahnprothesenpflege unterstützen** • Materialien bereitlegen • Ins Bad bzw. ans Waschbecken führen/begleiten • Mundspüllösung vorbereiten **Bei der Zahnprothesenpflege helfen** • Beaufsichtigen • Durch Unterstützen helfen • Teilweise übernehmen • Vollständig übernehmen • Zur Pflegeintervention anleiten/aktivieren

Literatur: 59, 121, 168, 172, 272, 273

AEDL Sich pflegen können

Pflegediagnose
Der Bewohner trägt eine Zahnprothese und kann die Prothesenpflege nicht durchführen, es besteht Entzündungsgefahr

▶ **Kennzeichen**
- Kann die Pflegeutensilien zur Zahn-/Mund-/Prothesenpflege nicht einsetzen
- Kann den Mund nicht selbstständig ausspülen
- Kann die Zahnbürste nicht benutzen
- Zeigt kein Interesse an der regelmäßigen Zahnhygiene
- Kann die Zahnprothese nicht selbstständig aus dem Mund herausnehmen und einsetzen
- Ablauf der Zahnpflege ist nicht bekannt

▶ **Ursachen**
- Schmerzzustände
- Bewusstlosigkeit durch Koma
- Apallisches Syndrom
- Eingeschränkte körperliche Belastungsfähigkeit
- Bewegungseinschränkung
- Belastungs-/Ruhedyspnoe
- Angstzustände
- Depressive Verstimmung
- Apraxie
- Hypotone Kreislaufveränderung
- Demenzielle Veränderung

▶ **Ressourcen**
- Äußert Einsicht in die Pflegemaßnahme
- Ist motiviert, die Pflegemaßnahme zu unterstützen, und zeigt entsprechende Verhaltensweisen
- Akzeptiert die Unterstützung von Angehörigen
- Kann die Zahnprothese selbstständig aus dem Mund nehmen und wieder einsetzen
- Toleriert das Herausnehmen und Wiedereinsetzen der Zahnprothese

Pflegeziele
- Mundschleimhaut ist intakt
- Defekte der Mundschleimhaut sind rechtzeitig erkannt

Pflegeintervention
- Inspektion der Mundhöhle durchführen

Pflegeziele
- Mundschleimhaut ist intakt

Pflegeintervention
- Zahnprothesenpflege durchführen

Handlungsleitende Pflegeinterventionen

Zahnprothesenpflege durchführen
- Mit Zahnbürste und Zahnpasta reinigen
- Zahnprothesen in Wasser und Reinigungstablette einlegen
- Zahnprothese abspülen und Mundspülung durchführen

Art der Unterstützungsleistung bestimmen
- Beaufsichtigen
- Materialien zur Prothesenpflege vor- und nachbereiten
- Ins Bad bzw. ans Waschbecken führen/begleiten
- Durch Unterstützen helfen
- Teilweise übernehmen
- Vollständig übernehmen
- Zur Pflegeintervention anleiten/aktivieren

Literatur: 59, 121, 168, 172, 272, 273

Pflegediagnose
Der Bewohner hat ein erhöhtes Risiko von Druckstellenbildung im Mund-/Rachenbereich

▶ **Kennzeichen**
- Entzündungserscheinungen
- Gerötete und geschwollene Mundschleimhaut
- Gerötete Mundschleimhaut

▶ **Ursachen**
- Mangelnde Mund-/Zahnhygiene
- Schlecht sitzende Zahnprothese
- Schlecht sitzende Zahnspange

▶ **Ressourcen**
- Ist motiviert, die Pflegemaßnahme zu unterstützen, und zeigt entsprechende Verhaltensweisen
- Öffnet den Mund und lässt die Mundpflege durchführen
- Kann die Zahnprothese selbstständig aus dem Mund nehmen und wieder einsetzen
- Toleriert das Herausnehmen und Wiedereinsetzen der Zahnprothese

AEDL Sich pflegen können

Pflegeziele
- Mundschleimhaut ist intakt
- Defekte der Mundschleimhaut sind rechtzeitig erkannt

Pflegeintervention
- Inspektion der Mundhöhle durchführen

Literatur: 59, 121, 168, 172, 272, 273

Pflegediagnose
Der Bewohner hat ein erhöhtes Risiko von Formveränderungen am weichen Gaumen

▶ **Kennzeichen**
- Bei potenziellen Gefahren können keine Kennzeichen angegeben werden

▶ **Ursachen**
- Schlecht sitzende Zahnprothese
- Trägt die Zahnprothese über längere Zeiträume nicht

▶ **Ressourcen**
- Ist motiviert, die Zahnprothese zu tragen

Pflegeziele
- Formveränderung des Gaumens ist vermieden

Pflegeintervention
- Zahnprothese einsetzen und so häufig wie möglich tragen

Handlungsleitende Pflegeinterventionen

Zahnprotheseneinsatz bestimmen
- Tagsüber tragen
- Ständig (24 Stunden/Tag) tragen
- Nachts die Zahnprothese entfernen
- Zahnprothese nachts mit Reinigungstablette in Zahnprothesenbecher einlegen

Art der Unterstützungsleistung bestimmen
- Beaufsichtigen
- Durch Unterstützen helfen
- Teilweise übernehmen
- Vollständig übernehmen
- Zum selbstständigen Einsetzen der Zahnprothese anleiten und zum Tragen motivieren

Literatur: 59, 121, 168, 172, 272, 273

Pflegediagnose
Der Bewohner trägt eine Zahnprothese, die sich häufig löst

▶ **Kennzeichen**
- Zahnprothese löst sich beim Sprechen/Essen
- Berichtet über die fehlende Haftung der Zahnprothese

▶ **Ursachen**
- Formveränderung am weichen Gaumen
- Trägt die Zahnprothese über längere Zeiträume nicht

▶ **Ressourcen**
- Toleriert Haftpulver

Pflegeziele
- Zahnprothese haftet gut am Gaumen

Pflegeintervention
- Haftpulver/Haftplatten oder Haftcreme verwenden

Handlungsleitende Pflegeinterventionen

Haftmittel für die Zahnprothese verwenden
- Haftpulver verwenden
- Haftplatten verwenden
- Haftcreme verwenden

Art der Unterstützungsleistung bestimmen
- Beaufsichtigen
- Durch Unterstützen helfen
- Teilweise übernehmen
- Vollständig übernehmen
- Zum Benutzen der Haftmittel anleiten

Literatur: 59, 121, 168, 172, 272, 273

AEDL Sich pflegen können

Pflegediagnose
Der Bewohner hat fehlende Schluckreflexe, Gefahr der Aspiration bei der Mundpflege

▶ Kennzeichen
- Husten
- Nahrungsreste verbleiben in der Mundhöhle (z. B. Wangentasche)
- Sekret läuft aus dem Mund
- Erstickungsanfälle nach dem Schlucken
- Flüssigkeit läuft vor dem Schlucken aus dem Mundwinkel heraus
- Speichel läuft im Liegen aus dem Mundwinkel

▶ Ursachen
- Motorischer Verlust oder Schwäche bei neurologischer Störung
- Eingeschränkte Vigilanz

▶ Ressourcen
- Ist motiviert, ein Schluck-/Trinktraining durchzuführen
- Erkennt die Notwendigkeit der getroffenen Intervention und kooperiert mit dem therapeutischen Team

Pflegeziele
- Einer Aspiration ist vorgebeugt

Pflegeintervention
- Mundpflege in sitzender Körperposition durchführen

Pflegeziele
- Einer Aspiration ist vorgebeugt

Pflegeintervention
- Mundpflege in Seitenlage durchführen

Pflegeziele
- Einem Eindringen von Mundwasser in den tracheobronchialen Raum ist vorgebeugt

Pflegeintervention
- Mundhöhle mit gut ausgedrückten Tupfern auswischen

Pflegeziele
- Einer Aspiration ist vorgebeugt

Pflegeintervention
- Absaugvorrichtung mit Absaugkatheter bereithalten

Pflegeziele
- Einer Aspiration ist vorgebeugt

Pflegeintervention
- Zahnbürste mit integrierter Absaugvorrichtung benutzen

Literatur: 121, 168, 172, 272, 273

Pflegediagnose
Der Bewohner hat trockene Lippen, Gefahr der Hautschädigung

▶ Kennzeichen
- Spröde Lippen
- Sichtbare Einrisse
- Einrisse an den Mundwinkeln
- Äußert Spannungsgefühl

▶ Ursachen
- Mangelnde Lippenpflege
- Flüssigkeitsdefizit/Dehydration/Exsikkose
- Äußere Einflüsse

▶ Ressourcen
- Äußert Einsicht in die Pflegemaßnahme
- Kann Aufforderungen folgen und hält sich an Vorgaben
- Akzeptiert die Unterstützung von Angehörigen
- Trinkt die vorbereitete Flüssigkeit

AEDL Sich pflegen können

Pflegeziele	Pflegeintervention	Handlungsleitende Pflegeinterventionen
• Lippen sind geschmeidig	• Lippenpflege mit Fettcreme durchführen	**Lippenpflege durchführen**

Literatur: 121, 168, 172, 272, 273

Pflegediagnose
Der Bewohner hat starken Mundgeruch, dieser ist für ihn/das Umfeld unangenehm

▶ Kennzeichen	▶ Ursachen	▶ Ressourcen
• Unangenehmer Mundgeruch • Ammoniakgeruch (wie Salmiakgeist) • Azetongeruch (obstig) • Foetor hepaticus (wie frische Leber/Erde) • Fäulnisgeruch (jauchig stinkend) • Eitergeruch (fade-süßlich) • Foetor uraemicus (urinöser Geruch)	• Beeinträchtigung der Leberfunktion • Zerfallsprozess in den Atemwegen • Bakterielle Infektion (Bronchitis/Pneumonie) • Nierenversagen • Divertikulose des Ösophagus • Soor • Stomatitis • Aphten	• Öffnet den Mund und lässt die Mundpflege durchführen • Kann mit Unterstützung und Anleitung die Mundpflege durchführen • Kann die Mundspülung/Mundpflege selbstständig durchführen

Pflegeziele	Pflegeintervention	
• Ursachen sind erkannt	• Ursachen mit dem Arzt abklären	

Pflegeziele	Pflegeintervention	
• Ursachen sind erkannt	• Nach den Mahlzeiten viel trinken	

Pflegeziele	Pflegeintervention	Handlungsleitende Pflegeinterventionen
• Ursachen sind erkannt • Mundgeruch ist reduziert	• Mundspülung ermöglichen/durchführen	**Mundspülung durchführen** **Art der Unterstützungsleistung bestimmen** • Beaufsichtigen • Durch Unterstützen helfen • Teilweise übernehmen • Vollständig übernehmen • Zur Mundspülung anleiten

Pflegeziele	Pflegeintervention	
• Zunge ist belagfrei	• Zunge mit einem Zungenreiniger säubern	

Literatur: 121, 168, 172, 240, 242, 272, 273

AEDL Sich pflegen können

▶ Veränderte Mundschleimhaut

Pflegediagnose
Der Bewohner hat eine Veränderung der Mundschleimhaut

▶ **Kennzeichen**
- Unangenehmer Mundgeruch
- Sichtbarer Belag
- Entzündungserscheinungen
- Papeln auf der Mundschleimhaut
- Bläschenbildung im Mundbereich
- Läsionen/Geschwüre
- Erhöhte Berührungsempfindlichkeit
- Äußert Schmerzen
- Fehlende(r) Wille/Einsicht, Nahrung zu sich zu nehmen
- Veränderungen der Gewebsschichten

▶ **Ursachen**
- Bestrahlung
- Verletzung der Schleimhäute durch mechanische Reize
- Einnahme Schleimhaut zerstörender Substanzen
- Chemotherapie
- Flüssigkeitsdefizit/Dehydration/Exsikkose
- Vitaminmangel

▶ **Ressourcen**
- Erkennt die Notwendigkeit der getroffenen Intervention und kooperiert mit dem therapeutischen Team
- Akzeptiert die Unterstützung von Angehörigen
- Kann mit Unterstützung und Anleitung die Mundpflege durchführen
- Kann die Mundspülung/Mundpflege selbstständig durchführen

Pflegeziele
- Mundschleimhaut, Zunge und Lippen sind intakt

Pflegeintervention
- Therapeutische Mundpflege durchführen

Handlungsleitende Pflegeinterventionen
Therapeutische Mundpflege durchführen
Unterstützungsart bei der therapeutischen Mundpflege bestimmen
- Beaufsichtigen
- Teilweise übernehmen
- Durch Unterstützen helfen
- Vollständig übernehmen
- Zur Pflegeintervention anleiten

Literatur: 81, 82, 98, 121, 168, 172, 272, 273

Pflegediagnose
Der Bewohner hat eine belegte Zunge

▶ **Kennzeichen**
- Borkig belegte Zunge
- Plaque
- Trockenheitsgefühl im Mund durch verminderte Speichelproduktion (Xerostomie)

▶ **Ursachen**
- Ineffektive Mundhygiene
- Mangelnde Mund-/Zahnhygiene
- Nahrungskarenz
- Flüssigkeitsdefizit/Dehydration/Exsikkose
- Mundatmung
- Reduzierte Speichelproduktion
- Endotrachealer Tubus
- Magensonde

▶ **Ressourcen**
- Kann mit Unterstützung und Anleitung die Mundpflege durchführen
- Kann die Mundspülung/Mundpflege selbstständig durchführen
- Erkennt die Notwendigkeit der getroffenen Intervention und kooperiert mit dem therapeutischen Team
- Akzeptiert die Unterstützung von Angehörigen

Pflegeziele
- Zunge ist belagfrei

Pflegeintervention
- Situation/Ursachen einschätzen

AEDL Sich pflegen können

Pflegeziele	Pflegeintervention
• Zunge ist belagfrei	• Abstrich der Mundflora durchführen

Pflegeziele	Pflegeintervention	Handlungsleitende Pflegeinterventionen
• Mundschleimhaut ist intakt • Zunge ist belagfrei	• Belag auf der Zunge lösen/entfernen	**Zungenbelag entfernen** • Mundhöhle feucht halten • Salbeitee anbieten • Myrrhetinktur verabreichen • Zunge mit Würfelzucker abreiben • Butter zum Lösen von Belag einsetzen

Pflegeziele	Pflegeintervention	Handlungsleitende Pflegeinterventionen
• Zunge ist belagfrei	• Mundpflege durchführen	**Mund- und Zahnhygiene sicherstellen** • Zahnpflege mit Zahnbürste und Zahnpasta durchführen • Mundspülung durchführen • Zahnteilprothese reinigen • Zahnvollprothese reinigen • Spezielle/therapeutische Mundpflege durchführen • Mundhöhle mit Pflaumentupfer auswischen **Bei der Mund-/Zahnpflege helfen** • Materialien zur Mund- und Zahnhygiene bereitstellen • Beaufsichtigen • Durch Unterstützen helfen • Teilweise übernehmen • Vollständig übernehmen • Zur Pflegeintervention anleiten **Mundpflege durchführen**

Pflegeziele	Pflegeintervention
• Zunge ist belagfrei	• Zunge mit einem Zungenreiniger säubern

Literatur: 81, 121, 168, 172, 240, 242, 272, 273

AEDL Sich pflegen können

▶ **Veränderte Speichelproduktion**

Pflegediagnose
Der Bewohner hat reduzierte Kautätigkeit und reduzierten Speichelfluss, Soor- und Parotitisgefahr

▶ **Kennzeichen**
- Fehlende Kautätigkeit
- Trockene Mundschleimhaut
- Sichtbarer Belag

▶ **Ursachen**
- Nahrungskarenz
- Apallisches Syndrom
- Bewusstlosigkeit
- Operativer Eingriff im Kieferbereich

▶ **Ressourcen**
- Öffnet den Mund und lässt die Mundpflege durchführen
- Kaut gern Kaugummi/Brotrinde
- Kann die Mundspülung/Mundpflege selbstständig durchführen
- Kann mit Unterstützung und Anleitung die Mundpflege durchführen
- Erkennt die Notwendigkeit der getroffenen Intervention und kooperiert mit dem therapeutischen Team

Pflegeziele
- Mundschleimhaut ist intakt
- Einer aufsteigenden Infektion ist durch geförderten Speichelfluss vorgebeugt

Pflegeintervention
- Mundpflege durchführen

Handlungsleitende Pflegeinterventionen
Mund- und Zahnhygiene sicherstellen
- Materialien zur Mund- und Zahnhygiene bereitstellen
- Zahnpflege mit Zahnbürste und Zahnpasta durchführen
- Zahn(teil)prothese reinigen
- Zahnprothesenreinigung und Mundspülung durchführen
- Spezielle Mundpflege durchführen

Bei der Mundpflege helfen
- Beaufsichtigen
- Teilweise übernehmen
- Durch Unterstützen helfen
- Vollständig übernehmen
- Zur Pflegeintervention anleiten

Mundpflege durchführen

Pflegeziele
- Speichelfluss ist angeregt

Pflegeintervention
- Speichelfluss fördern/anregen

Handlungsleitende Pflegeinterventionen
Speichelfluss fördern/anregen
- Im Bereich der Ohrspeicheldrüsen massieren/ausstreichen
- Zitrusduft einsetzen
- Kaugummi anbieten
- Kautätigkeit fördern
- Eislutscher anbieten

Literatur: 81, 121, 168, 172, 272, 273

Pflegediagnose
Der Bewohner hat eine gesteigerte Speichelproduktion (= Ptyalismus) und empfindet dieses als unangenehm

▶ **Kennzeichen**
- Äußert Unbehagen über die vermehrte Speichelproduktion
- Sekret läuft aus dem Mund

▶ **Ursachen**
- Hormonumstellung bei Schwangerschaft
- Ösophaguskarzinom
- Morbus Parkinson
- Vegetative Störung

▶ **Ressourcen**
- Akzeptiert die Unterstützung von Angehörigen

AEDL Sich pflegen können

Pflegeziele	Pflegeintervention	
• Kann mit dem vermehrten Speichelfluss umgehen	• Spuckgefäß mit Zellstoff bereitlegen und regelmäßig ausleeren	

Pflegeziele	Pflegeintervention	
• Kann mit dem vermehrten Speichelfluss umgehen	• Übungen zum verbesserten Mundschluss durchführen	

Pflegeziele	Pflegeintervention	Handlungsleitende Pflegeinterventionen
• Haut im Mundwinkelbereich ist intakt	• Besonders intensive Pflege der Mundwinkel durchführen	**Lippenpflege durchführen**

Literatur: 81, 121, 168, 172, 272, 273

Pflegediagnose
Der Bewohner hat zähen Speichel und eine verminderte Speichelproduktion

▶ **Kennzeichen**
- Trockenheitsgefühl im Mund durch verminderte Speichelproduktion (Xerostomie)
- Borkig belegte Zunge

▶ **Ursachen**
- Nahrungskarenz
- Mundatmung
- Flüssigkeitsdefizit/Dehydration/Exsikkose

▶ **Ressourcen**
- Trinkt die vorbereitete Flüssigkeit
- Erkennt die Notwendigkeit der getroffenen Intervention und kooperiert mit dem therapeutischen Team

Pflegeziele	Pflegeintervention	Handlungsleitende Pflegeinterventionen
• Speichel ist verflüssigt	• Ausreichende Flüssigkeitszufuhr festlegen	**Flüssigkeitszufuhr lt. Arztanordnung festlegen** • Flüssigkeitszufuhr mithilfe eines Trinkfahrplans • koordinieren • Flüssigkeitszufuhr mithilfe eines Einfuhrprotokolls kontrollieren • Trinkfahrplan erstellen/aktualisieren • 24-h-Flüssigkeitszufuhr berechnen/dokumentieren • Zu selbstständiger Dokumentation der Trinkmenge anleiten/anhalten

Pflegeziele	Pflegeintervention	
• Speichelfluss ist angeregt	• Salzhaltige Zahnpasta verwenden	

Pflegeziele	Pflegeintervention	
• Speichelfluss ist angeregt	• Ohr- und Kieferspeicheldrüsen massieren/ausstreichen	

Pflegeziele	Pflegeintervention	Handlungsleitende Pflegeinterventionen
• Speichelfluss ist angeregt • Speichel fließt kontinuierlich ohne Stauung	• Kautätigkeit anregen	**Kautätigkeit anregen mit** • Dörrobst • Kaugummi anbieten • Brotrinde

Literatur: 81, 121, 168, 172, 272, 273

AEDL Sich pflegen können

▶ Hautpflege und Gefahr der Hautschädigung

Pflegediagnose
Der Bewohner hat trockene Haut, Gefahr der Hautschädigung

▶ Kennzeichen	▶ Ursachen	▶ Ressourcen
• Haut ist glanzlos/feinporig • Matte Haut mit Knitterfältchen • Trockene, spröde Haut • Haut wirkt dünn und reißt leicht ein • Schuppende Haut • Haut fühlt sich rau an • Äußert Spannungsgefühl	• Flüssigkeitsdefizit/Dehydration/Exsikkose • Mangelnde Hautpflege • Ernährungsdefizit • Altersbedingte Veränderungen der Haut	• Verwendet Pflegeprodukte, die gut vertragen werden • Akzeptiert die Unterstützung von Angehörigen • Äußert Einsicht in die Pflegemaßnahme • Ist motiviert, die Pflegemaßnahme zu unterstützen, und zeigt entsprechende Verhaltensweisen

Pflegeziele	Pflegeintervention	
• Physiologisches Hautverhältnis ist hergestellt	• Hautbeschaffenheit analysieren/dokumentieren	

Pflegeziele	Pflegeintervention	Handlungsleitende Pflegeinterventionen
• Physiologisches Hautverhältnis ist hergestellt • Haut ist intakt und geschmeidig	• Hautpflege mit W/Ö-Präparaten durchführen	**Hautpflege durchführen**

Pflegeziele	Pflegeintervention	Handlungsleitende Pflegeinterventionen
• Physiologisches Hautverhältnis ist hergestellt	• Für ausreichende Flüssigkeitszufuhr sorgen	**Flüssigkeitszufuhr lt. Arztanordnung festlegen** • Flüssigkeitszufuhr mithilfe eines Trinkfahrplans koordinieren • Flüssigkeitszufuhr mithilfe eines Einfuhrprotokolls kontrollieren • Trinkfahrplan erstellen/aktualisieren • 24-h-Flüssigkeitszufuhr berechnen/dokumentieren • Zu selbstständiger Dokumentation der Trinkmenge anleiten/anhalten

Pflegeziele	Pflegeintervention	
• Natürliche Abwehr und Funktion der Haut sind erhalten • Physiologisches Hautverhältnis ist hergestellt	• Vollbäder reduzieren	

Pflegeziele	Pflegeintervention	
• Physiologisches Hautverhältnis ist hergestellt	• Heißes Duschen vermeiden	

Pflegeziele	Pflegeintervention	
• Physiologisches Hautverhältnis ist hergestellt	• Seifen und Syndets nur für Problembereiche und bei starken Verschmutzungen einsetzen	

AEDL Sich pflegen können

Pflegeziele
- Physiologisches Hautverhältnis ist hergestellt

Pflegeintervention
- Keinen Franzbranntwein oder andere alkoholische Lösungen verwenden

Literatur: 121, 168, 172, 272, 273

Pflegediagnose
Der Bewohner hat fettige Problemhaut und äußert darüber Unzufriedenheit

▶ **Kennzeichen**
- Glänzende Hautstellen
- Großporige Haut
- Vermehrte Schweißproduktion
- Pickel und Mitesser
- Akne

▶ **Ursachen**
- Psoriasis vulgaris genetisch bedingt
- Hormonelle Einflüsse, Pubertät

▶ **Ressourcen**
- Äußert Einsicht in die Pflegemaßnahme
- Verwendet Pflegeprodukte, die gut vertragen werden
- Ist motiviert, die Pflegemaßnahme zu unterstützen, und zeigt entsprechende Verhaltensweisen
- Akzeptiert die Unterstützung von Angehörigen

Pflegeziele
- Eine dauerhafte Verbesserung des Hautzustands ist gewährleistet
- Langfristige Ernährungsumstellung ist sichergestellt

Pflegeintervention
- Beratungsgespräch über Ernährungstherapie zur Regulation der Hautprobleme führen

Pflegeziele
- Glanzstellen sind reduziert

Pflegeintervention
- Hautbeschaffenheit analysieren/dokumentieren

Pflegeziele
- Glanzstellen sind reduziert

Pflegeintervention
- Öl-in-Wasser-Präparate verwenden

Handlungsleitende Pflegeinterventionen
Hautpflege durchführen
Körperregionen der Hautpflege bestimmen
- Gesicht/Hände
- Oberkörper
- Unterkörper

Pflegeziele
- Glanzstellen sind reduziert

Pflegeintervention
- Staub, Schmutz und überschüssigen Talg abends und morgens regelmäßig entfernen

Pflegeziele
- Glanzstellen sind reduziert

Pflegeintervention
- Nach der Reinigung Gesichtswasser auftragen

Handlungsleitende Pflegeinterventionen
Gesichtswasser verwenden

Pflegeziele
- Glanzstellen sind reduziert

Pflegeintervention
- Hautcreme für die Nacht auftragen

Literatur: 121, 168, 172, 272, 273

AEDL Sich pflegen können

Pflegediagnose
Der Bewohner leidet unter Juckreiz der Haut, kann das Kratzen nicht unterlassen

▶ **Kennzeichen**

- Äußert generalisierten Juckreiz
- Äußert lokalen Juckreiz
- Beschreibt Juckreiz besonders nach dem Baden
- Beschreibt Juckreiz besonders im Winter
- Beschreibt Juckreiz überwiegend nachts
- Beschreibt, dass sich der Juckreiz bei Wärme verstärkt
- Sichtbare Kratzspuren
- Rötung
- Ödembildung
- Bläschenbildung
- Nässende Erosionen
- Hautschuppung und Jucken über befallenen Gelenken

▶ **Ursachen**

- Trockene Haut
- Leberzirrhose mit Ikterus
- Nierenerkrankung
- Diabetes mellitus
- Neurodermitis
- Infektiöse Hautkrankheit
- Parasitäre Hauterkrankung
- Arzneimittelreaktion
- Polycythaemia (rubra) vera
- Morbus Hodgkin
- Niereninsuffizienz
- Psychose

▶ **Ressourcen**

- Äußert Einsicht in die Pflegemaßnahme
- Ist motiviert, die Pflegemaßnahme zu unterstützen, und zeigt entsprechende Verhaltensweisen
- Verwendet Pflegeprodukte, die gut vertragen werden

Pflegeziele
- Ursachen für den Juckreiz sind erkannt

Pflegeintervention
- Ursachen ermitteln und Beobachtungen dokumentieren

Pflegeziele
- Physiologisches Hautverhältnis ist hergestellt

Pflegeintervention
- Kühle Waschung ohne Seifenzusätze durchführen

Pflegeziele
- Physiologisches Hautverhältnis ist hergestellt

Pflegeintervention
- Fingernägel kurz halten

Pflegeziele
- Physiologisches Hautverhältnis ist hergestellt

Pflegeintervention
- Juckreiz stillende Salben oder Puder laut ärztlicher Anordnung auftragen

---

Pflegeziele
- Juckreiz ist gelindert
- Ursachen für den Juckreiz sind erkannt
- Kennt Gefahren sowie Möglichkeiten, diesen vorzubeugen

Pflegeintervention
- Beratungsgespräch über Juckreiz stillende Pflegeinterventionen und Möglichkeiten der Prävention führen

---

Pflegeziele
- Juckreiz ist gelindert

Pflegeintervention
- Hautpflege mit W/Ö-Präparaten oder Massageöl durchführen

Handlungsleitende Pflegeinterventionen
Hautpflege durchführen

Pflegeziele
- Physiologisches Hautverhältnis ist hergestellt

Pflegeintervention
- Für ausreichende Flüssigkeitszufuhr sorgen

Handlungsleitende Pflegeinterventionen
Flüssigkeitszufuhr lt. Arztanordnung festlegen

- Flüssigkeitszufuhr mithilfe eines Trinkfahrplans koordinieren

AEDL Sich pflegen können

- Flüssigkeitszufuhr mithilfe eines Einfuhrprotokolls kontrollieren
- Trinkfahrplan erstellen/aktualisieren
- 24-h-Flüssigkeitszufuhr berechnen/dokumentieren
- Zu selbstständiger Dokumentation der Trinkmenge anleiten/anhalten

Literatur: 121, 168, 172, 272, 273

Pflegediagnose
Der Bewohner hat Intertrigo, Gefahr der Hautschädigung

▶ **Kennzeichen**
- Äußert Juckreiz auf der Haut
- Gerötete Hautfalten
- Hautmazerationen
- Unangenehmer Geruch der feuchten Hautfalten

▶ **Ursachen**
- Schlecht belüftete Körperstellen
- Immobilität
- Starkes Schwitzen
- Kontakt mit Exkretionen
- Fieber
- Feuchtigkeit

▶ **Ressourcen**
- Kennt die Schutz- und Hygienemaßnahmen und hält sie ein
- Äußert Einsicht in die Pflegemaßnahme
- Ist motiviert, die Pflegemaßnahme zu unterstützen, und zeigt entsprechende Verhaltensweisen

---

Pflegeziele
- Einer Keimverschleppung ist vorgebeugt

Pflegeintervention
- Reihenfolge der Körperwäsche ändern

Handlungsleitende Pflegeinterventionen
Reihenfolge bei der GW einhalten
- Einmalmaterial verwenden
- Infizierte/keimbesiedelte Körperregionen am Schluss waschen
- Einmalhandschuhe tragen

Pflegeziele
- Einer Keimverschleppung ist vorgebeugt

Pflegeintervention
- In betroffenen Regionen Einmalmaterial verwenden

Pflegeziele
- Einer Keimverschleppung ist vorgebeugt

Pflegeintervention
- Abstrich von der betroffenen Hautregion machen, um eventuelle Infektionen gezielt zu behandeln

Handlungsleitende Pflegeinterventionen
Bemerkungen eintragen

Pflegeziele
- Einer Keimverschleppung ist vorgebeugt

Pflegeintervention
- Betroffene Hautregion laut Arztanordnung behandeln

Pflegeziele
- Physiologisches Hautverhältnis ist hergestellt
- Einer Keimverschleppung ist vorgebeugt
- Trockene Haut/Hautfalten

Pflegeintervention
- Mullstreifen in die betroffenen Hautfalten einlegen

Handlungsleitende Pflegeinterventionen
Feuchtigkeit vermeiden
- Gefährdete Hautregionen sorgfältig abtrocknen
- Mullstreifen in gefährdete Hautfalten einlegen
- Leinenstreifen einlegen
- Puder verwenden

Literatur: 121, 168, 172, 272, 273

AEDL Sich pflegen können

▶ Selbstversorgungsdefizit: Äußere Erscheinung – Haar-, Nagel-, Fußpflege

Pflegediagnose
Der Bewohner kann sich die Haare nicht selbstständig kämmen

▶ **Kennzeichen**
- Die Fähigkeit, das äußere Erscheinungsbild in einem gepflegten Zustand zu halten, ist reduziert
- Kann die Haarbürste/den Kamm nicht festhalten/bedienen
- Kann die Arme nicht heben/bewegen
- Ablauf des Haarekämmens ist nicht bekannt
- Fehlende Einsicht

▶ **Ursachen**
- Bewusstlosigkeit
- Bewegungseinschränkung
- Desorientierung
- Fehlende Einsicht
- Fingerfertigkeit fehlt
- Degenerative Gelenkerkrankung der Hände
- Degenerative Gelenkveränderung
- Bewusstseinsveränderung
- Psychiatrische Störung
- Apraxie

▶ **Ressourcen**
- Äußert Einsicht in die Pflegemaßnahme
- Akzeptiert die Unterstützung von Angehörigen
- Legt Wert auf gepflegtes Aussehen
- Ist motiviert, Hilfsmittel einzusetzen
- Lässt sich gern die Haare kämmen
- Kann sich mit Unterstützung und Anleitung die Haare kämmen

Pflegeziele
- Tägliche Haarpflege ist gewährleistet
- Haarfilz ist beseitigt

Pflegeintervention
- Haarpflege durchführen

Handlungsleitende Pflegeinterventionen
Bei der Haarpflege unterstützen
- Beaufsichtigen und anweisen
- Durch Führen des Arms teilweise übernehmen
- Beim Festhalten von Bürste/Kamm teilweise übernehmen
- Zur Haarpflege anleiten
- Voll übernehmen (Haare kämmen und frisieren)
- Voll übernehmen (Haare flechten/hochstecken)

Pflegeziele
- Haarfilz ist beseitigt
- Kämmt sich die Haare selbstständig

Pflegeintervention
- Zur selbstständigen Haarpflege auffordern

Literatur: 121, 168, 172, 272, 273

AEDL Sich pflegen können

Pflegediagnose
Der Bewohner kann die Haare nicht selbstständig waschen

▶ **Kennzeichen**

- Die Fähigkeit, das äußere Erscheinungsbild in einem gepflegten Zustand zu halten, ist reduziert
- Kann die Haarbürste/den Kamm nicht festhalten/bedienen
- Kann den Kopf nicht über das Waschbecken halten
- Kann die Arme nicht heben/bewegen
- Ablauf des Haarewaschens ist nicht bekannt
- Fehlende Einsicht
- Hat fettige Haare
- Kratzt sich häufig am Kopf
- Äußert Kopfjucken

▶ **Ursachen**

- Bewusstlosigkeit
- Bewusstseinsveränderung
- Bewegungseinschränkung
- Desorientierung
- Degenerative Gelenkerkrankung der Hände
- Degenerative Gelenkveränderung
- Psychiatrische Störung
- Apraxie

▶ **Ressourcen**

- Äußert Einsicht in die Pflegemaßnahme
- Legt Wert auf gepflegtes Aussehen
- Ist motiviert, Hilfsmittel einzusetzen
- Lässt sich gern die Haare waschen
- Kann sich mit Unterstützung und Anleitung die Haare waschen
- Kann den Kopf über das Waschbecken halten
- Akzeptiert die Unterstützung von Angehörigen

Pflegeziele

- Äußert Wohlbefinden

Pflegeintervention

- Haarwäsche durchführen

Handlungsleitende Pflegeinterventionen

Besonderheiten bei der Haarwäsche beachten

- Im Bett mit der Waschwanne
- Am Waschbecken
- Beim Duschen
- Beim Baden

Art der Unterstützung beim Haarewaschen bestimmen

- Beaufsichtigen
- Durch Unterstützen helfen
- Teilweise übernehmen
- Vollständig übernehmen
- Anleiten

Pflegeziele

- Äußert Wohlbefinden

Pflegeintervention

- Haarwäsche beim Baden/Duschen unterstützen

Literatur: 121, 168, 172, 272, 273

AEDL Sich pflegen können

Pflegediagnose
Der Bewohner hat Bartwuchs und kann sich nicht rasieren/Bartpflege durchführen

▶ **Kennzeichen**
- Die Fähigkeit, das äußere Erscheinungsbild in einem gepflegten Zustand zu halten, ist reduziert
- Kann den Rasierapparat nicht festhalten/bedienen
- Kann die Arme nicht heben/bewegen
- Ablauf des Rasierens ist nicht bekannt
- Fehlende Einsicht

▶ **Ursachen**
- Desorientierung
- Bewegungseinschränkung
- Degenerative Gelenkveränderung
- Degenerative Gelenkerkrankung der Hände
- Bewusstlosigkeit
- Bewusstseinsveränderung
- Psychiatrische Störung
- Apraxie
- Das Bedürfnis nach regelmäßiger Hygiene ist reduziert

▶ **Ressourcen**
- Kann die Rasur nach Anleitung selbstständig durchführen
- Akzeptiert die Unterstützung von Angehörigen
- Kann sich mit Unterstützung und Anleitung rasieren
- Legt Wert auf gepflegtes Aussehen
- Ist motiviert, Hilfsmittel einzusetzen
- Lässt sich gern rasieren

Pflegeziele
- Sieht gepflegt aus

Pflegeintervention
- Rasur durchführen

Handlungsleitende Pflegeinterventionen
Art und Weise der Rasur bestimmen
- Nassrasur im Bett
- Nassrasur am Waschbecken
- Nassrasur durch Angehörige
- Rasur mit Elektrorasierer im Bett
- Rasur mit Elektrorasierer am Waschbecken
- Rasur mit Elektrorasierer durch Angehörige

Art der Unterstützungsleistung bestimmen
- Beaufsichtigen
- Durch Unterstützen helfen
- Teilweise übernehmen
- Vollständig übernehmen
- Zur selbstständigen Rasur anleiten

Literatur: 121, 168, 172, 272, 273

Pflegediagnose
Der Bewohner hat regelmäßig verschmutzte Hände, die Hände sind Bakterienträger

▶ **Kennzeichen**
- Die Fähigkeit, das äußere Erscheinungsbild in einem gepflegten Zustand zu halten, ist reduziert
- Klebrige, feuchte Hände
- Schmutzränder unter den Fingernägeln
- Äußert Unwohlsein in Bezug auf verschmutzte Hände

▶ **Ursachen**
- Degenerative Gelenkveränderung
- Bewegungseinschränkung
- Desorientierung
- Psychiatrische Erkrankung
- Fehlendes Hygieneempfinden
- Kotschmieren

▶ **Ressourcen**
- Toleriert ein Handbad

Pflegeziele
- Keimbelastung der Hände ist reduziert

Pflegeintervention
- Handbad bei der Körperpflege durchführen

Pflegeziele
- Keimbelastung der Hände ist reduziert

Pflegeintervention
- Zum regelmäßigen Händewaschen auffordern

Literatur: 121, 168, 172, 272, 273

AEDL Sich pflegen können

Pflegediagnose
Der Bewohner hat lange Fingernägel und kann sie nicht selbst schneiden/feilen

▶ **Kennzeichen**

- Eingerissene Fingernägel
- Bleibt mit den Nägeln hängen
- Äußerungen über zu lange Fingernägel
- Schmutzränder unter den Fingernägeln
- Kann die Schere/Nagelfeile nicht bedienen
- Fehlende Handgeschicklichkeit
- Fehlende Einsicht

▶ **Ursachen**

- Apraxie
- Bewusstlosigkeit
- Degenerative Gelenkerkrankung der Hände
- Degenerative Gelenkveränderung
- Bewegungseinschränkung
- Desorientierung
- Psychiatrische Erkrankung
- Fehlendes Hygieneempfinden

▶ **Ressourcen**

- Äußert Einsicht in die Pflegemaßnahme
- Ist motiviert, die Pflegemaßnahme zu unterstützen, und zeigt entsprechende Verhaltensweisen
- Akzeptiert die Unterstützung von Angehörigen

Pflegeziele
- Fingernägel sind gepflegt

Pflegeintervention
- Fingernägel schneiden und feilen

Handlungsleitende Pflegeinterventionen
Fingernagelpflege durchführen
- Fingernägel schneiden und feilen
- Maniküre bestellen
- Fingerbad durchführen

Literatur: 121, 168, 172, 272, 273

Pflegediagnose
Der Bewohner hat lange Fußnägel und kann sie nicht selbstständig schneiden

▶ **Kennzeichen**

- Bleibt mit den Nägeln hängen
- Fehlende Einsicht
- Die Fähigkeit, das äußere Erscheinungsbild in einem gepflegten Zustand zu halten, ist reduziert
- Hat unangenehmen Fußgeruch
- Füße sind zwischen den Zehen schmutzig
- Kann sich nicht zu den Füßen bücken
- Verschmutzte Zehennägel
- Fehlendes Hygieneverständnis

▶ **Ursachen**

- Apraxie
- Bewusstlosigkeit
- Degenerative Gelenkveränderung
- Bewegungseinschränkung
- Desorientierung
- Psychiatrische Erkrankung
- Fehlendes Hygieneempfinden

▶ **Ressourcen**

- Äußert Einsicht in die Pflegemaßnahme
- Ist motiviert, die Pflegemaßnahme zu unterstützen, und zeigt entsprechende Verhaltensweisen
- Kann Hilfe annehmen
- Akzeptiert die Unterstützung von Angehörigen

Pflegeziele
- Hat keine Schmerzen beim Tragen von Schuhen

Pflegeintervention
- Fußnägel schneiden und feilen

Handlungsleitende Pflegeinterventionen
Fußpflege durchführen
- Zehennägel schneiden und feilen
- Zehennägel bei pathologischen Veränderungen schneiden/feilen
- Fußpflege bestellen
- Fußbad durchführen

Pflegeziele
- Hat keine Schmerzen beim Tragen von Schuhen

Pflegeintervention
- Fußbad im Sitzen durchführen

Literatur: 121, 168, 172, 272, 273

AEDL Sich pflegen können

Pflegediagnose
Der Bewohner hat eine starke Hornhautbildung an den Füßen

▶ **Kennzeichen**
- Kann sich nicht zu den Füßen bücken
- Fehlende Handgeschicklichkeit
- Fehlende Einsicht
- Die Fähigkeit, das äußere Erscheinungsbild in einem gepflegten Zustand zu halten, ist reduziert

▶ **Ursachen**
- Bewusstlosigkeit
- Bewegungseinschränkung
- Desorientierung
- Schmerzzustände
- Degenerative Gelenkerkrankung der Hände

▶ **Ressourcen**
- Äußert Einsicht in die Pflegemaßnahme
- Kann Hilfe annehmen
- Akzeptiert die Unterstützung von Angehörigen
- Legt Wert auf gepflegtes Aussehen

Pflegeziele
- Füße sind in gepflegtem Zustand

Pflegeintervention
- Fußpflege organisieren

Pflegeziele
- Füße sind in gepflegtem Zustand

Pflegeintervention
- Fußbad und anschließendes Peeling durchführen

Handlungsleitende Pflegeinterventionen
Fußbad und Peeling durchführen
- Peeling mit Zucker und Öl
- Fußbad mit Olivenöl
- Fußbad mit Sahne
- Fußbad mit Ölbad

Literatur: 121, 168, 172, 272, 273

▶ Pflegediagnosen im Bereich Nase, Ohren, Augen

Pflegediagnose
Der Bewohner hat Borken in der Nase und kann sich die Nase nicht selbstständig reinigen

▶ **Kennzeichen**
- Kann die Nase nicht putzen bzw. schnäuzen
- Sichtbare Borken in der Nase

▶ **Ursachen**
- Bewusstlosigkeit
- Verletzungen der Nase
- Nasensonde
- Sauerstoffsonde

▶ **Ressourcen**
- Äußert Einsicht in die Pflegemaßnahme
- Kann die Maßnahme nach Anleitung selbstständig durchführen
- Toleriert die therapeutische/pflegerische Intervention
- Akzeptiert die Unterstützung von Angehörigen

Pflegeziele
- Nase ist frei von Borken

Pflegeintervention
- Nasenpflege durchführen

Handlungsleitende Pflegeinterventionen
Nasenpflege bei liegender Sonde durchführen
- Nasenpflege mit einer Pflegeperson durchführen
- Nasenpflege mit zwei Pflegepersonen durchführen

Materialien zur Nasenpflege wählen

Literatur: 121, 168, 172, 272, 273

AEDL Sich pflegen können

Pflegediagnose
Der Bewohner kann die Ohrpflege nicht selbstständig durchführen

► Kennzeichen
- Eingeschränkte/fehlende Fähigkeit Wattestäbchen/Waschlappen zu benutzen
- Fehlende Einsicht

► Ursachen
- Eingeschränkte körperliche Belastungsfähigkeit
- Bewusstlosigkeit
- Schmerzzustände
- Fingerfertigkeit fehlt
- Bewegungseinschränkung
- Apraxie
- Psychiatrische Erkrankung

► Ressourcen
- Äußert Einsicht in die Pflegemaßnahme
- Ist motiviert, die Pflegemaßnahme zu unterstützen, und zeigt entsprechende Verhaltensweisen
- Toleriert die therapeutische/pflegerische Intervention
- Akzeptiert die Unterstützung von Angehörigen

Pflegeziele
- Ohrenpflege ist sichergestellt
- Hörfunktion ist nicht beeinträchtigt

Pflegeintervention
- Ohrenpflege unterstützen bzw. durchführen

Literatur: 121, 168, 172, 272, 273

Pflegediagnose
Der Bewohner benötigt Maßnahmen der speziellen Augenpflege/-therapie

► Kennzeichen
- Fehlende Handgeschicklichkeit
- Äußert Unsicherheit bei der Versorgung
- Zeigt Verhaltensweisen/macht Äußerungen, die auf ein Wissensdefizit hinweisen

► Ursachen
- Operativer Eingriff am Auge
- Verletzung am Auge
- Erkrankung am Auge

► Ressourcen
- Kann die Maßnahme nach Anleitung selbstständig durchführen
- Erkennt die Notwendigkeit der getroffenen Intervention und kooperiert mit dem therapeutischen Team
- Akzeptiert die Unterstützung von Angehörigen

Pflegeziele
- Intraoperativen und postoperativen Komplikationen ist vorgebeugt

Pflegeintervention
- Präoperative Vorbereitung vor der Augenoperation durchführen

Handlungsleitende Pflegeinterventionen
Präoperative Vorbereitung durchführen
- Wimpern kürzen
- Bindehautabstrich durchführen
- Augenmedikamente nach Tropfschema verabreichen

Pflegeziele
- Fühlt sich gut betreut, Therapie ist optimal unterstützt

Pflegeintervention
- Augenverband laut ärztlicher Anordnung anlegen

Handlungsleitende Pflegeinterventionen
Augenverband anlegen
- Siebklappenverband
- Hohlverband
- Druckverband
- Uhrglasverband
- Einfacher Augenverband
- Salbenverband

Pflegeziele
- Fühlt sich gut betreut, Therapie ist optimal unterstützt

Pflegeintervention
- Augentropfen nach angeordnetem Tropfschema verabreichen

Handlungsleitende Pflegeinterventionen
Augentropfen einträufeln nach Tropfschema

AEDL Sich pflegen können

Pflegeziele
- Fühlt sich gut betreut, Therapie ist optimal unterstützt

Pflegeintervention
- Augensalbe laut ärztlicher Anordnung einbringen

Handlungsleitende Pflegeinterventionen
Augensalbe einbringen

Pflegeziele
- Untersuchungsvorbereitung ist sichergestellt

Pflegeintervention
- Pupille mit einem Mydriatikum weit stellen

Pflegeziele
- Ist über Verhaltensmaßregeln informiert und unterstützt die Therapie

Pflegeintervention
- Über Verhaltensregeln, die den Augeninnendruck senken, aufklären

Pflegeziele
- Fühlt sich gut betreut, Therapie ist optimal unterstützt

Pflegeintervention
- Augenspülung nach ärztlicher Anordnung durchführen

Handlungsleitende Pflegeinterventionen
Augenspülung durchführen
- Spüllösung NaCl 0,9%ig
- Spüllösung EDTA-Pufferlösung
- Sonstiges

Literatur: 54, 121, 168, 172, 272, 273

Pflegediagnose
Der Bewohner hat einen fehlenden/reduzierten Lidschlag, Gefahr der Hornhautaustrocknung und Schädigung der Augen

▶ Kennzeichen
- Lidschlag fehlt
- Lidschlag ist reduziert

▶ Ursachen
- Morbus Parkinson
- Morbus Basedow
- Fazialisparese
- Stuporöses Erscheinungsbild
- Bewusstlosigkeit

▶ Ressourcen
- Toleriert die Pflegeintervention

Pflegeziele
- Hornhaut der Augen ist vor Austrocknung geschützt

Pflegeintervention
- Tränenersatz laut ärztlicher Anordnung in den unteren Bindehautsack geben

Pflegeziele
- Hornhaut der Augen ist vor Austrocknung geschützt

Pflegeintervention
- Augenpflege durchführen und Uhrglasverband anbringen

Literatur: 54, 121, 168, 172, 272, 273

AEDL Ausscheiden können

▶ Pflegediagnosen: Urinausscheidung

Pflegediagnose
Der Bewohner ist im Bereich der Urin-/Stuhlausscheidung abhängig

▶ Kennzeichen
- Kann nicht allein gehen
- Kann sich nicht selbstständig vom Rollstuhl auf die Toilette setzen und zurückbewegen
- Kann die Intimpflege nach der Ausscheidung nicht selbstständig durchführen
- Fähigkeit, sich selbstständig an- und auszukleiden fehlt/ist eingeschränkt
- Kann nicht auf der Toilette sitzen
- Kann die Toilettenspülung nicht benutzen
- Fehlende Einsicht, die Toilette zu benutzen
- Widerwille, die Toilette zu benutzen

▶ Ursachen
- Blindheit
- Sehschwäche
- Eingeschränkte körperliche Belastungsfähigkeit
- Schmerzzustände
- Bewegungseinschränkung
- Belastungs-/Ruhedyspnoe
- Angstzustände
- Depressive Verstimmung
- Apraxie
- Hypotone Kreislaufveränderung
- Transferdefizite

▶ Ressourcen
- Meldet sich, wenn er zur Toilette muss
- Kann die Toilette mit Unterstützung benutzen
- Kann den Toilettenstuhl benutzen
- Akzeptiert die Unterstützung von Angehörigen

Pflegeziele
- Kann selbstständig auf den Toilettenstuhl gehen

Pflegeintervention
- Rufanlage in erreichbarer Nähe einrichten

Pflegeziele
- Kann selbstständig auf den Toilettenstuhl gehen

Pflegeintervention
- Zur Toilette führen und bei der Ausscheidung unterstützen

Handlungsleitende Pflegeinterventionen

Toilettentraining durchführen
- Nach Plan zur Toilette führen
- Nach Plan zum Wasserlassen auffordern
- Toilettenzeiten mithilfe eines Analysebogens ermitteln

Inkontinenzhilfen einsetzen
- Kleine Vorlage mit Netzhose wechseln (WV)
- Inkontinenzhosen wechseln nach Wasserlassen (WU)
- Inkontinenzhosen wechseln nach Stuhlgang (WS)

Art der Unterstützungsleistung bestimmen
- Beaufsichtigen
- Durch Unterstützen helfen
- Teilweise übernehmen
- Vollständig übernehmen
- Zur Pflegeintervention anleiten

Bei der Intimpflege nach der Ausscheidung helfen
- Intimpflege nach der Ausscheidung durchführen und Bekleidung richten

---

Pflegeziele
- Kann selbstständig auf den Toilettenstuhl gehen

Pflegeintervention
- Bei der Benutzung des Toilettenstuhls anleiten und unterstützen

AEDL Ausscheiden können

Pflegeziele	Pflegeintervention	Handlungsleitende Pflegeinterventionen
• Intimsphäre ist gewahrt • Ungehinderte Ausscheidung ist gewährleistet	• Bei den Ausscheidungsaktivitäten unterstützen	**Bei der Ausscheidung unterstützen** • Kleidung vor und nach der Ausscheidung richten • Steckbecken verwenden (S) • Urinflasche verwenden (U) • Zur Toilette begleiten (T) • Beim Benutzen des Nachtstuhls unterstützen (N) • Urinbeutel wechseln/entleeren • Stomabeutel wechseln/entleeren • Händewaschen ermöglichen **Inkontinenzhilfen einsetzen** • Inkontinenzhosen wechseln nach Wasserlassen (WU) • Inkontinenzhosen wechseln nach Stuhlgang (WS) • Kleine Vorlage mit Netzhose wechseln (WV) • Große Vorlage mit Netzhose wechseln (WV) **Art der Unterstützungsleistung bestimmen** • Beaufsichtigen • Durch Unterstützen helfen • Teilweise übernehmen • Vollständig übernehmen • Zum Einsatz von Inkontinenzhilfen anleiten

Pflegeziele	Pflegeintervention
• Intimhygiene ist gewährleistet	• Intimbereich nach der Ausscheidung reinigen

Literatur: 50, 79, 121, 168, 188, 228, 265, 272, 273

Pflegediagnose
Der Bewohner kommt nicht schnell genug zur Toilette und kann den Urin nicht halten

▶ Kennzeichen	▶ Ursachen	▶ Ressourcen
• Urin dringt durch Hose/Rock und macht sichtbare Flecken • Nässt auf dem Weg zur Toilette ein	• Belastungsinkontinenz • Dranginkontinenz • Bewegungseinschränkung	• Meldet sich, wenn er zur Toilette muss • Kann die Toilette mit Unterstützung benutzen • Kann den Toilettenstuhl benutzen • Hat einen geregelten Tagesablauf und kann feste Toilettenzeiten einrichten • Akzeptiert die Unterstützung von Angehörigen

Pflegeziele	Pflegeintervention
• Erreicht rechtzeitig die Toilette/den Toilettenstuhl	• Bett in Toilettennähe platzieren

Pflegeziele	Pflegeintervention
• Erreicht rechtzeitig die Toilette/den Toilettenstuhl	• Nachtstuhl bereitstellen und regelmäßig entleeren

Literatur: 50, 79, 121, 168, 188, 228, 265, 272, 273

AEDL Ausscheiden können

Pflegediagnose
Der Bewohner darf/kann die Ausscheidungen nur im Bett verrichten

▶ **Kennzeichen**

- Kann das Bett nicht selbstständig verlassen
- Verordnete Bewegungseinschränkung
- Hat eine angeordnete Bettruhe

▶ **Ursachen**

- Gefäßerkrankung
- Eingeschränkte körperliche Belastungsfähigkeit
- Schmerzzustände
- Bewegungseinschränkung
- Belastungs-/Ruhedyspnoe
- Angstzustände
- Depressive Verstimmung
- Apraxie
- Hypotone Kreislaufveränderung
- Auswirkung einer OP

▶ **Ressourcen**

- Benutzt Urinflasche/Steckbecken selbstständig
- Akzeptiert die körperliche Einschränkung
- Läutet, wenn er ausscheiden muss
- Toleriert die therapeutische/pflegerische Intervention

Pflegeziele

- Ist über die verschiedenen Möglichkeiten informiert
- Benutzt die Bettflasche selbstständig
- Ungehinderte Ausscheidung ist gewährleistet

Pflegeintervention

- Bei der Ausscheidung mit Steckbecken/Urinflasche unterstützen

Handlungsleitende Pflegeinterventionen

Bei der Ausscheidung unterstützen

- Kleidung vor und nach der Ausscheidung richten
- Steckbecken verwenden (S)
- Urinflasche verwenden (U)
- Urinbeutel wechseln/entleeren
- Stomabeutel wechseln/entleeren
- Händewaschen ermöglichen

Inkontinenzhilfen einsetzen

- Inkontinenzhosen wechseln nach Wasserlassen (WU)
- Inkontinenzhosen wechseln nach Stuhlgang (WS)
- Kleine Vorlage mit Netzhose wechseln (WV)

Art der Unterstützungsleistung bestimmen

- Beaufsichtigen
- Durch Unterstützen helfen
- Teilweise übernehmen
- Vollständig übernehmen
- Zum Einsatz von Inkontinenzhilfen anleiten

Pflegeziele

- Benutzt die Bettflasche selbstständig

Pflegeintervention

- Zur Benutzung der Urinflasche anleiten

Handlungsleitende Pflegeinterventionen

Urinflasche/Bettpfanne benutzen

- Zellstoff bereitlegen
- Urinflasche/Bettpfanne nach jeder Miktion leeren
- Händewaschen nach der Miktion ermöglichen

Pflegeziele

- Intimhygiene ist gewährleistet

Pflegeintervention

- Intimpflege durchführen

Handlungsleitende Pflegeinterventionen

Intimpflege durchführen

Pflegeziele

- Hygiene ist gewährleistet, einer Keimverschleppung ist vorgebeugt

Pflegeintervention

- Händewaschen nach jedem Ausscheidungsvorgang ermöglichen

AEDL Ausscheiden können

Pflegeziele	Pflegeintervention	
• Ist über die verschiedenen Möglichkeiten informiert	• Bettschutz einbetten und bei Bedarf wechseln	

Pflegeziele	Pflegeintervention	Handlungsleitende Pflegeinterventionen
• Physiologisches Hautverhältnis ist hergestellt	• Hautpflege nach Reinigung des Gesäßes mit Hautpflegeprodukten durchführen	**Hautpflege durchführen**

Pflegeziele	Pflegeintervention	Handlungsleitende Pflegeinterventionen
• Ist über die verschiedenen Möglichkeiten informiert	• Hautschutz nach Reinigung des Gesäßes	**Hautschutz auftragen**

Literatur: 50, 79, 121, 168, 188, 228, 265, 272, 273

Pflegediagnose
Der Bewohner hat einen transurethralen Blasenverweilkatheter, Gefahr der aufsteigenden Harnwegsinfektion

▶ **Kennzeichen**
- Bei potenziellen Gefahren können keine Kennzeichen angegeben werden

▶ **Ursachen**
- Erkrankung im Intimbereich
- Immunabwehrschwäche
- Reduzierte Flüssigkeitszufuhr
- Fehlendes Verständnis für spezielle Verhaltensweisen und prophylaktische Maßnahmen
- Häufige Dekonnektion von Katheter und Urinauffangbeutel
- Fehlendes Hygieneempfinden

▶ **Ressourcen**
- Zeigt Verhaltensweisen, die eine Therapie mit einem Blasendauerkatheter unterstützen
- Verhält sich entsprechend der Anleitung und Anweisung
- Kennt die Schutz- und Hygienemaßnahmen und hält sie ein
- Erkennt die Notwendigkeit der getroffenen Intervention und kooperiert mit dem therapeutischen Team
- Ist an der selbstständigen Versorgung interessiert
- Meldet sich bei Anzeichen von Komplikationen

Pflegeziele	Pflegeintervention	Handlungsleitende Pflegeinterventionen
• Veränderungen der Urinausscheidung sind erkannt und dokumentiert	• Auf Infektionszeichen beobachten und Ergebnisse dokumentieren	**Auf Infektionszeichen bei Kathetern beobachten** • Ausgeschiedenen Urin auf Infektionshinweise einschätzen • Urethralsekret bezüglich Infektionsanzeichen beurteilen • Urinprobe zur Untersuchung gewinnen

Pflegeziele	Pflegeintervention	
• Urinreflux im Beutel ist verhindert	• Urinbeutel unter Berücksichtigung der Hygiene regelmäßig leeren	

Pflegeziele	Pflegeintervention	
• Einer Keimverschleppung ist vorgebeugt	• Geschlossenen Urinauffangbeutel unter sterilen Kautelen wechseln	

AEDL Ausscheiden können

Pflegeziele	Pflegeintervention	Handlungsleitende Pflegeinterventionen
• Äußert Akzeptanz hinsichtlich des ableitenden Urinsystems	• Beutelbefestigungen zum unsichtbaren Tragen der Urinbeutel benutzen	• Beutel am Unterschenkel befestigen • Beutel am Oberschenkel befestigen • Spezielle Kleidungsstücke mit integrierter Halterung nutzen
• Beginnende Infektion ist sofort erkannt	• Temperatur kontrollieren	**Messmethode auswählen** • Messort rektal • Messort sublingual • Messort axillar • Messort Ohr **Dokumentationsort der Messwerte bestimmen** • In der Fieberkurve dokumentieren • Messwerte in den Pflegeplan eintragen • Messwerte in das Überwachungsprotokoll eintragen **Thermometer wieder aufbereiten** • Schutzhüllen entsorgen, Schmutz abwischen und in Desinfektionslösung nach Plan einlegen • Trocken gelagertes, im Zimmer verbleibendes Thermometer alle drei Tage desinfizieren (lt. Plan)
• Gefahr einer aufsteigenden Infektion entlang des Kathetersystems ist reduziert	• Flüssigkeitszufuhr festlegen	**Tägliche Flüssigkeitszufuhr kontrollieren** • Mithilfe des Trinkfahrplans kontrollieren • Flüssigkeitszufuhr auf einem Bilanzbogen dokumentieren • Zieleinfuhr mit dem Arzt vereinbaren • Trinkfahrplan aktualisieren • Trinkmenge zusammenzählen und dokumentieren
• Gefahr einer aufsteigenden Infektion entlang des Kathetersystems ist reduziert	• Blasenkatheterpflege durchführen	**Blasenverweilkatheterpflege durchführen**
• Einer Infektion/Keimverschleppung ist vorgebeugt	• Infektionsprophylaxe durchführen	**Infektionsprophylaxe durchführen** • Geschlossenes Urinableitungssystem verwenden • Urinbeutel wechseln/entleeren • Urinablassventil nach dem Entleeren desinfizieren • Urin täglich beobachten
• Zeitpunkt des nächsten Katheterwechsels ist richtig gewählt und festgelegt • Einer Infektion ist vorgebeugt bzw. sie ist rechtzeitig erkannt	• Nächsten Wechsel des transurethralen Katheters festlegen/durchführen	• Datum des nächsten Wechsels des transurethralen Katheters bestimmen **Angaben zum verwendeten Material machen** • Katheterwechsel durchführen

AEDL Ausscheiden können

Anzahl der beteiligten Personen bestimmen
- Eine zusätzliche Pflegeperson
- Zwei zusätzliche Pflegepersonen

Literatur: 115, 121, 124, 168, 260, 272, 273

Pflegediagnose
Der Bewohner hat einen suprapubischen Blasenkatheter, Infektionsgefahr

▶ Kennzeichen	▶ Ursachen	▶ Ressourcen
• Bei potenziellen Gefahren können keine Kennzeichen angegeben werden	• Umfeldbedingt erhöhtes Infektionsrisiko • Immunabwehrschwäche • Fehlendes Verständnis für spezielle Verhaltensweisen und prophylaktische Maßnahmen • Unsteril durchgeführter Verbandwechsel	• Kennt die Schutz- und Hygienemaßnahmen und hält sie ein • Legt sehr viel Wert auf persönliche Hygiene • Erkennt die Notwendigkeit der getroffenen Intervention und kooperiert mit dem therapeutischen Team • Toleriert den Verbandwechsel • Angehörige zeigen Bereitschaft, neu zu lernen

Pflegeziele	Pflegeintervention	Handlungsleitende Pflegeinterventionen
• Krankhafte Veränderungen sind frühzeitig erkannt	• Verband wechseln und Punktionsstelle reinigen	• Haut der Einstichstelle desinfizieren • Wischrichtung bei der Desinfektion von außen nach innen wählen • Wischrichtung bei der Reinigung/Desinfektion von innen nach außen wählen **Verbandmaterialien auswählen**

Pflegeziele	Pflegeintervention	
• Einstichstelle ist reizlos und nicht infiziert	• Einstichstelle auf Infektionszeichen kontrollieren und Ergebnisse dokumentieren	

Pflegeziele	Pflegeintervention	
• Zug auf den Katheter ist vermieden • Einer Infektion ist vorgebeugt bzw. sie ist rechtzeitig erkannt	• Zügelpflaster zur sicheren Fixierung anbringen	

Pflegeziele	Pflegeintervention	Handlungsleitende Pflegeinterventionen
• Einer Infektion/Keimverschleppung ist vorgebeugt	• Infektionsprophylaxe durchführen	**Infektionsprophylaxe durchführen** • Geschlossenes Urinableitungssystem verwenden • Urinbeutel wechseln/entleeren • Urinablassventil nach dem Entleeren desinfizieren • Urin täglich beobachten

Pflegeziele	Pflegeintervention	Handlungsleitende Pflegeinterventionen
• Gefahr einer aufsteigenden Infektion entlang des Kathetersystems ist reduziert	• Flüssigkeitszufuhr festlegen	**Tägliche Flüssigkeitszufuhr kontrollieren** • Mithilfe des Trinkfahrplans kontrollieren • Flüssigkeitszufuhr auf einem Bilanzbogen dokumentieren • Zieleinfuhr mit dem Arzt vereinbaren

AEDL Ausscheiden können

- Trinkfahrplan aktualisieren
- Trinkmenge zusammenzählen und dokumentieren

Pflegeziele
- Kann Füllzustand der Blase einschätzen
- Meldet sich bei Harndrang zuverlässig

Pflegeintervention
- Blasen- und Kontinenztraining durchführen

Literatur: 168, 188, 228, 260, 265, 272, 273

▶ Pflegediagnosen: Inkontinenz

Pflegediagnose
Der Bewohner ist harninkontinent, Gefahr der Hautschädigung und Minderung der Lebensqualität

▶ Kennzeichen
- Nässt auf dem Weg zur Toilette ein
- Kann den Harndrang nicht unterdrücken
- Erhöhte Ausscheidungsfrequenz
- Uriniert in kleinen Mengen (< 10 ml)
- Uriniert in großen Mengen (> 500 ml)
- Fehlendes Gefühl für die Blasenfüllung
- Unkontrollierter Harnabgang in regelmäßigen Zeitabständen durch ungehemmte Blasenkontraktion
- Beobachtetes Harnträufeln bei erhöhtem intraabdominalem Druck (Lachen, Schnäuzen, Niesen usw.)
- Kontinuierlicher Urinabgang
- Urinabgang in unvorhersehbaren Zeitabständen
- Vermindertes Bewusstsein für die Kontinenz
- Inkontinenz bei/nach psychischer Belastung
- Miktion wird durch Hautberührung stimuliert

▶ Ursachen
- Östrogenmangel/Klimakterium
- Prostatavergrößerung
- Extraurethrale Inkontinenz (Fistelbildung)
- Neuropathie
- Neurologische Störung
- Rückenmarksverletzung/-erkrankung
- Schwache Beckenmuskulatur und schwaches Stützgewebe
- Überdehnung der Blase
- Altersdemenz
- Mobilitätseinschränkung
- Kognitive Fähigkeiten sind eingeschränkt
- Umgebungsveränderung

▶ Ressourcen
- Ist an der selbstständigen Versorgung interessiert
- Ist an einem Kontinenztraining interessiert
- Kennt die Faktoren, die zur Inkontinenz führen
- Kennt für die Situation passende Inkontinenzhilfen und kann sie adäquat einsetzen
- Ist motiviert, die Pflegemaßnahme zu unterstützen, und zeigt entsprechende Verhaltensweisen
- Akzeptiert die Unterstützung von Angehörigen

Pflegeziele
- Fühlt sich angenommen und verstanden
- Ist gegenüber der Beeinträchtigung positiv eingestellt
- Inkontinenzform ist eingeschätzt
- Lebensqualität ist nicht beeinträchtigt

Pflegeintervention
- Systematisches Assessment zur Ermittlung der Inkontinenzform und der Pflegediagnosen mithilfe eines Fragebogens durchführen

AEDL Ausscheiden können

Pflegeziele	Pflegeintervention	Handlungsleitende Pflegeinterventionen
• Fühlt sich angenommen und verstanden	• Urininkontinenz mithilfe von Analysebogen oder Miktionstagebuch analysieren	• Inkontinenzanalysebogen verwenden • Miktionstagebuch führen **Art der Unterstützungsleistung bestimmen** • Eintragungen mit dem Betroffenen auswerten • Auswertungsgespräch im therapeutischen Team führen • Miktionsereignisse gemeinsam eintragen
• Beherrscht die Urinausscheidung	• Toilettentraining in festgelegten Zeitabständen durchführen	**Toilettentraining durchführen** • Toilettenzeiten mithilfe eines Analysebogens ermitteln • Nach Plan zum Wasserlassen auffordern • Nach Plan zur Toilette führen • Nach Plan beim Benutzen der Bettschüssel/ Harnflasche unterstützen • Nach Plan beim Benutzen des Toilettenstuhls unterstützen **Inkontinenzhilfen einsetzen** • Inkontinenzhosen wechseln nach Wasserlassen (WU) • Inkontinenzhosen wechseln nach Stuhlgang (WS) • Kleine Vorlage mit Netzhose wechseln (WV) **Art der Unterstützungsleistung bestimmen** • Beaufsichtigen • Durch Unterstützen helfen • Teilweise übernehmen • Vollständig übernehmen • Zum Einsatz von Inkontinenzhilfen anleiten **Bei der Intimpflege nach der Ausscheidung helfen** • Intimpflege nach der Ausscheidung durchführen und Bekleidung richten
• Fühlt sich angenommen und verstanden	• Trinkfahrplan nach den Bedürfnissen des Bewohners erstellen und Flüssigkeitszufuhr nach diesem Plan sicherstellen	**Flüssigkeitszufuhr regeln** • Zieleinfuhr mit dem Arzt vereinbaren • Flüssigkeit nach Trinkfahrplan zuführen • Trinkfahrplan erstellen und aktualisieren (a) • Flüssigkeit nach Flüssigkeitsbilanz des Vortags verabreichen **Art der Verabreichung bestimmen** • Flüssigkeit mit Teelöffel zuführen • Flüssigkeit mit Esslöffel zuführen • Flüssigkeit mit Trinkhalm zuführen • Flüssigkeit mit Schnabelbecher zuführen • Flüssigkeit mit Tasse/Glas zuführen **Art der Unterstützungsleistung bestimmen** • Beaufsichtigen • Unterstützen • Teilweise übernehmen • Vollständig übernehmen • Anleiten

AEDL Ausscheiden können

Pflegeziele	Pflegeintervention
• Kann sich der Inkontinenz entsprechend kleiden	• Geeignete Kleidung auswählen

Literatur: 50, 79, 96, 121, 140, 168, 188, 228, 237, 265, 272, 273

Pflegediagnose
Der Bewohner hat ein erhöhtes Risiko einer Hautreizung/-schädigung

▶ Kennzeichen	▶ Ursachen	▶ Ressourcen
• Bei potenziellen Gefahren können keine Kennzeichen angegeben werden	• Inkontinenz • Urininkontinenz • Stuhlinkontinenz • Extraurethrale Inkontinenz (Fistelbildung)	

Pflegeziele	Pflegeintervention	Handlungsleitende Pflegeinterventionen
• Physiologisches Hautverhältnis ist hergestellt	• Intimpflege nach jedem Einnässen durchführen	**Intimpflege durchführen**

Pflegeziele	Pflegeintervention	Handlungsleitende Pflegeinterventionen
• Physiologisches Hautverhältnis ist hergestellt	• Hautschutz im Intimbereich auftragen	**Hautschutz auftragen**

Literatur: 50, 79, 96, 121, 140, 168, 188, 228, 237, 265, 272, 273

Pflegediagnose
Der Bewohner kann den Urin nicht halten, benötigt eine Inkontinenzhilfe, hat ein Wissensdefizit

▶ Kennzeichen	▶ Ursachen	▶ Ressourcen
• Bei potenziellen Gefahren können keine Kennzeichen angegeben werden	• Fehlender Zugang zu den entsprechenden Informationen • Unfähigkeit, die angebotene Information zu nutzen • Scham, auf Hilfe angewiesen zu sein	

Pflegeziele	Pflegeintervention	Handlungsleitende Pflegeinterventionen
• Nimmt am sozialen Leben teil und fühlt sich integriert • Kann sich frei bewegen	• Bei der Auswahl und dem Einsatz von Inkontinenzhilfen unterstützen	**Inkontinenzhilfen einsetzen** • Slipeinlagen verwenden • Kleine Einlagen-Vorlagen mit Netzhose verwenden • Große Vorlage mit Netzhose wechseln (WV) • Geschlossene Slips verwenden • Inkontinenzhosen verwenden • Kondom-Urinal für Männer verwenden • Incogyn-System für Frauen verwenden • Fäkalkollektor verwenden **Art der Unterstützungsleistung bestimmen** • Anwendung der Inkontinenzhilfen beaufsichtigen • Über Inkontinenzhilfen beraten

AEDL Ausscheiden können

- Zum Einsatz von Inkontinenzhilfen anleiten
- Teilweise übernehmen
- Vollständig übernehmen

Pflegeziele
- Wohlbefinden ist unterstützt
- Saubere Bettwäsche ist sichergestellt

Pflegeintervention
- Bettschutz einbetten

Pflegeziele
- Nimmt am sozialen Leben teil und fühlt sich integriert
- Kann sich frei bewegen
- Fühlt sich angenommen und verstanden

Pflegeintervention
- Selbsthilfegruppen vermitteln

Literatur: 50, 79, 96, 121, 140, 168, 188, 228, 237, 265, 272, 273

Pflegediagnose
Der Bewohner hat einen unkontrollierten Urinabgang von geringen Mengen bei erhöhtem abdominalem Druck (Stressinkontinenz)

► **Kennzeichen**
- Beobachtetes Harnträufeln bei erhöhtem intraabdominalem Druck (Lachen, Schnäuzen, Niesen usw.)
- Urinabgang bei leichter Anstrengung wie Treppensteigen, Laufen, Tragen, Grad II
- Urinabgang im Stehen oder Liegen
- Urinabgang tags stärker als nachts
- Ausscheidungsfrequenz ist erhöht
- Äußert Harndrang

► **Ursachen**
- Schwache Beckenmuskulatur und schwaches Stützgewebe
- Schwangerschaft
- Traumatische Entbindung
- Operativer gynäkologischer Eingriff
- Östrogenmangel/Klimakterium
- Adipositas
- Insuffizienter Blasenausgang
- Prostataoperation

► **Ressourcen**
- Führt regelmäßig Übungen zur Stärkung der Beckenbodenmuskulatur durch
- Kennt für die Situation passende Inkontinenzhilfen und kann sie adäquat einsetzen
- Ist motiviert, Neues auszuprobieren
- Akzeptiert die Unterstützung von Angehörigen
- Toleriert die therapeutische/pflegerische Intervention

Pflegeziele
- Wirkung der Pflegemaßnahme ist festgestellt
- Inkontinenzform ist eingeschätzt

Pflegeintervention
- Inkontinenz und Behandlungserfolge beobachten und dokumentieren

Handlungsleitende Pflegeinterventionen
- Inkontinenzanalysebogen verwenden
- Miktionstagebuch führen

Art der Unterstützungsleistung bestimmen
- Eintragungen mit dem Betroffenen auswerten
- Auswertungsgespräch im therapeutischen Team führen
- Miktionsereignisse gemeinsam eintragen

Pflegeziele
- Kennt Möglichkeiten, aktiv den Therapieerfolg zu unterstützen

Pflegeintervention
- Informationsgespräch über die Möglichkeiten von Ursachen und therapeutischen Interventionen führen

AEDL Ausscheiden können

Pflegeziele	Pflegeintervention	Handlungsleitende Pflegeinterventionen
• Kennt Möglichkeiten, aktiv den Therapieerfolg zu unterstützen	• Inkontinenzhilfen auswählen und einsetzen	**Inkontinenzhilfen einsetzen** • Slipeinlagen verwenden • Kleine Einlagen-Vorlagen mit Netzhose verwenden • Große Vorlage mit Netzhose wechseln (WV) • Geschlossene Slips verwenden • Inkontinenzhosen verwenden • Kondom-Urinal für Männer verwenden • Incogyn-System für Frauen verwenden • Fäkalkollektor verwenden **Art der Unterstützungsleistung bestimmen** • Anwendung der Inkontinenzhilfen beaufsichtigen • Über Inkontinenzhilfen beraten • Zum Einsatz von Inkontinenzhilfen anleiten • Teilweise übernehmen • Vollständig übernehmen

Pflegeziele	Pflegeintervention	
• Beherrscht die Urinausscheidung und hat einen intakten Schließmuskel • Kann den Urinstrahl unterbrechen und wieder auslösen • Perineale Muskulatur ist gekräftigt	• Anleiten, den Urinstrahl bei der Miktion mehrmals zu unterbrechen und wieder auszulösen	

Pflegeziele	Pflegeintervention	Handlungsleitende Pflegeinterventionen
• Kennt Möglichkeiten, aktiv den Therapieerfolg zu unterstützen	• Zur Beckenbodengymnastik anleiten	• Zur Beckenbodengymnastik anleiten • Informationsbroschüre mit Übungsanleitungen aushändigen und Übungen erläutern • Übungsfortschritte besprechen **Zu den Übungen anleiten und anweisen durch** • Pflegeperson • Physiotherapeut

Literatur: 50, 52, 79, 107, 121, 168, 188, 228, 265, 272, 273

Pflegediagnose
Der Bewohner hat einen spontanen Urinabgang in regelmäßigen Zeitabständen bei einem bestimmten Füllungszustand der Blase (Reflexinkontinenz)

▶ Kennzeichen	▶ Ursachen	▶ Ressourcen
• Fehlendes Gefühl für die Blasenfüllung • Fehlender Harndrang • Spontaner Urinabgang in regelmäßigen Zeitabständen	• Querschnittslähmung • Apoplektischer Insult • Hirntumor • Zerebrale Verletzung • Metastasen im Wirbelkanal • Multiple Sklerose	• Zeigt Interesse, die Stimulation der Miktion zu lernen • Zeigt Verhaltensweisen, die die Therapie unterstützen • Hat einen geregelten Tagesablauf und kann feste Toilettenzeiten einrichten • Kennt für die Situation passende Inkontinenzhilfen und kann sie adäquat einsetzen

AEDL Ausscheiden können

Pflegeziele	Pflegeintervention	Handlungsleitende Pflegeinterventionen
• Inkontinenzform ist eingeordnet	• Urinausscheidung beobachen und dokumentieren	• Inkontinenzanalysebogen verwenden • Miktionstagebuch führen **Art der Unterstützungsleistung bestimmen** • Eintragungen mit dem Betroffenen auswerten • Auswertungsgespräch im therapeutischen Team führen • Miktionsereignisse gemeinsam eintragen
Pflegeziele • Ist über die Möglichkeiten der Inkontinenzversorgung und des Kontinenztrainings aufgeklärt • Ist motiviert mitzuarbeiten • Kann sich der Inkontinenz entsprechend kleiden	**Pflegeintervention** • Inkontinenzhilfen auswählen und einsetzen	**Handlungsleitende Pflegeinterventionen** **Inkontinenzhilfen einsetzen** • Slipeinlagen verwenden • Kleine Einlagen-Vorlagen mit Netzhose verwenden • Große Vorlage mit Netzhose wechseln (WV) • Geschlossene Slips verwenden • Inkontinenzhosen verwenden • Kondom-Urinal für Männer verwenden • Incogyn-System für Frauen verwenden • Fäkalkollektor verwenden **Art der Unterstützungsleistung bestimmen** • Anwendung der Inkontinenzhilfen beaufsichtigen • Über Inkontinenzhilfen beraten • Zum Einsatz von Inkontinenzhilfen anleiten • Teilweise übernehmen • Vollständig übernehmen
Pflegeziele • Blasenentleerung erfolgt in zeitlichem Rhythmus • Einem Harnwegsinfekt ist vorgebeugt	**Pflegeintervention** • Miktionszeiten und Trinkschema festlegen	**Handlungsleitende Pflegeinterventionen** **Toilettentraining durchführen** • Toilettenzeiten mithilfe eines Analysebogens ermitteln • Nach Plan zum Wasserlassen auffordern • Nach Plan zur Toilette führen • Nach Plan beim Benutzen der Bettschüssel/ Harnflasche unterstützen • Nach Plan beim Benutzen des Toilettenstuhls unterstützen **Inkontinenzhilfen einsetzen** • Inkontinenzhosen wechseln nach Wasserlassen (WU) • Inkontinenzhosen wechseln nach Stuhlgang (WS) • Kleine Vorlage mit Netzhose wechseln (WV) **Art der Unterstützungsleistung bestimmen** • Beaufsichtigen • Durch Unterstützen helfen • Teilweise übernehmen • Vollständig übernehmen • Zum Einsatz von Inkontinenzhilfen anleiten **Bei der Intimpflege nach der Ausscheidung helfen** • Intimpflege nach der Ausscheidung durchführen und Bekleidung richten

AEDL Ausscheiden können

Pflegeziele	Pflegeintervention	Handlungsleitende Pflegeinterventionen
• Miktion kann gezielt durch die Anwendung von Techniken stimuliert werden	• Blasenentleerung unterstützen	• Zur Anwendung des Valsava-Versuchs anleiten • Zur Anwendung des Credé-Handgriffs anleiten
• Einer Blasenüberdehnung und -ruptur ist vorgebeugt	• Restharnbestimmung mit Einzelkatheterisierung durchführen (nach Absprache mit dem Arzt)	
• Einer Blasenüberdehnung und -ruptur ist vorgebeugt	• Zur Einmalkatheterisierung anleiten	
• Blasenentleerung ist stimuliert	• Blasenentleerung durch Beklopfen der unteren Bauchregion stimulieren	• Blasenentleerung selbstständig stimulieren lassen • Zum Erlernen der Technik anleiten • Blasenentleerungsstimulation übernehmen • Besonderheiten bestimmen

Literatur: 50, 79, 107, 121, 168, 188, 228, 265, 272, 273

Pflegediagnose
Der Bewohner verspürt schon bei geringer Blasenfüllung einen zwanghaften Harndrang, Einnässen kann nicht verhindert werden (Dranginkontinenz)

▶ **Kennzeichen**
- Nässt auf dem Weg zur Toilette ein
- Kann den Harndrang nicht unterdrücken
- Erhöhte Ausscheidungsfrequenz
- Blasenspasmus
- Häufiges Wasserlassen in kleinen Mengen bei normaler 24-h-Urinmenge (Pollakisurie)
- Nykturie
- Uriniert in kleinen Mengen (< 10 ml)
- Uriniert in großen Mengen (> 500 ml)

▶ **Ursachen**
- Reizung der Blasendehnungsrezeptoren
- Blasenentzündung
- Blasensteine
- Blasenüberdehnung
- Erkrankungen des ZNS
- Hohe Urinkonzentration
- Hohe Flüssigkeitszufuhr
- Verringertes Blasenfüllungsvermögen

▶ **Ressourcen**
- Kennt für die Situation passende Inkontinenzhilfen und kann sie adäquat einsetzen
- Ist an einem Kontinenztraining interessiert
- Hat einen geregelten Tagesablauf und kann feste Toilettenzeiten einrichten

Pflegeziele	Pflegeintervention	Handlungsleitende Pflegeinterventionen
• Inkontinenzform ist eingeordnet	• Urinabgang beobachten und analysieren	• Inkontinenzanalysebogen verwenden • Miktionstagebuch führen **Art der Unterstützungsleistung bestimmen** • Eintragungen mit dem Betroffenen auswerten • Auswertungsgespräch im therapeutischen Team führen • Miktionsereignisse gemeinsam eintragen

AEDL Ausscheiden können

Pflegeziele	Pflegeintervention
• Ist über die Möglichkeiten der Inkontinenzversorgung und des Kontinenztrainings aufgeklärt	• Informationsgespräch über Ursachen der Inkontinenz und mögliche Versorgungsmöglichkeiten führen

Pflegeziele	Pflegeintervention	Handlungsleitende Pflegeinterventionen
• Äußert Gefühl der Sicherheit bei den täglichen Aktivitäten	• Inkontinenzhilfen auswählen und anwenden	**Inkontinenzhilfen einsetzen** • Slipeinlagen verwenden • Kleine Einlagen-Vorlagen mit Netzhose verwenden • Große Vorlage mit Netzhose wechseln (WV) • Geschlossene Slips verwenden • Inkontinenzhosen verwenden • Kondom-Urinal für Männer verwenden • Incogyn-System für Frauen verwenden • Fäkalkollektor verwenden **Art der Unterstützungsleistung bestimmen** • Anwendung der Inkontinenzhilfen beaufsichtigen • Über Inkontinenzhilfen beraten • Zum Einsatz von Inkontinenzhilfen anleiten • Teilweise übernehmen • Vollständig übernehmen

Pflegeziele	Pflegeintervention	Handlungsleitende Pflegeinterventionen
• Fassungsvermögen der Harnblase ist auf mindestens 250 ml vergrößert	• Blasentrainingsprogramm aufstellen und bei der Durchführung unterstützen/anleiten	• Individuellen Entleerungsrhythmus der Blase durch Dokumentation im Miktionsprotokoll ermitteln • Festgesetzte Miktionszeiten entsprechend dem individuell ermittelten Entleerungsrhythmus vereinbaren • Die betroffene Person auffordern, die Zeiträume zwischen den Miktionen auszuhalten • Miktionszeiträume schrittweise verlängern **Art der Unterstützungsleistung bestimmen** • Miktionsprotokolle gemeinsam auswerten • Zielsetzungen bezüglich des angestrebten Miktionsrhythmus vereinbaren • Für den Betroffenen Miktionstagebuch führen • Auswertungsgespräch im therapeutischen Team führen

Pflegeziele	Pflegeintervention	Handlungsleitende Pflegeinterventionen
• Hat den gewohnten Rhythmus der Blasenentleerung gefunden	• Beim Toilettengang unterstützen	**Toilettentraining durchführen** • Toilettenzeiten mithilfe eines Analysebogens ermitteln • Nach Plan zum Wasserlassen auffordern • Nach Plan zur Toilette führen • Nach Plan beim Benutzen der Bettschüssel/Harnflasche unterstützen • Nach Plan beim Benutzen des Toilettenstuhls unterstützen **Inkontinenzhilfen einsetzen** • Inkontinenzhosen wechseln nach Wasserlassen (WU) • Inkontinenzhosen wechseln nach Stuhlgang (WS) • Kleine Vorlage mit Netzhose wechseln (WV)

AEDL Ausscheiden können

Art der Unterstützungsleistung bestimmen
- Beaufsichtigen
- Durch Unterstützen helfen
- Teilweise übernehmen
- Vollständig übernehmen
- Zum Einsatz von Inkontinenzhilfen anleiten

Bei der Intimpflege nach der Ausscheidung helfen
- Intimpflege nach der Ausscheidung durchführen und Bekleidung richten

Pflegeziele
- Kann den Urin halten, bis die Toilette erreicht ist

Pflegeintervention
- Anleiten, vor dem Aufstehen/Toilettengang die Beckenbodenmuskulatur bewusst anzuspannen

Pflegeziele
- Beherrscht die Urinausscheidung und hat einen intakten Schließmuskel
- Kann den Urinstrahl unterbrechen und wieder auslösen
- Perineale Muskulatur ist gekräftigt

Pflegeintervention
- Anleiten, den Urinstrahl bei der Miktion mehrmals zu unterbrechen und wieder auszulösen

Pflegeziele
- Kennt Möglichkeiten, aktiv den Therapieerfolg zu unterstützen

Pflegeintervention
- Zur Beckenbodengymnastik anleiten

Handlungsleitende Pflegeinterventionen
- Zur Beckenbodengymnastik anleiten
- Informationsbroschüre mit Übungsanleitungen aushändigen und Übungen erläutern
- Übungsfortschritte besprechen

Zu den Übungen anleiten und anweisen durch
- Pflegeperson
- Physiotherapeut

Literatur: 50, 79, 107, 121, 168, 188, 228, 265, 272, 273

Pflegediagnose
Der Bewohner hat einen ständigen, nicht vorhersehbaren Urinabgang (totale Inkontinenz)

▶ **Kennzeichen**
- Kontinuierlicher Urinabgang
- Urinabgang in unvorhersehbaren Zeitabständen
- Urinabgang ohne Blasenfüllung
- Fehlendes Gefühl für die Blasenfüllung
- Fehlendes Bewusstsein für Kontinenz
- Erfolglose Inkontinenztherapie

▶ **Ursachen**
- Neuropathie
- Neurologische Störung
- Rückenmarksverletzung/-erkrankung
- Extraurethrale Inkontinenz (Fistelbildung)
- Unwillkürliche Aktivitäten des Schließmuskels nach operativem Eingriff

▶ **Ressourcen**
- Äußert Einsicht in die Pflegemaßnahme
- Ist an einem Kontinenztraining interessiert
- Akzeptiert die Unterstützung von Angehörigen
- Hält sich an den Trinkfahrplan
- Die Angehörigen verabreichen die Flüssigkeit nach Trinkfahrplan
- Kennt für die Situation passende Inkontinenzhilfen und kann sie adäquat einsetzen

AEDL Ausscheiden können

Pflegeziele	Pflegeintervention	Handlungsleitende Pflegeinterventionen
• Inkontinenzform ist eingeschätzt • Fehlanpassungen sind erkannt und behoben	• Miktionen beobachten und dokumentieren	• Inkontinenzanalysebogen verwenden • Miktionstagebuch führen **Art der Unterstützungsleistung bestimmen** • Eintragungen mit dem Betroffenen auswerten • Auswertungsgespräch im therapeutischen Team führen • Miktionsereignisse gemeinsam eintragen
• Individuelle Lebensqualität ist erhalten	• Inkontinenzhilfen auswählen und einsetzen	**Inkontinenzhilfen einsetzen** • Slipeinlagen verwenden • Kleine Einlagen-Vorlagen mit Netzhose verwenden • Große Vorlage mit Netzhose wechseln (WV) • Geschlossene Slips verwenden • Inkontinenzhosen verwenden • Kondom-Urinal für Männer verwenden • Incogyn-System für Frauen verwenden • Fäkalkollektor verwenden **Art der Unterstützungsleistung bestimmen** • Anwendung der Inkontinenzhilfen beaufsichtigen • Über Inkontinenzhilfen beraten • Zum Einsatz von Inkontinenzhilfen anleiten • Teilweise übernehmen • Vollständig übernehmen
• Blasenfunktion ist wiederhergestellt bzw. verbessert	• Konsequentes Toilettentraining durchführen	**Toilettentraining durchführen** • Toilettenzeiten mithilfe eines Analysebogens ermitteln • Nach Plan zum Wasserlassen auffordern • Nach Plan zur Toilette führen • Nach Plan beim Benutzen der Bettschüssel/Harnflasche unterstützen • Nach Plan beim Benutzen des Toilettenstuhls unterstützen **Inkontinenzhilfen einsetzen** • Inkontinenzhosen wechseln nach Wasserlassen (WU) • Inkontinenzhosen wechseln nach Stuhlgang (WS) • Kleine Vorlage mit Netzhose wechseln (WV) **Art der Unterstützungsleistung bestimmen** • Beaufsichtigen • Durch Unterstützen helfen • Teilweise übernehmen • Vollständig übernehmen • Zum Einsatz von Inkontinenzhilfen anleiten **Bei der Intimpflege nach der Ausscheidung helfen** • Intimpflege nach der Ausscheidung durchführen und Bekleidung richten

AEDL Ausscheiden können

Pflegeziele
- Vorhersehbares Entleerungsmuster ist gefördert

Pflegeintervention
- Trinkfahrplan aufstellen und bei der Einhaltung unterstützen

Handlungsleitende Pflegeinterventionen

Flüssigkeit verabreichen/Darreichungsform bestimmen
- Flüssigkeit mit Schnabelbecher zuführen
- Flüssigkeit mit Tasse/Glas zuführen
- Flüssigkeit mit Trinkhalm zuführen
- Flüssigkeit mit Teelöffel zuführen
- Flüssigkeit mit Esslöffel zuführen

Zeitpunkt des Flüssigkeitsangebots regeln
- Nach Trinkfahrplan
- Nach stationsüblichen Angebotszeiten

Art der Unterstützungsleistung bestimmen
- Getränke bereitstellen
- Zur Flüssigkeitsverabreichung in Sitzposition bringen/anleiten, diese einzunehmen
- Flüssigkeitszufuhr beaufsichtigen
- Flüssigkeitszufuhr teilweise übernehmen
- Flüssigkeit schluckweise verabreichen/vollständig übernehmen
- Hand mit dem Trinkgefäß führen/zum selbstständigen Trinken anleiten

---

Pflegeziele
- Physiologisches Hautverhältnis ist hergestellt

Pflegeintervention
- Intimpflege nach dem Einnässen durchführen

Handlungsleitende Pflegeinterventionen
Intimpflege durchführen

Pflegeziele
- Physiologisches Hautverhältnis ist hergestellt

Pflegeintervention
- Hautschutz nach der Intimpflege auftragen

Handlungsleitende Pflegeinterventionen
Hautschutz durchführen

Literatur: 50, 79, 121, 168, 188, 228, 265, 272, 273

Pflegediagnose
Der Bewohner hat eine atonische Blase, Harnträufeln und starken Harndrang (Überlaufinkontinenz)

▶ Kennzeichen
- Äußert Harndrang
- Harnträufeln und Urinabgang bei gefüllter Blase
- Restharnmenge über 100 ml

▶ Ursachen
- Abflussbehinderung durch Stenosen
- Prostatavergrößerung
- Schädigung des Rückenmarks in Höhe des Miktionszentrums
- Schädigung des Rückenmarks unterhalb des Miktionszentrums

▶ Ressourcen
- Ist an einem Kontinenztraining interessiert
- Toleriert die therapeutische/pflegerische Intervention
- Akzeptiert die Unterstützung von Angehörigen
- Kann sich einmalkatheterisieren
- Kennt für die Situation passende Inkontinenzhilfen und kann sie adäquat einsetzen

---

Pflegeziele
- Inkontinenzform ist eingeordnet

Pflegeintervention
- Urinabgang beobachten und dokumentieren

Handlungsleitende Pflegeinterventionen
- Inkontinenzanalysebogen verwenden
- Miktionstagebuch führen

Art der Unterstützungsleistung bestimmen
- Eintragungen mit dem Betroffenen auswerten
- Auswertungsgespräch im therapeutischen Team führen
- Miktionsereignisse gemeinsam eintragen

AEDL Ausscheiden können

Pflegeziele	Pflegeintervention	Handlungsleitende Pflegeinterventionen
• Inkontinenzform ist eingeordnet	• Inkontinenzhilfen auswählen und einsetzen	**Inkontinenzhilfen einsetzen** • Slipeinlagen verwenden • Kleine Einlagen-Vorlagen mit Netzhose verwenden • Große Vorlage mit Netzhose wechseln (WV) • Geschlossene Slips verwenden • Inkontinenzhosen verwenden • Kondom-Urinal für Männer verwenden • Incogyn-System für Frauen verwenden • Fäkalkollektor verwenden **Art der Unterstützungsleistung bestimmen** • Anwendung der Inkontinenzhilfen beaufsichtigen • Über Inkontinenzhilfen beraten • Zum Einsatz von Inkontinenzhilfen anleiten • Teilweise übernehmen • Vollständig übernehmen

Pflegeziele	Pflegeintervention	Handlungsleitende Pflegeinterventionen
• Blasenentleerung ist stimuliert	• Zum Blasentraining anleiten	**Blasentraining durchführen** • Im Stehen urinieren lassen • Auffordern, während des Wasserlassens den Urinstrahl mehrmals anzuhalten

Pflegeziele	Pflegeintervention
• Inkontinenzform ist eingeordnet	• Restharnbestimmung mit Einmalkatheter durchführen (lt. Arztanordnung)

Pflegeziele	Pflegeintervention
• Ist selbstständig bei der Ausscheidung	• Zum Einmalkatheterismus anleiten

Pflegeziele	Pflegeintervention
• Urinausscheidung ist regelmäßig • Stauung und Schädigung der Nierenfunktion ist vorgebeugt	• Einmalkatheterisierung nach Zeitplan/Blasenfüllungszustand durchführen

Literatur: 50, 79, 107, 121, 168, 188, 228, 272, 273

AEDL Ausscheiden können

▶ **Pflegediagnosen: Störungen der Darmtätigkeit**

Pflegediagnose
Der Bewohner hat ein erhöhtes Risiko der verminderten Defäkationsfrequenz (Obstipationsgefahr)

▶ Kennzeichen	▶ Ursachen	▶ Ressourcen
• Bei potenziellen Gefahren können keine Kennzeichen angegeben werden	• Bewegungsmangel • Immobilität • Ballaststoffarme Kost • Reduzierte Flüssigkeitszufuhr • Ungewohnte Essenszeiten • Scham, auf Hilfe angewiesen zu sein • Ekel davor, fremde Toiletten zu benutzen • Nebenwirkungen von Medikamenten • Störung im Elektrolythaushalt • Schwangerschaft • Neurologische Erkrankung	• Hält sich an den Trinkfahrplan • Ist bereit, die Ernährung umzustellen • Akzeptiert die Notwendigkeit der Diät (bestimmte Einschränkungen) • Die Angehörigen verabreichen die Flüssigkeit nach Trinkfahrplan • Körperliche Fähigkeit, sich frei zu bewegen, ist vorhanden

Pflegeziele	Pflegeintervention	
• Regelmäßiger, gut geformter Stuhlgang	• Gefahr einer Obstipation einschätzen	

Pflegeziele	Pflegeintervention	Handlungsleitende Pflegeinterventionen
• Komplikationen ist vorgebeugt • Veränderungen werden frühzeitig erkannt und dokumentiert	• Darmtätigkeit und Stuhlausscheidung beobachten	**Darmtätigkeit beobachten auf** • Häufigkeit der Ausscheidung • Darmgeräusche • Beschaffenheit der Defäkation

Pflegeziele	Pflegeintervention	
• Stuhlausscheidung ist mind. jeden zweiten Tag • Kennt Maßnahmen, um die physiologische Darmfunktion zu fördern	• Informationsgespräch über Möglichkeiten der Obstipationsprophylaxe führen	

Pflegeziele	Pflegeintervention	
• Komplikationen ist vorgebeugt • Veränderungen werden frühzeitig erkannt und dokumentiert	• Faserstoff-/ballaststoffreiche Kost bestellen	

Pflegeziele	Pflegeintervention	Handlungsleitende Pflegeinterventionen
• Komplikationen ist vorgebeugt • Darmtätigkeit ist angeregt • Veränderungen werden frühzeitig erkannt und dokumentiert	• Quellmittel lt. Arztanordnung verabreichen	**Quellmittel zur Obstipationsprophylaxe verabreichen** • Weizenkleie • Leinsamen • Dörrobst

AEDL Ausscheiden können

Pflegeziele	Pflegeintervention	Handlungsleitende Pflegeinterventionen
• Komplikationen ist vorgebeugt • Veränderungen werden frühzeitig erkannt und dokumentiert	• Frühzeitig Mobilisierung durchführen	**Mobilisation durchführen** **Art der Mobilisation bestimmen** • Am Bettrand sitzen (Querbettsitzen) • Im Rollstuhl/Lehnstuhl sitzen • Aufstehen/Transfer durchführen • Gehen • Mit Gehhilfen gehen **Erschwerte Bedingungen feststellen** • Zu- und Ableitungssysteme • Kreislaufinstabilität • Abwehrhaltung • Lähmung • Kontraktur • Spasmus **Art der Unterstützungsleistung bestimmen** • Beaufsichtigen • Teilweise übernehmen • Vollständig übernehmen • Zur Durchführung anleiten **Hilfsmittel einsetzen** • Rollator • Gehkrücken • Rollstuhl

Pflegeziele	Pflegeintervention	Handlungsleitende Pflegeinterventionen
• Darmtätigkeit ist angeregt	• Milchsäurehaltige Nahrungsmittel anbieten	**Milchsäurehaltige Nahrungsmittel anbieten** • Buttermilch • Jogurt • Sauermilch

Pflegeziele	Pflegeintervention
• Intimsphäre ist gewahrt • Bei Stuhldrang erfolgt Ausscheidung	• Auf Anzeichen einer Unterdrückung des Stuhldrangs achten und Ursachen ermitteln

Pflegeziele	Pflegeintervention	Handlungsleitende Pflegeinterventionen
• Komplikationen ist vorgebeugt • Veränderungen werden frühzeitig erkannt und dokumentiert	• Darmperistaltik stimulieren	**Darmperistaltik stimulieren durch/mit** • Kolonmassage • Karlsbader Salz oder Glaubersalz • Leinsamen • Weizenkleie • Mikroklistier • Klistier

Pflegeziele	Pflegeintervention	Handlungsleitende Pflegeinterventionen
• Ausreichende Flüssigkeitszufuhr ist sichergestellt	• Trinkfahrplan aufstellen und bei der Flüssigkeitsverabreichung unterstützen	**Flüssigkeitszufuhr regeln** • Zieleinfuhr mit dem Arzt vereinbaren • Flüssigkeit nach Trinkfahrplan zuführen • Trinkfahrplan erstellen und aktualisieren (a) • Flüssigkeit nach Flüssigkeitsbilanz des Vortags verabreichen **Art der Verabreichung bestimmen** • Flüssigkeit mit Teelöffel zuführen • Flüssigkeit mit Esslöffel zuführen • Flüssigkeit mit Trinkhalm zuführen

AEDL Ausscheiden können

- Flüssigkeit mit Schnabelbecher zuführen
- Flüssigkeit mit Tasse/Glas zuführen

Art der Unterstützungsleistung bestimmen
- Beaufsichtigen
- Unterstützen
- Teilweise übernehmen
- Vollständig übernehmen
- Anleiten

Literatur: 121, 168, 172, 264, 272, 273

Pflegediagnose
Der Bewohner hat eine Abnahme der Entleerungshäufigkeit, verbunden mit einer veränderten Darmpassage und/oder hartem, trockenem Stuhlgang

▶ **Kennzeichen**
- Erschwerte Defäkation mit Pressen
- Ausbleibende Defäkation (länger als 3 Tage)
- Schmerzhafte Stuhlentleerung
- Harter, trockener Fäzes
- Äußert rektales/abdominelles Völlegefühl
- Geblähtes, hartes Abdomen
- Äußert Kopfschmerzen
- Palpierbar gefüllter Darm
- Beschreibt Rückenschmerzen
- Appetitlosigkeit
- Benötigt Laxanzien

▶ **Ursachen**
- Bewegungsmangel
- Immobilität
- Ballaststoffarme Kost
- Reduzierte Flüssigkeitszufuhr
- Ungewohnte Essenszeiten
- Scham, auf Hilfe angewiesen zu sein
- Ekel davor, fremde Toiletten zu benutzen
- Nebenwirkungen von Medikamenten
- Störung im Elektrolythaushalt
- Schwangerschaft
- Neurologische Erkrankung

▶ **Ressourcen**
- Hält sich an den Trinkfahrplan
- Die Angehörigenverabreichen die Flüssigkeit nach Trinkfahrplan
- Ist zuverlässig bezüglich der Einnahme der Medikation
- Erkennt die Notwendigkeit der getroffenen Intervention und kooperiert mit dem therapeutischen Team

Pflegeziele	Pflegeintervention
• Ursachen sind erkannt	• Assessment bezüglich der Ursachen und Einflussfaktoren der Obstipation durchführen und Ergebnis dokumentieren

Pflegeziele	Pflegeintervention
• Stuhlausscheidung ist mind. jeden zweiten Tag • Stuhlentleerung erfolgt schmerzfrei	• Darmperistaltik durch eine Kolonmassage stimulieren

Pflegeziele	Pflegeintervention
• Stuhlausscheidung ist mind. jeden zweiten Tag • Stuhlentleerung erfolgt schmerzfrei	• Darmperistaltik durch Karlsbader Salz oder Glaubersalz stimulieren

Pflegeziele	Pflegeintervention
• Stuhlausscheidung ist mind. jeden zweiten Tag • Stuhlentleerung erfolgt schmerzfrei	• Darmperistaltik durch Leinsamen oder Weizenkleie stimulieren

AEDL Ausscheiden können

Pflegeziele
- Stuhlausscheidung ist mind. jeden zweiten Tag
- Stuhlentleerung erfolgt schmerzfrei

Pflegeintervention
- Stuhlentleerung mit Mikroklist oder Klysma laut Anordnung stimulieren

Handlungsleitende Pflegeinterventionen

Stuhlentleerung stimulieren
- Mikroklist verabreichen
- Klysma durchführen
- Kotsteine manuell entfernen

Reinigungseinlauf durchführen
- Reinigungseinlauf durchführen mit
- Wasser
- Wasser und NaCl
- Wasser und Glyzerin
- Wasser und Rizinusöl
- Kamillentee

Pflegeziele
- Stuhlausscheidung ist mind. jeden zweiten Tag
- Stuhlentleerung erfolgt schmerzfrei

Pflegeintervention
- Feuchtwarme Bauchwickel anwenden

Handlungsleitende Pflegeinterventionen

Feuchtheiße Bauchwickel anwenden
- Wickellösung mit Kamille
- Wickellösung mit Salzwasser

Pflegeziele
- Stuhlausscheidung ist mind. jeden zweiten Tag
- Stuhlentleerung erfolgt schmerzfrei
- Intimsphäre ist gewahrt
- Kotsteine werden ohne Verletzungen des Darms entfernt

Pflegeintervention
- Kotsteine lt. Arztanordnung manuell entfernen

Pflegeziele
- Stuhlausscheidung ist mind. jeden zweiten Tag

Pflegeintervention
- Reinigungseinlauf durchführen

Handlungsleitende Pflegeinterventionen

Stuhlentleerung stimulieren
- Mikroklist verabreichen
- Klysma durchführen
- Kotsteine manuell entfernen

Reinigungseinlauf durchführen
- Reinigungseinlauf durchführen mit
- Wasser
- Wasser und NaCl
- Wasser und Glyzerin
- Wasser und Rizinusöl
- Kamillentee

Pflegeziele
- Ausreichende Flüssigkeitszufuhr ist sichergestellt

Pflegeintervention
- Trinkfahrplan aufstellen und bei der Flüssigkeitsverabreichung unterstützen

Handlungsleitende Pflegeinterventionen

Flüssigkeitszufuhr regeln
- Zieleinfuhr mit dem Arzt vereinbaren
- Flüssigkeit nach Trinkfahrplan zuführen
- Trinkfahrplan erstellen und aktualisieren (a)
- Flüssigkeit nach Flüssigkeitsbilanz des Vortags verabreichen

Art der Verabreichung bestimmen
- Flüssigkeit mit Teelöffel zuführen
- Flüssigkeit mit Esslöffel zuführen
- Flüssigkeit mit Trinkhalm zuführen
- Flüssigkeit mit Schnabelbecher zuführen
- Flüssigkeit mit Tasse/Glas zuführen

Art der Unterstützungsleistung bestimmen
- Beaufsichtigen
- Unterstützen

AEDL Ausscheiden können

- Teilweise übernehmen
- Vollständig übernehmen
- Anleiten

Literatur: 50, 103, 121, 188, 264, 272, 273

Pflegediagnose
Der Bewohner ist der Meinung, an Verstopfung zu leiden, verwendet zur Sicherstellung der Defäkation Laxanzien/Einläufe/Zäpfchen

▶ **Kennzeichen**
- Äußert die Erwartungshaltung, täglich Stuhlgang zu haben
- Äußert die Erwartungshaltung, täglich zur selben Zeit Stuhlgang zu haben
- Nimmt regelmäßig Laxanzien ein
- Führt regelmäßig Einläufe durch
- Verwendet täglich Suppositorien

▶ **Ursachen**
- Fehleinschätzung
- Fixierung auf die Ausscheidungsvorgänge aufgrund von Beschäftigungsmangel
- Veränderter Denkprozess
- Familiäre Gesundheitsvorstellung
- Kulturelles Gesundheitsverständnis

▶ **Ressourcen**
- Zeigt Verhaltensweisen, die die Therapie unterstützen
- Ist bereit, die Abführmittel abzusetzen und natürliche Unterstützungsmethoden für die physiologische Ausscheidung zu probieren

Pflegeziele
- Kann die normale Funktion des Darms erklären
- Kennt Maßnahmen, um die physiologische Darmfunktion zu fördern

Pflegeintervention
- Informations- und Beratungsgespräche über Stuhlausscheidung und Obstipationsprophylaxe führen

Pflegeziele
- Stuhlausscheidung ist mind. jeden zweiten Tag
- Stuhlentleerung erfolgt schmerzfrei

Pflegeintervention
- Stuhlausscheidungsgewohnheiten beobachten und dokumentieren

Literatur: 50, 103, 121, 188, 264, 272, 273

Pflegediagnose
Der Bewohner hat ein Defäkationsmuster, das durch unfreiwilligen Stuhlabgang gekennzeichnet ist

▶ **Kennzeichen**
- Enkopresis (Einkoten)
- Unwillkürliche, unkontrollierte Stuhlentleerung
- Äußert, keinen Stuhldrang zu haben
- Kotschmieren (Koprophilie)
- Geringe Mengen Stuhlabgang
- Mehrmals täglich Stuhlabgang
- Ein- bis zweimal täglich normal geformter Stuhlabgang
- Diarrhö
- Blut-Schleim-Beimengungen

▶ **Ursachen**
- Kotstauung im Enddarm
- Mangelhafte Verschlussfunktion
- Nervenschädigung des Verschlusses
- Querschnittslähmung
- Unfähigkeit, den Schließmuskel zu steuern
- Demenz
- Apoplektischer Insult
- Erkrankungen des ZNS
- Infektionskrankheit des Darms
- Tumor im Enddarmbereich

▶ **Ressourcen**
- Ist motiviert, die Pflegemaßnahme zu unterstützen, und zeigt entsprechende Verhaltensweisen
- Meldet sich, wenn er zur Toilette muss
- Kann die Toilette mit Unterstützung benutzen
- Kann den Toilettenstuhl benutzen
- Hat einen geregelten Tagesablauf und kann feste Toilettenzeiten einrichten
- Kann den Toilettengang selbstständig durchführen
- Kennt für die Situation passende Inkontinenzhilfen und kann sie adäquat einsetzen

AEDL Ausscheiden können

Pflegeziele
- Inkontinenzform ist eingeordnet
- Ist über die Pflegemaßnahmen informiert und zur Mitarbeit motiviert
- Regelmäßige Darmentleerung in einem festen Rhythmus ist erreicht

Pflegeintervention
- Stuhlausscheidung beobachten und analysieren

Pflegeziele
- Inkontinenzform ist eingeordnet

Pflegeintervention
- Toilettentraining zu festen Zeiten durchführen

Handlungsleitende Pflegeinterventionen

Toilettentraining durchführen
- Toilettenzeiten mithilfe eines Analysebogens ermitteln
- Nach Plan zum Wasserlassen auffordern
- Nach Plan zur Toilette führen
- Nach Plan beim Benutzen der Bettschüssel/Harnflasche unterstützen
- Nach Plan beim Benutzen des Toilettenstuhls unterstützen

Inkontinenzhilfen einsetzen
- Inkontinenzhosen wechseln nach Wasserlassen (WU)
- Inkontinenzhosen wechseln nach Stuhlgang (WS)
- Kleine Vorlage mit Netzhose wechseln (WV)

Art der Unterstützungsleistung bestimmen
- Beaufsichtigen
- Durch Unterstützen helfen
- Teilweise übernehmen
- Vollständig übernehmen
- Zum Einsatz von Inkontinenzhilfen anleiten

Bei der Intimpflege nach der Ausscheidung helfen
- Intimpflege nach der Ausscheidung durchführen und Bekleidung richten

---

Pflegeziele
- Ist über die Möglichkeiten der Inkontinenzversorgung und des Kontinenztrainings aufgeklärt
- Ist motiviert mitzuarbeiten

Pflegeintervention
- Beratungsgespräch über Inkontinenzhilfen und die weitere Vorgehensweise führen

Handlungsleitende Pflegeinterventionen

Inkontinenzhilfen einsetzen
- Slipeinlagen verwenden
- Einlagen-Vorlagen verwenden
- Geschlossene Slips verwenden
- Inkontinenzhosen verwenden
- Fäkalkollektor verwenden

Pflegeziele
- Inkontinenzform ist eingeordnet

Pflegeintervention
- Medikamente bezüglich einer Nebenwirkung, die sich auf die Inkontinenz auswirken könnte, überprüfen

---

Pflegeziele
- Inkontinenzform ist eingeordnet

Pflegeintervention
- Zur Verwendung von Inkontinenzhilfen anleiten und bei ihrem Einsatz unterstützen

Handlungsleitende Pflegeinterventionen

Inkontinenzhilfen einsetzen
- Slipeinlagen verwenden
- Kleine Einlagen-Vorlagen mit Netzhose verwenden
- Große Vorlage mit Netzhose wechseln (WV)
- Geschlossene Slips verwenden
- Inkontinenzhosen verwenden

AEDL Ausscheiden können

- Kondom-Urinal für Männer verwenden
- Incogyn-System für Frauen verwenden
- Fäkalkollektor verwenden

Art der Unterstützungsleistung bestimmen

- Anwendung der Inkontinenzhilfen beaufsichtigen
- Über Inkontinenzhilfen beraten
- Zum Einsatz von Inkontinenzhilfen anleiten
- Teilweise übernehmen
- Vollständig übernehmen

Pflegeziele	Pflegeintervention	Handlungsleitende Pflegeinterventionen
• Physiologisches Hautverhältnis ist hergestellt	• Intimpflege und Hautschutz-/pflege nach jeder Ausscheidung durchführen	**Hautschutz auftragen** **Intimpflege durchführen**

Pflegeziele	Pflegeintervention
• Hat ein Gefühl für die Beckenbodenmuskulatur, ist kontinent	• Zur Beckenbodengymnastik anleiten

Literatur: 121, 188, 264, 272, 273

Pflegediagnose
Der Bewohner hat eine veränderte Stuhlausscheidung, die Defäkationsfrequenz ist erhöht

▶ Kennzeichen	▶ Ursachen	▶ Ressourcen
• Dünnflüssiger, wäßriger Stuhlgang • Vermehrte Darmgeräusche • Häufige Darmentleerungen • Stuhlvolumen ist erhöht • Häufiger Defäkationsdrang • Äußerungen über krampfartige Bauchschmerzen • Farbveränderung des Stuhls • Körperliche Schwäche	• Nahrungsmittelunverträglichkeit • Medikamenteneinwirkung • Darminfektion • Psychisch bedingte Diarrhö • Sondennahrung • Morbus Crohn • Colitis ulcerosa • Ileoanaler Pouch	• Hält sich an den Trinkfahrplan • Die Angehörigen verabreichen die Flüssigkeit nach Trinkfahrplan • Meldet sich, wenn er zur Toilette muss • Kann den Toilettenstuhl benutzen • Kann die Toilette mit Unterstützung benutzen • Kann den Toilettengang selbstständig durchführen • Hat physiologische Hautverhältnisse • Kennt krankheits- bzw. symptomauslösende Faktoren und kann diese vermeiden • Akzeptiert die Notwendigkeit der Diät (bestimmte Einschränkungen)

Pflegeziele	Pflegeintervention	
• Ursachen für die Diarrhö sind erkannt	• Stuhlausscheidung auf Veränderungen (Diarrhö) beobachten	

Pflegeziele	Pflegeintervention	Handlungsleitende Pflegeinterventionen
• Physiologische Darmfunktion ist gewährleistet	• Angeordneten Kostaufbau realisieren	**Kostaufbau nach Arztanordnung gestalten**

Pflegeziele	Pflegeintervention	Handlungsleitende Pflegeinterventionen
• Flüssigkeits- und Elektrolythaushalt sind ausgeglichen	• Wasser-/Elektrolythaushalt aufrechterhalten	**Erhöhten Elektrolytbedarf ausgleichen** • Bouillon anbieten/verabreichen • Mineralwasser anbieten • Gemüsesäfte anbieten

AEDL Ausscheiden können

Pflegeziele	Pflegeintervention	Handlungsleitende Pflegeinterventionen
• Flüssigkeits- und Elektrolythaushalt sind ausgeglichen	• Infusionstherapie laut Arztanordnung durchführen	**Infusionen ohne Zusätze anhängen** • 1–2 Infusionen anhängen • 3–4 Infusionen anhängen • 5 und > Infusionen anhängen **Infusionen mit Zusätzen anhängen** • 1–2 Infusionen mit Zusätzen anhängen • 3–4 Infusionen mit Zusätzen anhängen • 5 und > Infusionen mit Zusätzen anhängen **Besondere Infusionslösungen anhängen** • Zytostase vorbereiten und anhängen • Infusionslösung mit Trockenpulver herstellen • Zwei- und Dreiwegehähne auswechseln • Hahnenbank austauschen • Besonderheiten bestimmen • Über Infusomat verabreichen • Über Perfusor verabreichen • Über Tropfenzähler verabreichen **Tropfgeschwindigkeit einstellen**
• Äußert Gefühl der Sicherheit • Erreicht rechtzeitig die Toilette/den Toilettenstuhl	• Nachtstuhl bereitstellen und ausleeren	
• Physiologisches Hautverhältnis ist hergestellt • Intimhygiene ist gewährleistet	• Bei der Intimpflege nach der Ausscheidung unterstützen	
• Physiologisches Hautverhältnis ist hergestellt	• Hautschutz durchführen	**Hautschutz auftragen**
• Darmflora ist intakt	• Beim Wiederherstellen der normalen Darmflora unterstützen	• Über Nahrungsmittel aufklären, die den Aufbau der Darmflora untersützen • Nahrungsmittel entsprechend in der Küche bestellen • Zum Aufbau der Darmflora Medikamente lt. Arztanordnung verabreichen
• Diarrhö auslösende Ursachen in der Nahrung werden erkannt • Nahrungsgewohnheiten sind angepasst	• Diätberatung bei Nahrungsunverträglichkeiten organisieren und durchführen	**Diätberatung vermitteln** • Informationsgespräch über Nahrungszufuhr zur Gewichtsreduktion führen • Kochkurs für Reduktionskost organisieren • Beim Erlernen neuer Essgewohnheiten unterstützen • Zur Selbstkontrolle anleiten

Literatur: 50, 103, 121, 188, 264, 272, 273

AEDL Ausscheiden können

Pflegediagnose
Der Bewohner zeigt abnorme Verhaltensweisen im Umgang mit dem Stuhlgang

▶ Kennzeichen
- Kotschmieren (Koprophilie)
- Kotessen (Koprophagie)
- Versteckt die Ausscheidungen

▶ Ursachen
- Demenz
- Scham bei Inkontinenz
- Orientierungsstörungen, Kot wird nicht als solcher erkannt

▶ Ressourcen
- Äußert Einsicht in die Pflegemaßnahme
- Toleriert die therapeutische/pflegerische Intervention
- Kann Aufforderungen folgen und hält sich an Vorgaben

Pflegeziele
- Körperhygiene ist gewährleistet

Pflegeintervention
- Bei der notwendigen Körperwaschung ohne negative Reaktionen auf das Verhalten Hilfestellung leisten

Handlungsleitende Pflegeinterventionen

Ganzkörperwaschung (GW) durchführen
- Ganzwaschung im Bett
- Ganzwaschung am Bettrand
- Ganzwaschung am Waschbecken
- Ganzwaschung in der Dusche durchführen

Teilkörperwaschung (TW) durchführen
- Intimpflege
- Teilwaschung Oberkörper durchführen
- Teilwaschung Unterkörper durchführen
- Teilwaschung Gesicht/Hände

Bei der Körperwaschung helfen
- Beaufsichtigen
- Durch Unterstützen helfen
- Teilweise übernehmen
- Vollständig übernehmen
- Aktivierende Ganzwaschung durchführen/dazu anleiten

Vereinbarungen treffen

Pflegeziele
- Mundschleimhaut ist intakt

Pflegeintervention
- Mundpflege durchführen

Handlungsleitende Pflegeinterventionen

Mund- und Zahnhygiene sicherstellen
- Materialien zur Mund- und Zahnhygiene bereitstellen
- Zahnpflege mit Zahnbürste und Zahnpasta durchführen
- Zahn(teil)prothese reinigen
- Zahnprothesenreinigung und Mundspülung durchführen
- Spezielle Mundpflege durchführen

Bei der Mundpflege helfen
- Beaufsichtigen
- Teilweise übernehmen
- Durch Unterstützen helfen
- Vollständig übernehmen
- Zur Pflegeintervention anleiten

Mundpflege durchführen

Pflegeziele
- Abnormes Verhaltensmuster tritt nicht wieder auf

Pflegeintervention
- Stuhlregulierende Maßnahmen durchführen, Ausscheidung beaufsichtigen

AEDL Ausscheiden können

Pflegeziele	Pflegeintervention
• Ursachen sind erkannt und Verhaltensänderung ist bewirkt	• Gespräche über das abnorme Verhalten im Umgang mit dem Stuhlgang führen

Literatur: 121, 126, 172, 264, 272, 273

▶ Pflegediagnosen: Stoma

Pflegediagnose
Der Bewohner hat ein Selbstversorgungsdefizit der Stomaanlage

▶ **Kennzeichen**
- Ignoriert den künstlichen Ausgang
- Äußert Unsicherheit bei der Versorgung
- Fehlende Handgeschicklichkeit
- Verwirrung
- Antriebsarmut
- Äußert Schmerzen

▶ **Ursachen**
- Ablehnung gegenüber der Stomaanlage
- Eingeschränkte körperliche Belastungsfähigkeit
- Schmerzzustände
- Bewegungseinschränkung
- Belastungs-/Ruhedyspnoe
- Angstzustände
- Depressive Verstimmung
- Apraxie
- Hypotone Kreislaufveränderung
- Fehlende kognitive Fähigkeiten
- Wissensdefizit

▶ **Ressourcen**
- Angehörige zeigen Bereitschaft, neu zu lernen
- Akzeptiert die Unterstützung von Angehörigen
- Ist motiviert, die Pflegemaßnahme zu unterstützen, und zeigt entsprechende Verhaltensweisen
- Stellt Fragen bezüglich der Versorgung des Stomas

Pflegeziele	Pflegeintervention	Handlungsleitende Pflegeinterventionen
• Komplikationen ist vorgebeugt • Veränderungen werden frühzeitig erkannt und dokumentiert	• Geeignetes Versorgungssystem auswählen	**Stomaversorgungssystem auswählen** • Geschlossener Beutel ohne integrierten Hautschutz • Geschlossener Beutel mit integriertem Hautschutz • Ausstreifbeutel einteilig mit integriertem Hautschutz • Basisplatte mit Rasterring und Beutel zum Aufdrücken • Basisplatte ohne Rasterring und Beutel zum Aufkleben • Basisplatte mit Rasterring und Ausstreifbeutel • Postoperatives Versorgungssystem mit sterilem, transparentem Ausstreifbeutel • Stomaklappe • Minibeutel zum Aufkleben

Pflegeziele	Pflegeintervention
• Veränderungen werden frühzeitig erkannt und dokumentiert	• Täglich Haut- und Stomainspektion durchführen

Pflegeziele	Pflegeintervention	Handlungsleitende Pflegeinterventionen
• Veränderungen werden frühzeitig erkannt und dokumentiert	• Stomapflege/regelmäßige Enthaarung der Haftfläche durchführen	**Angaben zur Stomaanlage machen** • Frisch angelegte Stomaanlage (bis 7 Tage) • Bestehende Stomaanlge • Problemstoma

AEDL Ausscheiden können

Stomapflege durchführen
- Stomabeutel abnehmen
- Stoma und umgebende Haut von außen nach innen reinigen
- Haut abtrocknen

Versorgungssystem anbringen
- Öffnung des Stomabeutels ausmessen/ anpassen
- Stomaversorgungssystem anbringen
- Besonderheiten bestimmen

Haftfläche des Stomabereichs rasieren
- Nassrasur durchführen
- Trockenrasur mit Einmalrasierer durchführen

Pflegeziele	Pflegeintervention
• Versorgt das Stoma selbstständig	• Zur selbstständigen Stomaversorgung anleiten

Pflegeziele	Pflegeintervention
• Stomaversorgung nach Entlassung ist gewährleistet	• Angehörige zur Versorgung des Stomas anleiten und schulen

Pflegeziele	Pflegeintervention
• Stomaversorgung nach Entlassung ist gewährleistet	• Sozialarbeiter einschalten, um die Versorgung zu Hause zu gewährleisten

Pflegeziele	Pflegeintervention
• Einer Unterwanderung der Stomaplatte mit Ausscheidungen ist vorgebeugt	• Gürtel zum zusätzlichen Fixieren und Verstärken des Andrucks der Stomaversorgung anbringen

Literatur: 74, 121, 166, 197, 228, 272, 273

Pflegediagnose
Der Bewohner hat eine Stomaanlage, fühlt sich in der Lebensgestaltung und in sozialen Aktivitäten gehemmt

▶ **Kennzeichen**
- Negative Selbstbewertung aufgrund der Stomaanlage
- Äußert ein Gefühl der Hilflosigkeit
- Äußerungen über Schamgefühl
- Negative Selbstbewertung, mit der veränderten Lebenssituation umzugehen
- Kann keine Entscheidungen in Bezug auf das Stoma treffen
- Zieht sich vom sozialen Geschehen zurück
- Zeigt Rückzugstendenzen

▶ **Ursachen**
- Scham, auf Hilfe angewiesen zu sein
- Schamgefühl und Angst
- Ileostoma
- Kolostoma

▶ **Ressourcen**
- Ist an der selbstständigen Versorgung interessiert
- Akzeptiert die Unterstützung von Angehörigen
- Kann über die Schwierigkeiten der veränderten Lebensgestaltung und deren Auswirkungen auf soziale Aktivitäten sprechen
- Zeigt Bereitschaft, neue Versorgungsmöglichkeiten zu erlernen

AEDL Ausscheiden können

Pflegeziele	Pflegeintervention	Handlungsleitende Pflegeinterventionen
• Entwickelt ein positives Selbstwertgefühl	• Themenzentrierte Pflegefachgespräche durchführen	**Inhalt themenzentrierter Pflegefachgespräche bestimmen** • Alltagsbewältigung • Strategien zur Krankheitsbewältigung • Pflege-, Betreuungs- und Behandlungsprozess • Zukunftsperspektive • Instruktion/Anleitung • Sonstige Gesprächsinhalte **Zeitdauer des Gesprächs angeben**

Pflegeziele	Pflegeintervention
• Kennt Hilfsmittel und Verhaltensregeln, die die Lebensqualität erhalten • Stuhlausscheidungsintervall von 24 Stunden wird erreicht	• Abklären, ob die Irrigation im vorliegenden Fall eine geeignete Technik zur Verbesserung der Lebensqualität ist

Pflegeziele	Pflegeintervention
• Kennt Hilfsmittel und Verhaltensregeln, die die Lebensqualität erhalten	• Kontakte zu örtlichen Selbsthilfegruppen vermitteln

Pflegeziele	Pflegeintervention
• Über 24 Stunden erfolgt keine Stuhlausscheidung	• Zur selbstständigen Irrigation anleiten/dabei unterstützen

Literatur: 74, 121, 127, 166, 196, 197, 228, 272, 273, 275

▶ Pflegediagnose im Zusammenhang mit Aspirationsgefahr

Pflegediagnose
Der Bewohner erbricht häufig und leidet an Übelkeit, Gefahr von Komplikationen

▶ Kennzeichen	▶ Ursachen	▶ Ressourcen
• Blässe der Haut • Schweißausbruch • Unwillkürliches Zusammenziehen von Bauchmuskulatur und Zwerchfell • Starker Würgereiz mit Krämpfen • Magen-/Darminhalt wird nach oben und aus dem Mund befördert • Erbrechen im Schwall • Erbrechen von angedauten, säuerlich riechenden Nahrungsresten • Erbrechen von grünlich-galliger Flüssigkeit • Äußert vor dem Erbrechen Übelkeit • Erbrechen ohne Übelkeit • Erbrechen von Blut • Erbrechen von Kot	• Reizung des Brechzentrums über das vegetative Nervensystem • Postoperatives Erbrechen • Gastritis • Pylorusstenose • Überdehnung des Magens • Störung des Gleichgewichtsorgans • Direkte Reizung des Brechzentrums • Meningitis • Migräne • Gehirnerschütterung • Digitaliseinnahme • Zytostasetherapie • Psychologischer Hintergrund • Schwangerschaftsbedingtes Erbrechen • Infektion • Malaria	• Ist bei Bewusstsein und kann sich bei Übelkeit melden • Erkennt die Vorboten und meldet sich zuverlässig • Kann die Mundspülung/Mundpflege selbstständig durchführen • Ist motiviert, die Pflegemaßnahme zu unterstützen, und zeigt entsprechende Verhaltensweisen

AEDL Ausscheiden können

Pflegeziele
- Komplikationen ist vorgebeugt

Pflegeintervention
- Situation beobachten und erfassen

Pflegeziele
- Komplikationen ist vorgebeugt

Pflegeintervention
- Beim Brechvorgang unterstützen

Handlungsleitende Pflegeinterventionen

Beim Brechvorgang unterstützen
- Beim Brechvorgang unterstützen
- Zellstoff und Nierenschale bereitstellen und regelmäßig erneuern
- Kopf beim Brechvorgang stützen, Nierenschale halten
- Anschließend Mundpflege ermöglichen

Pflegeziele
- Komplikationen ist vorgebeugt

Pflegeintervention
- Bei Bedarf Wäsche und Bettwäsche wechseln

Handlungsleitende Pflegeinterventionen
- Beim Kleidungswechsel unterstützen
- Bettwäsche wechseln

Pflegeziele
- Flüssigkeits- und Elektrolythaushalt sind ausgeglichen

Pflegeintervention
- Erhöhten Flüssigkeitsbedarf in Rücksprache mit dem Arzt ausgleichen

Handlungsleitende Pflegeinterventionen

Flüssigkeitszufuhr regeln
- Zieleinfuhr mit dem Arzt vereinbaren
- Flüssigkeit nach Trinkfahrplan zuführen
- Trinkfahrplan erstellen und aktualisieren (a)
- Flüssigkeit nach Flüssigkeitsbilanz des Vortags verabreichen

Art der Verabreichung bestimmen
- Flüssigkeit mit Teelöffel zuführen
- Flüssigkeit mit Esslöffel zuführen
- Flüssigkeit mit Trinkhalm zuführen
- Flüssigkeit mit Schnabelbecher zuführen
- Flüssigkeit mit Tasse/Glas zuführen

Art der Unterstützungsleistung bestimmen
- Beaufsichtigen
- Unterstützen
- Teilweise übernehmen
- Vollständig übernehmen
- Anleiten

Pflegeziele
- Flüssigkeits- und Elektrolythaushalt sind ausgeglichen

Pflegeintervention
- Elektrolytverlust ausgleichen

Handlungsleitende Pflegeinterventionen

Erhöhten Elektrolytbedarf ausgleichen
- Bouillon anbieten/verabreichen
- Mineralwasser anbieten
- Gemüsesäfte anbieten

Pflegeziele
- Fühlt sich gut betreut, Therapie ist optimal unterstützt

Pflegeintervention
- Flüssigkeitsverlust nach Arztanordnung korrigieren

Handlungsleitende Pflegeinterventionen

Infusionen ohne Zusätze anhängen
- 1–2 Infusionen anhängen
- 3–4 Infusionen anhängen
- 5 und > Infusionen anhängen

Infusionen mit Zusätzen anhängen
- 1–2 Infusionen mit Zusätzen anhängen
- 3–4 Infusionen mit Zusätzen anhängen
- 5 und > Infusionen mit Zusätzen anhängen

Besondere Infusionslösungen anhängen
- Zytostase vorbereiten und anhängen
- Infusionslösung mit Trockenpulver herstellen

AEDL Ausscheiden können

- Zwei- und Dreiwegehähne auswechseln
- Hahnenbank austauschen
- Besonderheiten bestimmen
- Über Infusomat verabreichen
- Über Perfusor verabreichen
- Über Tropfenzähler verabreichen

Tropfgeschwindigkeit einstellen

Pflegeziele	Pflegeintervention	Handlungsleitende Pflegeinterventionen
• Einer Aspiration ist vorgebeugt	• Entlastungssonde/Magensonde nach Arztanordnung legen	• Gastrointestinalsonde • Duodenalsonde • Jejunalsonde • Miller-Abbott-Sonde • Dennis-Sonde • Eudel*-Sonde **Erschwernisfaktoren beim Legen der Sonde beachten** • Fehlende Kooperation beim Legen der Sonde • Schluckstörung • Anatomische Hindernisse/Anomalien • Sonstige Erschwernisfaktoren • Zwei Pflegepersonen sind erforderlich

Pflegeziele	Pflegeintervention	Handlungsleitende Pflegeinterventionen
• Einer Aspiration ist vorgebeugt	• Aspirationsprophylaxe durchführen	• Oberkörper hochlagern, um einer Aspiration vorzubeugen (bei Ansprechbarkeit) • Stabile Seitenlagerung bei starker Schläfrigkeit zur Aspirationsprophylaxe sicherstellen • Absaugbereitschaft herstellen • Intubationsmaterialien griffbereit vorhalten • Kontinuierliche Überwachung sicherstellen • Entlastungsmagensonde legen lt. Anordnung

Literatur: 92, 103, 112, 121, 197, 228, 272, 273

AEDL Sich kleiden können

▶ Selbsversorgungdefizit: Bekleiden und auf äußere Erscheinung achten

Pflegediagnose
Der Bewohner kann sich nicht selbstständig an- und/oder auskleiden

▶ **Kennzeichen**

- Die Fähigkeit sich anzuziehen ist eingeschränkt
- Die Fähigkeit sich auszuziehen ist eingeschränkt
- Kann mit den angereichten Kleidungsstücken nichts anfangen
- Die Fähigkeit, Knöpfe, Gürtelschnallen oder Reißverschlüsse zu öffnen und/oder zu schließen, fehlt
- Die Fähigkeit, das äußere Erscheinungsbild in einem gepflegten Zustand zu halten, ist reduziert
- Kann die Kleidungsstücke nicht situationsabhängig wählen oder an diese gelangen
- Kann die Kleidung nicht in der richtigen Reihenfolge anziehen

▶ **Ursachen**

- Bewusstlosigkeit
- Eingeschränkte Beweglichkeit der Gelenke
- Fingerfertigkeit fehlt
- Demenzielle Veränderung
- Degenerative Gelenkerkrankung der Hände
- Desorientierung
- Schmerzzustände
- Bewegungseinschränkung
- Belastungs-/Ruhedyspnoe
- Angstzustände
- Depressive Verstimmung
- Herzinsuffizienz
- Verminderter Atemvorgang
- Reduzierter Gasaustausch
- Apraxie

▶ **Ressourcen**

- Ist motiviert, die Pflegemaßnahme zu unterstützen, und zeigt entsprechende Verhaltensweisen
- Körperliche Beweglichkeit, die zum An- und Auskleiden benötigt wird, ist erhalten
- Akzeptiert die Unterstützung von Angehörigen
- Ist gern korrekt gekleidet
- Legt Wert auf gepflegtes Aussehen
- Ist motiviert, Hilfsmittel einzusetzen

Pflegeziele

- Kleidet sich selbstständig an und aus
- Ist angemessen gekleidet

Pflegeintervention

- Beim An- und/oder Auskleiden unterstützen

Handlungsleitende Pflegeinterventionen

An- und Auskleiden übernehmen

- Gesamtes An- und Auskleiden übernehmen
- Ankleiden des Oberkörpers übernehmen
- Ankleiden des Unterkörpers übernehmen
- Gesamtes Auskleiden übernehmen
- Auskleiden des Oberkörpers übernehmen
- Auskleiden des Unterkörpers übernehmen

Beim An- und Auskleiden Hilfestellung leisten

- Beim gesamten An- und Auskleiden helfen
- Beim Ankleiden des Oberkörpers helfen
- Beim Ankleiden des Unterkörpers helfen
- Beim gesamten Auskleiden helfen
- Beim Auskleiden des Oberkörpers helfen
- Beim Auskleiden des Unterkörpers helfen

Art der Hilfestellung bestimmen

- Durch Hinweise, Stichworte und Handreichungen anleiten
- Beaufsichtigen
- Teilweise übernehmen (Hilfestellung mit Körperkontakt geben)
- Mit Anziehtraining zur Wiedererlangung der Fähigkeiten anleiten

Pflegeziele

- Fähigkeiten sind erhalten
- Fähigkeiten sind gefördert

Pflegeintervention

- Beim An- und/oder Auskleiden anleiten

Handlungsleitende Pflegeinterventionen

Beim An- und Auskleiden anleiten

- Beaufsichtigen und ggf. eingreifen
- Anweisen und einfache Handreichungen ohne Berührung ausführen
- Einfache Handreichungen und leichte Berührungen ausführen

AEDL Sich kleiden können

- Durch verbale Aufforderungen entsprechend dem vereinbarten Handlungsablauf anleiten

Pflegeziele	Pflegeintervention	Handlungsleitende Pflegeinterventionen
• Kleidet sich selbstständig an und aus • Wählt die Kleidungsstücke witterungsgerecht mit aus	• Entsprechende Kleidung auswählen und vorbereiten	**Kleidung auswählen und vorbereiten** • Angemessene Kleidung gemeinsam auswählen und zusammenstellen • Frische Wäsche bereitlegen, Schmutzwäsche entsorgen • Kleidung in der richtigen Reihenfolge sortiert bereitlegen
• Fähigkeiten sind erhalten	• Anziehtraining durchführen	**Anziehtraining durchführen** • An- und Auskleiden bei Handlungs- und Planungsstörungen ritualisieren • Feinmotorik und Koordination erhalten • Bewegungsabläufe zuerst durchdenken, anschließend mit Konzentration durchführen • Neue Möglichkeiten beim An- und Auskleiden einüben und erlernen, um Defizite auszugleichen und Selbstständigkeit zu fördern • Geführtes Anziehtraining nach Affolter durchführen
• Wählt selbstständig angemessene Kleidung aus	• Beratungsgespräch über Hilfsmitteleinsatz durchführen und bei der Anschaffung unterstützen	
• Kleidet sich selbstständig an und aus	• Beim Hilfsmitteleinsatz anleiten	**Beim Hilfsmitteleinsatz anleiten** • Knopfhilfe einsetzen • Schleifenhilfe einsetzen • Strumpfanzieher einsetzen • Schuhlöffel mit Verlängerungsstiel einsetzen • Kleidungsstücke mit Klettverschlüssen auswählen
• Kleidet sich selbstständig an und aus	• Zu Kräfte sparendem Verhalten anhalten	**Kräfte sparende Verhaltensweisen anwenden** • Kinästhetische Bewegungsabläufe einüben • Im Sitzen an- und auskleiden **Entsprechend der Aktivitätstoleranz übernehmen** • Bei Aktivitätsintoleranz übernehmen

Literatur: 121, 168, 172, 272, 273

AEDL Sich kleiden können

Pflegediagnose
Der Bewohner kann sich aufgrund einer Hemiplegie nicht selbstständig an- und auskleiden, Gefahr von Spastik und den Muskeltonus erhöhenden Bewegungsmustern

▶ Kennzeichen	▶ Ursachen	▶ Ressourcen
• Hemiplegie rechts • Hemiplegie links • Fähigkeit, sich selbstständig an- und auszukleiden fehlt/ist eingeschränkt • Die Fähigkeit, Knöpfe, Gürtelschnallen oder Reißverschlüsse zu öffnen und/oder zu schließen, fehlt • Überforderung führt zu spastischen Haltungsmustern • Bestimmte Bewegungsabläufe führen zu spastischen Haltungsmustern	• Apoplektischer Insult • Hirntumor • Hirnblutung • Schädel-Hirn-Trauma • Neurologische Erkrankung	• Kann selbstständig sitzen • Ist motiviert, das Anziehtraining durchzuführen

Pflegeziele	Pflegeintervention	Handlungsleitende Pflegeinterventionen
• Selbstständigkeit ist gefördert	• Spastik hemmendes Anziehtraining durchführen	**Anziehtraining durchführen** • An- und Auskleiden bei Handlungs- und Planungsstörungen ritualisieren • Feinmotorik und Koordination erhalten • Bewegungsabläufe zuerst durchdenken, anschließend mit Konzentration durchführen • Neue Möglichkeiten beim An- und Auskleiden einüben und erlernen, um Defizite auszugleichen und Selbstständigkeit zu fördern • Geführtes Anziehtraining nach Affolter durchführen • Beim Anziehen immer mit der betroffenen Seite beginnen • Ritualisieren des Anziehens bei Apraxie, Vorgehen dokumentieren • Selbstständiges Anziehen des T-Shirts/Pullovers einüben • Selbstständiges Anziehen der Hose einüben • Selbstständiges Anziehen der Socken und Schuhe einüben
• Kennt Spastik hemmende Bewegungsabläufe beim An- und Auskleiden • Kann Anziehhilfen einsetzen • Wählt die Kleidungsstücke den Ressourcen entsprechend aus	• Spezielle Kleidung und Anziehhilfen auswählen und beim Umgang damit anleiten	**Beim Hilfsmitteleinsatz anleiten** • Knopfhilfe einsetzen • Schleifenhilfe einsetzen • Strumpfanzieher einsetzen • Schuhlöffel mit Verlängerungsstiel einsetzen • Kleidungsstücke mit Klettverschlüssen auswählen
• Sieht gepflegt aus	• Beim An- und Auskleiden Spastik hemmend unterstützen	**An- und Auskleiden übernehmen** • Gesamtes An- und Auskleiden übernehmen • Ankleiden des Oberkörpers übernehmen • Ankleiden des Unterkörpers übernehmen • Gesamtes Auskleiden übernehmen • Auskleiden des Oberkörpers übernehmen • Auskleiden des Unterkörpers übernehmen

AEDL Sich kleiden können

Beim An- und Auskleiden Hilfestellung leisten
- Beim gesamten An- und Auskleiden helfen
- Beim Ankleiden des Oberkörpers helfen
- Beim Ankleiden des Unterkörpers helfen
- Beim gesamten Auskleiden helfen
- Beim Auskleiden des Oberkörpers helfen
- Beim Auskleiden des Unterkörpers helfen

Art der Hilfestellung bestimmen
- Durch Hinweise, Stichworte und Handreichungen anleiten
- Beaufsichtigen
- Teilweise übernehmen (Hilfestellung mit Körperkontakt geben)
- Mit Anziehtraining zur Wiedererlangung der Fähigkeiten anleiten

Literatur: 121, 168, 172, 272, 273

Pflegediagnose
Der Bewohner zeigt kein Interesse an der Kleidung, Gefahr der Verwahrlosung

▶ **Kennzeichen**
- Legt keinen Wert auf angemessene Kleidung
- Trägt Kleidungsstücke, die defekt sind/nicht zusammenpassen
- Kleidungsstücke sind verschmutzt
- Fehlende Einsicht

▶ **Ursachen**
- Deprivationssyndrom (Hospitalismus)
- Rückzug in sich selbst
- Wahrnehmungsfähigkeit ist beeinträchtigt
- Kognitive Fähigkeiten sind eingeschränkt
- Regression in eine frühkindliche Entwicklungsstufe
- Desorientierung
- Demenz

▶ **Ressourcen**
- Toleriert die therapeutische/pflegerische Intervention
- Akzeptiert die Unterstützung von Angehörigen
- Es steht ausreichend Kleidung zum Wechseln bereit

Pflegeziele
- Ist motiviert, sich angemessen zu kleiden
- Kann Kleidung selbstständig auswählen

Pflegeintervention
- Entscheidungsfindung bei der Zusammenstellung der Kleidung unterstützen

Handlungsleitende Pflegeinterventionen
Kleidung auswählen und vorbereiten
- Angemessene Kleidung gemeinsam auswählen und zusammenstellen
- Frische Wäsche bereitlegen, Schmutzwäsche entsorgen
- Kleidung in der richtigen Reihenfolge sortiert bereitlegen

Pflegeziele
- Ist motiviert, sich angemessen zu kleiden
- Kann Kleidung selbstständig auswählen

Pflegeintervention
- Kleidungsstücke auswählen und beim Anziehen unterstützen

Handlungsleitende Pflegeinterventionen
An- und Auskleiden übernehmen
- Gesamtes An- und Auskleiden übernehmen
- Ankleiden des Oberkörpers übernehmen
- Ankleiden des Unterkörpers übernehmen
- Gesamtes Auskleiden übernehmen
- Auskleiden des Oberkörpers übernehmen
- Auskleiden des Unterkörpers übernehmen

Beim An- und Auskleiden Hilfestellung leisten
- Beim gesamten An- und Auskleiden helfen

AEDL Sich kleiden können

- Beim Ankleiden des Oberkörpers helfen
- Beim Ankleiden des Unterkörpers helfen
- Beim gesamten Auskleiden helfen
- Beim Auskleiden des Oberkörpers helfen
- Beim Auskleiden des Unterkörpers helfen

Art der Hilfestellung bestimmen
- Durch Hinweise, Stichworte und Handreichungen anleiten
- Beaufsichtigen
- Teilweise übernehmen (Hilfestellung mit Körperkontakt geben)
- Mit Anziehtraining zur Wiedererlangung der Fähigkeiten anleiten

Pflegeziele
- Ist motiviert, sich angemessen zu kleiden
- Kann sich den Anforderungen entsprechend selbstständig kleiden

Pflegeintervention
- Anziehtraining durchführen

Handlungsleitende Pflegeinterventionen
Anziehtraining durchführen
- An- und Auskleiden bei Handlungs- und Planungsstörungen ritualisieren
- Feinmotorik und Koordination erhalten
- Bewegungsabläufe zuerst durchdenken, anschließend mit Konzentration durchführen
- Neue Möglichkeiten beim An- und Auskleiden einüben und erlernen, um Defizite auszugleichen und Selbstständigkeit zu fördern
- Geführtes Anziehtraining nach Affolter durchführen

Literatur: 121, 125, 168, 172, 272, 273

Pflegediagnose
Der Bewohner kann die Kompressionsstrümpfe nicht allein anziehen

▶ Kennzeichen
- Kann sich nicht zu den Füßen bücken
- Bewegungseinschränkung im Bereich der Aktivitäten des täglichen Lebens
- Fehlende Kraft, die Kompressionsstrümpfe hochzuziehen
- Bringt den Kompressionsstrumpf nicht über das Sprunggelenk
- Beschreibt Gelenkschmerzen
- Fehlende Einsicht

▶ Ursachen
- Fehlende kognitive Fähigkeiten
- Fehlende Einsicht
- Degenerative Gelenkerkrankung der Hände
- Beweglichkeit ist eingeschränkt
- Aktivitätsintoleranz
- Fingerfertigkeit fehlt

▶ Ressourcen
- Toleriert Antithrombose-/Kompressionsstrümpfe
- Ist motiviert, das Strumpfanziehen mit Hilfsmitteln zu erlernen
- Kann die Maßnahme nach Anleitung selbstständig durchführen
- Erkennt die Notwendigkeit der getroffenen Intervention und kooperiert mit dem therapeutischen Team

Pflegeziele
- Selbstständigkeit ist gefördert

Pflegeintervention
- Zur Benutzung von Anziehhilfen anleiten

Pflegeziele
- Kompressionsstrumpfhose ist fachgerecht angelegt

Pflegeintervention
- Beim Anziehen der Antithrombosestrümpfe unterstützen

Handlungsleitende Pflegeinterventionen
Kompressionsstrümpfe aussuchen: Größe/Produktname

Beim Anlegen der Kompressionsstrümpfe unterstützen
- Beim An- und Ausziehen unterstützen

AEDL Sich kleiden können

- An- und Ausziehen übernehmen
- Beim An- und Ausziehen anleiten
- Kompressionsstrümpfe wechseln, Häufigkeit angeben

Spezielle Pflege beim Tragen von Stützstrumpfhosen durchführen

- Fußbad durchführen
- Hautpflege vor dem Anziehen der Kompressionsstrümpfe durchführen

Literatur: 121, 168, 172, 272, 273

Pflegediagnose
Der Bewohner ist bei der Versorgung seiner Wäsche unselbstständig

▶ **Kennzeichen**
- Zeigt kein Interesse an der Kleidung
- Trägt Kleidungsstücke, die defekt sind/nicht zusammenpassen
- Kleidungsstücke sind verschmutzt

▶ **Ursachen**
- Orientierungsstörung
- Demenz
- Bewegungseinschränkung

▶ **Ressourcen**
- Kann Hilfe annehmen
- Akzeptiert die Unterstützung von Angehörigen

Pflegeziele
- Versorgt die persönliche Wäsche selbstständig

Pflegeintervention
- Vorbildfunktion bei der Kleidung im Pflegeteam übernehmen

Pflegeziele
- Wäsche ist ordnungsgemäß versorgt
- Saubere und intakte Kleidung ist vorhanden

Pflegeintervention
- Hauswirtschaftstraining zur Versorgung der Wäsche durchführen

Handlungsleitende Pflegeinterventionen
- Wäsche sortieren
- Wäsche waschen (Maschine)
- Handwäsche durchführen
- Wäsche in die Reinigung bringen/von dort abholen
- Wäsche zum Trocknen aufhängen
- Wäsche im Wäschetrockner trocknen
- Wäsche ausbessern (lassen)
- Wäsche bügeln
- Wäsche in den Schrank räumen

Art der Unterstützungsleistung bestimmen
- Zur selbstständigen Wäscheversorgung anleiten/dabei unterstützen
- Selbstständig durchgeführte Wäscheversorgung im Gespräch reflektieren
- Wäsche gemeinsam partnerschaftlich versorgen

Dauer bestimmen

Pflegeziele
- Wäsche ist ordnungsgemäß versorgt
- Saubere und intakte Kleidung ist vorhanden

Pflegeintervention
- Versorgung der Wäsche übernehmen

Literatur: 121, 125, 168, 172, 272, 273

AEDL Ruhen, schlafen und sich entspannen können

▶ Pflegediagnosen: Schlafstörungen

Pflegediagnose
Der Bewohner kann nicht einschlafen, Gefahr eines Schlafdefizits

▶ Kennzeichen	▶ Ursachen	▶ Ressourcen
• Häufige Nickerchen und Schlafphasen während des Tags • Klagt über Schlafdefizit • Beschreibt Einschlafstörungen • Berichtet davon, länger als 30 Minuten zum Einschlafen zu benötigen • Erschöpfungszustände • Zunehmende Reizbarkeit • Zeigt kein Interesse • Teilnahmslosigkeit	• Bewegungseinschränkung • Schmerzzustände • Körperliches Unbehagen • Innere Unruhe • Angstzustände • Wahngedanken • Halluzinationen • Ungünstiges Raumklima • Fieber • Schwitzt stark • Nykturie (nächtliches Wasserlassen) • Umgebungsveränderung • Zeitverschiebung • Schlafhindernde Medikamente	• Empfindet die Einschlafstörungen nicht als belastend • Kann mithilfe von Entspannungstechniken einschlafen

Pflegeziele	Pflegeintervention	
• Schläft mindestens sechs Stunden ohne Unterbrechung • Kann innerhalb von 30 Minuten nach dem Zubettgehen einschlafen • Kennt die Ursachen der Schlafstörung und kann sie abbauen	• Gespräch über mögliche Ursachen der Schlafstörung führen	

Pflegeziele	Pflegeintervention	
• Hat eine freie und erleichterte Atmung	• Für angemessene Raumbelüftung und Raumtemperatur sorgen	

Pflegeziele	Pflegeintervention	
• Atemwegsschleimhaut ist intakt • Hat eine freie und erleichterte Atmung • Atemluft ist angefeuchtet	• Ultraschallvernebler bei Beeinträchtigung der Atmung aufgrund von Trockenheit der Atemwege einsetzen	

Pflegeziele	Pflegeintervention	Handlungsleitende Pflegeinterventionen
• Entspannte und angenehme Lagerung ist unterstützt	• Entspannende Lagerungsposition herstellen	• Bauchdeckenentspannende Lagerung durchführen • Weich lagern • Ruhig stellen • Frei lagern • Stufenbettlagerung durchführen

Pflegeziele	Pflegeintervention	
• Schlaf-Wach-Rhythmus ist wieder reguliert	• Tagsüber Ruhezeiten vermeiden	

AEDL Ruhen, schlafen und sich entspannen können

Pflegeziele	Pflegeintervention	Handlungsleitende Pflegeinterventionen
• Kann sich im Schlaf entspannen und erholen	• Vor dem Einschlafen beruhigende Körperwaschung anbieten	**Beruhigende Körperwaschung durchführen** • Weiche Waschlappen/Handtücher verwenden • Warmes Wasser verwenden (ca. 40 °C) • Mit der Haarwuchsrichtung waschen • Intimpflege vor der beruhigenden Waschung durchführen **Besonderheiten beachten** **Beruhigende Waschzusätze verwenden** • Lavendel – ätherisches Öl • Sandelholz – ätherisches Öl • Rosenholz – ätherisches Öl
• Schmerztherapie ist optimiert	• Analgetika/Bedarfsmedikation nach Arztanordnung verabreichen	• Zäpfchen verabreichen • Tabletten verabreichen • Brausetabletten vorbereiten und verabreichen • Tropfen/Saft verabreichen **Art der Unterstützungsleistung bestimmen** • Medikamente selbstständig einnehmen lassen • Medikamentenverabreichung übernehmen • Einnahmeverweigerung überwinden • Medikamente mörsern
• Kann sich im Schlaf entspannen und erholen	• Wärmeanwendungen durchführen	**Wärmeanwendung durchführen** • Heizkissen verwenden • Heizdecke verwenden • Wärmflasche auflegen • Warme Kataplasmen (Breiumschläge) einsetzen • Warmes Roggenkissen einsetzen • Heublumensäckchen einsetzen • Rotlicht-Bestrahlung durchführen **Feuchte Wärme zuführen** • Kartoffelauflage einsetzen • Zitronenbrustwickel anwenden • Leinsamensäckchen verwenden • Senfmehlkompresse einsetzen
• Erlebt keine Störungen und kann ungehindert einschlafen • Hat einen erholsamen Schlaf	• Für frische und bequeme Wäsche sorgen	
• Wendet Entspannungstechniken erfolgreich an	• Beim Erlernen einer Entspannungstechnik unterstützen	• Entspannungsübung „Körperreise" durchführen • Progressive Muskelentspannung trainieren • Musik-Entspannungstherapie durchführen • Funktionelle atemrhythmisierende Entspannungsmethode anwenden • Autogenes Training durchführen

AEDL Ruhen, schlafen und sich entspannen können

Pflegeziele
- Kann in gewohnter Weise einschlafen

Pflegeintervention
- Einschlafrituale wenn möglich übernehmen und anbieten

Pflegeziele
- Kann trotz Lärmbelästigung schlafen

Pflegeintervention
- Ohropax zur Verfügung stellen

Literatur: 18, 50, 110, 121, 151, 165, 167, 168, 190, 248, 256, 272, 273

Pflegediagnose
Der Bewohner kann nicht durchschlafen, Gefahr des Schlafdefizits

▶ **Kennzeichen**
- Häufige Nickerchen und Schlafphasen während des Tags
- Klagt über Schlafdefizit
- Beschreibt Durchschlafstörungen
- Nykturie
- Wird bei den nächtlichen Rundgängen der Pflegeperson wach
- Beschreibt, aufgrund von Albträumen wach zu werden
- Erschöpfungszustände
- Zunehmende Reizbarkeit
- Zeigt kein Interesse
- Teilnahmslosigkeit

▶ **Ursachen**
- Nykturie (nächtliches Wasserlassen)
- Diarrhö
- Nächtliche Kontrollen der Vitalwerte
- Nächtliches Umlagern
- Nächtliche Herzattacken
- Schmerzzustände
- Schlafapnoe
- Albträume

▶ **Ressourcen**
- Empfindet die Durchschlafstörungen nicht als belastend
- Ruht sich aus und bleibt im Bett
- Hält sich an den Trinkfahrplan
- Die Angehörigen verabreichen die Flüssigkeit nach Trinkfahrplan

Pflegeziele
- Schläft mindestens sechs Stunden ohne Unterbrechung
- Kann innerhalb von 30 Minuten nach dem Zubettgehen einschlafen
- Kennt die Ursachen der Schlafstörung und kann sie abbauen

Pflegeintervention
- Gespräch über mögliche Ursachen der Schlafstörung führen

Pflegeziele
- Urinausscheidung während der Nacht ist reduziert

Pflegeintervention
- Getränke, besonders diuresefördernde Getränke, nicht mehr ab 18.00 Uhr trinken/verabreichen

Pflegeziele
- Ungehinderte Ausscheidung ist gewährleistet

Pflegeintervention
- Rufanlage/Klingel in erreichbarer Nähe platzieren

Pflegeziele
- Urinausscheidung während der Nacht ist reduziert

Pflegeintervention
- Vor der Nachtruhe zum Wasserlassen auffordern

AEDL Ruhen, schlafen und sich entspannen können

Pflegeziele	Pflegeintervention	Handlungsleitende Pflegeinterventionen
• Bedenken vor unkontrolliertem Einnässen in der Nacht sind reduziert	• Inkontinenzhilfen einsetzen	**Inkontinenzhilfen einsetzen** • Slipeinlagen verwenden • Kleine Einlagen-Vorlagen mit Netzhose verwenden • Große Vorlage mit Netzhose wechseln (WV) • Geschlossene Slips verwenden • Inkontinenzhosen verwenden • Kondom-Urinal für Männer verwenden • Incogyn-System für Frauen verwenden • Fäkalkollektor verwenden **Art der Unterstützungsleistung bestimmen** • Anwendung der Inkontinenzhilfen beaufsichtigen • Über Inkontinenzhilfen beraten • Zum Einsatz von Inkontinenzhilfen anleiten • Teilweise übernehmen • Vollständig übernehmen

Pflegeziele	Pflegeintervention
• Kann selbstständig auf den Toilettenstuhl gehen	• Toilettenstuhl/Steckbecken/Urinflasche bereitstellen

Pflegeziele	Pflegeintervention
• Störungen sind minimiert • Toleriert die Pflegemaßnahmen	• Automatisches Blutdruckmessgerät einsetzen

Pflegeziele	Pflegeintervention
• Störungen sind minimiert • Toleriert die Pflegemaßnahmen	• Lagerungsintervall durch Schräglage oder 20°-Lagerung während der Tiefschlafphase verlängern

Pflegeziele	Pflegeintervention
• Schlafstörungen sind erfasst und dokumentiert	• Schlafmuster überwachen und physiologische und psychologische Umstände dokumentieren

Literatur: 18, 50, 110, 121, 151, 163, 165, 167, 168, 190, 248, 256, 272, 273

Pflegediagnose
Der Bewohner hat ein gesteigertes Schlafbedürfnis

▶ **Kennzeichen**
- Fühlt sich chronisch müde und matt
- Gähnt häufig
- Hält sich gern im Bett auf

▶ **Ursachen**
- Schilddrüsenfunktionsstörung
- Operativer Eingriff
- Rekonvaleszenzphase
- Lang anhaltende körperliche Belastung
- Stillen eines Säuglings
- Depressionen

▶ **Ressourcen**
- Zeigt Verhaltensweisen, die die Therapie unterstützen

Pflegeziele	Pflegeintervention
• Krankhafte Veränderungen sind frühzeitig erkannt	• Schlafverhalten/-dauer beobachten

AEDL Ruhen, schlafen und sich entspannen können

Pflegeziele
- Schlafstörungen sind erfasst und dokumentiert

Pflegeintervention
- Schlafmuster überwachen und physiologische und psychologische Umstände dokumentieren

Pflegeziele
- Physiologischer Tag-/Nachtrhythmus

Pflegeintervention
- Schlaf-/Wachzeiten und die individuelle Tagesstrukturierung vereinbaren und ausprobieren

Handlungsleitende Pflegeinterventionen
Bezugsperson festlegen
Gesprächsinhalt bestimmen
- Tages- und Wochenpläne besprechen
- Durchgeführte Aktivitäten besprechen
- Lebenspraktische Inhalte besprechen

Fest verbindlichen Tagesplan vereinbaren
- Mit Kontrollmöglichkeit
- Ohne Kontrollmöglichkeit
- In Eigenverantwortung
- In Verantwortung der Bezugsperson
- Tagesaktivitäten auswerten und reflektieren

Dauer des themenzentrierten Gesprächs festlegen

Pflegeziele
- Findet einen Weg, persönliche Probleme aufzuarbeiten

Pflegeintervention
- Eventuelle seelische und emotionale Probleme durch klientenzentriertes Pflegefachgespräch aufarbeiten

Handlungsleitende Pflegeinterventionen
Inhalt des themenzentrierten Pflegefachgesprächs bestimmen
- Sonstige Gesprächsinhalte
- Krisenintervention
- Strategien zur Krankheitsbewältigung
- Ursachenanalyse
- Förderung der Entscheidungsfindung

Zeitdauer des Gesprächs angeben

Literatur: 18, 121, 165, 167, 168, 256, 272, 273

Pflegediagnose
Der Bewohner hat ein vermindertes Schlafbedürfnis, Gefahr der Erschöpfung

▶ **Kennzeichen**
- Aufgedrehtes Verhalten
- Ständige Aktivität
- Äußert, den Schlaf nicht zu vermissen
- Unruhe in der Nacht
- Läuft nachts herum

▶ **Ursachen**
- Schilddrüsenüberfunktion
- Manie
- Erregtheitszustände
- Gesteigerter Antrieb
- Unruhezustände

▶ **Ressourcen**
- Akzeptiert die vereinbarten Ruhephasen und hält sich daran
- Akzeptiert die angeordnete Bettruhe
- Akzeptiert die Notwendigkeit der Diät (bestimmte Einschränkungen)
- Erkennt die Notwendigkeit der getroffenen Intervention und kooperiert mit dem therapeutischen Team

Pflegeziele
- Schlafgewohnheiten sind bekannt

Pflegeintervention
- Schlafverhalten beobachten und Ruhezeiten dokumentieren

Pflegeziele
- Schlaf-Wach-Rhythmus ist geregelt
- Äußert das Gefühl, ausgeruht zu sein
- Schläft mindestens sechs Stunden ohne Unterbrechung

Pflegeintervention
- Bettruhe gemeinsam festlegen und für Einhaltung sorgen

AEDL Ruhen, schlafen und sich entspannen können

Pflegeziele	Pflegeintervention	
• Erkennt Faktoren, die zu einem reduzierten Schalfbedürfnis führen • Erkennt geeignete Maßnahmen zur Schlafförderung	• Zusätzlich anregende Außenreize vermeiden	
• Schlaf-Wach-Rhythmus ist geregelt • Schläft mindestens sechs Stunden	• Abnorme Verhaltensweisen nicht verstärken	
• Schlafstörungen sind erfasst und dokumentiert	• Schlafmuster überwachen und physiologische und psychologische Umstände dokumentieren	
• Ausreichender und erholsamer Schlaf ist sichergestellt	• Konsum koffeinhaltiger Getränke reduzieren und Alternativen anbieten	
• Physiologischer Tag-/Nachtrhythmus	• Schlaf-/Wachzeiten und die individuelle Tagesstrukturierung vereinbaren und ausprobieren	**Handlungsleitende Pflegeinterventionen** **Bezugsperson festlegen** **Gesprächsinhalt bestimmen** • Tages- und Wochenpläne besprechen • Durchgeführte Aktivitäten besprechen • Lebenspraktische Inhalte besprechen **Fest verbindlichen Tagesplan vereinbaren** • Mit Kontrollmöglichkeit • Ohne Kontrollmöglichkeit • In Eigenverantwortung • In Verantwortung der Bezugsperson • Tagesaktivitäten auswerten und reflektieren **Dauer des themenzentrierten Gesprächs festlegen**

Literatur: 18, 50, 101, 102, 121, 165, 167, 168, 256, 267, 272, 273

Pflegediagnose
Der Bewohner hat einen veränderten Schlaf-Wach-Zyklus, Gefahr der sozialen Isolation und des Schlafdefizits

▶ **Kennzeichen**
- Frühes Erwachen
- Häufige Nickerchen und Schlafphasen während des Tags
- Nächtliche Aktivitätsphasen
- Erhöhte Reizbarkeit
- Stimmungsschwankungen

▶ **Ursachen**
- Bewegungsmangel tagsüber
- Aktivitätsmangel tagsüber
- Beschäftigungsdefizit

▶ **Ressourcen**
- Akzeptiert die vereinbarten Ruhephasen und hält sich daran
- Zeigt Verhaltensweisen, die die Therapie unterstützen

AEDL Ruhen, schlafen und sich entspannen können

Pflegeziele
- Schlaf-Wach-Rhythmus ist wieder reguliert

Pflegeintervention
- Tagsüber Ruhezeiten vermeiden

Pflegeziele
- Schläft mindestens sechs Stunden ohne Unterbrechung
- Kann innerhalb von 30 Minuten nach dem Zubettgehen einschlafen
- Kennt die Ursachen der Schlafstörung und kann sie abbauen

Pflegeintervention
- Gespräch über mögliche Ursachen der Schlafstörung führen

Pflegeziele
- Schlaf-Wach-Rhythmus ist wieder reguliert

Pflegeintervention
- Umgebungsstimuli zur Regulierung des Tag-/Nachtrhythmus planen und durchführen

Pflegeziele
- Physiologischer Tag-/Nachtrhythmus

Pflegeintervention
- Schlaf-/Wachzeiten und die individuelle Tagesstrukturierung vereinbaren und ausprobieren

Handlungsleitende Pflegeinterventionen
Bezugsperson festlegen
Gesprächsinhalt bestimmen
- Tages- und Wochenpläne besprechen
- Durchgeführte Aktivitäten besprechen
- Lebenspraktische Inhalte besprechen

Fest verbindlichen Tagesplan vereinbaren
- Mit Kontrollmöglichkeit
- Ohne Kontrollmöglichkeit
- In Eigenverantwortung
- In Verantwortung der Bezugsperson
- Tagesaktivitäten auswerten und reflektieren

Dauer des themenzentrierten Gesprächs festlegen

Pflegeziele
- Findet einen Weg, persönliche Probleme aufzuarbeiten

Pflegeintervention
- Eventuelle seelische und emotionale Probleme durch klientenzentriertes Pflegefachgespräch aufarbeiten

Handlungsleitende Pflegeinterventionen
Inhalt des themenzentrierten Pflegefachgesprächs bestimmen
- Sonstige Gesprächsinhalte
- Krisenintervention
- Strategien zur Krankheitsbewältigung
- Ursachenanalyse
- Förderung der Entscheidungsfindung

Zeitdauer des Gesprächs angeben

Literatur: 50, 110, 121, 151, 163, 167, 168, 190, 248, 256, 272, 273

AEDL Ruhen, schlafen und sich entspannen können

▶ Pflegediagnosen im Zusammenhang mit quantitativen Bewusstseinsstörungen

Pflegediagnose
Der Bewohner hat eine quantitative Bewusstseinsstörung, Gefahr von Komplikationen

▶ Kennzeichen	▶ Ursachen	▶ Ressourcen
• Beeinträchtigung der Vigilanz nach Einschätzung der Glasgow-Komaskala • Unnatürliche Benommenheit • Krankhafte Schläfrigkeit (Somnolenz) • Tiefschlaf, Reaktion nur auf Schmerzreize in Form von Abwehrreaktion (Sopor) • Präkoma (leichte Bewusstlosigkeit) • Koma (tiefe Bewusstlosigkeit) • Gestörte Wachheit • Denken und Handeln sind verlangsamt • Zeitverzögerte Reaktion auf Ansprache • Antriebsarmut • Fehlende physiologische Reaktion	• Akute Vergiftung • Stoffwechselentgleisung • Schädel-Hirn-Trauma • Zerebrale Durchblutungsstörungen • Hirnblutung • Gehirnentzündung • Hirntumor • Schock	• Äußert Einsicht in die Pflegemaßnahme • Toleriert die therapeutische/pflegerische Intervention • Ist ansprechbar

Pflegeziele	Pflegeintervention	Handlungsleitende Pflegeinterventionen
• Krankhafte Veränderungen sind frühzeitig erkannt	• Bewusstsein mithilfe eines Überwachungsprotokolls beobachten	**Vitalzeichenkontrolle mithilfe eines Überwachungsprotokolls durchführen** **Bewusstseinskontrolle durchführen** • Auf qualitative Veränderungen beobachten • Auf quantitative Veränderungen beobachten
Pflegeziele	**Pflegeintervention**	**Handlungsleitende Pflegeinterventionen**
• Krankhafte Veränderungen sind frühzeitig erkannt	• Auf Hirndruckzeichen wie Erbrechen, Bradykardie und Druckpuls beobachten	• Blutdruck messen • Puls messen
Pflegeziele	Pflegeintervention	
• Krankhafte Veränderungen sind frühzeitig erkannt	• Auf Amnesie (Gedächtnislücken) beobachten und Situation einschätzen bezüglich Dauer, retrograd, anterograd etc.	
Pflegeziele	**Pflegeintervention**	**Handlungsleitende Pflegeinterventionen**
• Einer Hirndrucksteigerung und Langzeitschädigung ist vorgebeugt • Krankhafte Veränderungen sind frühzeitig erkannt	• Hirndrucksymptomatik und neurologische Veränderungen beobachten	**Auf Hirndruckzeichen beobachten** • Pupillenreaktion kontrollieren • Blutdruck messen • Puls messen **Neurologische Veränderungen einschätzen** • Korneareflex überprüfen • Husten- und Würgereflex kontrollieren • Motorik, Sensorik und Durchblutung überprüfen

AEDL Ruhen, schlafen und sich entspannen können

Ergebnisse dokumentieren
- Ergebnisse auf dem Überwachungsprotokoll dokumentieren

Pflegeziele
- Pathologische Pupillenreaktion ist sofort erkannt

Pflegeintervention
- Pupillenreaktionskontrollen durchführen und Ergebnisse dokumentieren

Pflegeziele
- Veränderungen der Vigilanz sind eingeschätzt und dokumentiert

Pflegeintervention
- Vigilanz mithilfe der Glasgow-Komaskala einschätzen

Literatur: 88, 121, 143, 168, 267, 272, 273

Pflegediagnose
Der Bewohner hat ein erhöhtes Risiko für Bewusstseinsstörungen aufgrund zentral wirksamer Substanzen

▶ **Kennzeichen**
- Geht sorglos mit der Medikamenteneinnahme um

▶ **Ursachen**
- Beruhigungsmittel
- Schlafmittel
- Psychopharmaka
- Opiate
- Tranquilizer
- Barbiturate
- Amphetamine
- Koffein/Nikotin
- Psychoanaleptika
- Psychoenergika

▶ **Ressourcen**
- Hat die Medikamente bereits mehrmals ohne Nebenwirkungen eingenommen
- Meldet sich bei Anzeichen von Komplikationen

Pflegeziele
- Komplikationen sind frühzeitig erkannt und abgewendet

Pflegeintervention
- Bewusstseinszustand und Wirkungsweise der Medikation beobachten

Handlungsleitende Pflegeinterventionen
Vitalzeichenkontrolle mithilfe eines Überwachungsprotokolls durchführen
Bewusstseinskontrolle durchführen
- Auf qualitative Veränderungen beobachten
- Auf quantitative Veränderungen beobachten

Pflegeziele
- Paradoxen Wirkungen von Medikamenten ist vorgebeugt

Pflegeintervention
- Zusätzliche Genussmittel vermeiden

Pflegeziele
- Angehörige und Besucher sind informiert und unterstützen die Therapie

Pflegeintervention
- Informationen vonseiten der Besucher und Nachbarn bei Auftreten von Reaktionen sammeln

Pflegeziele
- Verletzungen sind vermieden
- Äußert Gefühl der Sicherheit

Pflegeintervention
- Durch individuelle Beobachtung und Begleitung vor Verletzungen schützen

AEDL Ruhen, schlafen und sich entspannen können

Pflegeziele	Pflegeintervention
• Veränderungen der Vigilanz sind eingeschätzt und dokumentiert	• Vigilanz mithilfe der Glasgow-Komaskala einschätzen

Literatur: 121, 134, 143, 168, 197, 228, 256, 272, 273

▶ Pflegediagnosen im Zusammenhang mit qualitativer Bewusstseinsveränderung

Pflegediagnose
Der Bewohner hat Merk- und Gedächtnisstörungen, ist in der Lebensgestaltung abhängig

▶ **Kennzeichen**
- Erhaltene Informationen werden unmittelbar nach Wiedergabe vergessen
- Kann sich neue Eindrücke nicht über einen Zeitraum von 10 Min. hinaus merken
- Hat Erinnerungslücken bei Ereignissen, die länger zurückliegen
- Für einen umschriebenen Zeitraum fehlt die Erinnerung (Amnesie)
- Gedächtnisprobleme beschränken sich auf Formen und Muster
- Gedächtnisprobleme beschränken sich auf Gesprochenes
- Kann sich nicht (mehr) konzentrieren
- Es besteht eine Auffassungsstörung, Inhalte können nicht interpretiert werden
- Äußert, dass die Erinnerungslücken als Handycap/Einschränkung empfunden werden
- Füllt Erinnerungslücken mit eigenen Phantasien aus (Konfabulation)

▶ **Ursachen**
- Degenerativer Prozess des Gehirns
- Thalamusinfarkt
- Enzephalitis
- Neurochirurgischer Eingriff
- Intoxikation
- Kurzzeitige Anoxie/Hypoxie

▶ **Ressourcen**
- Kann Hilfe annehmen
- Ist motiviert, Hilfsmittel einzusetzen
- Die tägliche Lebensgestaltung ist trotz der Einschränkungen weitestgehend möglich
- Äußert, Spaß an den Gruppenangeboten zu haben

Pflegeziele	Pflegeintervention	Handlungsleitende Pflegeinterventionen
• Kann sich am Tagesablauf orientieren	• Tages- und Wochenplanung gemeinsam erarbeiten	• Zeitstrukturen und Tagesablauf gemeinsam im Gespräch vereinbaren • Tagesplanung für den Bewohner erstellen • An Aktivitäten erinnern • Tätigkeiten ritualisieren

Pflegeziele	Pflegeintervention
• Kennt vorbeugende Maßnahmen	• Informationsangebote überschaubar und strukturiert gestalten

AEDL Ruhen, schlafen und sich entspannen können

Pflegeziele	Pflegeintervention	
• Fehlende Erlebnisse und Ereignisse sind rekonstruiert • Kann die Bedeutung der Erinnerungslücke interpretieren und eine Erklärung dafür formulieren	• Fehlende Geschehnisse zusammen mit Bezugspersonen im therapeutischen Gespräch rekonstruieren	

Pflegeziele	Pflegeintervention	
• Speichern und Konsolidieren von neuen Informationen ist unterstützt	• Errorless Learning von Alltagshandlungen nach der Methode von Baddeley/Wilson durchführen	

Pflegeziele	Pflegeintervention	Handlungsleitende Pflegeinterventionen
• Selbstständigkeit ist gefördert	• Kompensationsmechanismen entwickeln	**Gespräch zur Entwicklung von Kompensationsmechanismen führen**

Pflegeziele	Pflegeintervention	
• Setzt Kompensationsmechanismen selbstständig ein	• Beim Erlernen von Kompensationsmechanismen anleiten und fördern	

Pflegeziele	Pflegeintervention	Handlungsleitende Pflegeinterventionen
• Vorhandene Ressourcen sind aktiviert und gefördert	• Einzeltherapeutisches realitätsorientiertes Training (ROT) durchführen	• Einzeltherapie zum Neulernen von Zeitstrukturen anbieten • Einzeltherapie zur Erfassung örtlicher Gegebenheiten anbieten • Einzeltherapie zur Erfassung der Person anbieten • Einzeltherapie zu situativen Gegebenheiten anbieten **Zeitdauer der Einzeltherapie bestimmen**

Pflegeziele	Pflegeintervention	Handlungsleitende Pflegeinterventionen
• Vorhandene Ressourcen sind aktiviert und gefördert	• Gruppentherapeutisches realitätsorientiertes Training (ROT) durchführen	• An einem Gesprächskreis über Gegenstände aus vergangenen Zeiten teilnehmen • Gemeinsam aktuelle Zeitungen/Magazine lesen • Gemeinsam jahreszeitliche Gestaltung der Wohnbereiche durchführen • Gemeinsam backen • Festtagsgestaltung gemeinsam durchführen **Zeitdauer der Gruppenaktivität bestimmen** **Beteiligte Personen bestimmen**

Pflegeziele	Pflegeintervention	Handlungsleitende Pflegeinterventionen
• Mentale Fähigkeiten sind gezielt gefördert	• Mentales Funktionstraining als Einzeltherapie anbieten	• Hirnleistungstraining durchführen • Gedächtnistraining durchführen • Konzentrationstraining durchführen • Themenzentrierte Gespräche führen **Dauer der Therapie angeben**

AEDL Ruhen, schlafen und sich entspannen können

Pflegeziele	Pflegeintervention	Handlungsleitende Pflegeinterventionen
• Individuelle kognitive Fähigkeiten sind erhalten und gefördert	• Mentales Funktionstraining in der Gruppe anbieten	• Gedächtnistraining durchführen • Themenzentrierte Gespräche führen • Hirnleistungstraining durchführen • Konzentrationstraining durchführen **Zeitdauer der Gruppentherapie bestimmen** **Anzahl der beteiligten Personen bestimmen**
• Ist zur Person, örtlich und zeitlich orientiert • Findet sich in der Umgebung zurecht	• Orientierungs- und Erinnerungshilfen anbieten	**Orientierungshilfen geben** • Farblinien auf dem Boden anbringen • Türschilder anbringen • Große Uhr gut sichtbar aufhängen • Kalender mit Tages- und Jahreszahlen in großer Schrift aufhängen und täglich aktualisieren • Für Nachtbeleuchtung sorgen **Erinnerungshilfen einsetzen** • Erinnerungssignale festlegen • Elektronische Notizbücher einsetzen • Hinweistafeln einsetzen • Markante Türschilder nutzen
• Kann sich am Tagesablauf orientieren	• Tages- und Nachtkleidung trennen	• Zwischen Tages-/Nachtkleidung unterscheiden • Kleidungsstücke selbst auswählen lassen • Kleidungsstücke mit Hilfe auswählen lassen **Nachtbekleidung wählen** • Schlafanzug • Geschlossener Body • Unterwäsche • Nachthemd **Tageskleidung wählen** • Jogginganzug • Hemd/Bluse • Rock • Hose • Kleid • Strumpfhose • Socken **Art der Unterstützungsleistung bestimmen** • Beaufsichtigen • Durch Unterstützen helfen • Teilweise übernehmen • Vollständig übernehmen • Aktivieren/anleiten **Reihenfolge ritualisieren**
• Therapie- und Interventionsangebote sind individuell abgestimmt	• Pflege- und Behandlungsprozess im interdisziplinären Team festlegen	**Beteiligte Personen bestimmen** • Bewohner • Pflegeperson • Ärztlicher Dienst • Psychologe • Sozialarbeiter • Ergotherapeut

AEDL Ruhen, schlafen und sich entspannen können

- Krankengymnast
- Logotherapeut
- Beschäftigungstherapeut
- Geistlicher Beistand
- Sonstige Personen

Zeitdauer angeben

Pflegeziele
- Übernimmt Mitverantwortung in der Gruppe
- Soziales Lernen ist unterstützt
- Kann in der Gruppe sprechen
- Integriert sich in das Gruppengeschehen
- Kennt die Spielregeln in sozialen Gemeinschaften

Pflegeintervention
- In Stationsaktivitäten zur Förderung gesellschaftlicher/sozialer Aspekte einbeziehen

Handlungsleitende Pflegeinterventionen
- Spielnachmittag besuchen
- Tanznachmittag besuchen
- Kirchenbesuch durchführen
- Spazieren gehen
- Singstunde besuchen
- An Festaktivitäten teilnehmen
- Am Sonntagsfrühstück teilnehmen

Teilnehmende Personen bestimmen
Zeitdauer der Aktivitäten bestimmen

Literatur: 85, 121, 126, 148, 168, 172, 267, 272, 273

Pflegediagnose
Der Bewohner hat Konzentrationsschwierigkeiten, die Leistungsfähigkeit wird dadurch beeinträchtigt

▶ **Kennzeichen**
- Die Fähigkeit, aus einer Vielzahl von ankommenden Reizen jene auszuwählen, die zur Bewältigung der Aufgabe beitragen, ist beeinträchtigt
- Die Fähigkeit, mehrere Tätigkeiten gleichzeitig zu tun, ist eingeschränkt
- Die Fähigkeit, sich über einen längeren Zeitraum auf eine bestimmte Aufgabenstellung zu konzentrieren, ist eingeschränkt
- Zeigt eine reduzierte Daueraufmerksamkeit
- Die Aufmerksamkeit ist geteilt

▶ **Ursachen**
- Depressionen
- Psychotische Störung
- Altersbedingte Ursachen
- Chronischer Alkoholismus

▶ **Ressourcen**
- Zeigt Verhaltensweisen, die die Therapie unterstützen
- Zeigt Freude an Konzentrationsspielen

Pflegeziele
- Kann sich auf Tätigkeiten konzentrieren
- Konzentrationsleistung ist gefördert

Pflegeintervention
- Aktivitäten mit geringer Konzentrationsleistung auswählen

Pflegeziele
- Misserfolgen ist vorgebeugt
- Konzentrationsfähigkeit ist gesteigert
- Kann sich auf eine definierte Aufgabe über einen längeren Zeitraum konzentrieren

Pflegeintervention
- Schwierigkeitsgrad der Aktivitäten und die Anforderungen an die Konzentrationsleistung langsam steigern

AEDL Ruhen, schlafen und sich entspannen können

Pflegeziele	Pflegeintervention	Handlungsleitende Pflegeinterventionen
• Kann sich auf Tätigkeiten konzentrieren	• Mentales Funktionstraining in Phasen stabiler psychischer Verfassung durchführen	• Hirnleistungstraining durchführen • Gedächtnistraining durchführen • Konzentrationstraining durchführen • Themenzentrierte Gespräche führen **Dauer der Therapie angeben**
• Kann Gesprächen folgen	• Kurze Gesprächsdauer entsprechend der Konzentrationsfähigkeit einhalten	
• Kann sich auf eine definierte Aufgabe über einen längeren Zeitraum konzentrieren	• Für eine therapiebegünstigende Umgebung sorgen und Störquellen vorher ausschalten	
• Übernimmt Mitverantwortung in der Gruppe • Soziales Lernen ist unterstützt • Kann in der Gruppe sprechen • Integriert sich in das Gruppengeschehen • Kennt die Spielregeln in sozialen Gemeinschaften	• In Stationsaktivitäten zur Förderung gesellschaftlicher/sozialer Aspekte einbeziehen	• Spielnachmittag besuchen • Tanznachmittag besuchen • Kirchenbesuch durchführen • Spazieren gehen • Singstunde besuchen • An Festaktivitäten teilnehmen • Am Sonntagsfrühstück teilnehmen **Teilnehmende Personen bestimmen** **Zeitdauer der Aktivitäten bestimmen**

Literatur: 98, 101, 121, 125, 168, 172, 256, 267, 272, 273

Pflegediagnose
Der Bewohner hat eine Veränderung der kognitiven Fähigkeiten/Denkprozesse, die nicht altersentsprechend sind

▶ **Kennzeichen**
- Konzentrationsschwäche
- Veränderte Aufmerksamkeitsspanne
- Reaktionen, die der Situation nicht angemessen sind
- Veränderte Wahrnehmungsfähigkeit
- Veränderte Urteilsfähigkeit
- Eingeschränkte Entscheidungsfähigkeit
- Äußert unrealistische Vorstellungen und/oder Zusammenhänge
- Desorientierung
- Nachlassen des Erinnerungsvermögens
- Das Rechnen betreffende Veränderungen
- Kognitiv-sprachliche Funktionsveränderung
- Veränderung in der Wissensanwendung

▶ **Ursachen**
- Demenz
- Morbus Alzheimer
- Oligophrenie
- Schlafentzug
- Flüssigkeitsdefizit/Dehydration/Exsikkose
- Schädel-Hirn-Trauma
- Alkoholkonsum
- Suchterkrankung
- Medikamentenmissbrauch
- Psychische Störung
- Depressive Störung
- Angstzustände
- Organisch bedingte Psychose
- Endogene Psychose

▶ **Ressourcen**
- Kann eingeübte Rituale von Alltagstätigkeiten selbstständig durchführen
- Die tägliche Lebensgestaltung ist trotz der Einschränkungen weitestgehend möglich
- Findet sich trotz der Orientierungsstörung in der Einrichtung zurecht
- Nimmt Orientierungshilfen an
- Akzeptiert die Bezugsperson
- Kann Gefühle und Sorgen mit der Bezugsperson besprechen

AEDL Ruhen, schlafen und sich entspannen können

Pflegeziele	Pflegeintervention	Handlungsleitende Pflegeinterventionen
• Ursachen sind erkannt	• Ursachen für die kognitiven Veränderungen einschätzen und beurteilen	• Flüssigkeitshaushalt einschätzen • Ernährungszustand beurteilen • Medikamenten- und Suchtmittelkonsum/-wirkung einschätzen • Laborwerte bezüglich metabolischer Alkalose, Ammoniakspiegel etc. überprüfen **Auf Hirndruckzeichen beobachten** • Pupillenreaktion kontrollieren • Blutdruck messen • Puls messen **Neurologische Veränderungen einschätzen** • Kornealreflex überprüfen • Husten- und Würgereflex kontrollieren • Motorik, Sensorik und Durchblutung überprüfen

Pflegeziele	Pflegeintervention	Handlungsleitende Pflegeinterventionen
• Ausmaß der kognitiven Einschränkung ist eingeschätzt	• Genaues Ausmaß der kognitiven Fähigkeiten erfassen und dokumentieren	• Tests durchführen • Gespräche führen • Verhalten beobachten **Kognitive Fähigkeiten beobachten** • Orientierungsfähigkeit: örtlich, zeitlich und zur eigenen Person beobachten • Konzentrationsspanne/Ablenkbarkeit beobachten • Veränderungen im Verhalten beobachten und dokumentieren • Veränderungen in der Sprache beobachten • Biografiedaten sammeln und bezüglich Veränderungsprozessen analysieren

Pflegeziele	Pflegeintervention	Handlungsleitende Pflegeinterventionen
• Tagesablauf ist geregelt • Geplante Aktivitäten werden eingehalten	• Tages-/Wochenplan erarbeiten und die Einhaltung reflektieren	**Bezugsperson festlegen** **Gesprächsinhalt bestimmen** • Tages- und Wochenpläne besprechen • Durchgeführte Aktivitäten besprechen • Lebenspraktische Inhalte besprechen **Fest verbindlichen Tagesplan vereinbaren** • Mit Kontrollmöglichkeit • Ohne Kontrollmöglichkeit • In Eigenverantwortung • In Verantwortung der Bezugsperson • Tagesaktivitäten auswerten und reflektieren **Dauer des themenzentrierten Gesprächs festlegen**

Pflegeziele	Pflegeintervention	
• Kennt vorbeugende Maßnahmen	• Informationsangebote überschaubar und strukturiert gestalten	

Pflegeziele	Pflegeintervention	Handlungsleitende Pflegeinterventionen
• Vorhandene Ressourcen sind aktiviert und gefördert	• Einzeltherapeutisches realitätsorientiertes Training (ROT) durchführen	• Einzeltherapie zum Neulernen von Zeitstrukturen anbieten • Einzeltherapie zur Erfassung örtlicher Gegebenheiten anbieten

AEDL Ruhen, schlafen und sich entspannen können

		• Einzeltherapie zur Erfassung der Person anbieten • Einzeltherapie zu situativen Gegebenheiten anbieten **Zeitdauer der Einzeltherapie bestimmen**

Pflegeziele	Pflegeintervention	Handlungsleitende Pflegeinterventionen
• Entwickelt ein positives Selbstwertgefühl	• Selbstwertgefühl und Selbstachtung durch einheitliche Verhaltensweise im therapeutischen Team fördern	• Gewünschtes Verhalten durch Lob fördern • Im therapeutischen Team Verhaltensweisen zur Stärkung des Selbstkonzepts vereinbaren • Einüben, sich selbst zu belohnen

Pflegeziele	Pflegeintervention	Handlungsleitende Pflegeinterventionen
• Kann psychotische Welt und Realität trennen • Eigenständige Lebensgestaltung ist ermöglicht	• Realitätsbezug im Alltag herstellen	• Wahnthemen und Zwangshandlungen nicht auszureden versuchen und keine Diskussion entstehen lassen • Akzeptierende Grundhaltung gegenüber den Wahnideen zeigen • Eigene Realität gegenüberstellen • Lebenspraktische Tätigkeiten durchführen • „Harmlose" Gesprächsthemen anbieten

Pflegeziele	Pflegeintervention	Handlungsleitende Pflegeinterventionen
• Kann Gefühle artikulieren und adäquat äußern • Ist sozial integriert • Nimmt Gefühle wahr und beschreibt sie in Worten	• Selbstkonzept/-bild und soziale Kompetenzen in Einzeltherapie fördern	• Selbstsicherheitstraining durchführen • Genusstherapie durchführen • Verhaltenstherapie durchführen • Assertiveness-Training-Programm (ATP) durchführen • Integriertes Psychologisches Therapieprogramm (IPT) durchführen • Kognitive Therapiegruppe besuchen • Positiven Tagesrückblick durchführen • Musiktherapie durchführen • Gestalttherapie durchführen • Maltherapie durchführen • Therapieangebote mit Tieren wahrnehmen • Märchen-/Literaturgruppe besuchen • Wahrnehmungstraining durchführen • Rollenspiele durchführen **Zeitdauer der Einzelförderung bestimmen**

Pflegeziele	Pflegeintervention	
• Kann ein Vertrauensverhältnis zum Gesprächspartner aufbauen • Spricht die Bezugsperson bei Problemen selbstständig an	• Bezugsperson festlegen	

Pflegeziele	Pflegeintervention	Handlungsleitende Pflegeinterventionen
• Ist zur Person, örtlich und zeitlich orientiert • Findet sich in der Umgebung zurecht	• Orientierungs- und Erinnerungshilfen anbieten	**Orientierungshilfen geben** • Farblinien auf dem Boden anbringen • Türschilder anbringen • Große Uhr gut sichtbar aufhängen • Kalender mit Tages- und Jahreszahlen in großer Schrift aufhängen und täglich aktualisieren • Für Nachtbeleuchtung sorgen

AEDL Ruhen, schlafen und sich entspannen können

Erinnerungshilfen einsetzen
- Erinnerungssignale festlegen
- Elektronische Notizbücher einsetzen
- Hinweistafeln einsetzen
- Markante Türschilder nutzen

Pflegeziele	Pflegeintervention	Handlungsleitende Pflegeinterventionen
• Übernimmt Mitverantwortung in der Gruppe • Soziales Lernen ist unterstützt • Kann in der Gruppe sprechen • Integriert sich in das Gruppengeschehen • Kennt die Spielregeln in sozialen Gemeinschaften	• In Stationsaktivitäten zur Förderung gesellschaftlicher/sozialer Aspekte einbeziehen	• Spielnachmittag besuchen • Tanznachmittag besuchen • Kirchenbesuch durchführen • Spazieren gehen • Singstunde besuchen • An Festaktivitäten teilnehmen • Am Sonntagsfrühstück teilnehmen **Teilnehmende Personen bestimmen** **Zeitdauer der Aktivitäten bestimmen**

Pflegeziele	Pflegeintervention	Handlungsleitende Pflegeinterventionen
• Soziale Kompetenzen sind gefördert • Spricht Konflikte in der Gruppe an	• In gesprächstherapeutische Stationsaktivitäten/-programme einbeziehen	• An Stationsgesprächsrunde/-meeting/-forum teilnehmen • An Gesprächskreis über tagesaktuelle Themen teilnehmen • Wochenendgruppe besuchen • Konfliktgruppe besuchen • Morgenrunde besuchen • Kritikgruppe besuchen **Teilnehmende Personen bestimmen** **Zeitdauer der Gruppenangebote bestimmen**

Pflegeziele	Pflegeintervention	Handlungsleitende Pflegeinterventionen
• Fühlt sich angenommen und verstanden	• Gespräch mit integrativ-validierendem Ansatz führen	• Gefühlsäußerungen akzeptieren • Individuelle Angebote bei häufig auftretenden Gefühlsäußerungen durchführen • Ähnlich personenbezogene verbale Angebote bei wiederkehrenden Aktivitäten durchführen **Zeitdauer des Gesprächs bestimmen**

Literatur: 77, 85, 101, 102, 121, 125, 168, 225, 267, 272, 273

AEDL Ruhen, schlafen und sich entspannen können

Pflegediagnose
Der Bewohner hat eine hochgradig affektive Erregung/Spannung, Gefahr der Fremd-/Selbstgefährdung

▶ **Kennzeichen**
- Sinn- und zweckloser Bewegungsdrang
- Sprachliche Unruhe
- Hypertone Erregungszustände
- Zeigt extreme Unruhezustände mit erhöhter Gefahr der Selbstgefährdung
- Äußert Selbstschädigungswünsche
- Affekthandlungen
- Äußert sich durch aggressives Verhalten
- Äußert sich durch Lärmen/Schreien
- Äußert sich durch selbstgerichtetes Schlagen
- Schlägt um sich/schlägt andere
- Fordert eine Fixierungsmaßnahme aktiv ein

▶ **Ursachen**
- Psychose
- Schizophrene Psychose
- Neurose
- Aktuelle Ereignisse im Umfeld

▶ **Ressourcen**
- Akzeptiert die Bezugsperson
- Kann Gefühle und Sorgen mit der Bezugsperson besprechen
- Lässt sich ablenken
- Toleriert die Fixierungsmaßnahme

Pflegeziele
- Kann ein Vertrauensverhältnis zum Gesprächspartner aufbauen
- Spricht die Bezugsperson bei Problemen selbstständig an

Pflegeintervention
- Bezugsperson festlegen

Pflegeziele
- Kann psychotische Welt und Realität trennen
- Eigenständige Lebensgestaltung ist ermöglicht

Pflegeintervention
- Realitätsbezug im Alltag herstellen

Handlungsleitende Pflegeinterventionen
- Wahnthemen und Zwangshandlungen nicht auszureden versuchen und keine Diskussion entstehen lassen
- Akzeptierende Grundhaltung gegenüber den Wahnideen zeigen
- Eigene Realität gegenüberstellen
- Lebenspraktische Tätigkeiten durchführen
- „Harmlose" Gesprächsthemen anbieten

Pflegeziele
- Erkennt eine einheitliche Zielsetzung im therapeutischen Team und akzeptiert diese

Pflegeintervention
- Rückzugstendenzen nur zulassen, soweit sie nützlich sind

Handlungsleitende Pflegeinterventionen
- Feste Rückzugszeiten ins Zimmer vereinbaren
- Zimmer des Bewohners verschließen
- Zu Gruppenaktivitäten holen und motivieren

Pflegeziele
- Kann Gefühle artikulieren und adäquat äußern
- Ist sozial integriert
- Nimmt Gefühle wahr und beschreibt sie in Worten

Pflegeintervention
- Selbstkonzept/-bild und soziale Kompetenzen in Einzeltherapie fördern

Handlungsleitende Pflegeinterventionen
- Selbstsicherheitstraining durchführen
- Genusstherapie durchführen
- Verhaltenstherapie durchführen
- Assertiveness-Training-Programm (ATP) durchführen
- Integriertes Psychologisches Therapieprogramm (IPT) durchführen
- Kognitive Therapiegruppe besuchen
- Positiven Tagesrückblick durchführen
- Musiktherapie durchführen

AEDL Ruhen, schlafen und sich entspannen können

- Gestalttherapie durchführen
- Maltherapie durchführen
- Therapieangebote mit Tieren wahrnehmen
- Märchen-/Literaturgruppe besuchen
- Wahrnehmungstraining durchführen
- Rollenspiele durchführen

Zeitdauer der Einzelförderung bestimmen

Pflegeziele	Pflegeintervention	Handlungsleitende Pflegeinterventionen
Soziale Kompetenzen sind gefördert	Selbstkonzept/-bild und soziale Kompetenzen in Gruppentherapie fördern	- Selbstsicherheitstraining durchführen - Genusstherapie durchführen - Verhaltenstherapie durchführen - Assertiveness-Training-Programm (ATP) durchführen - Integriertes Psychologisches Therapieprogramm (IPT) durchführen - Kognitive Therapiegruppe besuchen - Musiktherapie durchführen - Gestalttherapie durchführen - Maltherapie durchführen - Therapieangebote mit Tieren wahrnehmen - Märchen-/Literaturgruppe besuchen - Wahrnehmungstraining durchführen - Rollenspiele durchführen **Anzahl der beteiligten Personen bestimmen** **Zeitdauer der Gruppentherapie bestimmen**
Kann sich am Tagesablauf orientieren	Tages- und Wochenplan gemeinsam erarbeiten und Vereinbarungen bezüglich der Aktivitäten treffen	**Bezugsperson festlegen** **Gesprächsinhalt bestimmen** - Tages- und Wochenpläne besprechen - Durchgeführte Aktivitäten besprechen - Lebenspraktische Inhalte besprechen **Fest verbindlichen Tagesplan vereinbaren** - Mit Kontrollmöglichkeit - Ohne Kontrollmöglichkeit - In Eigenverantwortung - In Verantwortung der Bezugsperson - Tagesaktivitäten auswerten und reflektieren **Dauer des themenzentrierten Gesprächs festlegen**
Entwickelt ein positives Selbstwertgefühl	Selbstwertgefühl und Selbstachtung durch einheitliche Verhaltensweise im therapeutischen Team fördern	- Gewünschtes Verhalten durch Lob fördern - Im therapeutischen Team Verhaltensweisen zur Stärkung des Selbstkonzepts vereinbaren - Einüben, sich selbst zu belohnen
Verletzungen sind vermieden	Schutzmaßnahmen vor Verletzungen bei aggressiven Affekthandlungen ergreifen	**Spezielle Schutzprotektoren, Schutzhelme oder andere Schutzvorrichtungen einsetzen** - Hüftprotektoren anlegen - Sturzhelm aufsetzen - Ellenbogenprotektoren einsetzen - Knieprotektoren einsetzen - Handschuhe anziehen

AEDL Ruhen, schlafen und sich entspannen können

- Zwangsjacke anlegen
- In der Akutphase in den Schutzraum bringen

Zeit/Bedingung der Anwendung bestimmen
- Bei bestimmtem Verhalten des Bewohners
- Kontinuierlich am Tag
- Sonstige Gründe

Pflegeziele	Pflegeintervention	Handlungsleitende Pflegeinterventionen
• Übernimmt Mitverantwortung in der Gruppe • Soziales Lernen ist unterstützt • Kann in der Gruppe sprechen • Integriert sich in das Gruppengeschehen • Kennt die Spielregeln in sozialen Gemeinschaften	• In Stationsaktivitäten zur Förderung gesellschaftlicher/sozialer Aspekte einbeziehen	• Spielnachmittag besuchen • Tanznachmittag besuchen • Kirchenbesuch durchführen • Spazieren gehen • Singstunde besuchen • An Festaktivitäten teilnehmen • Am Sonntagsfrühstück teilnehmen **Teilnehmende Personen bestimmen** **Zeitdauer der Aktivitäten bestimmen**
Pflegeziele	**Pflegeintervention**	**Handlungsleitende Pflegeinterventionen**
• Soziale Kompetenzen sind gefördert • Spricht Konflikte in der Gruppe an	• In gesprächstherapeutische Stationsaktivitäten/-programme einbeziehen	• An Stationsgesprächsrunde/-meeting/-forum teilnehmen • An Gesprächskreis über tagesaktuelle Themen teilnehmen • Wochenendgruppe besuchen • Konfliktgruppe besuchen • Morgenrunde besuchen • Kritikgruppe besuchen **Teilnehmende Personen bestimmen** **Zeitdauer der Gruppenangebote bestimmen**

Literatur: 17, 85, 101, 102, 121, 125, 168, 256, 267, 272, 273

Pflegediagnose
Der Bewohner ist desorientiert, die selbstständige Tagesgestaltung ist beeinträchtigt

► Kennzeichen	► Ursachen	► Ressourcen
• Kann das Jahr, den Monat oder die Tageszeit nicht entsprechend benennen • Kann keine Angaben zur Person machen • Kennt bekannte Personen nicht mehr • Kann den eigenen Aufenthaltsort nicht benennen • Zeitverzögerte Reaktion auf Ansprache • Anweisungen können nicht durchgeführt werden	• Altersbedingte Ursachen • Morbus Alzheimer • Chorea Huntington • Depressionen • Alkoholabhängigkeit • Demenz	• Kann eingeübte Rituale von Alltagstätigkeiten selbstständig durchführen • Akzeptiert die Unterstützung bei der Tagesgestaltung • Nimmt Orientierungshilfen an

Pflegeziele	Pflegeintervention	Handlungsleitende Pflegeinterventionen
• Gestaltet die persönliche Tagesstruktur sinnvoll • Findet sich in der Einrichtung zurecht, hat größtmögliche Selbstständigkeit	• Beständigkeit im täglichen Ablauf (Ritualisierung) gewährleisten	• Zeitstrukturen und Tagesablauf gemeinsam im Gespräch vereinbaren • Tagesplanung für den Bewohner erstellen • An Aktivitäten erinnern • Tätigkeiten ritualisieren

AEDL Ruhen, schlafen und sich entspannen können

Pflegeziele	Pflegeintervention	Handlungsleitende Pflegeinterventionen
• Fühlt sich angenommen und verstanden	• Gespräch mit integrativ-validierendem Ansatz führen	• Gefühlsäußerungen akzeptieren • Individuelle Angebote bei häufig auftretenden Gefühlsäußerungen durchführen • Ähnlich personenbezogene verbale Angebote bei wiederkehrenden Aktivitäten durchführen **Zeitdauer des Gesprächs bestimmen**

Pflegeziele	Pflegeintervention	Handlungsleitende Pflegeinterventionen
• Beweglichkeit und Muskelkraft bleiben erhalten	• Bewegungsübungen durchführen	• Frühsportgruppe besuchen/Morgengymnastik durchführen • Fitnesstraining durchführen • Schwimmen gehen • Bewegungsbad durchführen • Wasserjogging durchführen • Konzentrative Körperarbeit leisten • Körpertherapie durchführen • Sport in Form von Spielen machen **Teilnehmende Personen bestimmen** **Unter Beteiligung von Pflegepersonen aktivieren**

Pflegeziele	Pflegeintervention	Handlungsleitende Pflegeinterventionen
• Ist zur Person, örtlich und zeitlich orientiert • Findet sich in der Umgebung zurecht	• Orientierungs- und Erinnerungshilfen anbieten	**Orientierungshilfen geben** • Farblinien auf dem Boden anbringen • Türschilder anbringen • Große Uhr gut sichtbar aufhängen • Kalender mit Tages- und Jahreszahlen in großer Schrift aufhängen und täglich aktualisieren • Für Nachtbeleuchtung sorgen **Erinnerungshilfen einsetzen** • Erinnerungssignale festlegen • Elektronische Notizbücher einsetzen • Hinweistafeln einsetzen • Markante Türschilder nutzen

Pflegeziele	Pflegeintervention	Handlungsleitende Pflegeinterventionen
• Individuelle kognitive Fähigkeiten sind erhalten und gefördert	• Mentales Funktionstraining in der Gruppe anbieten	• Gedächtnistraining durchführen • Themenzentrierte Gespräche führen • Hirnleistungstraining durchführen • Konzentrationstraining durchführen **Zeitdauer der Gruppentherapie bestimmen** **Anzahl der beteiligten Personen bestimmen**

Pflegeziele	Pflegeintervention	Handlungsleitende Pflegeinterventionen
• Kann sich am Tagesablauf orientieren	• Tages- und Nachtkleidung trennen	• Zwischen Tages-/Nachtkleidung unterscheiden • Kleidungsstücke selbst auswählen lassen • Kleidungsstücke mit Hilfe auswählen lassen **Nachtbekleidung wählen** • Schlafanzug • Geschlossener Body • Unterwäsche • Nachthemd

AEDL Ruhen, schlafen und sich entspannen können

Tageskleidung wählen
- Jogginganzug
- Hemd/Bluse
- Rock
- Hose
- Kleid
- Strumpfhose
- Socken

Art der Unterstützungsleistung bestimmen
- Beaufsichtigen
- Durch Unterstützen helfen
- Teilweise übernehmen
- Vollständig übernehmen
- Aktivieren/anleiten

Reihenfolge ritualisieren

Pflegeziele	Pflegeintervention	Handlungsleitende Pflegeinterventionen
• Selbstständigkeit ist gefördert • Konzentriert sich auf lebenspraktische Tätigkeiten	• Lebenspraktisches Einzeltraining durchführen	• Mahlzeiten kochen • Einkaufen gehen • Küchendienst übernehmen • In einer Diskussionsgruppe über das Tagesgeschehen sprechen • Zimmer reinigen • Tisch für die Mahlzeiten decken/abdecken • Blumenpflege durchführen • Wäsche versorgen **Art der Unterstützungsleistung bestimmen** • Beim Durchführen anleiten • Beim Durchführen beaufsichtigen • Durchgeführte Tätigkeiten in themenzentriertem Gespräch reflektieren • Gemeinsam partnerschaftlich durchführen **Zeitdauer der Einzelförderung bestimmen**
Pflegeziele • Konzentriert sich auf lebenspraktische Tätigkeiten	**Pflegeintervention** • Lebenspraktisches Gruppentraining durchführen	**Handlungsleitende Pflegeinterventionen** • Gemeinsam Mahlzeiten kochen • Gemeinsam einkaufen • An der Kosmetikgruppe teilnehmen • Feste planen, vorbereiten und durchführen • An der Hauswirtschaftsgruppe teilnehmen **Art der Unterstützungsleistung bestimmen** • Auffordern, den Termin des Gruppenangebots einzuhalten • Zur Teilnahme an den Aktivitäten motivieren • Bei den Gruppenaktivitäten unterstützen • Nach der Aktivität Reflexionsgespräch führen **Anzahl der beteiligten Personen bestimmen** **Zeitdauer der Gruppentherapie bestimmen**
Pflegeziele • Unterschiedlichste Sinne sind durch Reize zur Förderung von Orientierung und Wahrnehmung stimuliert	**Pflegeintervention** • Sinneswahrnehmung durch individuell abgestimmte Snoezelangebote stimulieren	**Handlungsleitende Pflegeinterventionen** **Zeitdauer der Einzelförderung bestimmen**

Literatur: 61, 85, 101, 102, 120, 121, 125, 126, 148, 168, 172, 225, 267, 272, 273

AEDL Ruhen, schlafen und sich entspannen können

Pflegediagnose
Der Bewohner ist verwirrt, Gefahr der Selbst-/Fremdgefährdung

▶ **Kennzeichen**

- Umtriebigkeit und psychomotorische Unruhe
- Kennt bekannte Personen nicht mehr
- Zeigt extreme Unruhezustände mit erhöhter Gefahr der Selbstgefährdung
- Drückt sich sprachlich inkohärent aus
- Beschreibt visuelle/auditive Halluzinationen
- Denken ist beeinträchtigt
- Drückt sich verbal unklar aus
- Äußert verworrene Gedanken
- Wirkt zerfahren
- Ideenflucht

▶ **Ursachen**

- Nebenwirkungen von Medikamenten
- Postoperative Phase/Narkoseüberhang
- Stoffwechselstörung
- Entzugssyndrom
- Delir
- Flüssigkeitsdefizit/Dehydration/Exsikkose
- Psychotische Veränderung
- Demenzielle Veränderung
- Morbus Alzheimer
- Korsakow-Syndrom
- Kopfverletzung
- Cerebro-vaskuläres Ereignis
- Multi-Infarkt-Demenz

▶ **Ressourcen**

- Erkennt die Notwendigkeit der getroffenen Intervention und kooperiert mit dem therapeutischen Team
- Nimmt Orientierungshilfen an
- Toleriert die Fixierungsmaßnahme

Pflegeziele
- Einer Selbstgefährdung ist vorgebeugt
- Einer Fremdgefährdung ist vorgebeugt

Pflegeintervention
- Für eine sichere Umgebung sorgen und gefährliche Gegenstände entfernen

Handlungsleitende Pflegeinterventionen

Für eine sichere Umgebung sorgen
- Stolperfallen herausfinden und entfernen
- Lichtverhältnisse verbessern
- Gefährliche Gegenstände entfernen
- Gefährliche Hindernisse aus dem Weg räumen

Immer wiederkehrende Pflegeinterventionen bestimmen
- Brille überprüfen und anbieten
- Hörgerät anbieten
- Anti-Rutsch-Socken anziehen
- Gehhilfen anbieten und die Benutzung einüben
- Bewegungs- und Gleichgewichtsübungen durchführen

Pflegeziele
- Einem Sturz ist vorgebeugt

Pflegeintervention
- Für sicheres Schuhwerk sorgen

Handlungsleitende Pflegeinterventionen
- Zum Anziehen von festem Schuhwerk auffordern
- Zum Anziehen von festem Schuhwerk anleiten
- Beim Anziehen von festem Schuhwerk unterstützen
- Anziehen von festem Schuhwerk übernehmen

Zum Gehen folgende Schuhe anziehen
- Halbschuhe zum Schnüren anziehen
- Turnschuhe anziehen
- Spezialschuhe anziehen

Pflegeziele
- Einer Selbstgefährdung ist vorgebeugt

Pflegeintervention
- Fixation nach richterlichem Beschluss anbringen

Handlungsleitende Pflegeinterventionen

Für eine sichere Umgebung sorgen
- Bettgitter beidseitig anbringen
- Bettgitter rechts anbringen
- Bettgitter links anbringen

AEDL Ruhen, schlafen und sich entspannen können

- Bauchgurt benutzen
- Bett an die Wand stellen
- Hände fixieren
- Rechte Hand fixieren
- Linke Hand fixieren
- Beine fixieren

Rechtsgrundlage der Fixierungsmaßnahme feststellen

- Fixierung ist durch richterlichen Bescheid genehmigt
- Freiwilligkeitserklärung bezüglich der freiheitsentziehenden Maßnahme liegt vor
- Unterbringung nach PsychKG/UBG

Pflegeziele	Pflegeintervention	Handlungsleitende Pflegeinterventionen
• Ist zur Person, örtlich und zeitlich orientiert • Findet sich in der Umgebung zurecht	• Orientierungs- und Erinnerungshilfen anbieten	**Orientierungshilfen geben** • Farblinien auf dem Boden anbringen • Türschilder anbringen • Große Uhr gut sichtbar aufhängen • Kalender mit Tages- und Jahreszahlen in großer Schrift aufhängen und täglich aktualisieren • Für Nachtbeleuchtung sorgen **Erinnerungshilfen einsetzen** • Erinnerungssignale festlegen • Elektronische Notizbücher einsetzen • Hinweistafeln einsetzen • Markante Türschilder nutzen

Pflegeziele	Pflegeintervention	Handlungsleitende Pflegeinterventionen
• Individuelle kognitive Fähigkeiten sind erhalten und gefördert	• Mentales Funktionstraining in der Gruppe anbieten	• Gedächtnistraining durchführen • Themenzentrierte Gespräche führen • Hirnleistungstraining durchführen • Konzentrationstraining durchführen **Zeitdauer der Gruppentherapie bestimmen** **Anzahl der beteiligten Personen bestimmen**

Pflegeziele	Pflegeintervention	Handlungsleitende Pflegeinterventionen
• Erkennt eine einheitliche Zielsetzung im therapeutischen Team und akzeptiert diese • Therapie- und Interventionsangebote sind individuell abgestimmt • Behandlungs- und Therapiekonzept sind transparent und vom therapeutischen Team umgesetzt • Aktive Beteiligung an der Behandlungsplanung mit dem therapeutischen Team ist sichergestellt	• Interdisziplinäres Teamgespräch über den Pflege- und Behandlungsprozess führen	**Beteiligte Personen bestimmen** • Bewohner • Pflegeperson • Ärztlicher Dienst • Psychologe • Sozialarbeiter • Ergotherapeut • Krankengymnast • Logotherapeut • Beschäftigungstherapeut • Geistlicher Beistand • Sonstige Personen **Zeitdauer angeben**

Pflegeziele	Pflegeintervention	Handlungsleitende Pflegeinterventionen
• Selbstständigkeit ist gefördert • Konzentriert sich auf lebenspraktische Tätigkeiten	• Lebenspraktisches Einzeltraining durchführen	• Mahlzeiten kochen • Einkaufen gehen • Küchendienst übernehmen

AEDL Ruhen, schlafen und sich entspannen können

		• In einer Diskussionsgruppe über das Tagesgeschehen sprechen • Zimmer reinigen • Tisch für die Mahlzeiten decken/abdecken • Blumenpflege durchführen • Wäsche versorgen **Art der Unterstützungsleistung bestimmen** • Beim Durchführen anleiten • Beim Durchführen beaufsichtigen • Durchgeführte Tätigkeiten in themenzentriertem Gespräch reflektieren • Gemeinsam partnerschaftlich durchführen **Zeitdauer der Einzelförderung bestimmen**
Pflegeziele • Konzentriert sich auf lebenspraktische Tätigkeiten	**Pflegeintervention** • Lebenspraktisches Gruppentraining durchführen	**Handlungsleitende Pflegeinterventionen** • Gemeinsam Mahlzeiten kochen • Gemeinsam einkaufen • An der Kosmetikgruppe teilnehmen • Feste planen, vorbereiten und durchführen • An der Hauswirtschaftsgruppe teilnehmen **Art der Unterstützungsleistung bestimmen** • Auffordern, den Termin des Gruppenangebots einzuhalten • Zur Teilnahme an den Aktivitäten motivieren • Bei den Gruppenaktivitäten unterstützen • Nach der Aktivität Reflexionsgespräch führen **Anzahl der beteiligten Personen bestimmen** **Zeitdauer der Gruppentherapie bestimmen**
Pflegeziele • Soziale Kompetenzen sind gefördert • Spricht Konflikte in der Gruppe an	**Pflegeintervention** • In gesprächstherapeutische Stationsaktivitäten/-programme einbeziehen	**Handlungsleitende Pflegeinterventionen** • An Stationsgesprächsrunde/-meeting/-forum teilnehmen • An Gesprächskreis über tagesaktuelle Themen teilnehmen • Wochenendgruppe besuchen • Konfliktgruppe besuchen • Morgenrunde besuchen • Kritikgruppe besuchen **Teilnehmende Personen bestimmen** **Zeitdauer der Gruppenangebote bestimmen**
Pflegeziele • Übernimmt Mitverantwortung in der Gruppe • Soziales Lernen ist unterstützt • Kann in der Gruppe sprechen • Integriert sich in das Gruppengeschehen • Kennt die Spielregeln in sozialen Gemeinschaften	**Pflegeintervention** • In Stationsaktivitäten zur Förderung gesellschaftlicher/sozialer Aspekte einbeziehen	**Handlungsleitende Pflegeinterventionen** • Spielnachmittag besuchen • Tanznachmittag besuchen • Kirchenbesuch durchführen • Spazieren gehen • Singstunde besuchen • An Festaktivitäten teilnehmen • Am Sonntagsfrühstück teilnehmen **Teilnehmende Personen bestimmen** **Zeitdauer der Aktivitäten bestimmen**
Pflegeziele • Unterschiedlichste Sinne sind durch Reize zur Förderung von Orientierung und Wahrnehmung stimuliert	**Pflegeintervention** • Sinneswahrnehmung durch individuell abgestimmte Snoezelangebote stimulieren	**Handlungsleitende Pflegeinterventionen** **Zeitdauer der Einzelförderung bestimmen**

Literatur: 85, 98, 101, 102, 121, 125, 126, 168, 172, 267, 272, 273

AEDL Sich beschäftigen lernen und sich entwickeln können

▶ **Pflegediagnosen: Selbstkonzept und Lebensgestaltung**

Pflegediagnose
Der Bewohner kann den Lebensraum/die Lebenszeit nicht selbstständig gestalten

▶ **Kennzeichen**
- Führt lebensnotwendige Aktivitäten nicht/nicht regelmäßig durch
- Selbstfürsorgefähigkeit Erholungsaktivität ist eingeschränkt
- Selbstfürsorgefähigkeit Freizeitaktivität ist eingeschränkt
- Tägliche Lebensgestaltung ist eingeschränkt
- Kann keine soziale Sicherung übernehmen
- Kann die Wohngestaltung nicht durchführen
- Arbeits- und Freizeitgestaltung sind unstrukturiert

▶ **Ursachen**
- Psychische Erkrankung
- Psychische Ursache
- Desorientierung
- Körperliche Einschränkung
- Geistige Behinderung

▶ **Ressourcen**
- Ist motiviert, die Pflegemaßnahme zu unterstützen, und zeigt entsprechende Verhaltensweisen
- Kann die Maßnahme nach Anleitung selbstständig durchführen
- Erkennt die Notwendigkeit der getroffenen Intervention und kooperiert mit dem therapeutischen Team
- Akzeptiert die Unterstützung von Angehörigen
- Vereinbarungen werden eingehalten
- Erfährt Rückhalt in der sozialen Umgebung

Pflegeziele
- Kann Lösungswege entwickeln

Pflegeintervention
- Verhaltensweisen beobachten und dokumentieren

Handlungsleitende Pflegeinterventionen
Beobachtungskriterien bestimmen
- Sozialverhalten
- Sozialkontakte
- Belastbarkeit
- Strukturierung des Tags
- Ordnung bzw. Organisation des Lebens
- Körperliche/geistige Beeinträchtigung
- Coping-Fähigkeiten
- Freizeitgestaltung
- Arbeitsbereich

Ergebnisse dokumentieren
- Zusammenfassenden Bericht über die Beobachtungen verfassen

Pflegeziele
- Kann Lösungswege entwickeln

Pflegeintervention
- Klientenzentriertes Gespräch über die empfundene Langeweile, deren Bedeutung und mögliche Lösungswege führen

Pflegeziele
- Kann Lösungswege entwickeln
- Erkennt die Notwendigkeit der Verhaltensänderung und ist bereit, Neues auszuprobieren

Pflegeintervention
- Im klientenzentrierten Pflegefachgespräch bestehende Schwierigkeiten analysieren und Problemlösungen entwickeln

Pflegeziele
- Tagesablauf ist geregelt
- Geplante Aktivitäten werden eingehalten

Pflegeintervention
- Unterstützungsgespräch zur Alltagsbewältigung führen

Handlungsleitende Pflegeinterventionen
- Zum Aufstehen auffordern
- Auffordern, die Nachtruhe einzuhalten
- Zur Medikamenteneinnahme motivieren
- Tagesablauf besprechen
- An Vereinbarungen erinnern

Zeitdauer des Alltagsbewältigungsgesprächs bestimmen

AEDL Sich beschäftigen lernen und sich entwickeln können

Pflegeziele
- Soziale Kompetenzen sind gefördert

Pflegeintervention
- Selbstkonzept-/bild und soziale Kompetenzen in Gruppentherapie fördern

Handlungsleitende Pflegeinterventionen
- Selbstsicherheitstraining durchführen
- Genusstherapie durchführen
- Verhaltenstherapie durchführen
- Assertiveness-Training-Programm (ATP) durchführen
- Integriertes Psychologisches Therapieprogramm (IPT) durchführen
- Kognitive Therapiegruppe besuchen
- Musiktherapie durchführen
- Gestalttherapie durchführen
- Maltherapie durchführen
- Therapieangebote mit Tieren wahrnehmen
- Märchen-/Literaturgruppe besuchen
- Wahrnehmungstraining durchführen
- Rollenspiele durchführen

Anzahl der beteiligten Personen bestimmen

Zeitdauer der Gruppentherapie bestimmen

Pflegeziele
- Gefestigte Tagesstruktur ist aufgebaut

Pflegeintervention
- Freizeit mit Spielen in der Gruppe gestalten

Handlungsleitende Pflegeinterventionen
- Volleyball spielen
- Tischtennis spielen
- Handball spielen
- Fußball spielen
- Federball spielen
- Tennis spielen

Gesellschaftsspiele spielen
- Mensch ärgere Dich nicht
- Monopoly
- Mikado
- Domino
- Kartenspiele

Teilnehmende Personen bestimmen

Unter Beteiligung von Pflegepersonen aktivieren

Pflegeziele
- Ist körperlich fit

Pflegeintervention
- Sportliche Aktivitäten durchführen

Handlungsleitende Pflegeinterventionen
- Frühsportgruppe besuchen/Morgengymnastik durchführen
- Fitnesstraining durchführen
- Schwimmen gehen
- Bewegungsbad durchführen
- Wasserjogging durchführen
- Konzentrative Körperarbeit leisten
- Körpertherapie durchführen
- Sport in Form von Spielen machen

Teilnehmende Personen bestimmen

Unter Beteiligung von Pflegepersonen aktivieren

Pflegeziele
- Erkennt eine einheitliche Zielsetzung im therapeutischen Team und akzeptiert diese
- Therapie- und Interventionsangebote sind individuell abgestimmt

Pflegeintervention
- Interdisziplinäres Teamgespräch über den Pflege- und Behandlungsprozess führen

Handlungsleitende Pflegeinterventionen

Beteiligte Personen bestimmen
- Bewohner
- Pflegeperson
- Ärztlicher Dienst
- Psychologe
- Sozialarbeiter

AEDL Sich beschäftigen lernen und sich entwickeln können

- Behandlungs- und Therapiekonzept sind transparent und vom therapeutischen Team umgesetzt
- Aktive Beteiligung an der Behandlungsplanung mit dem therapeutischen Team ist sichergestellt

- Ergotherapeut
- Krankengymnast
- Logotherapeut
- Beschäftigungstherapeut
- Geistlicher Beistand
- Sonstige Personen

Zeitdauer angeben

Pflegeziele
- Soziale Kompetenzen sind gefördert
- Spricht Konflikte in der Gruppe an

Pflegeintervention
- In gesprächstherapeutische Stationsaktivitäten/-programme einbeziehen

Handlungsleitende Pflegeinterventionen
- An Stationsgesprächsrunde/-meeting/-forum teilnehmen
- An Gesprächskreis über tagesaktuelle Themen teilnehmen
- Wochenendgruppe besuchen
- Konfliktgruppe besuchen
- Morgenrunde besuchen
- Kritikgruppe besuchen

Teilnehmende Personen bestimmen
Zeitdauer der Gruppenangebote bestimmen

Literatur: 44, 98, 121, 125, 168, 267, 272, 273

Pflegediagnose
Der Bewohner gestaltet den Tagesablauf unstrukturiert, Gefahr des Selbstfürsorgedefizits

▶ Kennzeichen
- Steht morgens nicht selbstständig auf
- Verschläft die Mahlzeiten
- Zieht sich ins Zimmer zurück
- Veränderter Schlaf-Wach-Rhythmus
- Hält Termine nicht ein
- Zeigt kaum Anteilnahme an der Umgebung
- Zeigt kein Interesse

▶ Ursachen
- Psychiatrische Störung
- Psychiatrische Erkrankung
- Depressive Störung
- Endogene Depression
- Exogene Depression
- Ist in der „eigenen Welt" verhaftet
- Antriebslosigkeit
- Fehlendes Interesse

▶ Ressourcen
- Ist an der selbstständigen Versorgung interessiert
- Zeigt Verhaltensweisen, die die Therapie unterstützen
- Nimmt therapeutische Anregungen an
- Hält die Verhaltensmaßregeln ein
- Die tägliche Lebensgestaltung ist trotz der Einschränkungen weitestgehend möglich
- Äußert, Spaß an den Gruppenangeboten zu haben

Pflegeziele
- Tagesablauf ist geregelt
- Geplante Aktivitäten werden eingehalten
- Verhalten lässt die Übernahme von Eigenverantwortung erkennen

Pflegeintervention
- Fest verbindlichen Tagesplan erstellen

Handlungsleitende Pflegeinterventionen
Bezugsperson festlegen
Gesprächsinhalt bestimmen
- Tages- und Wochenpläne besprechen
- Durchgeführte Aktivitäten besprechen
- Lebenspraktische Inhalte besprechen

Fest verbindlichen Tagesplan vereinbaren
- Mit Kontrollmöglichkeit
- Ohne Kontrollmöglichkeit
- In Eigenverantwortung
- In Verantwortung der Bezugsperson
- Tagesaktivitäten auswerten und reflektieren

Dauer des themenzentrierten Gesprächs festlegen

AEDL Sich beschäftigen lernen und sich entwickeln können

Pflegeziele
- Kennt die Behandlungsziele und ist zur Mitarbeit motiviert
- Therapie- und Interventionsangebote sind individuell abgestimmt
- Behandlungs- und Therapiekonzept sind transparent und vom therapeutischen Team umgesetzt
- Aktive Beteiligung an der Behandlungsplanung mit dem therapeutischen Team ist sichergestellt

Pflegeintervention
- Interdisziplinäres Teamgespräch über die Tagesstrukturierung und die verhaltenstherapeutische Vorgehensweise führen

Handlungsleitende Pflegeinterventionen
Beteiligte Personen bestimmen
- Bewohner
- Pflegeperson
- Ärztlicher Dienst
- Psychologe
- Sozialarbeiter
- Ergotherapeut
- Krankengymnast
- Logotherapeut
- Beschäftigungstherapeut
- Geistlicher Beistand
- Sonstige Personen

Zeitdauer angeben

Pflegeziele
- Übernimmt Mitverantwortung in der Gruppe
- Soziales Lernen ist unterstützt
- Kann in der Gruppe sprechen
- Integriert sich in das Gruppengeschehen
- Kennt die Spielregeln in sozialen Gemeinschaften

Pflegeintervention
- In Stationsaktivitäten zur Förderung gesellschaftlicher/sozialer Aspekte einbeziehen

Handlungsleitende Pflegeinterventionen
- Spielnachmittag besuchen
- Tanznachmittag besuchen
- Kirchenbesuch durchführen
- Spazieren gehen
- Singstunde besuchen
- An Festaktivitäten teilnehmen
- Am Sonntagsfrühstück teilnehmen

Teilnehmende Personen bestimmen
Zeitdauer der Aktivitäten bestimmen

Pflegeziele
- Gestaltet die persönliche Tagesstruktur sinnvoll
- Gefestigte Tagesstruktur ist aufgebaut

Pflegeintervention
- Klientenzentriertes Gespräch zur Tagesstrukturierung führen

Literatur: 44, 101, 102, 121, 125, 168, 267, 272, 273

Pflegediagnose
Der Bewohner nimmt unregelmäßig an den Therapien teil, Gefahr der unwirksamen gesundheitsbezogenen Ergebnisse

▶ **Kennzeichen**
- Hält sich nicht an die Vereinbarungen bezüglich Therapie und Behandlung
- Reagiert auf gestellte Forderungen bezüglich Therapie und Behandlung mit Abwehrverhalten
- Zeigt wenig Bereitschaft, die Therapie zu unterstützen
- Fehlt häufig zu vereinbarten Terminen
- Fehlende Einsicht bezüglich der Notwendigkeit einer Teilnahme

▶ **Ursachen**
- Fehlende Motivation
- Fehlendes Krankheitsgefühl
- Kognitive Fähigkeiten sind eingeschränkt
- Wissensdefizit
- Vergisst die Termine immer wieder
- Fehlendes Interesse

▶ **Ressourcen**
- Kognitive Fähigkeiten sind vorhanden
- Kann die Zusammenhänge zwischen notwendiger Verhaltensänderung und Krankheit/Symptomen erklären
- Erkennt die Notwendigkeit der getroffenen Intervention und kooperiert mit dem therapeutischen Team
- Kann Aufforderungen folgen und hält sich an Vorgaben

AEDL Sich beschäftigen lernen und sich entwickeln können

Pflegeziele	Pflegeintervention	Handlungsleitende Pflegeinterventionen
• Widerstand ist abgebaut • Geht gern und unaufgefordert zu den Therapien	• Gewünschtes Verhalten positiv verstärken	• Gewünschtes Verhalten durch Lob fördern • Im therapeutischen Team Verhaltensweisen zur Stärkung des Selbstkonzepts vereinbaren • Einüben, sich selbst zu belohnen
Pflegeziele	**Pflegeintervention**	**Handlungsleitende Pflegeinterventionen**
• Teilnahme an den Therapieterminen ist sichergestellt	• Teilnahme an den vereinbarten Therapien sicherstellen	• Selbstständige Termineinhaltung überwachen und dokumentieren • Zur Termineinhaltung auffordern • Motivationsgespräch führen
Pflegeziele	Pflegeintervention	Handlungsleitende Pflegeinterventionen
• Termin wird wahrgenommen	• Zu den Therapieangeboten hin begleiten/wieder zurückbegleiten	• Zum vereinbarten Termin innerhalb der Einrichtung bringen • Zum vereinbarten Termin außerhalb der Einrichtung bringen **Zeitdauer angeben** **Zusätzliche Pflegepersonen erforderlich**

Literatur: 44, 101, 102, 121, 125, 168, 267, 272, 273

Pflegediagnose
Der Bewohner kann sich nur schwer auf eine Aktivität konzentrieren, lässt sich durch Außenreize ablenken

▶ **Kennzeichen**
- Vollendet Handlungen nicht
- Führt Aktivitäten nur oberflächlich aus
- Lässt sich leicht ablenken
- Die Fähigkeit, aus einer Vielzahl von ankommenden Reizen jene auszuwählen, die zur Bewältigung der Aufgabe beitragen, ist beeinträchtigt

▶ **Ursachen**
- Depressionen
- Psychotische Störung
- Demenzielle Veränderung

▶ **Ressourcen**
- Zeigt Freude an Konzentrationsspielen
- Zeigt Verhaltensweisen, die die Therapie unterstützen
- Kann Aufforderungen folgen und hält sich an Vorgaben

Pflegeziele	Pflegeintervention	Handlungsleitende Pflegeinterventionen
• Konzentriert sich auf die jeweilige Aktivität und führt diese durch	• Aktivitäten kanalisieren	**Aktivitäten kanalisieren** • Anhalten, begonnene Aufgaben zu beenden • Aufmerksamkeit bei Therapieangeboten und Aktivitäten immer wieder bündeln • Aktivitäten auswählen, die beruhigend und reizarm sind
Pflegeziele	**Pflegeintervention**	
• Konzentriert sich auf die jeweilige Aktivität und führt diese durch • Beendet begonnene Tätigkeiten/Arbeiten, bevor Neues geplant wird	• Zur Ausdauer anhalten/angefangene Tätigkeiten beenden lassen	

AEDL Sich beschäftigen lernen und sich entwickeln können

Pflegeziele
- Konzentriert sich auf die jeweilige Aktivität und führt diese durch

Pflegeintervention
- Reizarme Aktivitäten und Tätigkeiten auswählen

Pflegeziele
- Erkennt eine einheitliche Zielsetzung im therapeutischen Team und akzeptiert diese
- Therapie- und Interventionsangebote sind individuell abgestimmt
- Behandlungs- und Therapiekonzept sind transparent und vom therapeutischen Team umgesetzt
- Aktive Beteiligung an der Behandlungsplanung mit dem therapeutischen Team ist sichergestellt

Pflegeintervention
- Interdisziplinäres Teamgespräch über den Pflege- und Behandlungsprozess führen

Handlungsleitende Pflegeinterventionen
Beteiligte Personen bestimmen
- Bewohner
- Pflegeperson
- Ärztlicher Dienst
- Psychologe
- Sozialarbeiter
- Ergotherapeut
- Krankengymnast
- Logotherapeut
- Beschäftigungstherapeut
- Geistlicher Beistand
- Sonstige Personen

Zeitdauer angeben

Literatur: 44, 101, 102, 121, 125, 168, 267, 272, 273

Pflegediagnose
Der Bewohner hat ein gesteigertes Selbstwertgefühl/Selbstbewusstsein

▶ **Kennzeichen**
- Zeigt Verhaltensweisen der Selbstüberschätzung
- Zeigt gegenüber Gesprächspartnern Imponiergehabe
- Unterbricht Gesprächspartner häufig
- Lässt Gesprächspartner nicht zu Wort kommen
- Provoziert oder beleidigt Gesprächspartner
- Fehlende soziale Integration

▶ **Ursachen**
- Manie
- Verändertes Selbstkonzept

▶ **Ressourcen**
- Kann sein Verhalten in Gesprächen reflektieren

Pflegeziele
- Fühlt sich angenommen und akzeptiert
- Verletzt Mitmenschen nicht

Pflegeintervention
- Im klientenzentrierten Gespräch aufzeigen, welche Gefühle bei anderen durch das Verhalten ausgelöst werden

Pflegeziele
- Selbstüberschätzung ist nicht gefördert
- Erhält Feed-back über Selbst- und Fremdwahrnehmung

Pflegeintervention
- Sich dem Bewohner gegenüber euphoriehemmend verhalten

Pflegeziele
- Erkennt eine einheitliche Zielsetzung im therapeutischen Team und akzeptiert diese

Pflegeintervention
- Interdisziplinäres Teamgespräch über den Pflege- und Behandlungsprozess führen

Handlungsleitende Pflegeinterventionen
Beteiligte Personen bestimmen
- Bewohner
- Pflegeperson
- Ärztlicher Dienst

AEDL Sich beschäftigen lernen und sich entwickeln können

- Therapie- und Interventionsangebote sind individuell abgestimmt
- Behandlungs- und Therapiekonzept sind transparent und vom therapeutischen Team umgesetzt
- Aktive Beteiligung an der Behandlungsplanung mit dem therapeutischen Team ist sichergestellt

- Psychologe
- Sozialarbeiter
- Ergotherapeut
- Krankengymnast
- Logotherapeut
- Beschäftigungstherapeut
- Geistlicher Beistand
- Sonstige Personen

Zeitdauer angeben

Pflegeziele	Pflegeintervention	Handlungsleitende Pflegeinterventionen
• Erhält Feed-back aus der Gruppe	• Feed-back im Gruppengespräch ermöglichen	**Teilnehmende Personen bestimmen** **Zeitdauer des Gruppengesprächs bestimmen**

Literatur: 44, 101, 102, 121, 125, 168, 267, 272, 273

Pflegediagnose
Der Bewohner hat ein reduziertes Selbstwertgefühl und ist dadurch in der Lebensgestaltung eingeschränkt

▶ **Kennzeichen**
- Traut sich Aktivitäten nicht zu
- Fehlender Blickkontakt
- Sucht nach Bestätigung im Umfeld
- Kann sich nicht selbst loben
- Wirkt unsicher und unentschlossen
- Passt sich an und steht nicht zur eigenen Meinung
- Macht selbstentwertende Äußerungen
- Äußert negative Gedanken

▶ **Ursachen**
- Chronische körperliche Erkrankung
- Chronische psychische Erkrankung
- Negativ beeinflussendes soziales Umfeld
- Verlust und/oder Trennung von wichtigen Bezugspersonen
- Häufung von Misserfolgen
- Psychische Störung
- Psychotische Störung
- Depressionen

▶ **Ressourcen**
- Zeigt Verhaltensweisen, die die Therapie unterstützen
- Reagiert positiv auf therapeutische Gespräche
- Auf Nachfrage werden Wünsche und Bedürfnisse mitgeteilt

Pflegeziele	Pflegeintervention	
• Fühlt sich angenommen und akzeptiert	• Akzeptierende, wertschätzende und wertungsfreie Grundhaltung gegenüber dem Bewohner zeigen	

Pflegeziele	Pflegeintervention	Handlungsleitende Pflegeinterventionen
• Nimmt positive Ereignisse bzw. Dinge wahr und kann darüber berichten • Benennt positive Aspekte von Ereignissen und Erlebnissen	• Positiven Tagesrückblick in der Gruppe durchführen	**Teilnehmende Personen bestimmen** **Zeitdauer des Gruppengesprächs bestimmen**

Pflegeziele	Pflegeintervention
• Entwickelt ein positives Selbstwertgefühl • Nimmt positive Ereignisse bzw. Dinge wahr und kann darüber berichten	• Im klientenzentrierten Gespräch einen positiven Tagesrückblick durchführen

AEDL Sich beschäftigen lernen und sich entwickeln können

Pflegeziele
- Erkennt, dass der persönliche Blick selektiv auf Negatives gerichtet ist
- Nimmt positive Ereignisse bzw. Dinge wahr und kann darüber berichten

Pflegeintervention
- Klientenzentriertes Gespräch zum Aufbau des Selbstwertgefühls führen

---

Pflegeziele
- Soziale Kompetenzen sind gefördert

Pflegeintervention
- Selbstkonzept/-bild und soziale Kompetenzen in Gruppentherapie fördern

Handlungsleitende Pflegeinterventionen
- Selbstsicherheitstraining durchführen
- Genusstherapie durchführen
- Verhaltenstherapie durchführen
- Assertiveness-Training-Programm (ATP) durchführen
- Integriertes Psychologisches Therapieprogramm (IPT) durchführen
- Kognitive Therapiegruppe besuchen
- Musiktherapie durchführen
- Gestalttherapie durchführen
- Maltherapie durchführen
- Therapieangebote mit Tieren wahrnehmen
- Märchen-/Literaturgruppe besuchen
- Wahrnehmungstraining durchführen
- Rollenspiele durchführen

Anzahl der beteiligten Personen bestimmen
Zeitdauer der Gruppentherapie bestimmen

Pflegeziele
- Kann Gefühle artikulieren und adäquat äußern
- Ist sozial integriert
- Nimmt Gefühle wahr und beschreibt sie in Worten

Pflegeintervention
- Selbstkonzept/-bild und soziale Kompetenzen in Einzeltherapie fördern

Handlungsleitende Pflegeinterventionen
- Selbstsicherheitstraining durchführen
- Genusstherapie durchführen
- Verhaltenstherapie durchführen
- Assertiveness-Training-Programm (ATP) durchführen
- Integriertes Psychologisches Therapieprogramm (IPT) durchführen
- Kognitive Therapiegruppe besuchen
- Positiven Tagesrückblick durchführen
- Musiktherapie durchführen
- Gestalttherapie durchführen
- Maltherapie durchführen
- Therapieangebote mit Tieren wahrnehmen
- Märchen-/Literaturgruppe besuchen
- Wahrnehmungstraining durchführen
- Rollenspiele durchführen

Zeitdauer der Einzelförderung bestimmen

Pflegeziele
- Wut, Ärger und Aggression werden in adäquater Weise wahrgenommen und ausgelebt
- Kann sich ausdrücken und Wünsche/Bedürfnisse adäquat äußern
- Verhält sich angemessen in sozialen Lebenssituationen

Pflegeintervention
- Selbstsicherheitstraining in Form von Rollenspielen durchführen

Handlungsleitende Pflegeinterventionen
Teilnehmende Personen bestimmen
Zeitdauer der Gruppenangebote bestimmen

AEDL Sich beschäftigen lernen und sich entwickeln können

Pflegeziele
- Erkennt eine einheitliche Zielsetzung im therapeutischen Team und akzeptiert diese
- Therapie- und Interventionsangebote sind individuell abgestimmt
- Behandlungs- und Therapiekonzept sind transparent und vom therapeutischen Team umgesetzt
- Aktive Beteiligung an der Behandlungsplanung mit dem therapeutischen Team ist sichergestellt

Pflegeintervention
- Interdisziplinäres Teamgespräch über den Pflege- und Behandlungsprozess führen

Handlungsleitende Pflegeinterventionen
Beteiligte Personen bestimmen
- Bewohner
- Pflegeperson
- Ärztlicher Dienst
- Psychologe
- Sozialarbeiter
- Ergotherapeut
- Krankengymnast
- Logotherapeut
- Beschäftigungstherapeut
- Geistlicher Beistand
- Sonstige Personen

Zeitdauer angeben

Pflegeziele
- Übernimmt Mitverantwortung in der Gruppe
- Soziales Lernen ist unterstützt
- Kann in der Gruppe sprechen
- Integriert sich in das Gruppengeschehen
- Kennt die Spielregeln in sozialen Gemeinschaften

Pflegeintervention
- In Stationsaktivitäten zur Förderung gesellschaftlicher/sozialer Aspekte einbeziehen

Handlungsleitende Pflegeinterventionen
- Spielnachmittag besuchen
- Tanznachmittag besuchen
- Kirchenbesuch durchführen
- Spazieren gehen
- Singstunde besuchen
- An Festaktivitäten teilnehmen
- Am Sonntagsfrühstück teilnehmen

Teilnehmende Personen bestimmen
Zeitdauer der Aktivitäten bestimmen

Pflegeziele
- Wendet Entspannungstechniken erfolgreich an

Pflegeintervention
- Beim Erlernen einer Entspannungstechnik unterstützen

Handlungsleitende Pflegeinterventionen
- Entspannungsübung „Körperreise" durchführen
- Progressive Muskelentspannung trainieren
- Musik-Entspannungstherapie durchführen
- Funktionelle atemrhythmisierende Entspannungsmethode anwenden
- Autogenes Training durchführen

Literatur: 15, 17, 50, 98, 101, 108, 125, 220

AEDL Sich beschäftigen lernen und sich entwickeln können

Pflegediagnose
Der Bewohner unterstützt den Pflege-/Behandlungsprozess nicht, Gefahr von ineffektiven gesundheitsbezogenen Ergebnissen

► **Kennzeichen**
- Fehlende Motivation
- Pflege-/Behandlungsvereinbarungen werden nicht eingehalten
- Reagiert auf gestellte Forderungen bezüglich Therapie und Behandlung mit Abwehrverhalten
- Zeigt wenig Bereitschaft, die Therapie zu unterstützen
- Sieht keinen Sinn darin, etwas zu tun
- Hält sich nicht an die Vereinbarungen bezüglich Therapie und Behandlung
- Zeigt Verhaltensweisen/macht Äußerungen, die auf ein Wissensdefizit hinweisen
- Zeigt Abwehrverhalten bei pflegerischen Tätigkeiten

► **Ursachen**
- Veränderter Denkprozess
- Schizophrene Psychose
- Demenz
- Psychiatrische Erkrankung
- Altersdepression
- Wochenbettdepression
- Apathisch-gehemmte Depression
- Endogene Depression
- Exogene Depression
- Fehlende Einsicht
- Wissensdefizit

► **Ressourcen**
- Kann Vertrauen zum Pflegepersonal aufbauen
- Reagiert positiv auf therapeutische Gespräche

Pflegeziele
- Baut Vertrauen zum therapeutischen Team auf
- Widerstand ist abgebaut

Pflegeintervention
- Vertrauensbasis aufbauen

Pflegeziele
- Erkennt eigene Anteile, die eine depressive Grundhaltung fördern

Pflegeintervention
- Eigenverantwortlichkeit aufzeigen

Pflegeziele
- Ursachen sind erkannt

Pflegeintervention
- Klientenzentriertes Gespräch über Gründe und Ursachen der fehlenden Therapieunterstützung führen

---

Pflegeziele
- Erkennt eine einheitliche Zielsetzung im therapeutischen Team und akzeptiert diese
- Therapie- und Interventionsangebote sind individuell abgestimmt
- Behandlungs- und Therapiekonzept sind transparent und vom therapeutischen Team umgesetzt
- Aktive Beteiligung an der Behandlungsplanung mit dem therapeutischen Team ist sichergestellt

Pflegeintervention
- Interdisziplinäres Teamgespräch über den Pflege- und Behandlungsprozess führen

Handlungsleitende Pflegeinterventionen

Beteiligte Personen bestimmen
- Bewohner
- Pflegeperson
- Ärztlicher Dienst
- Psychologe
- Sozialarbeiter
- Ergotherapeut
- Krankengymnast
- Logotherapeut
- Beschäftigungstherapeut
- Geistlicher Beistand
- Sonstige Personen

Zeitdauer angeben

AEDL Sich beschäftigen lernen und sich entwickeln können

Pflegeziele
- Kann ein Vertrauensverhältnis zum Gesprächspartner aufbauen
- Spricht die Bezugsperson bei Problemen selbstständig an

Pflegeintervention
- Bezugsperson festlegen

Literatur: 44, 101, 102, 121, 125, 168, 267, 272, 273

Pflegediagnose
Der Bewohner fühlt sich/ist durch das Therapieangebot überfordert

▶ **Kennzeichen**
- Reagiert auf gestellte Forderungen bezüglich Therapie und Behandlung mit Abwehrverhalten
- Zeigt wenig Bereitschaft, die Therapie zu unterstützen
- Aggressives Verhalten
- Konzentration/Aufmerksamkeit ist reduziert
- Wirkt in Belastungssituationen ratlos
- Zieht sich vom sozialen Geschehen zurück
- Äußert Angstgefühle vor bestimmten Situationen

▶ **Ursachen**
- Fehlende kognitive Fähigkeiten
- Morbus Alzheimer
- Kognitive Fähigkeiten sind eingeschränkt
- Korsakow-Syndrom
- Depressionen
- Eingeschränkte körperliche Belastungsfähigkeit
- Belastungsintoleranz
- Erschöpfung

▶ **Ressourcen**
- Erkennt die Notwendigkeit der getroffenen Intervention und kooperiert mit dem therapeutischen Team
- Kann die körperliche Belastbarkeit einschätzen und fordert rechtzeitig Unterstützung an

Pflegeziele
- Nimmt eine Überforderung selbst wahr und kann dies äußern

Pflegeintervention
- Aufgaben auf das Leistungsniveau zuschneiden

Handlungsleitende Pflegeinterventionen
- Arbeitsschritte verkleinern
- Aktivitätenplanung auf die Ressourcen zuschneiden
- Pausen vorsehen und einhalten
- Durch Wiederholungen Sicherheit fördern und Überforderung abbauen
- Ressourcen aktivieren

Pflegeziele
- Einer Überforderung ist vorgebeugt

Pflegeintervention
- Auf Anzeichen von Überforderung in Verbindung mit den Anforderungen beobachten

Pflegeziele
- Erkennt eine einheitliche Zielsetzung im therapeutischen Team und akzeptiert diese
- Therapie- und Interventionsangebote sind individuell abgestimmt
- Behandlungs- und Therapiekonzept sind transparent und vom therapeutischen Team umgesetzt
- Aktive Beteiligung an der Behandlungsplanung mit dem therapeutischen Team ist sichergestellt

Pflegeintervention
- Interdisziplinäres Teamgespräch über den Pflege- und Behandlungsprozess führen

Handlungsleitende Pflegeinterventionen
Beteiligte Personen bestimmen
- Bewohner
- Pflegeperson
- Ärztlicher Dienst
- Psychologe
- Sozialarbeiter
- Ergotherapeut
- Krankengymnast
- Logotherapeut
- Beschäftigungstherapeut
- Geistlicher Beistand
- Sonstige Personen

Zeitdauer angeben

Literatur: 44, 101, 102, 121, 125, 168, 267, 272, 273

AEDL Sich beschäftigen lernen und sich entwickeln können

Pflegediagnose
Der Bewohner hat eine reduzierte Leistungsfähigkeit, ist in den Aktivitäten des täglichen Lebens eingeschränkt

▶ **Kennzeichen**
- Beschreibt belastungsabhängige Schwäche
- Ermüdungserscheinungen
- Äußerungen über Leistungsschwäche
- Offenbart Hilfsbedürftigkeit
- Äußert ein Gefühl der Hilflosigkeit
- Fortbewegung ist ohne Hilfsmittel/Hilfspersonen nicht möglich
- Traut sich Aktivitäten nicht zu
- Messbar reduziertes Leistungsniveau im Vergleich zu früheren Messwerten

▶ **Ursachen**
- Schmerzzustände
- Kognitive Fähigkeiten sind eingeschränkt
- Fehlende kognitive Fähigkeiten
- Schwere körperliche Beeinträchtigung
- Beweglichkeit ist eingeschränkt
- Eingeschränkte körperliche Belastungsfähigkeit
- Psychische Erkrankung
- Psychiatrische Erkrankung

▶ **Ressourcen**
- Kann Hilfe annehmen
- Akzeptiert die Unterstützung von Angehörigen
- Kann die körperliche Belastbarkeit einschätzen und fordert rechtzeitig Unterstützung an

---

Pflegeziele
- Erleben von Misserfolgen ist vermieden

Pflegeintervention
- Aufgaben auf das Leistungsniveau zuschneiden

Handlungsleitende Pflegeinterventionen
- Arbeitsschritte verkleinern
- Aktivitätenplanung auf die Ressourcen zuschneiden
- Pausen vorsehen und einhalten
- Durch Wiederholungen Sicherheit fördern und Überforderung abbauen
- Ressourcen aktivieren

Pflegeziele
- Erkennt eine einheitliche Zielsetzung im therapeutischen Team und akzeptiert diese
- Therapie- und Interventionsangebote sind individuell abgestimmt
- Behandlungs- und Therapiekonzept sind transparent und vom therapeutischen Team umgesetzt
- Aktive Beteiligung an der Behandlungsplanung mit dem therapeutischen Team ist sichergestellt

Pflegeintervention
- Interdisziplinäres Teamgespräch über den Pflege- und Behandlungsprozess führen

Handlungsleitende Pflegeinterventionen
Beteiligte Personen bestimmen
- Bewohner
- Pflegeperson
- Ärztlicher Dienst
- Psychologe
- Sozialarbeiter
- Ergotherapeut
- Krankengymnast
- Logotherapeut
- Beschäftigungstherapeut
- Geistlicher Beistand
- Sonstige Personen

Zeitdauer angeben

Pflegeziele
- Konzentrationsleistung ist gefördert
- Körperliche Leistungsfähigkeit ist gesteigert

Pflegeintervention
- Trainingsprogramm zur Steigerung des Leistungsniveaus vereinbaren

Handlungsleitende Pflegeinterventionen
- Trainingsprogramm zur Steigerung der Körperfitness absolvieren
- Trainingsprogramm zur Steigerung der kognitiven Fähigkeiten absolvieren
- Trainingsprogramm zu Erhöhung der Ausdauer absolvieren
- Trainingsprgramm zur Steigerung der Konzentration absolvieren

AEDL Sich beschäftigen lernen und sich entwickeln können

Pflegeziele
- Erkennt und akzeptiert den Trainingserfolg

Pflegeintervention
- Im klientenzentrierten Gespräch die Trainingserfolge zur Steigerung des Leistungsniveaus reflektieren

Literatur: 44, 101, 102, 121, 125, 168, 267, 272, 273

Pflegediagnose
Der Bewohner ist betagt und in der selbstständigen Lebensgestaltung beeinträchtigt

► Kennzeichen
- Beschreibt Schmerzzustände seit einem langen Zeitraum
- Bewegungseinschränkung im Bereich der Aktivitäten des täglichen Lebens
- Körperliche Schwäche
- Desorientierung
- Verwirrung

► Ursachen
- Chronische psychische Erkrankung
- Chronische körperliche Erkrankung
- Senile Demenz
- Morbus Alzheimer
- Seniler Tremor
- Altersbedingte Veränderungen

► Ressourcen
- Kann Hilfe annehmen
- Akzeptiert die Unterstützung von Angehörigen
- Kann die körperliche Belastbarkeit einschätzen und fordert rechtzeitig Unterstützung an

Pflegeziele
- Fühlt sich angenommen und akzeptiert
- Geht einer sinnvollen Beschäftigung nach
- Äußert, einen Lebenssinn/-inhalt für sich zu sehen
- Äußerungen wie „ich fühle mich nutzlos" sind reduziert

Pflegeintervention
- Gruppenangebote/Aktivierungstraining durchführen

Handlungsleitende Pflegeinterventionen
- Gemeinsam Mahlzeiten kochen
- Beschäftigungstherapie durchführen
- Gemeinsam alte Lieder singen
- Gottesdienst gemeinsam gestalten
- An Festaktivitäten teilnehmen
- Gesprächskreis im Erinnerungsraum leiten
- Aus der Tageszeitung vorlesen und aktuelle Themen diskutieren

Anzahl der beteiligten Personen bestimmen
Zeitdauer der Gruppenangebote bestimmen

Pflegeziele
- Fühlt sich angenommen und akzeptiert

Pflegeintervention
- Bisherige Lebensgewohnheiten berücksichtigen

Pflegeziele
- Geht einer sinnvollen Beschäftigung nach

Pflegeintervention
- Teilnahme an dem Gruppenangebot/dem Aktivitätstraining ermöglichen

Handlungsleitende Pflegeinterventionen
- Am Gottesdienst teilnehmen
- Am Gesprächskreis im Erinnerungsraum teilnehmen
- Am Seniorennachmittag teilnehmen
- Singstunde besuchen
- Märchen-/Literaturgruppe besuchen
- Konzentrative Bewegungstherapie durchführen
- An der Seniorengymnastik teilnehmen

Zeitdauer der Gruppenangebote bestimmen

Pflegeziele
- Fühlt sich angenommen und akzeptiert
- Führt Tätigkeiten gern durch

Pflegeintervention
- Motivationsverstärker einsetzen

AEDL Sich beschäftigen lernen und sich entwickeln können

Pflegeziele	Pflegeintervention	Handlungsleitende Pflegeinterventionen
• Fühlt sich angenommen und verstanden	• Gespräch mit integrativ-validierendem Ansatz führen	• Gefühlsäußerungen akzeptieren • Individuelle Angebote bei häufig auftretenden Gefühlsäußerungen durchführen • Ähnlich personenbezogene verbale Angebote bei wiederkehrenden Aktivitäten durchführen **Zeitdauer des Gesprächs bestimmen**
• Fühlt sich angenommen und verstanden	• Bei der Planung/Gestaltung des Tags durch Einzelangebote unterstützen	• Mahlzeiten kochen • Einkaufen gehen • Küchendienst übernehmen • In einer Diskussionsgruppe über das Tagesgeschehen sprechen • Zimmer reinigen • Tisch für die Mahlzeiten decken/abdecken • Blumenpflege durchführen • Wäsche versorgen **Art der Unterstützungsleistung bestimmen** • Beim Durchführen anleiten • Beim Durchführen beaufsichtigen • Durchgeführte Tätigkeiten in themenzentriertem Gespräch reflektieren • Gemeinsam partnerschaftlich durchführen **Zeitdauer der Einzelförderung bestimmen**
• Entwickelt ein positives Selbstwertgefühl	• Selbstwertgefühl und Selbstachtung durch einheitliche Verhaltensweise im therapeutischen Team fördern	• Gewünschtes Verhalten durch Lob fördern • Im therapeutischen Team Verhaltensweisen zur Stärkung des Selbstkonzepts vereinbaren • Einüben, sich selbst zu belohnen
• Fühlt sich angenommen und akzeptiert • Ist sozial integriert	• Öffentlichkeitsorientierte, soziale Aktivitäten durchführen	• Ausflugsfahrten organisieren und durchführen • Konzertbesuche organisieren und durchführen • Besichtigungsfahrten organisieren und durchführen • Urlaub organisieren und durchführen

Literatur: 77, 121, 168, 272, 273

AEDL Sich beschäftigen lernen und sich entwickeln können

Pflegediagnose
Der Bewohner hat eine Behinderung, ist in der selbstständigen Lebensgestaltung eingeschränkt

▶ Kennzeichen	▶ Ursachen	▶ Ressourcen
• Reduzierte Beweglichkeit der Gelenke • Verletzung/Behinderung • Empfindet Hilflosigkeit gegenüber dem Körper • Fortbewegung ist ohne Hilfsmittel/Hilfspersonen nicht möglich • Kann nicht allein gehen • Bewegungsabläufe sind verlangsamt • Beeinträchtigte Bewegungskoordination • Bestimmte Bewegungsabläufe führen zu spastischen Haltungsmustern • Fehlende kognitive Fähigkeiten	• Angeborene Beeinträchtigung • Erworbene Beeinträchtigung • Geistige Behinderung • Lähmung aufgrund von Querschnitt • Traumatischer Unfall • Sauerstoffunterversorgung bei der Geburt • Down-Syndrom • Traumatische Verletzung	• Kann Hilfe annehmen • Akzeptiert die Unterstützung von Angehörigen • Kann die körperliche Belastbarkeit einschätzen und fordert rechtzeitig Unterstützung an • Ist motiviert, Hilfsmittel zur Steigerung der Mobilität einzusetzen • Entwickelt kreative Möglichkeiten, die Bewegungseinschränkung zu kompensieren

Pflegeziele	Pflegeintervention	
• Akzeptiert die Behinderung	• Bei der Fortführung bisheriger Lebensgewohnheiten unterstützen	

Pflegeziele	Pflegeintervention	
• Akzeptiert die Behinderung • Defizite sind durch Erlernen und Einüben von Strategien kompensiert	• Aktivierende Pflegeangebote machen	

Pflegeziele	Pflegeintervention	Handlungsleitende Pflegeinterventionen
• Gleicht Defizite aus und ist aktiviert	• Ressourcen und Fähigkeiten durch gezielte Angebote fördern	• Selbstsicherheitstraining durchführen • Entspannungstraining durchführen • Genusstherapie durchführen • Konzentrative Bewegungstherapie durchführen • Verhaltenstherapie durchführen • Assertiveness-Training-Programm (ATP) durchführen • Kognitive Therapiegruppe besuchen • Märchen-/Literaturgruppe besuchen • Wahrnehmungstraining durchführen **Zeitdauer der Einzelförderung bestimmen**

Pflegeziele	Pflegeintervention	Handlungsleitende Pflegeinterventionen
• Gefestigte Tagesstruktur ist aufgebaut • Selbstvertrauen in eigene Kompetenzen/Fähigkeiten ist entwickelt • Körperliche Geschicklichkeit ist gefördert • Zugang zu den eigenen Empfindungen ist unterstützt	• Beschäftigungstherapeutische Einzelförderung durchführen	• Malen • Werken • Töpfern • Collagen gestalten • Batiken • Seidenmalerei betreiben • Weben • Holzarbeiten anfertigen • Flechtarbeiten anfertigen

AEDL Sich beschäftigen lernen und sich entwickeln können

Art und Weise der Unterstützung bestimmen
- Einleitend motivieren und aktivieren
- Kontinuierlich motivieren und anleiten
- Bei der Durchführung unterstützen

Zeitdauer der Einzelförderung bestimmen

Pflegeziele
- Akzeptiert die Behinderung
- Entwickelt eine Zukunftsperspektive mit den Einschränkungen der Behinderung

Pflegeintervention
- Klientenzentriertes Gespräch zur Neuorientierung und Verarbeitung der veränderten Lebenssituation durchführen

---

Pflegeziele
- Fühlt sich angenommen und akzeptiert
- Ist sozial integriert

Pflegeintervention
- Gespräch zur rehabilitativen Eingliederung und Förderung sozialer Kontakte führen

Handlungsleitende Pflegeinterventionen

Netzwerke bestimmen, die aufgebaut/gefördert werden können
- Netzwerk Familie
- Netzwerk Freundeskreis
- Netzwerk Arbeitsfeld
- Netzwerk Glaubensgemeinschaft
- Netzwerk Freizeitaktivität/Hobby
- Selbsthilfegruppe
- Sonstige Netzwerke

Zeitdauer der Intervention bestimmen

Gesprächspartner bestimmen
- Angehörige
- Betreuer
- Freunde
- Arbeitgeber
- Arbeitskollegen
- Ämter
- Kirchenvertreter
- Nachbarn
- Sonstige Personen

Pflegeziele
- Unterschiedlichste Sinne sind durch Reize zur Förderung von Orientierung und Wahrnehmung stimuliert

Pflegeintervention
- Sinneswahrnehmung durch individuell abgestimmte Snoezelangebote stimulieren

Handlungsleitende Pflegeinterventionen

Zeitdauer der Einzelförderung bestimmen

Pflegeziele
- Soziale Kompetenzen sind gefördert
- Kognitive Fähigkeiten sind gefördert

Pflegeintervention
- Spiele und Aktivitäten einsetzen, um Kompetenzen des Bewohners zu fördern

Handlungsleitende Pflegeinterventionen
- Volleyball spielen
- Tischtennis spielen
- Handball spielen
- Fußball spielen
- Federball spielen
- Tennis spielen

Gesellschaftsspiele spielen
- Mensch ärgere Dich nicht
- Monopoly
- Mikado
- Domino
- Kartenspiele

Teilnehmende Personen bestimmen

Unter Beteiligung von Pflegepersonen aktivieren

AEDL Sich beschäftigen lernen und sich entwickeln können

Pflegeziele
- Kann sich am Tagesablauf orientieren

Pflegeintervention
- Tages- und Wochenplan gemeinsam erarbeiten und Vereinbarungen bezüglich der Aktivitäten treffen

Handlungsleitende Pflegeinterventionen
Bezugsperson festlegen
Gesprächsinhalt bestimmen
- Tages- und Wochenpläne besprechen
- Durchgeführte Aktivitäten besprechen
- Lebenspraktische Inhalte besprechen

Fest verbindlichen Tagesplan vereinbaren
- Mit Kontrollmöglichkeit
- Ohne Kontrollmöglichkeit
- In Eigenverantwortung
- In Verantwortung der Bezugsperson
- Tagesaktivitäten auswerten und reflektieren

Dauer des themenzentrierten Gesprächs festlegen

Pflegeziele
- Akzeptiert die Behinderung
- Defizite sind durch Erlernen und Einüben von Strategien kompensiert

Pflegeintervention
- Einsatz von Hilfsmitteln ermöglichen

Pflegeziele
- Defizite sind durch Erlernen und Einüben von Strategien kompensiert

Pflegeintervention
- Rehabilitative Maßnahmen einleiten

Pflegeziele
- Entwickelt eine Zukunftsperspektive mit den Einschränkungen der Behinderung
- Ist sozial integriert

Pflegeintervention
- Sozialarbeiter/in einschalten

Literatur: 61, 121, 168, 272, 273

Pflegediagnose
Der Bewohner neigt dazu, eigene Gefühle und Probleme zu verdecken, indem er sich mit Problemen von Mitmenschen beschäftigt

▶ **Kennzeichen**
- Die Auseinandersetzung mit eigenen Defiziten ist erschwert möglich
- Spricht viel über die Schwierigkeiten anderer
- Hört bei Gesprächen überwiegend zu
- Spricht kaum von eigenen Problemen

▶ **Ursachen**
- Möchte von eigenen Schwierigkeiten ablenken
- Nimmt eigene Probleme nicht wahr

▶ **Ressourcen**
- Kann Gefühle und Sorgen mit der Bezugsperson besprechen
- Versteht das Therapiekonzept und ist bereit, sich aktiv zu beteiligen

Pflegeziele
- Unterstützt die Therapie
- Ursachen sind erkannt

Pflegeintervention
- Kommunikationsstil beobachten

AEDL Sich beschäftigen lernen und sich entwickeln können

Pflegeziele
- Therapie- und Interventionsangebote sind individuell abgestimmt
- Behandlungs- und Therapiekonzept sind transparent und vom therapeutischen Team umgesetzt
- Aktive Beteiligung an der Behandlungsplanung mit dem therapeutischen Team ist sichergestellt

Pflegeintervention
- Inhalt des therapeutischen Gesprächs und weiterer Behandlungs- und Therapiestrategien im Team besprechen

Handlungsleitende Pflegeinterventionen
Beteiligte Personen bestimmen
- Bewohner
- Pflegeperson
- Ärztlicher Dienst
- Psychologe
- Sozialarbeiter
- Ergotherapeut
- Krankengymnast
- Logotherapeut
- Beschäftigungstherapeut
- Geistlicher Beistand
- Sonstige Personen

Zeitdauer angeben

Pflegeziele
- Nimmt Gefühle wahr und lässt sie zu
- Erkennt, dass das Zeigen von Gefühlen und Schwächen erleichternd wirken kann und nicht an negative Konsequenzen gekoppelt ist

Pflegeintervention
- Schwächen des Bewohners zulassen, akzeptierende Werthaltung signalisieren

---

Pflegeziele
- Nimmt Gefühle wahr und lässt sie zu
- Erhält Feed-back aus der Gruppe

Pflegeintervention
- Thematisierte Probleme des Bewohners in Gesprächsgruppen moderieren

Handlungsleitende Pflegeinterventionen
Teilnehmende Personen bestimmen
Zeitdauer des Gruppengesprächs bestimmen

Pflegeziele
- Erkennt eine einheitliche Zielsetzung im therapeutischen Team und akzeptiert diese

Pflegeintervention
- Verhaltensstrategien bezüglich des Feed-backs an den Bewohner im Team absprechen

Handlungsleitende Pflegeinterventionen
Beteiligte Personen bestimmen
- Bewohner
- Pflegeperson
- Ärztlicher Dienst
- Psychologe
- Sozialarbeiter
- Ergotherapeut
- Krankengymnast
- Logotherapeut
- Beschäftigungstherapeut
- Geistlicher Beistand
- Sonstige Personen

Zeitdauer angeben

Pflegeziele
- Nimmt eigene Wünsche und Bedürfnisse wahr
- Steht zu Entscheidungen und übernimmt dafür die Verantwortung
- Verbalisiert Wünsche und Bedürfnisse deutlich und fordert sie ein
- Erkennt Zusammenhänge zwischen eigenem Verhalten und Pflegediagnose

Pflegeintervention
- Themenzentriertes therapeutisches Pflegefachgespräch führen

Handlungsleitende Pflegeinterventionen
Inhalt des themenzentrierten Pflegefachgesprächs bestimmen
- Informationssammlung
- Pflege-, Betreuungs- und Behandlungsprozess
- Ursachenanalyse
- Strategien zur Krankheitsbewältigung
- Motivation/Aktivierung
- Alltagsbewältigung
- Förderung der Entscheidungsfindung
- Zukunftsperspektive

AEDL Sich beschäftigen lernen und sich entwickeln können

- Entwickelt Lösungswege im Gespräch

- Unterstützung der Orientierung
- Unterstützung des Realitätsbezugs
- Krisenintervention
- Aktuelle Bedürfnisse/Wünsche
- Instruktion/Anleitung
- Feed-back-Gespräch
- Sonstige Gesprächsinhalte

Zeitdauer des Gesprächs angeben

Literatur: 101, 102, 121, 125, 168, 267, 272, 273

▶ Pflegediagnosen im Zusammenhang mit Handeln und/oder Verhalten

Pflegediagnose
Der Bewohner zeigt passives, inaktives Verhalten gegenüber Aktivitäten/Angeboten, Gefahr des Selbstfürsorgedefizits

▶ Kennzeichen	▶ Ursachen	▶ Ressourcen
• Äußert, keine Kraft mehr zu haben • Äußert, die Tätigkeiten nicht durchführen zu können • Sieht keinen Sinn darin, etwas zu tun • Beschreibt die Unfähigkeit, etwas zu tun • Rückzugstendenzen • Zieht sich ins Zimmer zurück • Zieht sich vom sozialen Geschehen zurück • Hält sich gern im Bett auf • Äußert geringe Motivation/geringes Interesse zu/an gesundheitsförderndem Verhalten • Wählt sich gezielt Freizeitaktivitäten aus, die eine passive Konsumierhaltung unterstützen (z. B. Fernsehen) • Bringt sich nicht aktiv in die Freizeitgestaltung ein • Eingeschränkte Entscheidungsfähigkeit	• Schizophrene Psychose • Depressionen • Unsichere Persönlichkeit • Rückzug in sich selbst • Sinnkrise durch Krankheit • Nicht bewältigter Trauerprozess	• Kann über die Schwierigkeiten der veränderten Lebensgestaltung und deren Auswirkungen auf soziale Aktivitäten sprechen • Erfährt Rückhalt in der sozialen Umgebung • Hat im sozialen Umfeld Unterstützung bei der Trauerarbeit

Pflegeziele	Pflegeintervention	
• Ist zur aktiven Mitarbeit motiviert	• Aktivierende Sprechweise wählen	

Pflegeziele	Pflegeintervention	Handlungsleitende Pflegeinterventionen
• Selbstverantwortlichkeit und Autonomie sind unterstützt	• Eigenverantwortlichkeit und Autonomie im Gespräch fördern	• Handlungsalternativen aufzeigen und so Entscheidungskraft gezielt fördern • Keine Entscheidungen für den Bewohner treffen **Alltagsweltliche Entscheidungen fördern** • Menükomponenten beim Essen auswählen lassen

AEDL Sich beschäftigen lernen und sich entwickeln können

- Kleidungsstücke, die am Tag getragen werden, auswählen und zusammenstellen lassen
- Bei Freizeitbeschäftigungen mehrere Alternativen aufzeigen

Pflegeziele	Pflegeintervention	Handlungsleitende Pflegeinterventionen
• Zeigt Interesse und Spaß an den Freizeitaktivitäten	• Zur Durchführung von Aktivitäten motivieren	• Malen • Werken • Töpfern • Collagen gestalten • Batiken • Seidenmalerei betreiben • Weben • Holzarbeiten anfertigen • Flechtarbeiten anfertigen **Art und Weise der Unterstützung bestimmen** • Einleitend motivieren und aktivieren • Kontinuierlich motivieren und anleiten • Bei der Durchführung unterstützen **Zeitdauer der Einzelförderung bestimmen**
Pflegeziele • Zeigt Interesse und Spaß an den Freizeitaktivitäten • Nimmt an den vereinbarten Aktivitäten teil • Führt geeignete Aktivitäten durch, die den Gesundheitszustand verbessern können • Erkennt die Notwendigkeit der Durchführung von Aktivitäten und den Zusammenhang zwischen Stimmungslage und Aktivität	**Pflegeintervention** • Aktivitätenprogramm im Rahmen der kognitiven Therapie durchführen	**Handlungsleitende Pflegeinterventionen** • Hirnleistungstraining durchführen • Gedächtnistraining durchführen • Konzentrationstraining durchführen • Themenzentrierte Gespräche führen **Dauer der Therapie angeben**
Pflegeziele • Negative Gedanken vor oder während Aktivitäten werden identifiziert und neu bewertet	**Pflegeintervention** • Nach dem Aktivitätenprogramm therapeutische, themenzentrierte Pflegefachgespräche führen	**Handlungsleitende Pflegeinterventionen** **Bezugsperson festlegen** **Gesprächsinhalt bestimmen** • Tages- und Wochenpläne besprechen • Durchgeführte Aktivitäten besprechen • Lebenspraktische Inhalte besprechen **Fest verbindlichen Tagesplan vereinbaren** • Mit Kontrollmöglichkeit • Ohne Kontrollmöglichkeit • In Eigenverantwortung • In Verantwortung der Bezugsperson • Tagesaktivitäten auswerten und reflektieren **Dauer des themenzentrierten Gesprächs festlegen**
Pflegeziele • Therapie- und Interventionsangebote sind individuell abgestimmt • Behandlungs- und Therapiekonzept sind transparent und vom therapeutischen Team umgesetzt	**Pflegeintervention** • Inhalt des therapeutischen Gesprächs und weiterer Behandlungs- und Therapiestrategien im Team besprechen	**Handlungsleitende Pflegeinterventionen** **Beteiligte Personen bestimmen** • Bewohner • Pflegeperson • Ärztlicher Dienst • Psychologe • Sozialarbeiter

AEDL Sich beschäftigen lernen und sich entwickeln können

- Aktive Beteiligung an der Behandlungsplanung mit dem therapeutischen Team ist sichergestellt

- Ergotherapeut
- Krankengymnast
- Logotherapeut
- Beschäftigungstherapeut
- Geistlicher Beistand
- Sonstige Personen

Zeitdauer angeben

Literatur: 44, 121, 168, 272, 273

Pflegediagnose
Der Bewohner zieht sich vom sozialen Geschehen zurück, soziale Interaktion ist beeinträchtigt

▶ **Kennzeichen**
- Geht kaum auf andere zu
- Meidet Kontakte
- Zieht sich ins Zimmer zurück
- Fehlende soziale Integration
- Spricht kaum von eigenen Problemen
- Äußert Unbehagen in sozialen Situationen
- Berichtet über fehlendes Zugehörigkeitsgefühl

▶ **Ursachen**
- Psychische Erkrankung
- Scham, auf Hilfe angewiesen zu sein
- Scham bei Inkontinenz
- Soziokulturelle Unterschiede

▶ **Ressourcen**
- Kann Hilfe annehmen
- Akzeptiert die Unterstützung von Angehörigen
- Zeigt Verhaltensweisen, die die Therapie unterstützen
- Kann Vertrauen zum Pflegepersonal aufbauen

Pflegeziele
- Erkennt eine einheitliche Zielsetzung im therapeutischen Team und akzeptiert diese

Pflegeintervention
- Rückzugstendenzen nur zulassen, soweit sie nützlich sind

Handlungsleitende Pflegeinterventionen
- Feste Rückzugszeiten ins Zimmer vereinbaren
- Zimmer des Bewohners verschließen
- Zu Gruppenaktivitäten holen und motivieren

Pflegeziele
- Sozialkontakte und Gruppenverhalten sind gefördert
- Übernimmt Verantwortung bei der Gestaltung des Stationslebens

Pflegeintervention
- Den Bewohner aktiv in den Stationsablauf einbeziehen

Handlungsleitende Pflegeinterventionen
- Spielnachmittag besuchen
- Tanznachmittag besuchen
- Kirchenbesuch durchführen
- Spazieren gehen
- Singstunde besuchen
- An Festaktivitäten teilnehmen
- Am Sonntagsfrühstück teilnehmen

Teilnehmende Personen bestimmen
Zeitdauer der Aktivitäten bestimmen

Pflegeziele
- Tagesablauf ist geregelt
- Sozialkontakte und Gruppenverhalten sind gefördert
- Nimmt an Freizeitaktivitäten teil
- Geplante Aktivitäten werden eingehalten

Pflegeintervention
- Fest verbindlichen Tages-/ Wochenplan erstellen

Handlungsleitende Pflegeinterventionen

Bezugsperson festlegen
Gesprächsinhalt bestimmen
- Tages- und Wochenpläne besprechen
- Durchgeführte Aktivitäten besprechen
- Lebenspraktische Inhalte besprechen

Fest verbindlichen Tagesplan vereinbaren
- Mit Kontrollmöglichkeit
- Ohne Kontrollmöglichkeit
- In Eigenverantwortung
- In Verantwortung der Bezugsperson
- Tagesaktivitäten auswerten und reflektieren

Dauer des themenzentrierten Gesprächs festlegen

AEDL Sich beschäftigen lernen und sich entwickeln können

Pflegeziele
- Soziale Kompetenzen sind gefördert
- Spricht Konflikte in der Gruppe an

Pflegeintervention
- In gesprächstherapeutische Stationsaktivitäten/-programme einbeziehen

Handlungsleitende Pflegeinterventionen
- An Stationsgesprächsrunde/-meeting/-forum teilnehmen
- An Gesprächskreis über tagesaktuelle Themen teilnehmen
- Wochenendgruppe besuchen
- Konfliktgruppe besuchen
- Morgenrunde besuchen
- Kritikgruppe besuchen

Teilnehmende Personen bestimmen
Zeitdauer der Gruppenangebote bestimmen

Pflegeziele
- Kann Gefühle artikulieren und adäquat äußern
- Ist sozial integriert
- Nimmt Gefühle wahr und beschreibt sie in Worten

Pflegeintervention
- Selbstkonzept/-bild und soziale Kompetenzen in Einzeltherapie fördern

Handlungsleitende Pflegeinterventionen
- Selbstsicherheitstraining durchführen
- Genusstherapie durchführen
- Verhaltenstherapie durchführen
- Assertiveness-Training-Programm (ATP) durchführen
- Integriertes Psychologisches Therapieprogramm (IPT) durchführen
- Kognitive Therapiegruppe besuchen
- Positiven Tagesrückblick durchführen
- Musiktherapie durchführen
- Gestalttherapie durchführen
- Maltherapie durchführen
- Therapieangebote mit Tieren wahrnehmen
- Märchen-/Literaturgruppe besuchen
- Wahrnehmungstraining durchführen
- Rollenspiele durchführen

Zeitdauer der Einzelförderung bestimmen

Pflegeziele
- Soziale Kompetenzen sind gefördert

Pflegeintervention
- Selbstkonzept/-bild und soziale Kompetenzen in Gruppentherapie fördern

Handlungsleitende Pflegeinterventionen
- Selbstsicherheitstraining durchführen
- Genusstherapie durchführen
- Verhaltenstherapie durchführen
- Assertiveness-Training-Programm (ATP) durchführen
- Integriertes Psychologisches Therapieprogramm (IPT) durchführen
- Kognitive Therapiegruppe besuchen
- Musiktherapie durchführen
- Gestalttherapie durchführen
- Maltherapie durchführen
- Therapieangebote mit Tieren wahrnehmen
- Märchen-/Literaturgruppe besuchen
- Wahrnehmungstraining durchführen
- Rollenspiele durchführen

Anzahl der beteiligten Personen bestimmen
Zeitdauer der Gruppentherapie bestimmen

Pflegeziele
- Entwickelt ein positives Selbstwertgefühl

Pflegeintervention
- Selbstwertgefühl und Selbstachtung durch einheitliche Verhaltensweise im therapeutischen Team fördern

Handlungsleitende Pflegeinterventionen
- Gewünschtes Verhalten durch Lob fördern
- Im therapeutischen Team Verhaltensweisen zur Stärkung des Selbstkonzepts vereinbaren
- Einüben, sich selbst zu belohnen

AEDL Sich beschäftigen lernen und sich entwickeln können

Pflegeziele
- Kann eigene Fähigkeiten und Belastbarkeit einschätzen
- Mobilität und soziale Kontakte sind erhalten
- Körperliche Aktivität ist erhöht

Pflegeintervention
- In eine Gruppe integrieren, die regelmäßig spazieren geht

Handlungsleitende Pflegeinterventionen
- Zu Spaziergängen auffordern
- Mit dem Bewohner spazieren gehen
- Spaziergänge mit Angehörigen organisieren
- **Spaziergänge mit dem Bewohner durchführen**
- In der Gruppe mit dem Bewohner spazieren gehen
- **Zeit angeben**

Literatur: 44, 101, 102, 121, 125, 168, 267, 272, 273

Pflegediagnose
Der Bewohner kennt keine Grenzen und kann sich nicht an Regeln halten

▶ **Kennzeichen**
- Hält sich nicht an die Vereinbarungen bezüglich Therapie und Behandlung
- Regeln der Station/Organisationseinheit werden nicht eingehalten
- Zeigt teilweise rücksichtsloses Verhalten gegenüber Mitmenschen
- Zeigt verantwortungsloses Geschäftsverhalten/überschreitet den Finanzrahmen
- Hält sich nicht an Verhaltensregeln
- Äußert sich durch aggressives Verhalten
- Verletzt und setzt Mitmenschen herab
- Äußert sich gegenüber Mitmenschen wertend und macht diese lächerlich
- Provoziert oder beleidigt Gesprächspartner
- Zeigt sexuell enthemmtes Verhalten
- Befriedigt sich vor anderen

▶ **Ursachen**
- Fehlende Einsicht
- Fehlendes Krankheitsgefühl
- Zyklothymie
- Manie
- Erziehung

▶ **Ressourcen**
- Verhält sich entsprechend der Anleitung und Anweisung
- Hält Absprachen ein
- Kognitive Fähigkeiten sind vorhanden

Pflegeziele
- Kennt die Spielregeln und Grenzen der Station
- Hält die vorgegebene/vereinbarte Tagesstruktur ein
- Kennt die Stationsordnung und hält diese ein

Pflegeintervention
- Erkennbare, klare Grenzen ziehen und die therapeutische Distanz wahren

Pflegeziele
- Kennt die Spielregeln und Grenzen der Station

Pflegeintervention
- Für eine genaue Einhaltung der Vereinbarungen sorgen

AEDL Sich beschäftigen lernen und sich entwickeln können

Pflegeziele
- Kennt und akzeptiert die eigenen Grenzen
- Therapie- und Interventionsangebote sind individuell abgestimmt
- Behandlungs- und Therapiekonzept sind transparent und vom therapeutischen Team umgesetzt
- Aktive Beteiligung an der Behandlungsplanung mit dem therapeutischen Team ist sichergestellt

Pflegeintervention
- Interdisziplinäres Teamgespräch über die Inhalte der gesetzten Grenzen führen

Handlungsleitende Pflegeinterventionen
Beteiligte Personen bestimmen
- Bewohner
- Pflegeperson
- Ärztlicher Dienst
- Psychologe
- Sozialarbeiter
- Ergotherapeut
- Krankengymnast
- Logotherapeut
- Beschäftigungstherapeut
- Geistlicher Beistand
- Sonstige Personen

Zeitdauer angeben

Literatur: 44, 101, 102, 121, 125, 168, 267, 272, 273

Pflegediagnose
Der Bewohner nimmt unregelmäßig an den Therapien teil, Gefahr der unwirksamen gesundheitsbezogenen Ergebnisse

▶ Kennzeichen
- Hält sich nicht an die Vereinbarungen bezüglich Therapie und Behandlung
- Reagiert auf gestellte Forderungen bezüglich Therapie und Behandlung mit Abwehrverhalten
- Zeigt wenig Bereitschaft, die Therapie zu unterstützen
- Fehlt häufig zu vereinbarten Terminen
- Fehlende Einsicht bezüglich der Notwendigkeit einer Teilnahme

▶ Ursachen
- Fehlende Motivation
- Fehlendes Krankheitsgefühl
- Kognitive Fähigkeiten sind eingeschränkt
- Wissensdefizit
- Vergisst die Termine immer wieder
- Fehlendes Interesse

▶ Ressourcen
- Kognitive Fähigkeiten sind vorhanden
- Kann die Zusammenhänge zwischen notwendiger Verhaltensänderung und Krankheit/Symptomen erklären
- Erkennt die Notwendigkeit der getroffenen Intervention und kooperiert mit dem therapeutischen Team
- Kann Aufforderungen folgen und hält sich an Vorgaben

Pflegeziele
- Widerstand ist abgebaut
- Geht gern und unaufgefordert zu den Therapien

Pflegeintervention
- Gewünschtes Verhalten positiv verstärken

Handlungsleitende Pflegeinterventionen
- Gewünschtes Verhalten durch Lob fördern
- Im therapeutischen Team Verhaltensweisen zur Stärkung des Selbstkonzepts vereinbaren
- Einüben, sich selbst zu belohnen

Pflegeziele
- Teilnahme an den Therapieterminen ist sichergestellt

Pflegeintervention
- Teilnahme an den vereinbarten Therapien sicherstellen

Handlungsleitende Pflegeinterventionen
- Selbstständige Termineinhaltung überwachen und dokumentieren
- Zur Termineinhaltung auffordern
- Motivationsgespräch führen

Pflegeziele
- Termin wird wahrgenommen

Pflegeintervention
- Zu den Therapieangeboten hin begleiten/wieder zurückbegleiten

Handlungsleitende Pflegeinterventionen
- Zum vereinbarten Termin innerhalb der Einrichtung bringen
- Zum vereinbarten Termin außerhalb der Einrichtung bringen

Zeitdauer angeben
Zusätzliche Pflegepersonen erforderlich

Literatur: 44, 101, 102, 121, 125, 168, 267, 272, 273

AEDL Sich beschäftigen lernen und sich entwickeln können

Pflegediagnose
Der Bewohner gestaltet den Tagesablauf unstrukturiert, Gefahr des Selbstfürsorgedefizits

▶ **Kennzeichen**
- Steht morgens nicht selbstständig auf
- Verschläft die Mahlzeiten
- Zieht sich ins Zimmer zurück
- Veränderter Schlaf-Wach-Rhythmus
- Hält Termine nicht ein
- Zeigt kaum Anteilnahme an der Umgebung
- Zeigt kein Interesse

▶ **Ursachen**
- Psychiatrische Störung
- Psychiatrische Erkrankung
- Depressive Störung
- Endogene Depression
- Exogene Depression
- Ist in der „eigenen Welt" verhaftet
- Antriebslosigkeit
- Fehlendes Interesse

▶ **Ressourcen**
- Ist an der selbstständigen Versorgung interessiert
- Zeigt Verhaltensweisen, die die Therapie unterstützen
- Nimmt therapeutische Anregungen an
- Hält die Verhaltensmaßregeln ein
- Die tägliche Lebensgestaltung ist trotz der Einschränkungen weitestgehend möglich
- Äußert, Spaß an den Gruppenangeboten zu haben

Pflegeziele
- Tagesablauf ist geregelt
- Geplante Aktivitäten werden eingehalten
- Verhalten lässt die Übernahme von Eigenverantwortung erkennen

Pflegeintervention
- Fest verbindlichen Tagesplan erstellen

Handlungsleitende Pflegeinterventionen
Bezugsperson festlegen
Gesprächsinhalt bestimmen
- Tages- und Wochenpläne besprechen
- Durchgeführte Aktivitäten besprechen
- Lebenspraktische Inhalte besprechen

Fest verbindlichen Tagesplan vereinbaren
- Mit Kontrollmöglichkeit
- Ohne Kontrollmöglichkeit
- In Eigenverantwortung
- In Verantwortung der Bezugsperson
- Tagesaktivitäten auswerten und reflektieren

Dauer des themenzentrierten Gesprächs festlegen

Pflegeziele
- Kennt die Behandlungsziele und ist zur Mitarbeit motiviert
- Therapie- und Interventionsangebote sind individuell abgestimmt
- Behandlungs- und Therapiekonzept sind transparent und vom therapeutischen Team umgesetzt
- Aktive Beteiligung an der Behandlungsplanung mit dem therapeutischen Team ist sichergestellt

Pflegeintervention
- Interdisziplinäres Teamgespräch über die Tagesstrukturierung und die verhaltenstherapeutische Vorgehensweise führen

Handlungsleitende Pflegeinterventionen
Beteiligte Personen bestimmen
- Bewohner
- Pflegeperson
- Ärztlicher Dienst
- Psychologe
- Sozialarbeiter
- Ergotherapeut
- Krankengymnast
- Logotherapeut
- Beschäftigungstherapeut
- Geistlicher Beistand
- Sonstige Personen

Zeitdauer angeben

Pflegeziele
- Übernimmt Mitverantwortung in der Gruppe
- Soziales Lernen ist unterstützt
- Kann in der Gruppe sprechen
- Integriert sich in das Gruppengeschehen
- Kennt die Spielregeln in sozialen Gemeinschaften

Pflegeintervention
- In Stationsaktivitäten zur Förderung gesellschaftlicher/sozialer Aspekte einbeziehen

Handlungsleitende Pflegeinterventionen
- Spielnachmittag besuchen
- Tanznachmittag besuchen
- Kirchenbesuch durchführen
- Spazieren gehen
- Singstunde besuchen
- An Festaktivitäten teilnehmen
- Am Sonntagsfrühstück teilnehmen

Teilnehmende Personen bestimmen
Zeitdauer der Aktivitäten bestimmen

AEDL Sich beschäftigen lernen und sich entwickeln können

Pflegeziele
- Gestaltet die persönliche Tagesstruktur sinnvoll
- Gefestigte Tagesstruktur ist aufgebaut

Pflegeintervention
- Klientenzentriertes Gespräch zur Tagesstrukturierung führen

Literatur: 44, 101, 102, 121, 125, 168, 267, 272, 273

Pflegediagnose
Der Bewohner neigt zu infantilem Verhalten, beeinträchtigte soziale Interaktion

▶ **Kennzeichen**
- Unterbricht und stört andere häufig
- Zeigt distanzloses Verhalten
- Duzt jeden
- Ausgeprägte Ich-Zentrierung
- Zeigt „läppisches" Verhalten
- Spielt den Pausenclown
- Mangelnde Selbstständigkeit
- Kindliche Denk- und Verhaltensmuster

▶ **Ursachen**
- Aufmerksamkeitsdefizit
- Psychisches Trauma
- Angst vor Verantwortung
- Abwehrmaßnahme in schwieriger existenzieller Lebenssituation
- Organisch bedingte Hirnschädigung

▶ **Ressourcen**
- Zeigt Verhaltensweisen, die die Therapie unterstützen
- Kann sein Verhalten in Gesprächen reflektieren

Pflegeziele
- Fühlt sich angenommen und verstanden

Pflegeintervention
- Den Bewohner mit den gezeigten Verhaltensweisen ernst nehmen

Pflegeziele
- Partizipation ist unterstützt
- Entscheidungen werden selbstständig getroffen

Pflegeintervention
- Entscheidungsfähigkeit fördern und Eigenständigkeit verstärken

Handlungsleitende Pflegeinterventionen
- Handlungsalternativen aufzeigen und so Entscheidungskraft gezielt fördern
- Keine Entscheidungen für den Bewohner treffen

Alltagsweltliche Entscheidungen fördern
- Menükomponenten beim Essen auswählen lassen
- Kleidungsstücke, die am Tag getragen werden, auswählen und zusammenstellen lassen
- Bei Freizeitbeschäftigungen mehrere Alternativen aufzeigen

Pflegeziele
- Zeigt dem Alter entsprechendes Verhalten

Pflegeintervention
- Selbstständiges Verhalten des Bewohners positiv verstärken

Handlungsleitende Pflegeinterventionen
- Gewünschtes Verhalten durch Lob fördern
- Im therapeutischen Team Verhaltensweisen zur Stärkung des Selbstkonzepts vereinbaren
- Einüben, sich selbst zu belohnen

Pflegeziele
- Fühlt sich angenommen und verstanden
- Wissensdefizit ist aufgehoben

Pflegeintervention
- Ausführliche und verständliche Informationen geben

AEDL Sich beschäftigen lernen und sich entwickeln können

Pflegeziele
- Fühlt sich angenommen und entwickelt Vertrauen

Pflegeintervention
- Bezugsperson und Gesprächsinhalte festlegen

Handlungsleitende Pflegeinterventionen
Bezugsperson festlegen
Gesprächsinhalt bestimmen
- Tages- und Wochenpläne besprechen
- Durchgeführte Aktivitäten besprechen
- Lebenspraktische Inhalte besprechen

Fest verbindlichen Tagesplan vereinbaren
- Mit Kontrollmöglichkeit
- Ohne Kontrollmöglichkeit
- In Eigenverantwortung
- In Verantwortung der Bezugsperson
- Tagesaktivitäten auswerten und reflektieren

Dauer des themenzentrierten Gesprächs festlegen

Pflegeziele
- Ist in den Tagesablauf der Station/des Pflegebereichs integriert

Pflegeintervention
- In den Stationsalltag integrieren

Handlungsleitende Pflegeinterventionen
- Spielnachmittag besuchen
- Tanznachmittag besuchen
- Kirchenbesuch durchführen
- Spazieren gehen
- Singstunde besuchen
- An Festaktivitäten teilnehmen
- Am Sonntagsfrühstück teilnehmen

Teilnehmende Personen bestimmen
Zeitdauer der Aktivitäten bestimmen

Pflegeziele
- Fühlt sich angenommen und verstanden
- Soziale Kompetenzen sind gefördert

Pflegeintervention
- Klientenzentriertes Gespräch über Verhalten, Selbst- und Fremdwahrnehmung führen

---

Pflegeziele
- Soziale Kompetenzen sind gefördert
- Spricht Konflikte in der Gruppe an

Pflegeintervention
- In gesprächstherapeutische Stationsaktivitäten/-programme einbeziehen

Handlungsleitende Pflegeinterventionen
- An Stationsgesprächsrunde/-meeting/-forum teilnehmen
- An Gesprächskreis über tagesaktuelle Themen teilnehmen
- Wochenendgruppe besuchen
- Konfliktgruppe besuchen
- Morgenrunde besuchen
- Kritikgruppe besuchen

Teilnehmende Personen bestimmen
Zeitdauer der Gruppenangebote bestimmen

Literatur: 85, 101, 102, 121, 125, 126, 168, 172, 267, 272, 273

AEDL Sich beschäftigen lernen und sich entwickeln können

▶ Pflegeprobleme: Lebenspraktischer Bereich

Pflegediagnose
Der Bewohner ist in der Versorgung der Aktivitäten des täglichen Lebens unselbstständig

▶ **Kennzeichen**

- Kann nicht für ein sauberes Zimmer sorgen
- Führt lebensnotwendige Aktivitäten nicht/nicht regelmäßig durch
- Trägt Wäschestücke sehr lange
- Trägt verschmutzte Wäsche
- Wäsche wird nicht adäquat versorgt
- Verdorbene Lebensmittel befinden sich im Zimmer
- Äußert, dass er das Bett nicht machen kann
- Kann das Bett nicht selbstständig richten

▶ **Ursachen**

- Demenz
- Geistige Behinderung
- Psychische Erkrankung
- Körperliche Fähigkeiten sind eingeschränkt
- Eingeschränkte körperliche Belastungsfähigkeit

▶ **Ressourcen**

- Kann Hilfe annehmen
- Akzeptiert die Unterstützung von Angehörigen

Pflegeziele

- Selbstständigkeit ist gefördert
- Konzentriert sich auf lebenspraktische Tätigkeiten

Pflegeintervention

- Lebenspraktisches Einzeltraining durchführen

Handlungsleitende Pflegeinterventionen

- Mahlzeiten kochen
- Einkaufen gehen
- Küchendienst übernehmen
- In einer Diskussionsgruppe über das Tagesgeschehen sprechen
- Zimmer reinigen
- Tisch für die Mahlzeiten decken/abdecken
- Blumenpflege durchführen
- Wäsche versorgen

Art der Unterstützungsleistung bestimmen

- Beim Durchführen anleiten
- Beim Durchführen beaufsichtigen
- Durchgeführte Tätigkeiten in themenzentriertem Gespräch reflektieren
- Gemeinsam partnerschaftlich durchführen

Zeitdauer der Einzelförderung bestimmen

Pflegeziele

- Führt Tätigkeiten des täglichen Lebens aus
- Selbstständigkeit ist gefördert

Pflegeintervention

- Lebenspraktisches Gruppentraining durchführen

Handlungsleitende Pflegeinterventionen

- Gemeinsam Mahlzeiten kochen
- Gemeinsam einkaufen
- An der Kosmetikgruppe teilnehmen
- Feste planen, vorbereiten und durchführen
- An der Hauswirtschaftsgruppe teilnehmen

Art der Unterstützungsleistung bestimmen

- Auffordern, den Termin des Gruppenangebots einzuhalten
- Zur Teilnahme an den Aktivitäten motivieren
- Bei den Gruppenaktivitäten unterstützen
- Nach der Aktivität Reflexionsgespräch führen

Anzahl der beteiligten Personen bestimmen
Zeitdauer der Gruppentherapie bestimmen

AEDL Sich beschäftigen lernen und sich entwickeln können

Pflegeziele
- Führt Tätigkeiten des täglichen Lebens aus
- Selbstständigkeit ist gefördert
- Reinigt das Zimmer selbstständig und hält es in Ordnung
- Führt die zugeteilten Stationsaufgaben selbstständig durch

Pflegeintervention
- Bei den täglichen Aufgaben anleiten

Pflegeziele
- Führt Tätigkeiten des täglichen Lebens aus
- Selbstständigkeit ist gefördert

Pflegeintervention
- Kontrollieren, ob die täglichen Aufgaben durchgeführt wurden

---

Pflegeziele
- Lernt, die Aufgaben des täglichen Lebens in einer angemessen Zeit durchzuführen

Pflegeintervention
- Auf Einhaltung eines Zeitplans achten (Ritualisieren)

Pflegeziele
- Reinigt das Zimmer selbstständig und hält es in Ordnung

Pflegeintervention
- Bei der Zimmerreinigung anleiten und unterstützen

Handlungsleitende Pflegeinterventionen
- Bad reinigen
- Nachtkästchen und Regale abwischen
- Abfall entsorgen
- Fußboden saugen/wischen
- Blumenpflege durchführen
- Gegenstände aufräumen

Art der Unterstützungsleistung bestimmen
- Zur Zimmerreinigung motivieren
- Anleiten und fördern
- Tätigkeiten teilweise übernehmen
- Durchgeführte Tätigkeiten kontrollieren

Zeitdauer der Einzelförderung bestimmen

Pflegeziele
- Wäscht, bügelt und sortiert die eigene Wäsche
- Führt kleine Reparaturen bei Wäschestücken selbst durch
- Hält Ordnung bei den Wäschestücken im Schrank und sortiert nach sauberer und schmutziger Wäsche

Pflegeintervention
- Hauswirtschaftstraining/Wäscheversorgung in Einzelförderung durchführen

Handlungsleitende Pflegeinterventionen
- Wäsche sortieren
- Wäsche waschen (Maschine)
- Handwäsche durchführen
- Wäsche in die Reinigung bringen/von dort abholen
- Wäsche zum Trocknen aufhängen
- Wäsche im Wäschetrockner trocknen
- Wäsche ausbessern (lassen)
- Wäsche bügeln
- Wäsche in den Schrank räumen

Art der Unterstützungsleistung bestimmen
- Zur selbstständigen Wäscheversorgung anleiten/dabei unterstützen
- Selbstständig durchgeführte Wäscheversorgung im Gespräch reflektieren
- Wäsche gemeinsam partnerschaftlich versorgen

Dauer bestimmen

AEDL Sich beschäftigen lernen und sich entwickeln können

Pflegeziele
- Führt Tätigkeiten des täglichen Lebens aus
- Selbstständigkeit ist gefördert
- Erstellt einen Einkaufszettel entsprechend dem Speiseplan
- Bereitet einfache Mahlzeiten selbstständig zu
- Legt bei der Auswahl der Mahlzeiten Wert auf eine ausgeglichene Ernährung

Pflegeintervention
- Hauswirtschaftstraining durchführen: Einkäufe erledigen und Mahlzeiten zubereiten

Handlungsleitende Pflegeinterventionen
- Gemeinsam Mahlzeiten kochen
- Gemeinsam einkaufen
- Küchendienst übernehmen
- Tisch für die Mahlzeiten decken/abdecken
- Feste planen, vorbereiten und durchführen

Art der Unterstützungsleistung bestimmen
- Auffordern, den Termin des Gruppenangebots einzuhalten
- Beaufsichtigen und ggf. eingreifen
- Zur Teilnahme an den Aktivitäten motivieren
- Bei der Durchführung anleiten
- Durchgeführte Tätigkeiten reflektieren
- Interventionen zum Beziehungsaufbau gemeinsam partnerschaftlich durchführen

Zeitdauer der Einzelförderung/Gruppentherapie bestimmen

Pflegeziele
- Hygiene ist gewährleistet, einer Keimverschleppung ist vorgebeugt

Pflegeintervention
- Anleiten, das Bett zu machen bzw. es frisch zu beziehen

Handlungsleitende Pflegeinterventionen
- Betttuch glatt ziehen, Bettzeug aufschütteln
- Durchzug wechseln
- Einwegkrankenunterlage auswechseln
- Gummidurchzug auswechseln
- Kopfkissen frisch beziehen
- Bettdecke frisch beziehen
- Betttuch wechseln

Pflegeziele
- Wäscht, bügelt und sortiert die eigene Wäsche
- Führt kleine Reparaturen bei Wäschestücken selbst durch
- Hält Ordnung bei den Wäschestücken im Schrank und sortiert nach sauberer und schmutziger Wäsche

Pflegeintervention
- Gruppentraining zur Wäscheversorgung durchführen

Handlungsleitende Pflegeinterventionen
- Wäsche sortieren
- Wäsche waschen (Maschine)
- Handwäsche durchführen
- Wäsche in die Reinigung bringen/von dort abholen
- Wäsche zum Trocknen aufhängen
- Wäsche im Wäschetrockner trocknen
- Wäsche ausbessern (lassen)
- Wäsche bügeln
- Wäsche in den Schrank räumen

Art der Unterstützungsleistung bestimmen
- Zur selbstständigen Wäscheversorgung anleiten/dabei unterstützen
- Selbstständig durchgeführte Wäscheversorgung im Gespräch reflektieren
- Wäsche gemeinsam partnerschaftlich versorgen

Dauer bestimmen

Teilnehmende Personen bestimmen

Pflegeziele
- Äußert Wohlbefinden

Pflegeintervention
- Bett herrichten und bei Bedarf frisch beziehen

Handlungsleitende Pflegeinterventionen

Umfang des Bettenrichtens bestimmen
- Laken straffen, Kissen und Bettdecke auflockern
- Bettschutz einbetten/wechseln
- Bettwäsche teilweise wechseln
- Bettwäsche komplett wechseln

AEDL Sich beschäftigen lernen und sich entwickeln können

Den Aufwand bestimmende Faktoren feststellen
- Bettgitter sind angebracht
- Wird mit dem Hebelifter bewegt
- Fixationshilfen sind eingesetzt

Anzahl der beteiligten Pflegepersonen bestimmen

Literatur: 121, 168, 272, 273

Pflegediagnose
Der Bewohner ist unsicher/ängstlich bei der Durchführung verschiedener lebenspraktischer Tätigkeiten

▶ **Kennzeichen**
- Traut sich nicht zu telefonieren
- Geht nicht allein zu Behörden und auf Ämter
- Hat Angst vor Geschäften
- Hat Angst vor dem Straßenverkehr
- Traut sich nicht, das Klinikgelände zu verlassen
- Äußert Ängste

▶ **Ursachen**
- Phobie
- Depressionen
- Hochgradige Einschränkung der Sehfähigkeit
- Körperliche Einschränkung

▶ **Ressourcen**
- Zeigt Verhaltensweisen, die die Therapie unterstützen
- Versteht das Therapiekonzept und ist bereit, sich aktiv zu beteiligen
- Kann Vertrauen zum Pflegepersonal aufbauen

Pflegeziele
- Ist bei der Ausführung von lebenspraktischen Tätigkeiten selbstständig
- Äußert, keine Angst zu haben

Pflegeintervention
- Lebenspraktisches Einzeltraining durchführen

Handlungsleitende Pflegeinterventionen
- Mahlzeiten kochen
- Einkaufen gehen
- Küchendienst übernehmen
- In einer Diskussionsgruppe über das Tagesgeschehen sprechen
- Zimmer reinigen
- Tisch für die Mahlzeiten decken/abdecken
- Blumenpflege durchführen
- Wäsche versorgen

Art der Unterstützungsleistung bestimmen
- Beim Durchführen anleiten
- Beim Durchführen beaufsichtigen
- Durchgeführte Tätigkeiten in themenzentriertem Gespräch reflektieren
- Gemeinsam partnerschaftlich durchführen

Zeitdauer der Einzelförderung bestimmen

Pflegeziele
- Führt Tätigkeiten des täglichen Lebens aus
- Selbstständigkeit ist gefördert

Pflegeintervention
- Lebenspraktisches Gruppentraining durchführen

Handlungsleitende Pflegeinterventionen
- Gemeinsam Mahlzeiten kochen
- Gemeinsam einkaufen
- An der Kosmetikgruppe teilnehmen
- Feste planen, vorbereiten und durchführen
- An der Hauswirtschaftsgruppe teilnehmen

Art der Unterstützungsleistung bestimmen
- Auffordern, den Termin des Gruppenangebots einzuhalten
- Zur Teilnahme an den Aktivitäten motivieren
- Bei den Gruppenaktivitäten unterstützen
- Nach der Aktivität Reflexionsgespräch führen

Anzahl der beteiligten Personen bestimmen

Zeitdauer der Gruppentherapie bestimmen

AEDL Sich beschäftigen lernen und sich entwickeln können

Pflegeziele	Pflegeintervention	Handlungsleitende Pflegeinterventionen
• Erkennt eine einheitliche Zielsetzung im therapeutischen Team und akzeptiert diese • Therapie- und Interventionsangebote sind individuell abgestimmt • Behandlungs- und Therapiekonzept sind transparent und vom therapeutischen Team umgesetzt • Aktive Beteiligung an der Behandlungsplanung mit dem therapeutischen Team ist sichergestellt	• Interdisziplinäres Teamgespräch über den Pflege- und Behandlungsprozess führen	**Beteiligte Personen bestimmen** • Bewohner • Pflegeperson • Ärztlicher Dienst • Psychologe • Sozialarbeiter • Ergotherapeut • Krankengymnast • Logotherapeut • Beschäftigungstherapeut • Geistlicher Beistand • Sonstige Personen **Zeitdauer angeben**

Literatur: 101, 102, 121, 125, 168, 272, 273

Pflegediagnose
Der Bewohner kann den häuslichen Bereich nicht mehr selbstständig versorgen, Gefahr der Verwahrlosung

▶ Kennzeichen	▶ Ursachen	▶ Ressourcen
• Mülleimer sind nicht geleert • Gebrauchsgegenstände liegen herum • Schlechte Raumluft • Sichtbare Hygienemängel in Bädern	• Körperliche Einschränkung • Kognitive Fähigkeiten sind eingeschränkt	• Akzeptiert die Unterstützung

Pflegeziele	Pflegeintervention	Handlungsleitende Pflegeinterventionen
• Hygiene im häuslichen Bereich ist sichergestellt	• Wohnung routinemäßig reinigen	**Zeitdauer angeben**

Pflegeziele	Pflegeintervention	Handlungsleitende Pflegeinterventionen
• Hygiene im häuslichen Bereich ist sichergestellt	• Wohnung aufräumen	**Zeitdauer angeben**

Pflegeziele	Pflegeintervention	Handlungsleitende Pflegeinterventionen
• Hygiene im häuslichen Bereich ist sichergestellt	• Grundreinigung der Wohnung durchführen	**Zeitdauer angeben**

Pflegeziele	Pflegeintervention	Handlungsleitende Pflegeinterventionen
• Saubere Bettwäsche ist sichergestellt	• Bett vollständig ab- und beziehen	• Betttuch glatt ziehen, Bettzeug aufschütteln • Durchzug wechseln • Einwegkrankenunterlage auswechseln • Gummidurchzug auswechseln • Kopfkissen frisch beziehen • Bettdecke frisch beziehen • Betttuch wechseln

Pflegeziele	Pflegeintervention	Handlungsleitende Pflegeinterventionen
• Angenehmes Raumklima ist sichergestellt	• Wohnung beheizen	**Zeitdauer angeben**

Literatur: 121, 168, 172, 272, 273

AEDL Sich beschäftigen lernen und sich entwickeln können

Pflegediagnose
Der Bewohner kann die Wäsche nicht selbstständig versorgen

▶ **Kennzeichen**
- Trägt Wäschestücke sehr lange
- Schmutzwäsche liegt in der Wohnung
- Kleidungsstücke sind verschmutzt

▶ **Ursachen**
- Körperliche Fähigkeiten sind eingeschränkt
- Kognitive Fähigkeiten sind eingeschränkt

▶ **Ressourcen**

Pflegeziele	Pflegeintervention	Handlungsleitende Pflegeinterventionen
• Wäsche ist ordnungsgemäß versorgt • Saubere Wäsche ist im Kleiderschrank	• Bei der Wäscheversorgung anleiten/unterstützen	• Wäsche sortieren • Wäsche waschen (Maschine) • Handwäsche durchführen • Wäsche in die Reinigung bringen/von dort abholen • Wäsche zum Trocknen aufhängen • Wäsche im Wäschetrockner trocknen • Wäsche ausbessern (lassen) • Wäsche bügeln • Wäsche in den Schrank räumen **Art der Unterstützungsleistung bestimmen** • Zur selbstständigen Wäscheversorgung anleiten/dabei unterstützen • Selbstständig durchgeführte Wäscheversorgung im Gespräch reflektieren • Wäsche gemeinsam partnerschaftlich versorgen **Dauer bestimmen**
Pflegeziele • Wäscheversorgung ist sichergestellt	**Pflegeintervention** • Wäscheversorgung übernehmen	**Handlungsleitende Pflegeinterventionen** **Zeitdauer angeben**
Pflegeziele • Wäscheversorgung ist sichergestellt	**Pflegeintervention** • Wäsche zur Reinigung bringen und abholen	**Handlungsleitende Pflegeinterventionen** **Zeitdauer angeben**

Literatur: 121, 168, 172, 272, 273

AEDL Sich beschäftigen lernen und sich entwickeln können

▶ Pflegediagnosen im Zusammenhang mit Freizeit und sozialem Leben

Pflegediagnose
Der Bewohner äußert das Gefühl der Langeweile/der fehlenden sinnvollen Aufgabe

▶ **Kennzeichen**
- Rückzugstendenzen
- Äußert ein Gefühl der Langeweile
- Äußert, nicht zu wissen, wie Zeit sinnvoll verbracht werden kann
- Beschreibt ein Gefühl der Eintönigkeit ohne Anregung und Unterhaltung
- Zeigt Desinteresse an den angebotenen Aktivitäten

▶ **Ursachen**
- Depressionen
- Bewegungseinschränkung
- Psychische Erkrankung
- Umgebungsveränderung
- Hospitalisierung
- Fehlende Angebote zur Freizeitgestaltung und Aktivierung
- Förderangebote führen zur Unterforderung
- Förderangebote führen zur Überforderung

▶ **Ressourcen**
- Nimmt Anregungen zur Beschäftigung an
- Lässt sich durch Aufforderungen zu Aktivitäten motivieren

Pflegeziele
- Äußert kein Gefühl der Langeweile
- Geht einer sinnvollen Beschäftigung nach
- Äußert Befriedigung und positive Gefühle durch die Beschäftigungstherapie

Pflegeintervention
- Beschäftigungstherapeutische Einzeltherapie nach einem Stufenplan durchführen

Handlungsleitende Pflegeinterventionen
- Malen
- Werken
- Töpfern
- Collagen gestalten
- Batiken
- Seidenmalerei betreiben
- Weben
- Holzarbeiten anfertigen
- Flechtarbeiten anfertigen

Art und Weise der Unterstützung bestimmen
- Einleitend motivieren und aktivieren
- Kontinuierlich motivieren und anleiten
- Bei der Durchführung unterstützen

Zeitdauer der Einzelförderung bestimmen

Pflegeziele
- Gefestigte Tagesstruktur ist aufgebaut
- Selbstvertrauen in eigene Kompetenzen/Fähigkeiten ist entwickelt
- Körperliche Geschicklichkeit ist gefördert
- Zugang zu den eigenen Empfindungen ist unterstützt

Pflegeintervention
- Beschäftigungstherapeutische Einzelförderung durchführen

Handlungsleitende Pflegeinterventionen
- Malen
- Werken
- Töpfern
- Collagen gestalten
- Batiken
- Seidenmalerei betreiben
- Weben
- Holzarbeiten anfertigen
- Flechtarbeiten anfertigen

Anzahl der beteiligten Personen bestimmen
Zeitdauer der Gruppentherapie bestimmen

Pflegeziele
- Gefestigte Tagesstruktur ist aufgebaut

Pflegeintervention
- Freizeit mit Spielen in der Gruppe gestalten

Handlungsleitende Pflegeinterventionen
- Volleyball spielen
- Tischtennis spielen
- Handball spielen
- Fußball spielen
- Federball spielen
- Tennis spielen

AEDL Sich beschäftigen lernen und sich entwickeln können

Gesellschaftsspiele spielen
- Mensch ärgere Dich nicht
- Monopoly
- Mikado
- Domino
- Kartenspiele

Teilnehmende Personen bestimmen

Unter Beteiligung von Pflegepersonen aktivieren

Pflegeziele
- Übernimmt Mitverantwortung in der Gruppe
- Soziales Lernen ist unterstützt
- Kann in der Gruppe sprechen
- Integriert sich in das Gruppengeschehen
- Kennt die Spielregeln in sozialen Gemeinschaften

Pflegeintervention
- In Stationsaktivitäten zur Förderung gesellschaftlicher/sozialer Aspekte einbeziehen

Handlungsleitende Pflegeinterventionen
- Spielnachmittag besuchen
- Tanznachmittag besuchen
- Kirchenbesuch durchführen
- Spazieren gehen
- Singstunde besuchen
- An Festaktivitäten teilnehmen
- Am Sonntagsfrühstück teilnehmen

Teilnehmende Personen bestimmen

Zeitdauer der Aktivitäten bestimmen

Pflegeziele
- Neue Interessen sind geweckt
- Selbstvertrauen in eigene Kompetenzen/Fähigkeiten ist entwickelt

Pflegeintervention
- Selbstkonzept/-bild und soziale Kompetenzen in Gruppentherapie fördern

Handlungsleitende Pflegeinterventionen
- Selbstsicherheitstraining durchführen
- Genusstherapie durchführen
- Verhaltenstherapie durchführen
- Assertiveness-Training-Programm (ATP) durchführen
- Integriertes Psychologisches Therapieprogramm (IPT) durchführen
- Kognitive Therapiegruppe besuchen
- Musiktherapie durchführen
- Gestalttherapie durchführen
- Maltherapie durchführen
- Therapieangebote mit Tieren wahrnehmen
- Märchen-/Literaturgruppe besuchen
- Wahrnehmungstraining durchführen
- Rollenspiele durchführen

Anzahl der beteiligten Personen bestimmen

Zeitdauer der Gruppentherapie bestimmen

Pflegeziele
- Kann Lösungswege entwickeln

Pflegeintervention
- Klientenzentriertes Gespräch über die empfundene Langeweile, deren Bedeutung und mögliche Lösungswege führen

Pflegeziele
- Nimmt an Freizeitaktivitäten teil
- Gefestigte Tagesstruktur ist aufgebaut

Pflegeintervention
- Freizeitaktivitäten besprechen und planen

Handlungsleitende Pflegeinterventionen
Bezugsperson festlegen

Gesprächsinhalt bestimmen
- Tages- und Wochenpläne besprechen
- Durchgeführte Aktivitäten besprechen
- Lebenspraktische Inhalte besprechen

AEDL Sich beschäftigen lernen und sich entwickeln können

Fest verbindlichen Tagesplan vereinbaren
- Mit Kontrollmöglichkeit
- Ohne Kontrollmöglichkeit
- In Eigenverantwortung
- In Verantwortung der Bezugsperson
- Tagesaktivitäten auswerten und reflektieren

Dauer des themenzentrierten Gesprächs festlegen

Pflegeziele
- Fühlt sich nicht allein und hat ständige Ansprache
- Kind ist abgelenkt, hat Spaß und ist sinnvoll beschäftigt

Pflegeintervention
- Eltern mit aufnehmen, Besuchszeitenregelung großzügig handhaben

Pflegeziele
- Kind ist abgelenkt, hat Spaß und ist sinnvoll beschäftigt

Pflegeintervention
- Termine mit Spieldamen/Beschäftigungstherapeuten, die ein Beschäftigungsprogramm durchführen, vereinbaren

Pflegeziele
- Kann eigene Fähigkeiten und Belastbarkeit einschätzen
- Mobilität und soziale Kontakte sind erhalten
- Körperliche Aktivität ist erhöht

Pflegeintervention
- In eine Gruppe integrieren, die regelmäßig spazieren geht

Handlungsleitende Pflegeinterventionen
- Zu Spaziergängen auffordern
- Mit dem Bewohner spazieren gehen
- Spaziergänge mit Angehörigen organisieren

Spaziergänge mit dem Bewohner durchführen
- In der Gruppe mit dem Bewohner spazieren gehen

Zeit angeben

Literatur: 121, 168, 272, 273

Pflegediagnose
Der Bewohner kann die Freizeit nicht selbstständig gestalten/initiieren

▶ **Kennzeichen**
- Zeigt Verhaltensweisen/macht Äußerungen, die auf ein Wissensdefizit hinweisen
- Kann für sich keine Perspektiven formulieren
- Sieht keinen Sinn darin, etwas zu tun
- Äußert ein Gefühl der Langeweile
- Äußert, nicht zu wissen, wie Zeit sinnvoll verbracht werden kann
- Nimmt Angebote nicht wahr

▶ **Ursachen**
- Depressionen
- Bewegungseinschränkung
- Psychiatrische Erkrankung
- Fehlende kognitive Fähigkeiten

▶ **Ressourcen**
- Zeigt/äußert starkes Interesse mitzuarbeiten
- Lässt sich durch Aufforderungen zu Aktivitäten motivieren

Pflegeziele
- Beteiligt sich an angebotenen Aktivitäten
- Nimmt an Freizeitaktivitäten teil

Pflegeintervention
- Klientenzentriertes Gespräch über Freizeitaktivitäten durchführen

AEDL Sich beschäftigen lernen und sich entwickeln können

Pflegeziele	Pflegeintervention	Handlungsleitende Pflegeinterventionen
• Ist körperlich fit	• Sportliche Aktivitäten durchführen	• Frühsportgruppe besuchen/Morgengymnastik durchführen • Fitnesstraining durchführen • Schwimmen gehen • Bewegungsbad durchführen • Wasserjogging durchführen • Konzentrative Körperarbeit leisten • Körpertherapie durchführen • Sport in Form von Spielen machen **Teilnehmende Personen bestimmen** **Unter Beteiligung von Pflegepersonen aktivieren**

Pflegeziele	Pflegeintervention	Handlungsleitende Pflegeinterventionen
• Gefestigte Tagesstruktur ist aufgebaut	• Freizeit mit Spielen in der Gruppe gestalten	• Volleyball spielen • Tischtennis spielen • Handball spielen • Fußball spielen • Federball spielen • Tennis spielen **Gesellschaftsspiele spielen** • Mensch ärgere Dich nicht • Monopoly • Mikado • Domino • Kartenspiele **Teilnehmende Personen bestimmen** **Unter Beteiligung von Pflegepersonen aktivieren**

Pflegeziele	Pflegeintervention	Handlungsleitende Pflegeinterventionen
• Nimmt an Freizeitaktivitäten teil • Gefestigte Tagesstruktur ist aufgebaut	• Freizeitaktivitäten besprechen und planen	**Bezugsperson festlegen** **Gesprächsinhalt bestimmen** • Tages- und Wochenpläne besprechen • Durchgeführte Aktivitäten besprechen • Lebenspraktische Inhalte besprechen **Fest verbindlichen Tagesplan vereinbaren** • Mit Kontrollmöglichkeit • Ohne Kontrollmöglichkeit • In Eigenverantwortung • In Verantwortung der Bezugsperson • Tagesaktivitäten auswerten und reflektieren **Dauer des themenzentrierten Gesprächs festlegen**

Pflegeziele	Pflegeintervention	
• Führt eigenverantwortlich Aktivitäten durch und reflektiert sie konstruktiv	• Aktivitäten selbstständig mit anschließendem Reflexionsgespräch durchführen	

Pflegeziele	Pflegeintervention	Handlungsleitende Pflegeinterventionen
• Neue Interessen sind geweckt • Selbstvertrauen in eigene Kompetenzen/Fähigkeiten ist entwickelt	• Selbstkonzept/-bild und soziale Kompetenzen in Gruppentherapie fördern	• Selbstsicherheitstraining durchführen • Genusstherapie durchführen • Verhaltenstherapie durchführen • Assertiveness-Training-Programm (ATP) durchführen

AEDL Sich beschäftigen lernen und sich entwickeln können

- Integriertes Psychologisches Therapieprogramm (IPT) durchführen
- Kognitive Therapiegruppe besuchen
- Musiktherapie durchführen
- Gestalttherapie durchführen
- Maltherapie durchführen
- Therapieangebote mit Tieren wahrnehmen
- Märchen-/Literaturgruppe besuchen
- Wahrnehmungstraining durchführen
- Rollenspiele durchführen

Anzahl der beteiligten Personen bestimmen
Zeitdauer der Gruppentherapie bestimmen

Pflegeziele	Pflegeintervention	Handlungsleitende Pflegeinterventionen
• Kann Gefühle artikulieren und adäquat äußern • Ist sozial integriert • Nimmt Gefühle wahr und beschreibt sie in Worten	• Selbstkonzept/-bild und soziale Kompetenzen in Einzeltherapie fördern	• Selbstsicherheitstraining durchführen • Genusstherapie durchführen • Verhaltenstherapie durchführen • Assertiveness-Training-Programm (ATP) durchführen • Integriertes Psychologisches Therapieprogramm (IPT) durchführen • Kognitive Therapiegruppe besuchen • Positiven Tagesrückblick durchführen • Musiktherapie durchführen • Gestalttherapie durchführen • Maltherapie durchführen • Therapieangebote mit Tieren wahrnehmen • Märchen-/Literaturgruppe besuchen • Wahrnehmungstraining durchführen • Rollenspiele durchführen **Zeitdauer der Einzelförderung bestimmen**

Pflegeziele	Pflegeintervention	Handlungsleitende Pflegeinterventionen
• Konzentriert sich auf lebenspraktische Tätigkeiten	• Lebenspraktisches Gruppentraining durchführen	• Gemeinsam Mahlzeiten kochen • Gemeinsam einkaufen • An der Kosmetikgruppe teilnehmen • Feste planen, vorbereiten und durchführen • An der Hauswirtschaftsgruppe teilnehmen **Art der Unterstützungsleistung bestimmen** • Auffordern, den Termin des Gruppenangebots einzuhalten • Zur Teilnahme an den Aktivitäten motivieren • Bei den Gruppenaktivitäten unterstützen • Nach der Aktivität Reflexionsgespräch führen **Anzahl der beteiligten Personen bestimmen** **Zeitdauer der Gruppentherapie bestimmen**

Pflegeziele	Pflegeintervention	Handlungsleitende Pflegeinterventionen
• Selbstständigkeit ist gefördert • Konzentriert sich auf lebenspraktische Tätigkeiten	• Lebenspraktisches Einzeltraining durchführen	• Mahlzeiten kochen • Einkaufen gehen • Küchendienst übernehmen • In einer Diskussionsgruppe über das Tagesgeschehen sprechen • Zimmer reinigen • Tisch für die Mahlzeiten decken/abdecken • Blumenpflege durchführen • Wäsche versorgen

AEDL Sich beschäftigen lernen und sich entwickeln können

Art der Unterstützungsleistung bestimmen
- Beim Durchführen anleiten
- Beim Durchführen beaufsichtigen
- Durchgeführte Tätigkeiten in themenzentriertem Gespräch reflektieren
- Gemeinsam partnerschaftlich durchführen

Zeitdauer der Einzelförderung bestimmen

Pflegeziele	Pflegeintervention	Handlungsleitende Pflegeinterventionen
• Übernimmt Mitverantwortung in der Gruppe • Soziales Lernen ist unterstützt • Kann in der Gruppe sprechen • Integriert sich in das Gruppengeschehen • Kennt die Spielregeln in sozialen Gemeinschaften	• In Stationsaktivitäten zur Förderung gesellschaftlicher/sozialer Aspekte einbeziehen	• Spielnachmittag besuchen • Tanznachmittag besuchen • Kirchenbesuch durchführen • Spazieren gehen • Singstunde besuchen • An Festaktivitäten teilnehmen • Am Sonntagsfrühstück teilnehmen **Teilnehmende Personen bestimmen** **Zeitdauer der Aktivitäten bestimmen**

Pflegeziele	Pflegeintervention	Handlungsleitende Pflegeinterventionen
• Kann eigene Fähigkeiten und Belastbarkeit einschätzen • Mobilität und soziale Kontakte sind erhalten • Körperliche Aktivität ist erhöht	• In eine Gruppe integrieren, die regelmäßig spazieren geht	• Zu Spaziergängen auffordern • Mit dem Bewohner spazieren gehen • Spaziergänge mit Angehörigen organisieren **Spaziergänge mit dem Bewohner durchführen** • In der Gruppe mit dem Bewohner spazieren gehen **Zeit angeben**

Literatur: 121, 125, 168, 272, 273

Pflegediagnose
Der Bewohner verbringt seine Freizeit unstrukturiert, eine befriedigende Freizeitgestaltung ist beeinträchtigt

▶ **Kennzeichen**
- Nimmt Freizeitangebote so, wie diese gerade stattfinden, wahr
- Freizeitgestaltung ist nicht interessengesteuert, sondern dem Zufall überlassen
- Äußert Unzufriedenheit mit der Freizeitgestaltung

▶ **Ursachen**
- Psychiatrische Erkrankung
- Fehlendes Interesse

▶ **Ressourcen**
- Findet Freude an ruhigeren Aktivitäten
- Lässt sich durch Aufforderungen zu Aktivitäten motivieren

Pflegeziele	Pflegeintervention
• Freizeitgestaltung ist bereits während des Klinikaufenthalts strukturiert	• Freizeitverhalten beobachten

Pflegeziele	Pflegeintervention
• Freizeitgestaltung ist bereits während des Klinikaufenthalts strukturiert • Nimmt das Freizeitverhalten bewusster wahr	• Freizeitaktivitäten-Tagebuch führen und Verhalten/Erfahrungen gemeinsam reflektieren

AEDL Sich beschäftigen lernen und sich entwickeln können

- Kennt Ursachen für die Isolation und Handlungsweisen, um diese zu durchbrechen

Pflegeziele	Pflegeintervention	Handlungsleitende Pflegeinterventionen
• Freizeitgestaltung ist bereits während des Klinikaufenthalts strukturiert	• Mindestens zwei feste Freizeitaktivitäten in der Woche planen	**Tages-Wochenplan erstellen**

Pflegeziele	Pflegeintervention	Handlungsleitende Pflegeinterventionen
• Freizeitgestaltung ist bereits während des Klinikaufenthalts strukturiert • Nimmt Kontakt zu Freunden/Angehörigen auf	• Bei der Kontaktaufnahme mit Angehörigen, Freunden oder Bekannten unterstützen	**Netzwerke bestimmen, die aufgebaut/gefördert werden können** • Netzwerk Familie • Netzwerk Freundeskreis • Netzwerk Arbeitsfeld • Netzwerk Glaubensgemeinschaft • Netzwerk Freizeitaktivität/Hobby • Selbsthilfegruppe • Sonstige Netzwerke **Zeitdauer der Intervention bestimmen** **Gesprächspartner bestimmen** • Angehörige • Betreuer • Freunde • Arbeitgeber • Arbeitskollegen • Ämter • Kirchenvertreter • Nachbarn • Sonstige Personen

Pflegeziele	Pflegeintervention	Handlungsleitende Pflegeinterventionen
• Kann eigene Fähigkeiten und Belastbarkeit einschätzen • Mobilität und soziale Kontakte sind erhalten • Körperliche Aktivität ist erhöht	• In eine Gruppe integrieren, die regelmäßig spazieren geht	• Zu Spaziergängen auffordern • Mit dem Bewohner spazieren gehen • Spaziergänge mit Angehörigen organisieren **Spaziergänge mit dem Bewohner durchführen** • In der Gruppe mit dem Bewohner spazieren gehen **Zeit angeben**

Literatur: 121, 125, 168, 183, 272, 273

AEDL Sich beschäftigen lernen und sich entwickeln können

Pflegediagnose
Der Bewohner hat eine passive und damit unbefriedigende Konsumierhaltung bei der Freizeitgestaltung

▶ **Kennzeichen**
- Bringt sich nicht aktiv in die Freizeitgestaltung ein
- Wählt sich gezielt Freizeitaktivitäten aus, die eine passive Konsumierhaltung unterstützen (z. B. Fernsehen)
- Äußert Unzufriedenheit mit der Freizeitgestaltung

▶ **Ursachen**
- Psychische Erkrankung
- Fantasielosigkeit
- Ablenkungs- und Entspannungsversuche vom Alltag/von der Lebenssituation

▶ **Ressourcen**
- Lässt sich durch Aufforderungen zu Aktivitäten motivieren

Pflegeziele
- Freizeit ist aktiv gestaltet

Pflegeintervention
- Freizeitverhalten beobachten, analysieren und dokumentieren

---

Pflegeziele
- Freizeit ist aktiv gestaltet
- Reflektiert das eigene Freizeitverhalten und erkennt dessen Ursachen

Pflegeintervention
- Klientenzentriertes Gespräch über Freizeitverhalten und -gestaltung führen

---

Pflegeziele
- Freizeit ist aktiv gestaltet

Pflegeintervention
- Gespräch über Freizeitgestaltung und -planung führen

Handlungsleitende Pflegeinterventionen

Bezugsperson festlegen

Gesprächsinhalt bestimmen
- Tages- und Wochenpläne besprechen
- Durchgeführte Aktivitäten besprechen
- Lebenspraktische Inhalte besprechen

Fest verbindlichen Tagesplan vereinbaren
- Mit Kontrollmöglichkeit
- Ohne Kontrollmöglichkeit
- In Eigenverantwortung
- In Verantwortung der Bezugsperson
- Tagesaktivitäten auswerten und reflektieren

Dauer des themenzentrierten Gesprächs festlegen

Pflegeziele
- Kann eigene Fähigkeiten und Belastbarkeit einschätzen
- Mobilität und soziale Kontakte sind erhalten
- Körperliche Aktivität ist erhöht

Pflegeintervention
- In eine Gruppe integrieren, die regelmäßig spazieren geht

Handlungsleitende Pflegeinterventionen
- Zu Spaziergängen auffordern
- Mit dem Bewohner spazieren gehen
- Spaziergänge mit Angehörigen organisieren

Spaziergänge mit dem Bewohner durchführen
- In der Gruppe mit dem Bewohner spazieren gehen

Zeit angeben

Literatur: 121, 125, 168, 272, 273, 274

AEDL Sich beschäftigen lernen und sich entwickeln können

Pflegediagnose
Der Bewohner zeigt Verhaltensweisen, die Freizeitaktivitäten erschweren

▶ **Kennzeichen**

- Reagiert gereizt
- Neigt zu aggressiven Handlungen
- Redet ununterbrochen und lässt andere nicht zu Wort kommen
- Zeigt teilweise rücksichtsloses Verhalten gegenüber Mitmenschen
- Aggressives Verhalten
- Unruhezustände
- Konzentrationsschwäche
- Drängt sich in den Mittelpunkt
- Hektische Geschäftigkeit
- Ständig wechselnde Interessen
- Ideenflucht
- Raucht ununterbrochen

▶ **Ursachen**

- Suchterkrankung
- Schizophrene Psychose
- Neurose
- Psychische Erkrankung

▶ **Ressourcen**

- Lässt sich durch Aufforderungen zu Aktivitäten motivieren

Pflegeziele
- Fühlt sich integriert

Pflegeintervention
- Freizeitaktivitäten individuell auswählen

Handlungsleitende Pflegeinterventionen
- Sportliche Aktivitäten durchführen
- Kulturelle Akivitäten durchführen
- Gesellschaftliche Aktivitäten durchführen
- Kreative Aktivitäten durchführen
- Künstlerische Aktivitäten durchführen
- Tägliche Anzahl der zu planenden Aktivitäten bestimmen

Art der Unterstützungsleistung bestimmen
- Positive Aktivitäten gezielt planen
- Aktivitäten vereinbaren
- Nach der Aktivität Reflexionsgespräch führen
- Stimmungslage nach der Aktivität reflektieren
- Gespräche und Planung mit der Bezugspflegeperson durchführen
- Zur Teilnahme auffordern/motivieren

Dauer des Gesprächs bestimmen

Pflegeziele
- Kann sich auf die Freizeitaktivität konzentrieren, wird nicht zusätzlich abgelenkt

Pflegeintervention
- Aktivitäten mit niedrigem Reizpotenzial auswählen und gemeinsam vereinbaren

Handlungsleitende Pflegeinterventionen
Tages-/Wochenplan erstellen

Pflegeziele
- Ist ruhig und kann sich konzentrieren

Pflegeintervention
- Aktivitäten mit niedriger Konzentrationsleistung und geringem Leistungsdruck anbieten

---

Pflegeziele
- Zusätzliche äußere Belastungen sind reduziert, Ängste und Unruhezustände werden abgebaut

Pflegeintervention
- Möglichkeit zum Ausleben der Unruhezustände geben

AEDL Sich beschäftigen lernen und sich entwickeln können

Pflegeziele
- Ist ruhig und kann sich konzentrieren

Pflegeintervention
- Gewünschtes Verhalten positiv verstärken

Handlungsleitende Pflegeinterventionen
- Gewünschtes Verhalten durch Lob fördern
- Im therapeutischen Team Verhaltensweisen zur Stärkung des Selbstkonzepts vereinbaren
- Einüben, sich selbst zu belohnen

Pflegeziele
- Akzeptiert die therapeutische Distanz

Pflegeintervention
- Therapeutische Distanz wahren

Pflegeziele
- Denkt über das persönliche Verhalten und dessen Wirkung auf Mitmenschen nach

Pflegeintervention
- Im klientenzentrierten Gespräch die Verhaltensweise und ihre Wirkungen spiegeln sowie Lösungsansätze entwickeln

Pflegeziele
- Denkt über das persönliche Verhalten und dessen Wirkung auf Mitmenschen nach
- Fehlverhalten ist reduziert

Pflegeintervention
- Im therapeutischen Team vereinbarte Konsequenzen bei auftretendem Fehlverhalten umsetzen

Pflegeziele
- Therapie- und Interventionsangebote sind individuell abgestimmt
- Behandlungs- und Therapiekonzept sind transparent und vom therapeutischen Team umgesetzt
- Aktive Beteiligung an der Behandlungsplanung mit dem therapeutischen Team ist sichergestellt

Pflegeintervention
- Inhalt des therapeutischen Gesprächs und weiterer Behandlungs- und Therapiestrategien im Team besprechen

Handlungsleitende Pflegeinterventionen
Beteiligte Personen bestimmen
- Bewohner
- Pflegeperson
- Ärztlicher Dienst
- Psychologe
- Sozialarbeiter
- Ergotherapeut
- Krankengymnast
- Logotherapeut
- Beschäftigungstherapeut
- Geistlicher Beistand
- Sonstige Personen

Zeitdauer angeben

Pflegeziele
- Kann eigene Fähigkeiten und Belastbarkeit einschätzen
- Mobilität und soziale Kontakte sind erhalten
- Körperliche Aktivität ist erhöht

Pflegeintervention
- In eine Gruppe integrieren, die regelmäßig spazieren geht

Handlungsleitende Pflegeinterventionen
- Zu Spaziergängen auffordern
- Mit dem Bewohner spazieren gehen
- Spaziergänge mit Angehörigen organisieren

Spaziergänge mit dem Bewohner durchführen

- In der Gruppe mit dem Bewohner spazieren gehen

Zeit angeben

Literatur: 121, 125, 168, 272, 273

AEDL Sich als Mann oder Frau fühlen und verhalten können

▶ Pflegediagnosen im Zusammenhang mit Sexualität

Pflegediagnose
Der Bewohner bekommt bei der Körperpflege sexuelle Gefühle

▶ Kennzeichen	▶ Ursachen	▶ Ressourcen
• Macht sexuell anzügliche Bemerkungen • Sichtbare körperliche Reaktion	• Kann die Gefühle nicht beherrschen • Sexuell distanzloses Verhalten	• Sexuelle Gefühle werden bei gleichgeschlechtlichen Pflegepersonen nicht ausgelöst

Pflegeziele	Pflegeintervention
• Fühlt sich angenommen und verstanden	• Intimsphäre des Bewohners beachten

Pflegeziele	Pflegeintervention
• Fühlt sich angenommen und verstanden	• Gleichgeschlechtliche Pflegepersonen die Körperpflege durchführen lassen

Pflegeziele	Pflegeintervention
• Gemeinsame Lösungswege werden besprochen und umgesetzt	• Sich taktvoll zurückziehen und die Pflegeintervention später fortsetzen

Literatur: 121, 168, 272, 273

▶ Pflegediagnosen im Zusammenhang mit Rollenkonflikt Frau, Mann

Pflegediagnose
Der Bewohner hat großes Schamgefühl

▶ Kennzeichen	▶ Ursachen	▶ Ressourcen
• Empfindet Peinlichkeit • Zögert, etwas zu tun	• Körperliche Defizite • Erkrankung im Intimbereich • Jugendliche/r • Religion • Soziokulturelle Faktoren	

Pflegeziele	Pflegeintervention
• Intimsphäre ist gewahrt	• Schamgefühl akzeptieren

Pflegeziele	Pflegeintervention
• Intimsphäre ist gewahrt	• Pflegetätigkeiten von gleichgeschlechtlichen Pflegepersonen durchführen lassen

Pflegeziele	Pflegeintervention
• Intimsphäre ist gewahrt	• Tabuzonen beachten

Literatur: 121, 168, 272, 273

AEDL Für eine sichere und fördernde Umgebung sorgen können

▶ Pflegediagnosen im Zusammenhang mit Wunden

Pflegediagnose
Der Bewohner hat eine Wunde, Gefahr der Sekundärwundheilung/Komplikation

▶ Kennzeichen	▶ Ursachen	▶ Ressourcen
• Trockene OP-Wunde • Wenig Sekret fördernde OP-Wunde • Trockene, wenig Sekret fördernde Wunde • Saubere, exsudative Wunde • Exsudationsphase • Granulationsphase • Epithelisationsphase • Kleine Wunde/Eintrittspforte	• Platzwunde • Schnittwunde • Quetschwunde • Risswunde • Stichwunde • Ablederungswunde • Schürfwunde • Kratzwunde • Schusswunde • Pfählungsverletzung • Bisswunde • OP-Wunde • Verbrennungswunde • Dekubitus	• Toleriert den Verbandwechsel • Unterstützt die Wundbehandlung • Kennt die Schutz- und Hygienemaßnahmen und hält sie ein • Ist normalgewichtig (BMI) • Keine Risikofaktoren für Wundheilungsstörungen erkennbar

Pflegeziele	Pflegeintervention	Handlungsleitende Pflegeinterventionen
• Primäre Wundheilung ist gewährleistet	• Verbandwechsel durchführen	• Einfachen Verbandwechsel durchführen • Verbandwechsel mit Wundreinigung durchführen • Verbandwechsel mit Wundspülung durchführen • Verbandwechsel mit speziellen Auflagen durchführen • Folienverband mit Vakuum anlegen • Folienverband mit Vakuum >9 % der Körperfläche anlegen • Spezielle Wundbehandlung bei Verbrennungen durchführen • Spezielle Wundbehandlung bei Verbrennungen betroffener Körperoberflächen >9 % durchführen • Spezielle Wundbehandlung bei Verbrennungen betroffener Körperoberflächen >18 % durchführen **Anzahl der beteiligten Personen bestimmen**

Pflegeziele	Pflegeintervention	
• Wundveränderungen sind sofort erkannt und dokumentiert	• Verband auf Nachblutung kontrollieren	

Pflegeziele	Pflegeintervention	
• Wundverlauf ist lückenlos dokumentiert	• Wunde auf Veränderungen und Entzündungszeichen inspizieren, Ergebnisse dokumentieren	

Pflegeziele	Pflegeintervention	Handlungsleitende Pflegeinterventionen
• Einer Keimverschleppung ist vorgebeugt • Primäre Wundheilung ist gewährleistet • Wundheilungsförderliches Milieu ist hergestellt	• Wundauflage und Art der Wundreinigung nach ärztlicher Anordnung auswählen	**Wundauflage auswählen** • Sterile Kompresse • Sterile Saugkompresse • Ringergetränkte Kompresse • Hydrogelverband

AEDL Für eine sichere und fördernde Umgebung sorgen können

- Hydrokolloidverband
- Hydropolymer
- Polyurethanschaum
- Metallinisierte Wundauflage
- Aktivkohle-Kompresse
- Silber-Aktivkohle-Kompresse
- Transparente Wundabdeckung
- Folienverband
- Folienverband mit Vakuumversiegelung
- Salbenkompresse ohne Wirkstoff
- Alginat-Kompresse

Wunde reinigen mit
- Ringer-Lösung
- Kochsalzlösung 0,9%ig
- Wasserstoffperoxid-Lösung 1%ig
- Wasserstoffperoxid-Lösung 2%ig
- Wasserstoffperoxid-Lösung 3%ig

Verbandstoff auswählen
- Elastische Binde
- Schlauchmull
- Fixomull

Pflegeziele	Pflegeintervention	Handlungsleitende Pflegeinterventionen
• Primäre Wundheilung ist gewährleistet	• Nahtmaterial nach Arztanordnung entfernen	**Nahtmaterial nach Arztanordnung entfernen** • Klammern entfernen • Fäden ziehen **Anzahl der zu entfernenden Klammern/Fäden bestimmen** • Bis 10 Fäden/Klammern • >10 Fäden/Klammern
• Wundmanagement ist unterstützt	• Wundstatuserhebung mit Wunddokumentation und Verlaufsdokumentation durchführen	• Wundprotokoll zur Wunddokumentation anlegen • Foto der Wunde erstellen **Wunde beschreiben** • Wunde ausmessen und zeichnen (mm²- oder cm²-Angaben) • Wundtiefe mit Knopfsonde messen • Wundzustand und Wundheilungsphase beschreiben
• Primäre Wundheilung ist gewährleistet	• Dem Arzt beim Verbandwechsel assistieren	• Einfachen Verbandwechsel durchführen • Verbandwechsel mit Wundreinigung durchführen • Verbandwechsel mit Wundspülung durchführen • Verbandwechsel mit speziellen Auflagen durchführen • Folienverband mit Vakuum anlegen • Folienverband mit Vakuum >9 % der Körperfläche anlegen • Spezielle Wundbehandlung bei Verbrennungen durchführen • Spezielle Wundbehandlung bei Verbrennungen betroffener Körperoberflächen >9 % durchführen

AEDL Für eine sichere und fördernde Umgebung sorgen können

- Spezielle Wundbehandlung bei Verbrennungen betroffener Körperoberflächen >18 % durchführen

Literatur: 9, 24, 121, 150, 168, 176, 186, 197, 228, 272, 273

Pflegediagnose
Der Bewohner hat eine eitrige, belegte Wunde, Gefahr der Keimverschleppung und Wundheilungsstörung

▶ **Kennzeichen**
- Überwärmung im umschriebenen Bereich
- Funktionsstörung
- Positiver Erregernachweis
- Sichtbare eitrige Beläge
- Blau-grünlicher Eiter
- Rötung des Wundrands
- Äußert starke Schmerzen
- Süßlich-fauliger Geruch

▶ **Ursachen**
- Dekubitus
- Ulcus cruris
- Brandverletzung
- Ischämische Wunde bei Diabetes
- Bestrahlungswunde
- Bisswunde
- Schürfwunde

▶ **Ressourcen**
- Kennt die Schutz- und Hygienemaßnahmen und hält sie ein
- Toleriert den Verbandwechsel
- Unterstützt die Wundbehandlung

Pflegeziele
- Wundheilungsförderliches Milieu ist hergestellt

Pflegeintervention
- Verbandwechsel durchführen

Handlungsleitende Pflegeinterventionen
- Verbandwechsel mit Wundreinigung durchführen
- Verbandwechsel mit Wundspülung durchführen
- Verbandwechsel mit Wundspülung durchführen, Tamponaden einbringen
- Verbandwechsel mit Nekrosenabtragung durchführen
- Verbandwechsel mit speziellen Auflagen durchführen
- Folienverband mit Vakuum anlegen
- Folienverband mit Vakuum >9 % der Körperfläche anlegen
- Spezielle Wundbehandlung bei Verbrennungen durchführen
- Spezielle Wundbehandlung bei Verbrennungen betroffener Körperoberflächen >9 % durchführen
- Spezielle Wundbehandlung bei Verbrennungen betroffener Körperoberflächen >18 % durchführen

Anzahl der beteiligten Personen bestimmen

Pflegeziele
- Wunde ist infektionsfrei
- Wundreinigungsmittel bzw. Medikamente sind gezielt eingesetzt

Pflegeintervention
- Abstrich der Wunde durchführen und fachgerecht an das Labor senden

Pflegeziele
- Verlauf der Wundheilung kann beurteilt werden

Pflegeintervention
- Wunde beurteilen und auf dem Wundprotokoll dokumentieren

AEDL Für eine sichere und fördernde Umgebung sorgen können

Pflegeziele	Pflegeintervention	Handlungsleitende Pflegeinterventionen
• Wunde ist infektionsfrei • Débridement (Abtragung/Abdauung oberflächlicher Nekrosen) ist erfolgreich	• Mechanische Wundreinigung durchführen	**Mechanische Wundreinigung lt. Arztanordnung durchführen** • Mechanische Wundreinigung mit sterilen Tupfern durchführen • Nekrosen abtragen • Sonstige Hinweise

Pflegeziele	Pflegeintervention	Handlungsleitende Pflegeinterventionen
• Wunde ist infektionsfrei • Débridement (Abtragung/Abdauung oberflächlicher Nekrosen) ist erfolgreich	• Autolytische Wundreinigung durchführen	**Autolytische Wundreinigung lt. Arzt durchführen** • Hydrokolloidverband • Sonstige Hinweise

Pflegeziele	Pflegeintervention	Handlungsleitende Pflegeinterventionen
• Wunde ist infektionsfrei • Débridement (Abtragung/Abdauung oberflächlicher Nekrosen) ist erfolgreich	• Enzymatische Wundreinigung durchführen	**Enzymatische Wundreinigung lt. Arztanordnung durchführen** • Kollagenase • Fibrinolysin • Desoxyribonuclease • Streptokinase • Streptodornase **Verbandwechselintervall lt. Arzt bestimmen**

Pflegeziele	Pflegeintervention	Handlungsleitende Pflegeinterventionen
• Wundheilungsmilieu ist physiologisch • Häufigkeit der Verbandwechsel ist reduziert	• Wundabdeckung lt. Arztanordnung durchführen	**Wundauflage auswählen** • Sterile Kompresse • Sterile Saugkompresse • Ringergetränkte Kompresse • Hydrogelverband • Hydrokolloidverband • Hydropolymer • Polyurethanschaum • Metallinisierte Wundauflage • Aktivkohle-Kompresse • Silber-Aktivkohle-Kompresse • Transparente Wundabdeckung • Folienverband • Folienverband mit Vakuumversiegelung • Salbenkompresse ohne Wirkstoff • Alginat-Kompresse **Verbandstoff auswählen** • Elastische Binde • Schlauchmull • Fixomull **Besonderheiten beachten**

Pflegeziele	Pflegeintervention	Handlungsleitende Pflegeinterventionen
• Keimbesiedelung ist reduziert	• Wundantiseptika entsprechend der Arztanordnung einsetzen	**Wundantiseptika lt. Arztanordnung einsetzen** • Polihexanid-Lösung • PVP-Jodpräparat • Kaliumpermanganat-Lösung • Wasserstoffperoxid-Lösung • Octenidin • Ethanol • Antibiotikumhaltige Salbe

AEDL Für eine sichere und fördernde Umgebung sorgen können

Zeit/Bedingung der Anwendung bestimmen
- Wunde spülen
- Sprühdesinfektion durchführen
- Wischdesinfektion durchführen
- In Form einer Salbe auftragen

Lösung verdünnen

Sonstige Hinweise

Pflegeziele	Pflegeintervention	Handlungsleitende Pflegeinterventionen
• Primäre Wundheilung ist gewährleistet	• Dem Arzt beim Verbandwechsel assistieren	• Einfachen Verbandwechsel durchführen • Verbandwechsel mit Wundreinigung durchführen • Verbandwechsel mit Wundspülung durchführen • Verbandwechsel mit speziellen Auflagen durchführen • Folienverband mit Vakuum anlegen • Folienverband mit Vakuum >9 % der Körperfläche anlegen • Spezielle Wundbehandlung bei Verbrennungen durchführen • Spezielle Wundbehandlung bei Verbrennungen betroffener Körperoberflächen >9 % durchführen • Spezielle Wundbehandlung bei Verbrennungen betroffener Körperoberflächen >18 % durchführen

Literatur: 9, 20, 24, 114, 131, 150, 168, 176, 197, 228, 272, 273

Pflegediagnose
Der Bewohner hat eine chronische Wunde, die Lebensqualität ist beeinträchtigt

▶ Kennzeichen	▶ Ursachen	▶ Ressourcen
• Beschreibt Schmerzzustände seit einem langen Zeitraum • Die Wunde besteht länger als 8 Wochen ohne Anzeichen auf Heilung • Zieht sich vom sozialen Geschehen zurück • Störungen/Einschränkungen im Bewegungsablauf • Äußerungen über Schamgefühl	• Reduzierter Allgemeinzustand • Multimorbidität • Zytostasetherapie • Antibiotikatherapie • Wundinfektion • Immunabwehrschwäche • Verminderte Mikrozirkulation • Diabetes mellitus	• Kann Hilfe annehmen • Ist motiviert, Hilfsmittel einzusetzen • Kennt die Schutz- und Hygienemaßnahmen und hält sie ein • Unterstützt die Wundbehandlung • Lässt sich ablenken

Pflegeziele	Pflegeintervention	Handlungsleitende Pflegeinterventionen
• Wundmanagement ist unterstützt	• Systematische Wundanamnese erstellen und bisherige Wundtherapie bewerten	**Anamnesefragen klären** • Risikofaktoren für die Wundheilung sind nicht ausreichend beachtet worden • Ursachen der Wundeheilungsstörung sind noch nicht beachtet worden • Wundbehandlung entspricht nicht dem aktuellen wissenschaftlichen Stand **Unwirksames Therapiemanagement feststellen** • Unwirksames Therapiemanagement aufgrund von Wissensdefizit • Fehlende Unterstützung durch die Familie • Fehlende Einsicht des Bewohners

AEDL Für eine sichere und fördernde Umgebung sorgen können

Pflegeziele	Pflegeintervention	Handlungsleitende Pflegeinterventionen
• Wundmanagement ist unterstützt	• Wundstatuserhebung mit Wunddokumentation und Verlaufsdokumentation durchführen	• Wundprotokoll zur Wunddokumentation anlegen • Foto der Wunde erstellen **Wunde beschreiben** • Wunde ausmessen und zeichnen (mm^2- oder cm^2- Angaben) • Wundtiefe mit Knopfsonde messen • Wundzustand und Wundheilungsphase beschreiben
Pflegeziele • Wundheilungsmilieu ist physiologisch • Häufigkeit der Verbandwechsel ist reduziert	**Pflegeintervention** • Wundabdeckung lt. Arztanordnung durchführen	**Handlungsleitende Pflegeinterventionen** **Wundauflage auswählen** • Sterile Kompresse • Sterile Saugkompresse • Ringergetränkte Kompresse • Hydrogelverband • Hydrokolloidverband • Hydropolymer • Polyurethanschaum • Metallinisierte Wundauflage • Aktivkohle-Kompresse • Silber-Aktivkohle-Kompresse • Transparente Wundabdeckung • Folienverband • Folienverband mit Vakuumversiegelung • Salbenkompresse ohne Wirkstoff • Alginat-Kompresse **Verbandstoff auswählen** • Elastische Binde • Schlauchmull • Fixomull **Besonderheiten beachten**
Pflegeziele • Wundheilungsmilieu ist physiologisch	**Pflegeintervention** • Verbandwechsel durchführen	**Handlungsleitende Pflegeinterventionen** • Einfachen Verbandwechsel durchführen • Verbandwechsel mit Wundreinigung durchführen • Verbandwechsel mit Wundspülung durchführen • Verbandwechsel mit Wundspülung durchführen, Tamponaden einbringen • Verbandwechsel mit Nekrosenabtragung • Verbandwechsel mit speziellen Auflagen durchführen **Anzahl der beteiligten Personen bestimmen**
Pflegeziele • Wunde ist infektionsfrei • Wundreinigungsmittel bzw. Medikamente sind gezielt eingesetzt	**Pflegeintervention** • Abstrich der Wunde durchführen und fachgerecht an das Labor senden	
Pflegeziele • Wunde ist infektionsfrei • Débridement (Abtragung/Abdauung oberflächlicher Nekrosen) ist erfolgreich	**Pflegeintervention** • Mechanische Wundreinigung durchführen	**Handlungsleitende Pflegeinterventionen** **Mechanische Wundreinigung lt. Arztanordnung durchführen** • Mechanische Wundreinigung mit sterilen Tupfern durchführen

AEDL Für eine sichere und fördernde Umgebung sorgen können

- Nekrosen abtragen
- Sonstige Hinweise

Pflegeziele
- Wunde ist infektionsfrei
- Débridement (Abtragung/Abdauung oberflächlicher Nekrosen) ist erfolgreich

Pflegeintervention
- Autolytische Wundreinigung durchführen

Handlungsleitende Pflegeinterventionen
Autolytische Wundreinigung lt. Arzt durchführen
- Hydrokolloidverband
- Sonstige Hinweise

Pflegeziele
- Wunde ist infektionsfrei
- Débridement (Abtragung/Abdauung oberflächlicher Nekrosen) ist erfolgreich

Pflegeintervention
- Enzymatische Wundreinigung durchführen

Handlungsleitende Pflegeinterventionen
Enzymatische Wundreinigung lt. Arztanordnung durchführen
- Kollagenase
- Fibrinolysin
- Desoxyribonuclease
- Streptokinase
- Streptodornase

Verbandwechselintervall lt. Arzt bestimmen

Pflegeziele
- Primäre Wundheilung ist gewährleistet

Pflegeintervention
- Dem Arzt beim Verbandwechsel assistieren

Handlungsleitende Pflegeinterventionen
- Einfachen Verbandwechsel durchführen
- Verbandwechsel mit Wundreinigung durchführen
- Verbandwechsel mit Wundspülung durchführen
- Verbandwechsel mit speziellen Auflagen durchführen
- Folienverband mit Vakuum anlegen
- Folienverband mit Vakuum >9 % der Körperfläche anlegen
- Spezielle Wundbehandlung bei Verbrennungen durchführen
- Spezielle Wundbehandlung bei Verbrennungen betroffener Körperoberflächen >9 % durchführen
- Spezielle Wundbehandlung bei Verbrennungen betroffener Körperoberflächen >18 % durchführen

Pflegeziele
- Durchblutungssituation und Wundheilung sind unterstützt

Pflegeintervention
- Durchblutungsfördernde Maßnahmen durchführen

Handlungsleitende Pflegeinterventionen
- Betroffene Extremitäten warm halten
- Einschnürende Kleidungsstücke vermeiden
- Geh- und Bewegungsübungen durchführen
- Kompressionsverband anlegen

Literatur: 20, 87, 114, 131, 152, 168, 176, 197, 204, 228, 251, 272, 273

AEDL Für eine sichere und fördernde Umgebung sorgen können

Pflegediagnose
Der Bewohner hat eine Prellung, Verstauchung oder Quetschung

▶ **Kennzeichen**
- Schwellung
- Bläuliche Verfärbung
- Äußert Schmerzen
- Überwärmung im umschriebenen Bereich

▶ **Ursachen**
- Mechanische Gewalteinwirkung

▶ **Ressourcen**
- Zeigt Verhaltensweisen, die die Therapie unterstützen
- Äußert Schmerzzustände und kann diese beschreiben
- Kennt Verhaltensweisen, die schmerzlindernd wirken
- Unterstützt die Schmerztherapie

Pflegeziele
- Die Schmerzlinderung ist durch die physikalische Therapie unterstützt
- Schwellungen sind verhindert bzw. gehen zurück

Pflegeintervention
- Kälteanwendung durchführen

Handlungsleitende Pflegeinterventionen
Kälteanwendung durchführen
- Eisbeutel auflegen
- Kühlelement auflegen
- Kalte Kompresse/Auflage anwenden

Literatur: 121, 168, 197, 228, 247, 272, 273

▶ Pflegediagnosen im Zusammenhang mit Infektionsgefahr

Pflegediagnose
Der Bewohner bekommt eine Infusionstherapie über eine Venenverweilkanüle, Gefahr von Venenentzündung, paravenöser Lage und Sepsis

▶ **Kennzeichen**
- Venenverweilkanüle

▶ **Ursachen**
- Immunabwehrschwäche
- Fehlendes Hygieneempfinden
- Fehlendes Verständnis für spezielle Verhaltensweisen und prophylaktische Maßnahmen
- Wissensdefizit über Verhaltensregeln
- Umfeldbedingt erhöhtes Infektionsrisiko

▶ **Ressourcen**
- Ist bezüglich der Infusionstherapie kooperativ
- Beobachtet Veränderungen am System und meldet sich
- Kann sich bei selbst beobachteten Veränderungen melden
- Meldet sich bei Anzeichen von Komplikationen

Pflegeziele
- Komplikationen ist vorgebeugt

Pflegeintervention
- Einstichstelle auf Infektionszeichen beobachten

Pflegeziele
- Einstichstelle ist reizlos und nicht infiziert

Pflegeintervention
- Verbandwechsel des venösen Zugangs vornehmen

Handlungsleitende Pflegeinterventionen
Verband der Einstichstelle wechseln

Pflegeziele
- Einer Keimverschleppung ist vorgebeugt

Pflegeintervention
- Sterile Arbeitsweise bei der Herstellung von Infusionsmischlösungen/beim Umstecken der Infusionen sicherstellen

AEDL Für eine sichere und fördernde Umgebung sorgen können

Pflegeziele	Pflegeintervention	
• Paravenöser Infusionsfluss ist vermieden	• Auf paravenöse Lage überwachen	

Pflegeziele	Pflegeintervention	Handlungsleitende Pflegeinterventionen
• Einer Manipulation und zusätzlichen Reizung der Gefäße durch die Venenverweilkanüle ist vorgebeugt	• Venenverweilkanüle fixieren zur Sicherheit und Reduzierung von Manipulationen an der Kanüle (z. B. durch Bewegung)	• Hand mit der Venenverweilkanüle schienen/lagern • Arm mit der Venenverweilkanüle schienen/lagern • Venenverweilkanüle und zuleitende Infusionsschläuche mit Pflaster fixieren • Venenverweilkanüle und zuleitende Infusionsschläuche mit einer Mullbinde fixieren

Literatur: 121, 168, 272, 273

Pflegediagnose
Der Bewohner bekommt eine Infusionstherapie über einen ZVK (Zentralen Venenkatheter), Gefahr der Infektion der Einstichstelle/Kathetersepsis

▶ Kennzeichen	▶ Ursachen	▶ Ressourcen
• ZVK, V. jugularis externa • ZVK, V. jugularis interna • ZVK, V. subclavia • ZVK, V. femoralis • ZVK, V. basilica • Port (implantierter zentraler Venenkatheter)	• Immunabwehrschwäche • Umfeldbedingt erhöhtes Infektionsrisiko • Fehlendes Verständnis für spezielle Verhaltensweisen und prophylaktische Maßnahmen • Wissensdefizit über Verhaltensregeln • Fehlendes Hygieneempfinden	• Ist bezüglich der Infusionstherapie kooperativ • Toleriert den Verbandwechsel • Beobachtet Veränderungen am System und meldet sich • Besitzt die Fähigkeit der Selbstbeobachtung von kritischen körperlichen Veränderungen

Pflegeziele	Pflegeintervention	Handlungsleitende Pflegeinterventionen
• Komplikationen ist vorgebeugt • Veränderungen werden frühzeitig erkannt und dokumentiert	• Temperatur kontrollieren	**Messmethode auswählen** • Messort rektal • Messort sublingual • Messort axillar • Messort Ohr **Dokumentationsort der Messwerte bestimmen** • In der Fieberkurve dokumentieren • Messwerte in den Pflegeplan eintragen • Messwerte in das Überwachungsprotokoll eintragen **Thermometer wieder aufbereiten** • Schutzhüllen entsorgen, Schmutz abwischen und in Desinfektionslösung nach Plan einlegen • Trocken gelagertes, im Zimmer verbleibendes Thermometer alle drei Tage desinfizieren (lt. Plan)

Pflegeziele	Pflegeintervention	
• Keimbesiedelung ist reduziert	• Infusionssystem entsprechend den Hygieneanforderungen wechseln	

AEDL Für eine sichere und fördernde Umgebung sorgen können

Pflegeziele	Pflegeintervention	Handlungsleitende Pflegeinterventionen
• Einer Kathetersepsis/Infektion der Einstichstelle ist vorgebeugt	• Einstichstelle des zentralen Venenkatheters verbinden	**Verband der Einstichstelle wechseln**

Pflegeziele	Pflegeintervention	
• Komplikationen ist vorgebeugt	• Einstichstelle auf Infektionszeichen beobachten	

Literatur: 115, 121, 168, 215, 260, 272, 273

▶ Pflegediagnosen: Medikamentenverabreichung/Therapie

Pflegediagnose
Der Bewohner ist in der selbstständigen Medikamenteneinnahme eingeschränkt, Gefahr des unwirksamen Therapiemanagements

▶ Kennzeichen	▶ Ursachen	▶ Ressourcen
• Verwechselt die verschiedenen Medikamente • Vergisst, die Medikamente einzunehmen • Kann die Medikamente nicht aus der Blisterpackung entnehmen • Kann die Medikamente nicht selbstständig schlucken • Geht sorglos mit der Medikamenteneinnahme um • Sieht die Notwendigkeit der Medikamenteneinnahme nicht ein • Lehnt die Medikamenteneinnahme ab • Spuckt die Medikamente bei passender Gelegenheit aus	• Sehschwäche • Demenz • Kognitive Fähigkeiten sind eingeschränkt • Schluckstörung • Psychische Störung • Misstrauen gegenüber der Therapie • Fehlende Einsicht • Fehlendes Krankheitsgefühl • Fehlende Tagesstrukturierung • Reduzierte Fingerbeweglichkeit	• Nimmt die vorbereiteten Medikamente zuverlässig ein • Kann Hilfe annehmen

Pflegeziele	Pflegeintervention	Handlungsleitende Pflegeinterventionen
• Selbstapplikation von Medikamenten ist effektiv und fachgerecht • Korrekte Medikamenteneinnahme ist gewährleistet • Akzeptiert die Unterstützung bei der Medikamenteneinnahme	• Angeordnete orale Medikamente verabreichen	• 1–2 Medikamente verabreichen • 3 und mehr Medikamente verabreichen • Medizinische Spezialtees vorbereiten und verabreichen • Tabletten vor der Verabreichung mörsern • Gemörserte und anschließend aufgelöste Medikamente durch die PEG verabreichen • Medikamente auflösen **Art und Weise der Unterstützung bestimmen** • Medikamente richten und zur Einnahme bereitstellen • Hilfestellung bei der Selbstapplikation geben • Bei der Verabreichung unterstützen • Vor der Medikamentenverabreichung bei der Einnahme der richtigen Körperposition unterstützen • Medikamentenverabreichung bei bestehenden Schluckstörungen unterstützen

AEDL Für eine sichere und fördernde Umgebung sorgen können

- Einnahmeverweigerung überwinden helfen

Grund für die Medikation bestimmen

- Angeordnete Dauermedikation
- Bedarfsmedikation
- Medikation zur Vorbereitung von Untersuchungen
- Akute Notfallmedikation

Pflegeziele	Pflegeintervention	Handlungsleitende Pflegeinterventionen
• Selbstständige Medikamenteneinnahme ist unterstützt	• Verordnete Medikamente in Wochen-/Tagesdosett stellen	**Verordnete Medikamente in Wochen-/Tagesdosett stellen** • Verordnete Medikamente in Tagesdosett stellen • Verordnete Medikamente in Wochendosett stellen • Urlaubsmedikation vorbereiten und mitgeben
• Augenmedikation lt. Arztanordnung ist fachgerecht und unter hygienischen Kautelen eingebracht	• Angeordnete Augenmedikation verabreichen	• Zur Selbstmedikation anleiten • Augentropf einbringen • Augensalbe in den Bindehautsack einbringen **Betroffenes Auge bestimmen** • Rechtes Auge • Linkes Auge • Beide Augen **Aufwand beim Verabreichen der Medikamente bestimmen** • Augenverband abnehmen und anschließend wieder anbringen • Durchführungsverweigerung überwinden • Bei eingeschränkter Sehfähigkeit Nachbetreuung gewährleisten
• Verabreichung der Medikation ist sichergestellt	• Nasenmedikation lt. Arztanordnung verabreichen	
• Zuverlässige Medikamenteneinnahme ist gewährleistet	• Ohrentropfen lt. ärztlicher Anordnung verabreichen	**Ohrverband anlegen** • Beide Ohren • Rechtes Ohr • Linkes Ohr **Weitere Besonderheiten bestimmen** • Ohrenverband anlegen • Sterilen Ohrverband anbringen
• Nebenwirkungen und Komplikationen sind erkannt und richtig eingeschätzt	• Auf unerwünschte Nebenwirkungen beobachten	• Mögliche bekannte Nebenwirkungen spezifisch beobachten • Nebenwirkungen unspezifisch beobachten **Mögliche spezifische Nebenwirkungen bestimmen** • Herzrhythmusstörungen • Verwirrtheit • Müdigkeit • Ruhelosigkeit • Schwindel

AEDL Für eine sichere und fördernde Umgebung sorgen können

- Koordinationsstörungen
- Gehstörungen
- Paradoxe Reaktionen
- Motorische Störungen
- Übelkeit
- Mundtrockenheit
- Appetitlosigkeit
- Dehydration
- Hypotonie
- Niereninsuffizienz
- Harnverhalt
- Sehstörungen
- Allergische Reaktionen
- Juckreiz

Pflegeziele
- Verabreichung der Medikation ist sichergestellt

Pflegeintervention
- Angeordnete Zäpfchen verabreichen

Handlungsleitende Pflegeinterventionen
- Rektale Applikation
- Vaginale Applikation

Art der Unterstützungsleistung bestimmen
- Zur Selbstmedikation anleiten
- Bei der Verabreichung unterstützen
- Bei der Einnahme der richtigen Körperposition zur Verabreichung des Zäpfchens mit anschließender Applikation unterstützen

Pflegeziele
- Verabreichung der Medikation ist sichergestellt

Pflegeintervention
- Medikamente lokal applizieren

Handlungsleitende Pflegeinterventionen
- Salbe verwenden
- Gel verwenden
- Tinktur verwenden
- Paste verwenden

Art der Unterstützungsleistung bestimmen
- Therapeutikum lokal auftragen
- Mit dem Lokaltherapeutikum großflächig einreiben
- Lokaltherapeutikum einmassieren
- Anschließend Schutzverband anlegen

Pflegeziele
- Verabreichung der Medikation ist sichergestellt

Pflegeintervention
- Transkutane Pflaster aufbringen

Pflegeziele
- Bronchialspasmus ist gelöst

Pflegeintervention
- Dosieraerosolen lt. Arztanordnung verabreichen

Literatur: 121, 168, 183, 272, 273

AEDL Für eine sichere und fördernde Umgebung sorgen können

Pflegediagnose
Der Bewohner bekommt Medikamente, hat ein Wissensdefizit über die korrekte Einnahme

▶ **Kennzeichen**
- Nimmt die Medikamente nicht zum richtigen Zeitpunkt ein
- Nimmt Medikamente nicht in der richtigen Art und Weise ein
- Äußert ein Wissensdefizit über die richtige Einnahme der Medikamente

▶ **Ursachen**
- Fehlender Zugang zu den entsprechenden Informationen
- Kognitive Fähigkeiten sind eingeschränkt
- Fehlendes Interesse an Informationen
- Wissensdefizit wird nicht erkannt

▶ **Ressourcen**
- Zeigt Lernbereitschaft und ist interessiert
- Kognitive Fähigkeiten, neu zu lernen, sind vorhanden

Pflegeziele
- Ist über die Medikamente und die Applikationsweise informiert

Pflegeintervention
- Aufklärungsgespräch über die Medikamenteneinnahme führen

Handlungsleitende Pflegeinterventionen

Inhalt des themenzentrierten Pflegefachgesprächs bestimmen
- Informationssammlung
- Pflege-, Betreuungs- und Behandlungsprozess
- Ursachenanalyse
- Strategien zur Krankheitsbewältigung
- Motivation/Aktivierung
- Alltagsbewältigung
- Förderung der Entscheidungsfindung
- Zukunftsperspektive
- Unterstützung der Orientierung
- Unterstützung des Realitätsbezugs
- Krisenintervention
- Aktuelle Bedürfnisse/Wünsche
- Instruktion/Anleitung
- Feed-back-Gespräch
- Sonstige Gesprächsinhalte

Zeitdauer des Gesprächs angeben

Literatur: 121, 168, 226, 272, 273

Pflegediagnose
Der Bewohner zeigt ein Wissensdefizit/Unsicherheit im Umgang mit der Insulinverabreichung

▶ **Kennzeichen**
- Kann die Insulinverabreichung nicht selbstständig durchführen
- Äußert ein Wissensdefizit über die richtige Applikation einer Insulinverabreichung
- Macht Fehler beim Applizieren der Insulininjektion
- Kann die Dosierung nicht benennen

▶ **Ursachen**
- Fehlender Zugang zu den entsprechenden Informationen
- Kognitive Fähigkeiten sind eingeschränkt
- Fehlendes Interesse an Informationen
- Wissensdefizit wird nicht erkannt
- Hemmungen, sich selbst zu spritzen
- Sehschwäche
- Fingerfertigkeit fehlt

▶ **Ressourcen**
- Zeigt Lernbereitschaft und ist interessiert
- Kognitive Fähigkeiten, neu zu lernen, sind vorhanden
- Körperliche Fähigkeiten, die Insulinverabreichung durchzuführen, sind vorhanden
- Angehörige sind bereit, die Spritzentechnik zu lernen

Pflegeziele
- Kann sich das Insulin selbstständig verabreichen und fühlt sich sicher

Pflegeintervention
- Bei der Insulinverabreichung anleiten/unterstützen

AEDL Für eine sichere und fördernde Umgebung sorgen können

Pflegeziele
- Kann sich das Insulin selbstständig verabreichen und fühlt sich sicher
- Setzt den Pen sicher und zuverlässig zur Insulingabe ein

Pflegeintervention
- Im Umgang mit dem Pen anleiten

Pflegeziele
- Einhaltung der Dosierung und Applikationsform sind sichergestellt

Pflegeintervention
- Insulinverabreichung übernehmen

Pflegeziele
- Ermittelt zuverlässig den BZ-Wert selbst
- Schätzt die ermittelten BZ-Werte richtig ein und kann entsprechende Verhaltensmaßnahmen einleiten

Pflegeintervention
- Bei der BZ-Bestimmung und der Errechnung der zu verabreichenden Insulineinheiten unterstützen

Literatur: 121, 167, 168, 272, 273

Pflegediagnose
Der Bewohner hat ein Wissensdefizit/Unsicherheit im Umgang mit Inhalaten

▶ **Kennzeichen**
- Äußert ein Wissensdefizit über die richtige Applikation der Inhalate
- Macht Fehler beim Applizieren der Inhalate
- Kann die Dosierung nicht benennen
- Kennt die Zusammenhänge des Ampelschemas nicht
- Macht Fehler bei der Ermittlung des Peak-Flow-Werts

▶ **Ursachen**
- Fehlender Zugang zu den entsprechenden Informationen
- Kognitive Fähigkeiten sind eingeschränkt
- Fehlendes Interesse an Informationen
- Wissensdefizit wird nicht erkannt
- Fingerfertigkeit fehlt

▶ **Ressourcen**
- Kann die Maßnahme nach Anleitung selbstständig durchführen
- Zeigt Lernbereitschaft und ist interessiert
- Kognitive Fähigkeiten, neu zu lernen, sind vorhanden
- Körperliche Fähigkeiten, die Inhalation selbstständig durchzuführen, sind vorhanden
- Akzeptiert die Unterstützung von Angehörigen

Pflegeziele
- Selbstapplikation von Medikamenten ist effektiv und fachgerecht

Pflegeintervention
- Verwendung von Inhalaten und Umgang mit elektrischen Zerstäubern einüben/dazu anleiten

Pflegeziele
- Kann die Atemsituation selbstständig einschätzen und die Asthmatherapie entsprechend unterstützen
- Selbstapplikation von Medikamenten ist effektiv und fachgerecht

Pflegeintervention
- Zum fachgerechten Einsatz von Dosieraerosol anleiten/diesen einüben

AEDL Für eine sichere und fördernde Umgebung sorgen können

Pflegeziele	Pflegeintervention	Handlungsleitende Pflegeinterventionen
• Selbstapplikation von Medikamenten ist effektiv und fachgerecht	• Zur selbstständigen Prüfung der Lungenfunktion mit dem Peak-Flow-Meter sowie zur Verabreichung der Medikamente nach dem aufgestellten Ampelsystem anleiten	**Lungenfunktion mithilfe eines Peak-Flow-Meters selbstständig einschätzen** • Lungenfunktionsprüfung gemeinsam durchführen • Bei der Lungenfunktionsprüfung unterstützen/dazu anleiten • Selbstständig durchgeführte Funktionsprüfung kontrollieren

Pflegeziele	Pflegeintervention	
• Fühlt sich angenommen und verstanden • Setzt sich aktiv mit der Erkrankung auseinander • Lernt, mit den Einschränkungen zu leben	• Kontaktadressen von Selbsthilfegruppen vermitteln	

Pflegeziele	Pflegeintervention	
• Fühlt sich ernst genommen • Dyspnoe ist erfasst und eingeschätzt	• Intensität der Dyspnoe mithilfe einer Einschätzungsskala ermitteln	

Literatur: 121, 168, 226, 272, 273

▶ Pflegediagnosen im Zusammenhang mit Krankheiten

Pflegediagnose
Der Bewohner hat ein erhöhtes Infektionsrisiko, es besteht die Gefahr von Wundheilungsstörungen der Füße

▶ Kennzeichen	▶ Ursachen	▶ Ressourcen
• Äußert ein Wissensdefizit über entsprechende Prophylaxemaßnahmen • Zeigt Verhaltensweisen, die darauf hinweisen, dass die Gefahren nicht ausreichend beachtet werden • Äußert Kältegefühl in den Füßen	• Sensibilitätsstörung • Neuropathie • Angiopathie • Wissensdefizit • Diabetes-Spätfolgen • Gefäßerkrankung	• Kennt die Schutz- und Hygienemaßnahmen und hält sie ein • Zeigt Interesse, die spezielle Fußpflege zu erlernen • Kann Hilfe annehmen • Akzeptiert die Unterstützung von Angehörigen • Angehörige zeigen Bereitschaft, neu zu lernen

Pflegeziele	Pflegeintervention	Handlungsleitende Pflegeinterventionen
• Verletzungen sind vermieden • Wissensdefizit über Ursachen und Maßnahmen ist aufgehoben	• Verhaltensregeln bei einem „diabetischen Fuß" besprechen und vereinbaren	• Füße täglich inspizieren • Über prophylaktische Maßnahmen zur Vermeidung von Komplikationen bei einem „diabetischen Fuß" aufklären • Besonderheiten bei der Fuß-/Nagelpflege besprechen

AEDL Für eine sichere und fördernde Umgebung sorgen können

Pflegeziele
- Komplikationen ist vorgebeugt

Pflegeintervention
- Bei der speziellen Fußpflege bei Diabetes unterstützen

Handlungsleitende Pflegeinterventionen
- Täglich kurzes Fußbad zur gründlichen Reinigung der Füße durchführen
- Füße abtrocknen, besonders Zehenzwischenräume
- Täglich auf Hautveränderungen und Druckstellen inspizieren
- Hautpflege der Füße durchführen

Art der Unterstützungsleistung bestimmen
- Bei selbstständiger Durchführung beaufsichtigen und anleiten
- Durch Unterstützen helfen
- Teilweise übernehmen
- Vollständig übernehmen

Verwendete Pflegeprodukte

Pflegeziele
- Füße sind in gepflegtem Zustand

Pflegeintervention
- Fußpflege organisieren

Pflegeziele
- Physiologisches Hautverhältnis ist hergestellt

Pflegeintervention
- Bei der Auswahl geeigneten Schuhwerks unterstützen

Literatur: 68, 121, 167, 168, 212, 223, 272, 273

Pflegediagnose
Der Bewohner hat ein erhöhtes Risiko der Hyper- oder Hypoglykämie

▶ Kennzeichen
- Äußert ein Wissensdefizit über entsprechende Prophylaxemaßnahmen
- Kann keine Zusammenhänge bezüglich der Erkrankung und der Ernährung/Insulintherapie erklären
- Äußert ein Wissensdefizit über die richtige Applikation einer Insulinverabreichung
- Kann die Insulinverabreichung nicht selbstständig durchführen
- Macht Fehler beim Applizieren der Insulininjektion

▶ Ursachen
- Diabetes mellitus
- Akute Pankreatitis

▶ Ressourcen
- Kennt Vorbeugungsmaßnahmen und unterstützt diese aktiv
- Akzeptiert die Notwendigkeit der Diät (bestimmte Einschränkungen)
- Kann die Zusammenhänge zwischen der notwendigen Diät und Krankheit/Symptomen erklären
- Hält die Verhaltensmaßregeln ein
- Kann sich das Insulin selbst verabreichen
- Körperliche Fähigkeiten, die Insulinverabreichung durchzuführen, sind vorhanden
- Angehörige sind bereit, die Spritzentechnik zu lernen

Pflegeziele
- Komplikationen sind frühzeitig erkannt und abgewendet

Pflegeintervention
- Auf Anzeichen von Hyper-/Hypoglykämie beobachten

Pflegeziele
- Blutzuckerspiegel ist ausgeglichen

Pflegeintervention
- Blutzuckerkontrollen durchführen

AEDL Für eine sichere und fördernde Umgebung sorgen können

Pflegeziele	Pflegeintervention	Handlungsleitende Pflegeinterventionen
• Selbstständigkeit ist gefördert • Blutzuckerspiegel ist ausgeglichen	• Zur konventionellen Insulintherapie anleiten	• Zur Berechnung der Bolusrate anleiten • Zur selbstständigen Blutzuckerbestimmung anleiten • Zur selbstständigen Insulinverabreichung anleiten • Im Umgang mit dem Pen anleiten **Intensivierte konventionelle Insulintherapie (ICT) übernehmen** • Bolusrate berechnen • BZ-Kontrolle übernehmen • Insulin mit der Insulinspritze aufziehen • Insulin mit der Insulinspritze verabreichen • Insulin mit dem Pen verabreichen
Pflegeziele	**Pflegeintervention**	**Handlungsleitende Pflegeinterventionen**
• Ess-Spritz-Abstand wird exakt eingehalten • Ess-Spritz-Abstand ist dem Bewohner bekannt	• Ess-Spritz-Abstand einhalten	**Ess-Spritz-Abstand festlegen**
Pflegeziele	Pflegeintervention	Handlungsleitende Pflegeinterventionen
• Ist über Verhaltensmaßnahmen informiert und setzt diese um	• Individuelle Diabetesberatung durchführen	• Insulinverabreichung und -berechnung durchführen • Broteinheiten berechnen • Blutzuckerbestimmung durchführen • Über Anzeichen von Hyper-/Hypoglykämie und anderen Komplikationen informieren **Zeitdauer der Diabetesberatung bestimmen**
Pflegeziele	**Pflegeintervention**	**Handlungsleitende Pflegeinterventionen**
• Termin wird wahrgenommen	• Zum Diabetesberatungstermin bringen	• Zum vereinbarten Termin innerhalb der Einrichtung bringen • Zum vereinbarten Termin außerhalb der Einrichtung bringen **Zeitdauer angeben** **Zusätzliche Pflegepersonen erforderlich**

Literatur: 121, 135, 167, 168, 272, 273

AEDL Für eine sichere und fördernde Umgebung sorgen können

▶ Pflegediagnose im Zusammenhang mit Fixierung

Pflegediagnose
Der Bewohner zeigt selbst-/fremdgefährdendes Verhalten

▶ **Kennzeichen**
- Zeigt autoaggressives Verhalten
- Äußert Suizidgedanken
- Zustand nach Suizidversuch
- Droht mit Suizid
- Zeigt selbstgefährdendes Verhalten
- Äußert Selbstschädigungswünsche
- Schädigt sich selbst
- Zeigt gefährdendes Verhalten gegenüber Mitmenschen
- Zeigt extreme Unruhezustände mit erhöhter Gefahr der Selbstgefährdung
- Fordert eine Fixierungsmaßnahme aktiv ein

▶ **Ursachen**
- Postoperatives Durchgangssyndrom
- Verwirrtheitszustand
- Lebenskrise
- Psychische Erkrankung
- Labile emotionale Befindlichkeit

▶ **Ressourcen**
- Kann Vertrauen zum Pflegepersonal aufbauen
- Toleriert die Fixierungsmaßnahme

Pflegeziele
- Sicherheit ist gewährleistet

Pflegeintervention
- Bettgitter anbringen und hochstellen

Handlungsleitende Pflegeinterventionen
- Vorhandene Bettgitter nach Wunsch hochziehen
- Bettgitter beidseitig anbringen
- Bettgitter beidseitig entfernen
- Bettgitter rechts anbringen
- Bettgitter links anbringen
- Bettgitter auf einer Seite entfernen

Pflegeziele
- Sicherheit ist gewährleistet

Pflegeintervention
- Fünfpunktfixierung durchführen

Pflegeziele
- Sicherheit ist gewährleistet

Pflegeintervention
- Vierpunktfixierung durchführen

Pflegeziele
- Sicherheit ist gewährleistet

Pflegeintervention
- Dreipunktfixierung durchführen

Pflegeziele
- Extremität ist therapeutisch ruhiggestellt

Pflegeintervention
- Einzelne Extremitäten fixieren

Pflegeziele
- Sicherheit ist gewährleistet

Pflegeintervention
- Fixierungsmaßnahmen im Stuhl (Rollstuhl, Lehnstuhl) vornehmen

Handlungsleitende Pflegeinterventionen
- Mit dem Bauchgurt fixieren
- Therapietisch einsetzen

Pflegeziele
- Sicherheit ist gewährleistet

Pflegeintervention
- Zwangsjacke anlegen

AEDL Für eine sichere und fördernde Umgebung sorgen können

Pflegeziele	Pflegeintervention	Handlungsleitende Pflegeinterventionen
• Sicherheit ist gewährleistet • Psychomotorische Unruhezustände sind gemindert	• Isolierungsmaßnahmen durchführen	• Isolierung als Time-out-Maßnahme durchführen • Isolierungsmaßnahme zum Selbstschutz durchführen • Isolierung aufgrund von Fremdgefährdungsgefahr durchführen **Art der Isolierungsmaßnahme bestimmen** • Im Zimmer einsperren • Im speziellen Überwachungsraum einsperren • In der Gummizelle einsperren **Besonderheiten beachten** • Alle Gegenstände, die zu einer Verletzung führen können, aus dem Zimmer entfernen • Isolierungsmaßnahme kontinuierlich überwachen

Pflegeziele	Pflegeintervention
• Sicherheit ist gewährleistet • Ist psychomotorisch ruhig gestellt	• Angeordnete Zwangsmedikation verabreichen

Pflegeziele	Pflegeintervention	Handlungsleitende Pflegeinterventionen
• Rechtsgrundlage ist sichergestellt	• Rechtsgrundlage für eine Fixierungsmaßnahme klären und organisieren	• Akute Fixierungsmaßnahme lt. Arztanordnung durchführen • Richterliche Genehmigung anfordern • Auf Wunsch des Bewohners durchführen **Zeit/Bedingung der Anwendung bestimmen** • Bei bestimmtem Verhalten des Bewohners • Am Tag • Im Bett • Nur zur Nachtruhe • Kontinuierliche Fixierungsmaßnahme **Ergebnisse dokumentieren** • Fixierungsmaßnahmen auf dem Fixierungsprotokoll dokumentieren • Im Pflegeplan dokumentieren • Fixierungsgründe im Pflegebericht dokumentieren

Literatur: 102

AEDL Soziale Bereiche des Lebens sichern und Beziehungen gestalten können

▶ Pflegediagnosen im Zusammenhang mit der Anpassungsfähigkeit

Pflegediagnose
Der Bewohner hat eine eingeschränkte Fähigkeit, sich an die veränderte Gesundheitssituation anzupassen

▶ Kennzeichen	▶ Ursachen	▶ Ressourcen
• Verleugnet den veränderten Gesundheitszustand • Zeigt fehlende und/oder unzureichende Problem- und Zielerfassung • Veränderter Gesundheitszustand wird nicht angenommen, Anpassung an die Lebenssituation fehlt • Kann für sich keine Perspektiven formulieren • Äußert Gefühle wie Angst, Furcht und Ärger • Zeigt depressives Verhalten	• Fehlender sozialer Rückhalt • Reduzierte positve Selbsteinschätzung • Nicht bewältigter Trauerprozess • Kognitive Fähigkeiten sind eingeschränkt • Verlust und/oder Trennung von wichtigen Bezugspersonen • Wahrnehmungsfähigkeit ist beeinträchtigt • Störung des Ich-Erlebens • Gefühlsstörung, motorische Störung • Denk- und Sprachstörung	• Kann die gesundheitliche Einschränkung richtig erfassen und einschätzen • Zeigt Bereitschaft, an der Krankheitsbewältigung zu arbeiten • Hat das physische Potenzial, die Krankheitsfolgen zu kompensieren • Erfährt Rückhalt in der sozialen Umgebung

Pflegeziele	Pflegeintervention	
• Akzeptiert die Lebenssituation und kann sich mit ihr arrangieren	• Pflegeprozessplanung gemeinsam gestalten	

Pflegeziele	Pflegeintervention	Handlungsleitende Pflegeinterventionen
• Selbstständigkeit ist gefördert	• Neue Möglichkeiten zum Erlernen von Bewältigungsstrategien im Gespräch vereinbaren	• Alltagskompetenzen ritualisieren • Neue Bewegungsmuster erlernen • Logotherapeutische Maßnahmen ergreifen • Ergotherapeutische Maßnahmen ergreifen • Sonstige therapeutische Maßnahmen ergreifen **Zeitdauer des Gesprächs bestimmen**

Pflegeziele	Pflegeintervention	Handlungsleitende Pflegeinterventionen
• Therapie- und Interventionsangebote sind individuell abgestimmt • Behandlungs- und Therapiekonzept sind transparent und vom therapeutischen Team umgesetzt • Aktive Beteiligung an der Behandlungsplanung mit dem therapeutischen Team ist sichergestellt	• Inhalt des therapeutischen Gesprächs und weiterer Behandlungs- und Therapiestrategien im Team besprechen	**Beteiligte Personen bestimmen** • Bewohner • Pflegeperson • Ärztlicher Dienst • Psychologe • Sozialarbeiter • Ergotherapeut • Krankengymnast • Logotherapeut • Beschäftigungstherapeut • Geistlicher Beistand • Sonstige Personen **Zeitdauer angeben**

AEDL Soziale Bereiche des Lebens sichern und Beziehungen gestalten können

Pflegeziele
- Entwickelt Lösungswege im Gespräch

Pflegeintervention
- Klientenzentriertes Gespräch zur Entwicklung von Lösungswegen für die aktuelle Gesundheitssituation führen

Literatur: 44, 50, 67, 121, 168, 272, 273

Pflegediagnose
Der Bewohner zeigt fehlende Einsicht bezüglich der Krankheitsursachen und des Krankheitsverlaufs

▶ **Kennzeichen**
- Äußert, dass Probleme durch andere verursacht sind
- Eigene Schwächen werden verleugnet
- Schuld wird auf andere projiziert
- Hat Schwierigkeiten, die Lebenssituation realistisch einzuschätzen
- Reagiert überempfindlich bei geäußerter Kritik
- Die Auseinandersetzung mit eigenen Defiziten ist erschwert möglich

▶ **Ursachen**
- Suchterkrankung
- Manie
- Neurotische Störung

▶ **Ressourcen**
- Vereinbarungen werden eingehalten
- Ist bei der Einhaltung von Vereinbarungen zuverlässig

Pflegeziele
- Nimmt eigene Wünsche und Bedürfnisse wahr
- Steht zu Entscheidungen und übernimmt dafür die Verantwortung
- Verbalisiert Wünsche und Bedürfnisse deutlich und fordert sie ein
- Erkennt Zusammenhänge zwischen eigenem Verhalten und Pflegediagnose
- Entwickelt Lösungswege im Gespräch

Pflegeintervention
- Themenzentriertes therapeutisches Pflegefachgespräch führen

Handlungsleitende Pflegeinterventionen
Inhalt des themenzentrierten Pflegefachgesprächs bestimmen
- Informationssammlung
- Pflege-, Betreuungs- und Behandlungsprozess
- Ursachenanalyse
- Strategien zur Krankheitsbewältigung
- Motivation/Aktivierung
- Alltagsbewältigung
- Förderung der Entscheidungsfindung
- Zukunftsperspektive
- Unterstützung der Orientierung
- Unterstützung des Realitätsbezugs
- Krisenintervention
- Aktuelle Bedürfnisse/Wünsche
- Instruktion/Anleitung
- Feed-back-Gespräch
- Sonstige Gesprächsinhalte

Zeitdauer des Gesprächs angeben

Pflegeziele
- Therapie- und Interventionsangebote sind individuell abgestimmt
- Behandlungs- und Therapiekonzept sind transparent und vom therapeutischen Team umgesetzt

Pflegeintervention
- Inhalt des therapeutischen Gesprächs und weiterer Behandlungs- und Therapiestrategien im Team besprechen

Handlungsleitende Pflegeinterventionen
Beteiligte Personen bestimmen
- Bewohner
- Pflegeperson
- Ärztlicher Dienst
- Psychologe
- Sozialarbeiter

AEDL Soziale Bereiche des Lebens sichern und Beziehungen gestalten können

- Aktive Beteiligung an der Behandlungsplanung mit dem therapeutischen Team ist sichergestellt

- Ergotherapeut
- Krankengymnast
- Logotherapeut
- Beschäftigungstherapeut
- Geistlicher Beistand
- Sonstige Personen

Zeitdauer angeben

Pflegeziele
- Sicherheit ist gewährleistet

Pflegeintervention
- Auf Gefahren-/Suchtstoffe untersuchen

Literatur: 50, 67, 102, 121

AEDL Mit den existenziellen Erfahrungen des Lebens umgehen können

▶ Pflegediagnosen im Zusammenhang mit Schmerzen

Pflegediagnose
Der Bewohner hat akute Schmerzen und ist in der Lebensqualität stark beeinträchtigt

▶ Kennzeichen	▶ Ursachen	▶ Ressourcen
• Berichtet über starke Beschwerden • Schonhaltung • Schmerzverzerrtes Gesicht • Unruhezustände • Erhöhte Reizbarkeit • Teilnahmslosigkeit • Starrheit • Erhöhter Muskeltonus • Beschreibt kolikartige Schmerzen • Mit zunehmend einsetzender Heilung lassen die Schmerzen nach • Schmerzen sind von kurzer Dauer • Schmerzzustände weniger als drei Monate • Beschreibt immer wiederkehrende Schmerzen	• Trauma • Raum fordernder Prozess • Postoperativer Wundschmerz • Arthritis • Retrosternaler Brustschmerz • Schweres Trauma • Gallensteine • Nierensteine	• Äußert Schmerzzustände und kann diese beschreiben • Kennt Verhaltensweisen, die schmerzlindernd wirken • Kann Schmerzeinschätzung dokumentieren • Unterstützt die Schmerztherapie

Pflegeziele	Pflegeintervention
• Nutzt eigene Ressourcen zur Schmerzlinderung • Äußert eigene Schmerzeinschätzung	• Schmerzen mithilfe eines Schmerzerhebungsprotokolls dokumentieren

Pflegeziele	Pflegeintervention
• Zeigt Interesse, die Schmerztherapie mitzugestalten und zu unterstützen • Organisiert die Aktivitäten des täglichen Lebens entsprechend der Belastbarkeit • Kann die persönliche Belastbarkeit einschätzen	• Schmerzen mithilfe eines Schmerztagebuchs dokumentieren

Pflegeziele	Pflegeintervention
• Kann Schmerzlinderung/-steigerung äußern • Schmerzintensität ist eingeschätzt	• Schmerzintensität mithilfe einer Schmerzskala ermitteln

Pflegeziele	Pflegeintervention
• Fühlt sich angenommen und verstanden • Kann die Schmerztherapie konstruktiv mitgestalten • Teilt dem therapeutischen Team eigene Strategien zur Schmerzreduktion mit	• Schmerz und dessen Auswirkungen beobachten und dokumentieren

AEDL Mit den existenziellen Erfahrungen des Lebens umgehen können

Pflegeziele
- Kann die Schmerztherapie konstruktiv mitgestalten

Pflegeintervention
- Zur Selbstbeobachtung und Dokumentation der Schmerzsituation anleiten

---

Pflegeziele
- Schmerzen sind reduziert
- Akzeptiert die Situation

Pflegeintervention
- Analgetika entsprechend der ärztlichen Anordnung nach dem vorgegebenen Zeitschema verabreichen

Handlungsleitende Pflegeinterventionen

Schmerztherapie lt. Arztanordnung durchführen
- Schmerzmedikation über Spritzenpumpe lt. Arzt verabreichen
- Schmerzmedikation lt. Therapieplan über s. c. Injektion verabreichen
- Schmerzmedikation lt. Therapieplan über i. m. Injektion verabreichen
- Orale Schmerzmedikation lt. Therapieplan verabreichen
- Schmerztherapie mit Zäpfchen lt. Therapieplan durchführen
- Schmerzpflaster lt. Arztanordnung anbringen

Bedarfsmedikation lt. Arzt verabreichen
- Schmerzen, bei denen die Bedarfsmedikation verabreicht werden darf, beschreiben

---

Pflegeziele
- Schmerztherapie ist optimiert

Pflegeintervention
- Schmerztherapie mit PDA-Kathetertechnik (PDA = Periduralanästhesie) durchführen

---

Pflegeziele
- Führt Schmerztherapie selbstständig durch
- Äußert, sich in der Selbstmedikation sicher zu fühlen

Pflegeintervention
- In die PCA (Patient-Controlled Analgesia) entsprechend der Arztanordnung einweisen/zum Umgang mit ihr anleiten

Handlungsleitende Pflegeinterventionen

In die PCA einweisen
- In den vereinbarten Therapieplan einweisen
- In die Verabreichungsform einweisen
- Zur Nutzung der Schmerzskala anleiten
- In die Dokumentation der eingenommenen Medikamente einweisen

---

Pflegeziele
- PCA-System funktioniert zuverlässig

Pflegeintervention
- PCA-Kassetten (PCA = Patient-Controlled Analgesia)/Spritzen wechseln

---

Pflegeziele
- Schmerzen sind reduziert
- Akzeptiert die Situation

Pflegeintervention
- Kälteanwendung nach Arztanordnung durchführen

Handlungsleitende Pflegeinterventionen

Kälteanwendung durchführen
- Eisbeutel auflegen
- Kühlelement auflegen
- Kalte Kompresse/Auflage anwenden

Pflegeziele
- Ist schmerzfrei und entspannt

Pflegeintervention
- Wärmeanwendungen lt. Arztanordnung anbieten und durchführen

Handlungsleitende Pflegeinterventionen

Wärmeanwendung durchführen
- Heizkissen verwenden
- Heizdecke verwenden
- Wärmflasche auflegen
- Warme Kataplasmen (Breiumschläge) einsetzen
- Warmes Roggenkissen einsetzen

AEDL Mit den existenziellen Erfahrungen des Lebens umgehen können

- Heublumensäckchen einsetzen
- Rotlicht-Bestrahlung durchführen

Feuchte Wärme zuführen

- Kartoffelauflage einsetzen
- Zitronenbrustwickel anwenden
- Leinsamensäckchen verwenden
- Senfmehlkompresse einsetzen

Pflegeziele	Pflegeintervention	Handlungsleitende Pflegeinterventionen
• Schmerzen sind reduziert • Akzeptiert die Situation	• Für eine entspannende Lagerung sorgen	• Bauchdeckenentspannende Lagerung durchführen • Weich lagern • Ruhig stellen • Frei lagern • Stufenbettlagerung durchführen

Literatur: 4, 5, 6, 50, 98, 121, 160, 162, 168, 205, 272, 273, 279

Pflegediagnose
Der Bewohner hat chronische Schmerzzustände, die über einen Zeitraum von 6 Monaten anhalten

▶ **Kennzeichen**
- Beschreibt Schmerzzustände seit einem langen Zeitraum
- Schonhaltung
- Körperliche Einschränkung aufgrund von Schmerzen
- Fehlende soziale Integration
- Gereiztheit
- Gewichtsabnahme
- Anorexie/Kachexie

▶ **Ursachen**
- Tumor
- Chronische Gelenkerkrankung
- Wirbelsäulenversteifung
- Bandscheibenvorfall
- Rheumatische Arthritis
- Neuralgie
- Gefäßerkrankung der Extremitäten

▶ **Ressourcen**
- Äußert Schmerzzustände und kann diese beschreiben
- Kennt Verhaltensweisen, die schmerzlindernd wirken
- Kann Schmerzeinschätzung dokumentieren
- Unterstützt die Schmerztherapie

Pflegeziele	Pflegeintervention
• Schmerztherapie ist optimiert	• Schmerzassessment zur Schmerzbiografie durchführen

Pflegeziele	Pflegeintervention
• Nutzt eigene Ressourcen zur Schmerzlinderung • Äußert eigene Schmerzeinschätzung	• Schmerzen mithilfe eines Schmerzerhebungsprotokolls dokumentieren

Pflegeziele	Pflegeintervention
• Zeigt Interesse, die Schmerztherapie mitzugestalten und zu unterstützen • Organisiert die Aktivitäten des täglichen Lebens entsprechend der Belastbarkeit • Kann die persönliche Belastbarkeit einschätzen	• Schmerzen mithilfe eines Schmerztagebuchs dokumentieren

AEDL Mit den existenziellen Erfahrungen des Lebens umgehen können

Pflegeziele
- Kann Schmerzlinderung/-steigerung äußern
- Schmerzintensität ist eingeschätzt

Pflegeintervention
- Schmerzintensität mithilfe einer Schmerzskala ermitteln

Pflegeziele
- Fühlt sich angenommen und verstanden
- Kann die Schmerztherapie konstruktiv mitgestalten
- Teilt dem therapeutischen Team eigene Strategien zur Schmerzreduktion mit

Pflegeintervention
- Schmerz und dessen Auswirkungen beobachten und dokumentieren

Pflegeziele
- Kann die Schmerztherapie konstruktiv mitgestalten

Pflegeintervention
- Zur Selbstbeobachtung und Dokumentation der Schmerzsituation anleiten

Pflegeziele
- Lebensqualität ist erhöht
- Äußert, zeitweise schmerzfrei zu sein

Pflegeintervention
- Optimierung der Schmerztherapie im therapeutischen Team forcieren

Handlungsleitende Pflegeinterventionen
Beteiligte Personen bestimmen
- Bewohner
- Pflegeperson
- Ärztlicher Dienst
- Psychologe
- Sozialarbeiter
- Ergotherapeut
- Krankengymnast
- Logotherapeut
- Beschäftigungstherapeut
- Geistlicher Beistand
- Sonstige Personen

Zeitdauer angeben

Pflegeziele
- Schmerzen sind reduziert
- Akzeptiert die Situation

Pflegeintervention
- Analgetika entsprechend der ärztlichen Anordnung nach dem vorgegebenen Zeitschema verabreichen

Handlungsleitende Pflegeinterventionen
Schmerztherapie lt. Arztanordnung durchführen
- Schmerzmedikation über Spritzenpumpe lt. Arzt verabreichen
- Schmerzmedikation lt. Therapieplan über s. c. Injektion verabreichen
- Schmerzmedikation lt. Therapieplan über i. m. Injektion verabreichen
- Orale Schmerzmedikation lt. Therapieplan verabreichen
- Schmerztherapie mit Zäpfchen lt. Therapieplan durchführen
- Schmerzpflaster lt. Arztanordnung anbringen

Bedarfsmedikation lt. Arzt verabreichen
- Schmerzen, bei denen die Bedarfsmedikation verabreicht werden darf, beschreiben

Pflegeziele
- Kennt Möglichkeiten zur Schmerzlinderung

Pflegeintervention
- Bei individuellen Möglichkeiten, die schmerzlindernd wirken, unterstützen

AEDL Mit den existenziellen Erfahrungen des Lebens umgehen können

Pflegeziele	Pflegeintervention	Handlungsleitende Pflegeinterventionen
• Schmerztherapie ist optimiert	• Schmerztherapie mit PDA-Kathetertechnik (PDA = Periduralanästhesie) durchführen	

Pflegeziele	Pflegeintervention	Handlungsleitende Pflegeinterventionen
• Führt Schmerztherapie selbstständig durch • Äußert, sich in der Selbstmedikation sicher zu fühlen	• In die PCA (Patient-Controlled Analgesia) entsprechend der Arztanordnung einweisen/zum Umgang mit ihr anleiten	**In die PCA einweisen** • In den vereinbarten Therapieplan einweisen • In die Verabreichungsform einweisen • Zur Nutzung der Schmerzskala anleiten • In die Dokumentation der eingenommenen Medikamente einweisen

Pflegeziele	Pflegeintervention	Handlungsleitende Pflegeinterventionen
• PCA-System funktioniert zuverlässig	• PCA-Kassetten (PCA = Patient-Controlled Analgesia)/Spritzen wechseln	

Pflegeziele	Pflegeintervention	Handlungsleitende Pflegeinterventionen
• Äußert Schmerzlinderung bei/nach der Durchführung von Pflegeinterventionen	• Wohlbefinden mithilfe von körperbezogenen Methoden unterstützen	**Wohlbefinden mithilfe von körperbezogenen Methoden unterstützen** • Lagerungsmethoden zur Entspannung anwenden • Wärmeanwendungen anbieten • Imagination zur Schmerzlinderung durchführen

Pflegeziele	Pflegeintervention	Handlungsleitende Pflegeinterventionen
• Bewegt sich schmerzfrei • Selbstverantwortung ist gestärkt	• Naturheilkundliche Verfahren und TCM (traditionelle chinesische Medizin) zur Schmerztherapie einsetzen	

Pflegeziele	Pflegeintervention	Handlungsleitende Pflegeinterventionen
• Wendet Entspannungstechniken erfolgreich an	• Beim Erlernen einer Entspannungstechnik unterstützen	• Entspannungsübung „Körperreise" durchführen • Progressive Muskelentspannung trainieren • Musik-Entspannungstherapie durchführen • Funktionelle atemrhythmisierende Entspannungsmethode anwenden • Autogenes Training durchführen

Pflegeziele	Pflegeintervention	Handlungsleitende Pflegeinterventionen
• Schmerzen sind reduziert • Akzeptiert die Situation	• Für eine entspannende Lagerung sorgen	• Bauchdeckenentspannende Lagerung durchführen • Weich lagern • Ruhig stellen • Frei lagern • Stufenbettlagerung durchführen

Literatur: 6, 50, 65, 98, 121, 162, 168, 194, 205, 272, 273, 279

AEDL Mit den existenziellen Erfahrungen des Lebens umgehen können

Pflegediagnose
Der Bewohner hat Schmerzen in einem/mehreren Gelenk/-en und Funktions-/Bewegungseinschränkungen

▶ **Kennzeichen**
- Asymmetrischer Befall der Gelenke
- Symmetrischer Befall der Gelenke
- Schmerzen im Hüftgelenk
- Schmerzen im Kniegelenk
- Schmerzen im Fingergelenk
- Schmerzen im Sprunggelenk
- Schmerzen im Schultergelenk
- Schmerzen im Ellenbogengelenk
- Schmerzen im Gelenk der Großzehe
- Bewegungsschmerz
- Ruheschmerz
- Beschreibt Ruhe-/Nachtschmerz
- Bewegungseinschränkung aufgrund von Schmerzen
- Versteifung
- Händedruckschmerz

▶ **Ursachen**
- Gicht
- Verletzung
- Entzündliche Gelenkerkrankung
- Chronische Polyarthritis
- Postinfektiöse Arthritiden

▶ **Ressourcen**
- Äußert Schmerzzustände und kann diese beschreiben
- Kennt Verhaltensweisen, die schmerzlindernd wirken
- Kann Schmerzeinschätzung dokumentieren
- Unterstützt die Schmerztherapie

Pflegeziele
- Veränderungen werden frühzeitig erkannt und dokumentiert

Pflegeintervention
- Schmerzzustand des betroffenen Gelenks im Zusammenhang mit Belastung erfassen und dokumentieren

Pflegeziele
- Nutzt eigene Ressourcen zur Schmerzlinderung
- Äußert eigene Schmerzeinschätzung

Pflegeintervention
- Schmerzen mithilfe eines Schmerzerhebungsprotokolls dokumentieren

Pflegeziele
- Zeigt Interesse, die Schmerztherapie mitzugestalten und zu unterstützen
- Organisiert die Aktivitäten des täglichen Lebens entsprechend der Belastbarkeit
- Kann die persönliche Belastbarkeit einschätzen

Pflegeintervention
- Schmerzen mithilfe eines Schmerztagebuchs dokumentieren

Pflegeziele
- Kann Schmerzlinderung/-steigerung äußern
- Schmerzintensität ist eingeschätzt

Pflegeintervention
- Schmerzintensität mithilfe einer Schmerzskala ermitteln

AEDL Mit den existenziellen Erfahrungen des Lebens umgehen können

Pflegeziele	Pflegeintervention	Handlungsleitende Pflegeinterventionen
• Betroffene Gelenke sind entlastet	• Gehhilfen anbieten	**Gehstöcke/Unterarmgehstützen einsetzen** • Vier-Punkt-Gang • Drei-Punkt-Gang • Zwei-Punkt-Gang ohne Belastung • Zwei-Punkt-Gang mit Teilbelastung **Teilbelastung in kg angeben** **Besonderheiten bei der Anleitung beachten** **Zum Gehtraining mit Gehhilfen anleiten** • Rollator • Deltarad • Eulenburg-Gehwagen • Vier-Punkt-Gehstützen • Gehbock

Pflegeziele	Pflegeintervention	
• Erkennt, dass das Körpergewicht Auswirkungen auf die Gelenkschmerzen hat • Ist motiviert, das Gewicht zu reduzieren	• Gespräch über die Zusammenhänge von Körpergewicht und Schmerzzuständen führen	

Pflegeziele	Pflegeintervention	Handlungsleitende Pflegeinterventionen
• Aktivitäten des täglichen Lebens werden bewältigt	• Hilfsmittel zur Alltagsbewältigung gezielt auswählen	**Hilfsmittel einsetzen** • Kamm mit Verlängerungsstiel benutzen • Gehhilfen gezielt einsetzen • Strumpfanzieher verwenden **Beim Hilfsmitteleinsatz anleiten**

Literatur: 2, 65, 121, 160, 162, 168, 191, 198, 272, 273, 279

Pflegediagnose
Der Bewohner hat Schmerzen aufgrund einer arteriosklerotischen Veränderung der Gefäße

▶ **Kennzeichen**
- Ulcus cruris
- Nekrose
- Beschreibt Ischämieschmerz in Gesäß- und Oberschenkelregion
- Beschreibt Ischämieschmerz in der Wadenregion
- Beschreibt Ischämieschmerz im Bereich der Füße, Fußsohlen und Zehen
- Schmerzfreie Gehstrecke liegt über 200 Meter
- Schmerzfreie Gehstrecke liegt unter 200 Meter
- Gangrän

▶ **Ursachen**
- Diabetes-Spätfolgen
- Starkes Rauchen
- Fettstoffwechselstörung
- Adipositas
- Hyperfibrinogenämie

▶ **Ressourcen**
- Äußert Schmerzzustände und kann diese beschreiben
- Kennt Verhaltensweisen, die schmerzlindernd wirken
- Kann Schmerzeinschätzung dokumentieren
- Unterstützt die Schmerztherapie

Pflegeziele	Pflegeintervention
• Schmerztherapie ist optimiert	• Schmerzassessment zur Schmerzbiografie durchführen

AEDL Mit den existenziellen Erfahrungen des Lebens umgehen können

Pflegeziele	Pflegeintervention	
• Nutzt eigene Ressourcen zur Schmerzlinderung • Äußert eigene Schmerzeinschätzung	• Schmerzen mithilfe eines Schmerzerhebungsprotokolls dokumentieren	

Pflegeziele	Pflegeintervention	
• Zeigt Interesse, die Schmerztherapie mitzugestalten und zu unterstützen • Organisiert die Aktivitäten des täglichen Lebens entsprechend der Belastbarkeit • Kann die persönliche Belastbarkeit einschätzen	• Schmerzen mithilfe eines Schmerztagebuchs dokumentieren	

Pflegeziele	Pflegeintervention	
• Fühlt sich angenommen und verstanden • Kann die Schmerztherapie konstruktiv mitgestalten • Teilt dem therapeutischen Team eigene Strategien zur Schmerzreduktion mit	• Schmerz und dessen Auswirkungen beobachten und dokumentieren	

Pflegeziele	Pflegeintervention	
• Kann die Schmerztherapie konstruktiv mitgestalten	• Zur Selbstbeobachtung und Dokumentation der Schmerzsituation anleiten	

Pflegeziele	Pflegeintervention	Handlungsleitende Pflegeinterventionen
• Schmerzen sind reduziert • Akzeptiert die Situation	• Analgetika entsprechend der ärztlichen Anordnung nach dem vorgegebenen Zeitschema verabreichen	**Schmerztherapie lt. Arztanordnung durchführen** • Schmerzmedikation über Spritzenpumpe lt. Arzt verabreichen • Schmerzmedikation lt. Therapieplan über s. c. Injektion verabreichen • Schmerzmedikation lt. Therapieplan über i. m. Injektion verabreichen • Orale Schmerzmedikation lt. Therapieplan verabreichen • Schmerztherapie mit Zäpfchen lt. Therapieplan durchführen • Schmerzpflaster lt. Arztanordnung anbringen **Bedarfsmedikation lt. Arzt verabreichen** • Schmerzen, bei denen die Bedarfsmedikation verabreicht werden darf, beschreiben

Pflegeziele	Pflegeintervention	
• Schmerzen sind reduziert • Durchblutung der Beine ist gefördert	• Beine tieflagern	

Pflegeziele	Pflegeintervention	Handlungsleitende Pflegeinterventionen
• Schmerzen sind reduziert • Durchblutung der Beine ist gefördert	• Durchblutung der Beine fördern/unterstützen	• Beine tieflagern • Beine weich lagern

AEDL Mit den existenziellen Erfahrungen des Lebens umgehen können

| | • Weiche, weite Socken anziehen
• Watteverband anlegen
• Sorgfältige Fußpflege durchführen | |

Pflegeziele	Pflegeintervention	
• Schmerzen sind reduziert • Durchblutung der Beine ist gefördert	• Einschnürung durch die Kleidungsstücke vermeiden	

Pflegeziele	Pflegeintervention	Handlungsleitende Pflegeinterventionen
• Schmerzen sind reduziert • Durchblutung der Beine ist gefördert	• Kontrollierte, dosierte körperliche Übungen in Intervallen durchführen	**Kontrollierte, dosierte körperliche Übungen in Intervallen durchführen** • Gehtraining nach Vereinbarung mit Ergotherapeut und Arzt durchführen • Dosierte Sporttherapieangebote lt. Arzt wahrnehmen

Pflegeziele	Pflegeintervention	
• Erkennt die Risikofaktoren und ist bereit, sein Verhalten zu ändern	• Risikofaktoren meiden	

Pflegeziele	Pflegeintervention	
• Kann Schmerzlinderung/-steigerung äußern • Schmerzintensität ist eingeschätzt	• Schmerzintensität mithilfe einer Schmerzskala ermitteln	

Pflegeziele	Pflegeintervention	Handlungsleitende Pflegeinterventionen
• Termin wird wahrgenommen	• Zu vereinbarten Therapien begleiten	• Zum vereinbarten Termin innerhalb der Einrichtung bringen • Zum vereinbarten Termin außerhalb der Einrichtung bringen **Zeitdauer angeben** **Zusätzliche Pflegepersonen erforderlich**

Literatur: 121, 160, 162, 197, 228, 272, 273, 279

Pflegediagnose
Der Bewohner hat Schmerzen des Bewegungsapparats, Lebensqualität/Bewegungsfreiheit ist beeinträchtigt

▶ **Kennzeichen**
- Beschreibt Muskelschmerzen
- Beschreibt Gelenkschmerzen
- Beschreibt Rückenschmerzen
- Beschreibt Knochenschmerzen

▶ **Ursachen**
- Muskelfaserriss
- Operativer Eingriff im Bereich des Bewegungsapparats
- Muskelverspannung
- Fraktur
- Prellung
- Chronische Erkrankung des Bewegungsapparats

▶ **Ressourcen**
- Äußert Schmerzzustände und kann diese beschreiben
- Kennt Verhaltensweisen, die schmerzlindernd wirken
- Kann Schmerzeinschätzung dokumentieren
- Unterstützt die Schmerztherapie

AEDL Mit den existenziellen Erfahrungen des Lebens umgehen können

Pflegeziele
- Nutzt eigene Ressourcen zur Schmerzlinderung
- Äußert eigene Schmerzeinschätzung

Pflegeintervention
- Schmerzen mithilfe eines Schmerzerhebungsprotokolls dokumentieren

---

Pflegeziele
- Zeigt Interesse, die Schmerztherapie mitzugestalten und zu unterstützen
- Organisiert die Aktivitäten des täglichen Lebens entsprechend der Belastbarkeit
- Kann die persönliche Belastbarkeit einschätzen

Pflegeintervention
- Schmerzen mithilfe eines Schmerztagebuchs dokumentieren

Pflegeziele
- Kann Schmerzlinderung/-steigerung äußern
- Schmerzintensität ist eingeschätzt

Pflegeintervention
- Schmerzintensität mithilfe einer Schmerzskala ermitteln

Pflegeziele
- Fühlt sich angenommen und verstanden
- Kann die Schmerztherapie konstruktiv mitgestalten
- Teilt dem therapeutischen Team eigene Strategien zur Schmerzreduktion mit

Pflegeintervention
- Schmerz und dessen Auswirkungen beobachten und dokumentieren

---

Pflegeziele
- Schmerzen sind reduziert
- Akzeptiert die Situation

Pflegeintervention
- Analgetika entsprechend der ärztlichen Anordnung nach dem vorgegebenen Zeitschema verabreichen

Handlungsleitende Pflegeinterventionen

Schmerztherapie lt. Arztanordnung durchführen
- Schmerzmedikation über Spritzenpumpe lt. Arzt verabreichen
- Schmerzmedikation lt. Therapieplan über s. c. Injektion verabreichen
- Schmerzmedikation lt. Therapieplan über i. m. Injektion verabreichen
- Orale Schmerzmedikation lt. Therapieplan verabreichen
- Schmerztherapie mit Zäpfchen lt. Therapieplan durchführen
- Schmerzpflaster lt. Arztanordnung anbringen

Bedarfsmedikation lt. Arzt verabreichen
- Schmerzen, bei denen die Bedarfsmedikation verabreicht werden darf, beschreiben

---

Pflegeziele
- Ist schmerzfrei und entspannt

Pflegeintervention
- Feuchtheiße Wickel oder Kartoffelauflage einsetzen

Pflegeziele
- Ist schmerzfrei und entspannt

Pflegeintervention
- Heublumensäckchen als Gelenkauflage anbieten

AEDL Mit den existenziellen Erfahrungen des Lebens umgehen können

Pflegeziele	Pflegeintervention	
• Ist schmerzfrei und entspannt	• Fangopackung oder -kompresse einsetzen	

Pflegeziele	Pflegeintervention	
• Ist schmerzfrei und entspannt	• Rotlichtbestrahlung der betroffenen Regionen des Bewegungsapparats durchführen	

Pflegeziele	Pflegeintervention	Handlungsleitende Pflegeinterventionen
• Schwellungen sind verhindert bzw. gehen zurück	• Kälteanwendungen durchführen	**Kälteanwendung durchführen** • Eisbeutel auflegen • Kühlelement auflegen • Kalte Kompresse/Auflage anwenden • Quarkauflage (Topfenauflage) anwenden • Alkoholumschläge anwenden

Literatur: 2, 65, 121, 160, 162, 198, 228, 247, 272, 273, 279

▶ Pflegediagnosen im Zusammenhang mit der Sterbephase

Pflegediagnose
Der Bewohner ist über den nahen Tod informiert, äußert Ängste, Sorgen und Befürchtungen, die mit Tod und Sterben in Verbindung stehen

▶ Kennzeichen	▶ Ursachen	▶ Ressourcen
• Äußert Ängste • Möchte mit niemandem sprechen • Zieht sich zurück • Kann sich nicht (mehr) konzentrieren		• Empfindet es als angenehm, die engen Angehörigen um sich zu haben

Pflegeziele	Pflegeintervention
• Akzeptiert die Lebenssituation und kann sich mit ihr arrangieren • Fühlt sich angenommen und verstanden • Kann das Leben in einer friedlichen Umgebung beenden	• Im Gespräch die individuellen Bedürfnisse ermitteln

Pflegeziele	Pflegeintervention
• Akzeptiert die Lebenssituation und kann sich mit ihr arrangieren • Kann das Leben in einer friedlichen Umgebung beenden	• Gespräche mit nahe stehenden Bezugspersonen (Angehörige, Freunde) ermöglichen

Pflegeziele	Pflegeintervention
• Spricht über Glaubensfragen/Wertvorstellungen	• Termine mit den gewünschten Glaubensvertretern vermitteln und ermöglichen

AEDL Mit den existenziellen Erfahrungen des Lebens umgehen können

Pflegeziele
- Schaut auf das Leben zurück und findet inneren Frieden

Pflegeintervention
- Lebensrückschau durch klientenzentriertes Gespräch ermöglichen

Pflegeziele
- Kann Ängste, Bedenken und Bedürfnisse äußern

Pflegeintervention
- Therapeutisches, themenzentriertes Pflegefachgespräch führen

Handlungsleitende Pflegeinterventionen
Inhalt des themenzentrierten Pflegefachgesprächs bestimmen
- Krisenintervention
- Sonstige Gesprächsinhalte

Zeitdauer des Gesprächs angeben

Literatur: 41, 44, 62, 121, 139, 153, 168, 173, 213, 272, 273, 279

Pflegediagnose
Der Bewohner befindet sich in der Sterbephase, diese ist mit unterschiedlichen Gefühlsäußerungen/-schwankungen verbunden

▶ **Kennzeichen**
- Leugnet die Tatsache des nahe bevorstehenden Tods
- Zeigt Gefühle wie Zorn, Groll, Wut, Neid und Bitterkeit
- Verhandelt mit sich, um einen Aufschub zu erlangen
- Zeigt depressives Verhalten
- Äußert das Gefühl der Machtlosigkeit

▶ **Ursachen**

▶ **Ressourcen**
- Empfindet es als angenehm, die engen Angehörigen um sich zu haben

Pflegeziele
- Fühlt sich angenommen und hat keine Ängste
- Äußert Bedürfnisse im Zusammenhang mit dem Abschied

Pflegeintervention
- Gefühlsäußerungen und individuelle Bedürfnisse beobachten

Pflegeziele
- Schaut auf das Leben zurück und findet inneren Frieden

Pflegeintervention
- Lebensrückschau durch klientenzentriertes Gespräch ermöglichen

Pflegeziele
- Ist in der Sterbephase nicht allein

Pflegeintervention
- Durch Anwesenheit in der Sterbephase begleiten

Literatur: 41, 44, 62, 121, 153, 168, 172, 173, 213, 272, 273

AEDL Mit den existenziellen Erfahrungen des Lebens umgehen können

▶ Pflegediagnosen im Zusammenhang mit Ängsten

Pflegediagnose
Der Bewohner hat Angst, empfindet eine reale oder fiktive Bedrohung

▶ Kennzeichen	▶ Ursachen	▶ Ressourcen
• Äußert Angst • Zeigt Nervosität • Erhöhter Muskeltonus • Anspannung der Gesichtsmuskulatur • Schlafstörungen • Sympathikusreaktion • Mustert die Umgebung mit erhöhter Wachsamkeit, gekennzeichnet durch Umherschauen und wenig Blickkontakt • Äußert Misstrauen gegenüber den Mitmenschen • Beschreibt Symptome einer Panikattacke	• Neurotische Störung • Psychotische Störung • Veränderte Lebensumstände • Wahrgenommene Bedrohung • Verlusterlebnis	• Kann über die Ängste sprechen • Zeigt Interesse, Strategien zur Angstbewältigung zu lernen

Pflegeziele	Pflegeintervention
• Äußert, dass sich die Ängste auf ein erträgliches Maß reduziert haben • Fühlt sich beruhigt	• Angstfreie Atmosphäre und Klima der Geborgenheit schaffen, auf Begleiterscheinungen beobachten

Pflegeziele	Pflegeintervention
• Äußert, dass sich die Ängste auf ein erträgliches Maß reduziert haben • Fühlt sich beruhigt	• Zuhören und dabei sein, wenn Angstattacken vorhanden sind

Pflegeziele	Pflegeintervention
• Äußert, dass sich die Ängste auf ein erträgliches Maß reduziert haben • Fühlt sich beruhigt	• Nachtlicht brennen lassen, Tür nur anlehnen

Pflegeziele	Pflegeintervention
• Äußert, dass sich die Ängste auf ein erträgliches Maß reduziert haben • Fühlt sich beruhigt	• Rufanlage/Klingel in erreichbarer Nähe platzieren

Pflegeziele	Pflegeintervention
• Äußert, dass sich die Ängste auf ein erträgliches Maß reduziert haben • Fühlt sich beruhigt	• Hinweis auf ständige Anwesenheit einer Pflegekraft geben

AEDL Mit den existenziellen Erfahrungen des Lebens umgehen können

Pflegeziele	Pflegeintervention	Handlungsleitende Pflegeinterventionen
• Ist beruhigt und entspannt	• Entspannungstechniken einsetzen und den Bewohner anleiten, sich zu entspannen	• Entspannungsübung „Körperreise" durchführen • Progressive Muskelentspannung trainieren • Musik-Entspannungstherapie durchführen • Funktionelle atemrhythmisierende Entspannungsmethode anwenden • Autogenes Training durchführen

Pflegeziele	Pflegeintervention	Handlungsleitende Pflegeinterventionen
• Nimmt eigene Wünsche und Bedürfnisse wahr • Steht zu Entscheidungen und übernimmt dafür die Verantwortung • Verbalisiert Wünsche und Bedürfnisse deutlich und fordert sie ein • Erkennt Zusammenhänge zwischen eigenem Verhalten und Pflegediagnose • Entwickelt Lösungswege im Gespräch	• Themenzentriertes therapeutisches Pflegefachgespräch führen	**Inhalt des themenzentrierten Pflegefachgesprächs bestimmen** • Informationssammlung • Pflege-, Betreuungs- und Behandlungsprozess • Ursachenanalyse • Strategien zur Krankheitsbewältigung • Motivation/Aktivierung • Alltagsbewältigung • Förderung der Entscheidungsfindung • Zukunftsperspektive • Unterstützung der Orientierung • Unterstützung des Realitätsbezugs • Krisenintervention • Aktuelle Bedürfnisse/Wünsche • Instruktion/Anleitung • Feed-back-Gespräch • Sonstige Gesprächsinhalte **Zeitdauer des Gesprächs angeben**

Literatur: 44, 50, 98, 101, 121, 168, 267, 272, 273

Pflegediagnose
Der Bewohner hat Angst, aus dem Bett zu fallen

▶ Kennzeichen	▶ Ursachen	▶ Ressourcen
• Äußert Angst • Zeigt Nervosität • Erhöhter Muskeltonus • Anspannung der Gesichtsmuskulatur • Schlafstörungen • Sympathikusreaktion	• Fehlendes Bewusstsein für die betroffene Körperseite (Hemiplegie) • Sehschwäche • Verwirrtheitszustand	• Toleriert Bettgitter • Kann über die Ängste sprechen • Zeigt Interesse, Strategien zur Angstbewältigung zu lernen

Pflegeziele	Pflegeintervention
• Fühlt sich sicher und kann sich orientieren	• Das Bett an die Wand stellen und Bettniveau absenken

Pflegeziele	Pflegeintervention
• Fühlt sich sicher und kann sich orientieren	• Bei Beginn und Durchführung von Pflegemaßnahmen bewusst und direkt berühren

Pflegeziele	Pflegeintervention
• Fühlt sich sicher und kann sich orientieren	• Sehhilfen (Brille usw.) einsetzen

AEDL Mit den existenziellen Erfahrungen des Lebens umgehen können

Pflegeziele	Pflegeintervention	Handlungsleitende Pflegeinterventionen
• Fühlt sich sicher und kann sich orientieren	• Bettgitter nach Arztverordnung einsetzen	• Vorhandene Bettgitter nach Wunsch hochziehen • Bettgitter beidseitig anbringen • Bettgitter beidseitig entfernen • Bettgitter rechts anbringen • Bettgitter links anbringen • Bettgitter auf einer Seite entfernen

Pflegeziele	Pflegeintervention
• Fühlt sich sicher und kann sich orientieren	• Besucher über die Pflegemaßnahmen informieren und um Einhaltung der Vorschriften bitten

Literatur: 29, 121, 168, 172, 272, 273

Pflegediagnose
Der Bewohner hat eine erhöhte Angst vor den Aktivitäten des täglichen Lebens und versucht, diesen auszuweichen

▶ Kennzeichen	▶ Ursachen	▶ Ressourcen
• Vermeidet angstbesetzte Situationen • Äußert Angstgefühle vor bestimmten Situationen • Äußert Angst • Zeigt Nervosität • Erhöhter Muskeltonus • Anspannung der Gesichtsmuskulatur • Schlafstörungen • Sympathikusreaktion	• Phobie • Neurotische Störung • Persönlichkeitsstörung	• Kann Gefühle und Sorgen mit der Bezugsperson besprechen • Kann über die Ängste sprechen • Zeigt Interesse, Strategien zur Angstbewältigung zu lernen • Reagiert positiv auf therapeutische Gespräche

Pflegeziele	Pflegeintervention	Handlungsleitende Pflegeinterventionen
• Kann über Gefühle sprechen	• Tragfähige, vertrauensvolle therapeutische Beziehung aufbauen	**Bezugsperson festlegen** • Gesprächsinhalt bestimmen • Tages- und Wochenpläne besprechen • Durchgeführte Aktivitäten besprechen • Lebenspraktische Inhalte besprechen **Fest verbindlichen Tagesplan vereinbaren** • Mit Kontrollmöglichkeit • Ohne Kontrollmöglichkeit • In Eigenverantwortung • In Verantwortung der Bezugsperson • Tagesaktivitäten auswerten und reflektieren **Dauer des themenzentrierten Gesprächs festlegen**

Pflegeziele	Pflegeintervention
• Akzeptiert Hinweise des therapeutischen Teams und ist bereit, das Verhalten zu ändern	• Verhalten und Angst auslösende Faktoren beobachten und dokumentieren

AEDL Mit den existenziellen Erfahrungen des Lebens umgehen können

Pflegeziele
- Ist bereit, die Ängste zu reflektieren

Pflegeintervention
- Therapeutische Gespräche über die Ängste, ihre Ursachen und Lösungsmöglichkeiten führen

Pflegeziele
- Stellt sich stufenweise den Anforderungen des täglichen Lebens

Pflegeintervention
- Einzeltherapie zur schrittweisen Annäherung an die Angst auslösende Situation durchführen

Pflegeziele
- Therapie- und Interventionsangebote sind individuell abgestimmt
- Behandlungs- und Therapiekonzept sind transparent und vom therapeutischen Team umgesetzt
- Aktive Beteiligung an der Behandlungsplanung mit dem therapeutischen Team ist sichergestellt

Pflegeintervention
- Inhalt des therapeutischen Gesprächs und weiterer Behandlungs- und Therapiestrategien im Team besprechen

Handlungsleitende Pflegeinterventionen

Beteiligte Personen bestimmen
- Bewohner
- Pflegeperson
- Ärztlicher Dienst
- Psychologe
- Sozialarbeiter
- Ergotherapeut
- Krankengymnast
- Logotherapeut
- Beschäftigungstherapeut
- Geistlicher Beistand
- Sonstige Personen

Zeitdauer angeben

Literatur: 29, 50, 121, 168, 172, 267, 272, 273

▶ Pflegediagnosen im Zusammenhang mit Empfindungen

Pflegediagnose
Der Bewohner kann Gefühle nicht adäquat äußern, Aggressionen und Wut richten sich gegen Mitmenschen/Personal

▶ **Kennzeichen**
- Gegen andere gerichtetes Treten, Kratzen, Schlagen und anderes
- Fordert hartnäckig Privilegien
- Äußert verbale Drohungen gegen Personen
- Wendet absichtlich Gewalt bei Mitmenschen an/demonstriert diese
- Misshandelt Mitmenschen
- Neigt zu aggressiven Handlungen
- Greift Mitmenschen an und fügt Verletzungen zu

▶ **Ursachen**
- Fehlende kognitive Fähigkeiten
- Halluzinationen
- Suchterkrankung
- Kognitive Fähigkeiten sind eingeschränkt
- Gefühlsäußerungen sind durch kognitive Einschränkungen nicht anders möglich
- Missbrauchserfahrungen in der Kindheit

▶ **Ressourcen**
- Reagiert positiv auf therapeutische Gespräche
- Kann Gefühle und Sorgen mit der Bezugsperson besprechen
- Lässt sich beruhigen

Pflegeziele
- Personal erkennt Anspannung frühzeitig
- Spannungen sind gezielt abgebaut

Pflegeintervention
- Erregungszustand kontinuierlich einschätzen

AEDL Mit den existenziellen Erfahrungen des Lebens umgehen können

Pflegeziele
- Akzeptiert das Gefühl und kann dieses zum Ausdruck bringen
- Äußert seinen Unmut und Ärger kontrolliert
- Akzeptiert Hinweise des therapeutischen Teams und ist bereit, das Verhalten zu ändern

Pflegeintervention
- Klientenzentriertes Gespräch über aggressionsauslösende Aspekte, Ursachen und Hintergründe sowie Lösungswege zum Aggressionsabbau führen

---

Pflegeziele
- Schaden von Mitmenschen und Personal ist vermieden

Pflegeintervention
- Sicherheitsmaßnahmen bei Angriffen im Team absprechen und dokumentieren

---

Pflegeziele
- Therapie- und Interventionsangebote sind individuell abgestimmt
- Behandlungs- und Therapiekonzept sind transparent und vom therapeutischen Team umgesetzt
- Aktive Beteiligung an der Behandlungsplanung mit dem therapeutischen Team ist sichergestellt

Pflegeintervention
- Inhalt des therapeutischen Gesprächs und weiterer Behandlungs- und Therapiestrategien im Team besprechen

Handlungsleitende Pflegeinterventionen
Beteiligte Personen bestimmen
- Bewohner
- Pflegeperson
- Ärztlicher Dienst
- Psychologe
- Sozialarbeiter
- Ergotherapeut
- Krankengymnast
- Logotherapeut
- Beschäftigungstherapeut
- Geistlicher Beistand
- Sonstige Personen

Zeitdauer angeben

Pflegeziele
- Neue Interessen sind geweckt
- Selbstvertrauen in eigene Kompetenzen/Fähigkeiten ist entwickelt

Pflegeintervention
- Selbstkonzept/-bild und soziale Kompetenzen in Gruppentherapie fördern

Handlungsleitende Pflegeinterventionen
- Selbstsicherheitstraining durchführen
- Genusstherapie durchführen
- Verhaltenstherapie durchführen
- Assertiveness-Training-Programm (ATP) durchführen
- Integriertes Psychologisches Therapieprogramm (IPT) durchführen
- Kognitive Therapiegruppe besuchen
- Musiktherapie durchführen
- Gestalttherapie durchführen
- Maltherapie durchführen
- Therapieangebote mit Tieren wahrnehmen
- Märchen-/Literaturgruppe besuchen
- Wahrnehmungstraining durchführen
- Rollenspiele durchführen

Anzahl der beteiligten Personen bestimmen
Zeitdauer der Gruppentherapie bestimmen

Pflegeziele
- Führt Tätigkeiten des täglichen Lebens aus
- Selbstständigkeit ist gefördert

Pflegeintervention
- Lebenspraktisches Gruppentraining durchführen

Handlungsleitende Pflegeinterventionen
- Gemeinsam Mahlzeiten kochen
- Gemeinsam einkaufen
- An der Kosmetikgruppe teilnehmen
- Feste planen, vorbereiten und durchführen
- An der Hauswirtschaftsgruppe teilnehmen

Art der Unterstützungsleistung bestimmen
- Auffordern, den Termin des Gruppenangebots einzuhalten

AEDL Mit den existenziellen Erfahrungen des Lebens umgehen können

- Zur Teilnahme an den Aktivitäten motivieren
- Bei den Gruppenaktivitäten unterstützen
- Nach der Aktivität Reflexionsgespräch führen

Anzahl der beteiligten Personen bestimmen
Zeitdauer der Gruppentherapie bestimmen

Pflegeziele	Pflegeintervention	Handlungsleitende Pflegeinterventionen
- Kann Gefühle artikulieren und adäquat äußern - Ist sozial integriert - Nimmt Gefühle wahr und beschreibt sie in Worten	- Selbstkonzept/-bild und soziale Kompetenzen in Einzeltherapie fördern	- Selbstsicherheitstraining durchführen - Genusstherapie durchführen - Verhaltenstherapie durchführen - Assertiveness-Training-Programm (ATP) durchführen - Integriertes Psychologisches Therapieprogramm (IPT) durchführen - Kognitive Therapiegruppe besuchen - Positiven Tagesrückblick durchführen - Musiktherapie durchführen - Gestalttherapie durchführen - Maltherapie durchführen - Therapieangebote mit Tieren wahrnehmen - Märchen-/Literaturgruppe besuchen - Wahrnehmungstraining durchführen - Rollenspiele durchführen **Zeitdauer der Einzelförderung bestimmen**
- Selbstständigkeit ist gefördert - Konzentriert sich auf lebenspraktische Tätigkeiten	- Lebenspraktisches Einzeltraining durchführen	- Mahlzeiten kochen - Einkaufen gehen - Küchendienst übernehmen - In einer Diskussionsgruppe über das Tagesgeschehen sprechen - Zimmer reinigen - Tisch für die Mahlzeiten decken/abdecken - Blumenpflege durchführen - Wäsche versorgen **Art der Unterstützungsleistung bestimmen** - Beim Durchführen anleiten - Beim Durchführen beaufsichtigen - Durchgeführte Tätigkeiten in themenzentriertem Gespräch reflektieren - Gemeinsam partnerschaftlich durchführen **Zeitdauer der Einzelförderung bestimmen**
- Erhält Feed-back aus der Gruppe	- Feed-back im Gruppengespräch ermöglichen	**Teilnehmende Personen bestimmen** **Zeitdauer des Gruppengesprächs bestimmen**

Literatur: 34, 44, 50, 89, 98, 101, 102, 121, 168, 267, 272, 273

AEDL Mit den existenziellen Erfahrungen des Lebens umgehen können

Pflegediagnose
Der Bewohner empfindet das Gefühl des Alleinseins als negativ/bedrohlich

▶ **Kennzeichen**
- Meidet Kontakte
- Berichtet, keine Freunde und/oder sozialen Kontakte zu haben
- Bekommt keine/wenig Besuche von Freunden/Angehörigen
- Berichtet von der Unfähigkeit, Beziehungen aufzubauen/Kontakt herzustellen
- Äußert das Gefühl, allein zu sein
- Äußert das Gefühl, anders zu sein
- Äußert, sich abgelehnt zu fühlen
- Zeigt Verhaltensweisen, die den Kontakt zu Sozialpartnern erschweren

▶ **Ursachen**
- Psychiatrische Erkrankung
- Körperliche Schwäche
- Körperliches Unbehagen
- Fehlender Realitätsbezug
- Körperliche Einschränkung
- Kognitive Fähigkeiten sind eingeschränkt
- Verdrängte, traumatische Erlebnisse

▶ **Ressourcen**
- Kann Gefühle und Sorgen mit der Bezugsperson besprechen
- Versteht das Therapiekonzept und ist bereit, sich aktiv zu beteiligen

Pflegeziele
- Fühlt sich nicht abgeschoben und allein gelassen

Pflegeintervention
- Durch Anwesenheit dem Gefühl des Alleinseins entgegenwirken

Pflegeziele
- Akzeptiert das Gefühl und kann dieses zum Ausdruck bringen
- Ursachen sind erkannt

Pflegeintervention
- Klientenzentriertes Gespräch über die Ursachen des wahrgenommenen Gefühls des Alleinseins führen

Literatur: 50, 98, 101, 102, 125, 208, 266, 267

Pflegediagnose
Der Bewohner hat eine hochgradig affektive Erregung/Spannung, Gefahr der Fremd-/Selbstgefährdung

▶ **Kennzeichen**
- Sinn- und zweckloser Bewegungsdrang
- Sprachliche Unruhe
- Hypertone Erregungszustände
- Zeigt extreme Unruhezustände mit erhöhter Gefahr der Selbstgefährdung
- Äußert Selbstschädigungswünsche
- Affekthandlungen
- Äußert sich durch aggressives Verhalten
- Äußert sich durch Lärmen/Schreien
- Äußert sich durch selbstgerichtetes Schlagen
- Schlägt um sich/schlägt andere
- Fordert eine Fixierungsmaßnahme aktiv ein

▶ **Ursachen**
- Psychose
- Schizophrene Psychose
- Neurose
- Aktuelle Ereignisse im Umfeld

▶ **Ressourcen**
- Akzeptiert die Bezugsperson
- Kann Gefühle und Sorgen mit der Bezugsperson besprechen
- Lässt sich ablenken
- Toleriert die Fixierungsmaßnahme

AEDL Mit den existenziellen Erfahrungen des Lebens umgehen können

Pflegeziele
- Kann ein Vertrauensverhältnis zum Gesprächspartner aufbauen
- Spricht die Bezugsperson bei Problemen selbstständig an

Pflegeintervention
- Bezugsperson festlegen

Pflegeziele
- Kann psychotische Welt und Realität trennen
- Eigenständige Lebensgestaltung ist ermöglicht

Pflegeintervention
- Realitätsbezug im Alltag herstellen

Handlungsleitende Pflegeinterventionen
- Wahnthemen und Zwangshandlungen nicht auszureden versuchen und keine Diskussion entstehen lassen
- Akzeptierende Grundhaltung gegenüber den Wahnideen zeigen
- Eigene Realität gegenüberstellen
- Lebenspraktische Tätigkeiten durchführen
- „Harmlose" Gesprächsthemen anbieten

Pflegeziele
- Erkennt eine einheitliche Zielsetzung im therapeutischen Team und akzeptiert diese

Pflegeintervention
- Rückzugstendenzen nur zulassen, soweit sie nützlich sind

Handlungsleitende Pflegeinterventionen
- Feste Rückzugszeiten ins Zimmer vereinbaren
- Zimmer des Bewohners verschließen
- Zu Gruppenaktivitäten holen und motivieren

Pflegeziele
- Kann Gefühle artikulieren und adäquat äußern
- Ist sozial integriert
- Nimmt Gefühle wahr und beschreibt sie in Worten

Pflegeintervention
- Selbstkonzept/-bild und soziale Kompetenzen in Einzeltherapie fördern

Handlungsleitende Pflegeinterventionen
- Selbstsicherheitstraining durchführen
- Genusstherapie durchführen
- Verhaltenstherapie durchführen
- Assertiveness-Training-Programm (ATP) durchführen
- Integriertes Psychologisches Therapieprogramm (IPT) durchführen
- Kognitive Therapiegruppe besuchen
- Positiven Tagesrückblick durchführen
- Musiktherapie durchführen
- Gestalttherapie durchführen
- Maltherapie durchführen
- Therapieangebote mit Tieren wahrnehmen
- Märchen-/Literaturgruppe besuchen
- Wahrnehmungstraining durchführen
- Rollenspiele durchführen

Zeitdauer der Einzelförderung bestimmen

Pflegeziele
- Soziale Kompetenzen sind gefördert

Pflegeintervention
- Selbstkonzept/-bild und soziale Kompetenzen in Gruppentherapie fördern

Handlungsleitende Pflegeinterventionen
- Selbstsicherheitstraining durchführen
- Genusstherapie durchführen
- Verhaltenstherapie durchführen
- Assertiveness-Training-Programm (ATP) durchführen
- Integriertes Psychologisches Therapieprogramm (IPT) durchführen
- Kognitive Therapiegruppe besuchen
- Musiktherapie durchführen
- Gestalttherapie durchführen
- Maltherapie durchführen
- Therapieangebote mit Tieren wahrnehmen

AEDL Mit den existenziellen Erfahrungen des Lebens umgehen können

- Märchen-/Literaturgruppe besuchen
- Wahrnehmungstraining durchführen
- Rollenspiele durchführen

Anzahl der beteiligten Personen bestimmen
Zeitdauer der Gruppentherapie bestimmen

Pflegeziele	Pflegeintervention	Handlungsleitende Pflegeinterventionen
• Kann sich am Tagesablauf orientieren	• Tages- und Wochenplan gemeinsam erarbeiten und Vereinbarungen bezüglich der Aktivitäten treffen	**Bezugsperson festlegen** **Gesprächsinhalt bestimmen** • Tages- und Wochenpläne besprechen • Durchgeführte Aktivitäten besprechen • Lebenspraktische Inhalte besprechen **Fest verbindlichen Tagesplan vereinbaren** • Mit Kontrollmöglichkeit • Ohne Kontrollmöglichkeit • In Eigenverantwortung • In Verantwortung der Bezugsperson • Tagesaktivitäten auswerten und reflektieren **Dauer des themenzentrierten Gesprächs festlegen**

Pflegeziele	Pflegeintervention	Handlungsleitende Pflegeinterventionen
• Entwickelt ein positives Selbstwertgefühl	• Selbstwertgefühl und Selbstachtung durch einheitliche Verhaltensweise im therapeutischen Team fördern	• Gewünschtes Verhalten durch Lob fördern • Im therapeutischen Team Verhaltensweisen zur Stärkung des Selbstkonzepts vereinbaren • Einüben, sich selbst zu belohnen

Pflegeziele	Pflegeintervention	Handlungsleitende Pflegeinterventionen
• Verletzungen sind vermieden	• Schutzmaßnahmen vor Verletzungen bei aggressiven Affekthandlungen ergreifen	**Spezielle Schutzprotektoren, Schutzhelme oder andere Schutzvorrichtungen einsetzen** • Hüftprotektoren anlegen • Sturzhelm aufsetzen • Ellenbogenprotektoren einsetzen • Knieprotektoren einsetzen • Handschuhe anziehen • Zwangsjacke anlegen • In der Akutphase in den Schutzraum bringen **Zeit/Bedingung der Anwendung bestimmen** • Bei bestimmtem Verhalten des Bewohners • Kontinuierlich am Tag • Sonstige Gründe

Pflegeziele	Pflegeintervention	Handlungsleitende Pflegeinterventionen
• Übernimmt Mitverantwortung in der Gruppe • Soziales Lernen ist unterstützt • Kann in der Gruppe sprechen • Integriert sich in das Gruppengeschehen • Kennt die Spielregeln in sozialen Gemeinschaften	• In Stationsaktivitäten zur Förderung gesellschaftlicher/sozialer Aspekte einbeziehen	• Spielnachmittag besuchen • Tanznachmittag besuchen • Kirchenbesuch durchführen • Spazieren gehen • Singstunde besuchen • An Festaktivitäten teilnehmen • Am Sonntagsfrühstück teilnehmen **Teilnehmende Personen bestimmen** **Zeitdauer der Aktivitäten bestimmen**

AEDL Mit den existenziellen Erfahrungen des Lebens umgehen können

Pflegeziele	Pflegeintervention	Handlungsleitende Pflegeinterventionen
• Soziale Kompetenzen sind gefördert • Spricht Konflikte in der Gruppe an	• In gesprächstherapeutische Stationsaktivitäten/-programme einbeziehen	• An Stationsgesprächsrunde/-meeting/-forum teilnehmen • An Gesprächskreis über tagesaktuelle Themen teilnehmen • Wochenendgruppe besuchen • Konfliktgruppe besuchen • Morgenrunde besuchen • Kritikgruppe besuchen **Teilnehmende Personen bestimmen** **Zeitdauer der Gruppenangebote bestimmen**

Literatur: 17, 85, 101, 102, 121, 125, 168, 256, 267, 272, 273

Pflegediagnose
Der Bewohner hat Heimweh

▶ Kennzeichen	▶ Ursachen	▶ Ressourcen
• Äußert Sehnsucht nach der Heimat • Äußert Sehnsucht nach Menschen, die in der Heimat leben	• Umgebungsveränderung	• Kann über Sorgen und Ängste sprechen • Kann Gefühle und Sorgen mit der Bezugsperson besprechen

Pflegeziele	Pflegeintervention
• Soziale Kontakte zu Angehörigen und Bekannten sind ausreichend • Akzeptiert das Gefühl und kann dieses zum Ausdruck bringen	• Im klientenzentrierten Gespräch die wahrgenommene Gefühlswelt reflektieren

Pflegeziele	Pflegeintervention
• Fühlt sich angenommen und akzeptiert	• Gefühle des Bewohners akzeptieren

Literatur: 44, 121, 168, 183, 272, 273

Pflegediagnose
Der Bewohner kann sich nur über Weinen/Schreien äußern und Bedürfnisse mitteilen

▶ Kennzeichen	▶ Ursachen	▶ Ressourcen
• Äußert sich durch Lärmen/Schreien • Äußert sich durch kontinuierliches Schreien • Äußert sich durch anschwellendes, lautes Schreien • Äußert sich durch schrilles Schreien • Äußert sich durch anhaltendes Schreien	• Schmerzzustände • Körperliches Unbehagen • Blähungen • Hunger-/Durstgefühl	• Reagiert positiv auf bestimmte Angebote/Zuwendung

Pflegeziele	Pflegeintervention
• Ist beruhigt und entspannt	• Den Säugling durch Herumtragen beruhigen

AEDL Mit den existenziellen Erfahrungen des Lebens umgehen können

Pflegeziele
- Ist beruhigt und entspannt
- Ursachen sind erkannt

Pflegeintervention
- Durch unterschiedliche Angebote versuchen, die Ursache für das Schreien/Weinen zu beheben

Pflegeziele
- Ist ruhig und kann sich entspannen
- Körperwahrnehmung ist aktiviert und stimuliert

Pflegeintervention
- Babymassage durchführen

Pflegeziele
- Erhält Zuwendung ohne Forderung

Pflegeintervention
- Durch sanftes Halten taktil beruhigen

Literatur: 32, 249

▶ Pflegediagnosen im Zusammenhang mit Stimmungslage – Suizidabsichten

Pflegediagnose
Der Bewohner macht sich Sorgen um die Zukunft, Zukunftsperspektive fehlt

▶ Kennzeichen
- Äußert Sorge über die Zukunft
- Äußert Hoffnungslosigkeit
- Äußert ein Gefühl der Hilflosigkeit
- Fragt nach dem Sinn des Lebens
- Zeigt Zorn gegenüber der Lebenssituation
- Äußert Gefühle wie Unsicherheit, Sorge und Verzweiflung
- Schlafstörungen

▶ Ursachen
- Sinnkrise durch Krankheit
- Stellt Glaubensgrundsätze infrage
- Stellt Wertvorstellungen infrage
- Familiäre Unstimmigkeiten
- Wirtschaftliche Situation der Lebensgemeinschaft

▶ Ressourcen
- Kann Gefühle und Sorgen mit der Bezugsperson besprechen
- Zeigt Offenheit gegenüber neuen Wegen

Pflegeziele
- Äußert konkrete Perspektiven für die weitere Zukunft

Pflegeintervention
- Gesprächsbereitschaft signalisieren und Gespräch führen

Handlungsleitende Pflegeinterventionen
Gespräch führen, Schwerpunkt des Gesprächsinhalts bestimmen
- Situation analysieren und individuelle Bedürfnisse herausfinden
- Ressourcen aufzeigen und positive Eigenaktivitäten fördern
- Wünsche bezüglich der Kontaktherstellung zu Geistlichen/Selbsthilfegruppen herausfinden
- Vereinbarungen bezüglich der gewünschten Unterstützung beim Aufbau sozialer Kontakte treffen
- Gespräch über die Zukunftsplanung führen

Zeitdauer des Gesprächs bestimmen

AEDL Mit den existenziellen Erfahrungen des Lebens umgehen können

Pflegeziele
- Spricht mit der Bezugspflegeperson über Zukunftsperspektiven

Pflegeintervention
- Aufbau einer konstruktiven therapeutischen Beziehung zur Bezugspflegeperson fördern

Handlungsleitende Pflegeinterventionen

Bezugsperson festlegen

Gesprächsinhalt bestimmen
- Tages- und Wochenpläne besprechen
- Durchgeführte Aktivitäten besprechen
- Lebenspraktische Inhalte besprechen
- Fest verbindlichen Tagesplan vereinbaren
- Mit Kontrollmöglichkeit
- Ohne Kontrollmöglichkeit
- In Eigenverantwortung
- In Verantwortung der Bezugsperson
- Tagesaktivitäten auswerten und reflektieren

Dauer des themenzentrierten Gesprächs festlegen

Pflegeziele
- Äußert konkrete Perspektiven für die weitere Zukunft
- Erkennt eigene Ressourcen und Möglichkeiten und entwickelt Handlungsstrategien/Verhaltensweisen, um diese zu aktivieren

Pflegeintervention
- Ressourcen fördern und positive Eigenaktivitäten unterstützen

---

Pflegeziele
- Spricht über Glaubensfragen/Wertvorstellungen

Pflegeintervention
- Kontakte zu Seelsorgern herstellen

Handlungsleitende Pflegeinterventionen

Teilnahme an Gottesdiensten o. Ä. ermöglichen
- An die Termine für Gottesdienste erinnern
- Kontakt zur Seelsorge herstellen
- Hol- und Bringdienste zur Teilnahme an Veranstaltungen der Glaubensgemeinschaft organisieren

---

Pflegeziele
- Äußert konkrete Perspektiven für die weitere Zukunft
- Erkennt, dass Mitmenschen ähnliche Probleme und Sorgen haben, und ist motiviert, mit Betroffenen über Bewältigungsstrategien zu sprechen

Pflegeintervention
- Kontakte zu Selbsthilfegruppen vermitteln

Pflegeziele
- Sozialkontakte und Gruppenverhalten sind gefördert

Pflegeintervention
- Soziale Kontakte fördern

Handlungsleitende Pflegeinterventionen

Netzwerke bestimmen, die aufgebaut/gefördert werden können
- Netzwerk Familie
- Netzwerk Freundeskreis
- Netzwerk Arbeitsfeld
- Netzwerk Glaubensgemeinschaft
- Netzwerk Freizeitaktivität/Hobby
- Selbsthilfegruppe
- Sonstige Netzwerke

Zeitdauer der Intervention bestimmen

Gesprächspartner bestimmen
- Angehörige
- Betreuer
- Freunde
- Arbeitgeber

AEDL Mit den existenziellen Erfahrungen des Lebens umgehen können

- Arbeitskollegen
- Ämter
- Kirchenvertreter
- Nachbarn
- Sonstige Personen

Pflegeziele	Pflegeintervention	Handlungsleitende Pflegeinterventionen
• Ist sozial integriert	• Freizeitgestaltung und Beschäftigungsaktivitäten planen	• Sportliche Aktivitäten durchführen • Kulturelle Akivitäten durchführen • Gesellschaftliche Aktivitäten durchführen • Kreative Aktivitäten durchführen • Künstlerische Aktivitäten durchführen • Tägliche Anzahl der zu planenden Aktivitäten bestimmen **Art der Unterstützungsleistung bestimmen** • Positive Aktivitäten gezielt planen • Aktivitäten vereinbaren • Nach der Aktivität Reflexionsgespräch führen • Stimmungslage nach der Aktivität reflektieren • Gespräche und Planung mit der Bezugspflegeperson durchführen • Zur Teilnahme auffordern/motivieren **Dauer des Gesprächs bestimmen**

Pflegeziele	Pflegeintervention	Handlungsleitende Pflegeinterventionen
• Gefestigte Tagesstruktur ist aufgebaut • Selbstvertrauen in eigene Kompetenzen/Fähigkeiten ist entwickelt • Körperliche Geschicklichkeit ist gefördert • Zugang zu den eigenen Empfindungen ist unterstützt	• Beschäftigungstherapeutische Gruppenförderung durchführen	• Malen • Werken • Töpfern • Collagen gestalten • Batiken • Seidenmalerei betreiben • Weben • Holzarbeiten anfertigen • Flechtarbeiten anfertigen **Anzahl der beteiligten Personen bestimmen** **Zeitdauer der Gruppentherapie bestimmen**

Pflegeziele	Pflegeintervention	Handlungsleitende Pflegeinterventionen
• Gefestigte Tagesstruktur ist aufgebaut • Selbstvertrauen in eigene Kompetenzen/Fähigkeiten ist entwickelt • Körperliche Geschicklichkeit ist gefördert • Zugang zu den eigenen Empfindungen ist unterstützt	• Beschäftigungstherapeutische Einzelförderung durchführen	• Malen • Werken • Töpfern • Collagen gestalten • Batiken • Seidenmalerei betreiben • Weben • Holzarbeiten anfertigen • Flechtarbeiten anfertigen **Art und Weise der Unterstützung bestimmen** • Einleitend motivieren und aktivieren • Kontinuierlich motivieren und anleiten • Bei der Durchführung unterstützen **Zeitdauer der Einzelförderung bestimmen**

Pflegeziele	Pflegeintervention	Handlungsleitende Pflegeinterventionen
• Termin wird wahrgenommen	• Teilnahme an Gottesdiensten und kirchlichen Veranstaltungen ermöglichen	• Zum vereinbarten Termin innerhalb der Einrichtung bringen

AEDL Mit den existenziellen Erfahrungen des Lebens umgehen können

- Zum vereinbarten Termin außerhalb der Einrichtung bringen
- **Zeitdauer angeben**
- **Zusätzliche Pflegepersonen erforderlich**

Literatur: 44, 101, 102, 121, 168, 272, 273

Pflegediagnose
Der Bewohner hat ein aus dem Gleichgewicht geratenes Selbstkonzept durch ein Verlusterlebnis bei beeinträchtigter Bewältigungsstrategie

▶ **Kennzeichen**
- Idealisiert die geliebte Person
- Beschreibt ein Gefühl der Leere
- Unterdrückt/überspielt das Gefühl der Trauer
- Äußert Gefühle wie Unsicherheit, Sorge und Verzweiflung
- Äußert das Gefühl, wie betäubt zu sein
- Äußert ein Gefühl des Schocks/Unglaubens
- Zeigt/äußert Zorn darüber, zurückgelassen zu sein
- Spricht in der Gegenwartsform über die verstorbene Person
- Körperliche Begleiterscheinungen (Unruhe, Schwitzen, Übelkeit, unregelmäßer Puls) sind vorhanden
- Konzentrations-/Wahrnehmungsschwierigkeiten bezüglich äußerer Reize
- Rückzugstendenzen
- Anhaltende Trauer
- Äußert Ängste
- Vermehrter Alkohol-/Betäubungsmittelkonsum

▶ **Ursachen**
- Verlust eines Kinds
- Verlust des Partners
- Verlust einer Gliedmaße
- Abwesenheit eines geliebten Menschen
- Verlust von Existenzgrundlage/Besitz/Haus/Arbeitsplatz
- Verlust durch Auseinanderbrechen der Beziehung zum Lebenspartner
- Verlust eines geliebten Menschen durch Selbstmord
- Verlust eines geliebten/nahe stehenden Menschen durch Tod
- Verlust mehrerer Familienangehöriger durch einen tragischen Unfall
- Verlust und/oder Trennung von wichtigen Bezugspersonen

▶ **Ressourcen**
- Soziales Unterstützungsnetz ist vorhanden
- Zeigt Gesprächsbereitschaft

Pflegeziele
- Trauerarbeit ist unterstützt

Pflegeintervention
- Klientenzentriertes Pflegefachgespräch zur Trauerarbeit führen

Pflegeziele
- Trauerprozess wird adäquat unterstützt

Pflegeintervention
- Trauerphase, in der sich der Bewohner befindet, beobachten/einschätzen

Pflegeziele
- Verleugnungsphase ist durchbrochen, Gefühle in Verbindung mit dem Verlusterlebnis werden mitgeteilt

Pflegeintervention
- Mit dem Verlust und den Auswirkungen forciert konfrontieren

AEDL Mit den existenziellen Erfahrungen des Lebens umgehen können

Pflegeziele
- Erkennt eine einheitliche Zielsetzung im therapeutischen Team und akzeptiert diese
- Therapie- und Interventionsangebote sind individuell abgestimmt
- Behandlungs- und Therapiekonzept sind transparent und vom therapeutischen Team umgesetzt
- Aktive Beteiligung an der Behandlungsplanung mit dem therapeutischen Team ist sichergestellt

Pflegeintervention
- Interdisziplinäres Teamgespräch über den Pflege- und Behandlungsprozess führen

Handlungsleitende Pflegeinterventionen
Beteiligte Personen bestimmen
- Bewohner
- Pflegeperson
- Ärztlicher Dienst
- Psychologe
- Sozialarbeiter
- Ergotherapeut
- Krankengymnast
- Logotherapeut
- Beschäftigungstherapeut
- Geistlicher Beistand
- Sonstige Personen

Zeitdauer angeben

Pflegeziele
- Der Realisierungsprozess in der Trauerphase ist unterstützt

Pflegeintervention
- Trauerarbeit durch Aufbahrung und Verabschiedung vom Verstorbenen fördern/unterstützen

Literatur: 41, 47, 50, 62, 78, 98, 111, 136, 139, 153, 159, 173, 174, 202, 203, 213

Pflegediagnose
Der Bewohner hat ein aus dem Gleichgewicht geratenes Selbstkonzept durch eine Sinn-/Lebenskrise

▶ **Kennzeichen**
- Zeigt Zorn gegenüber der Lebenssituation
- Hinterfragt die ethisch-moralischen Grundwerte des Lebens
- Fragt nach dem Sinn des Lebens
- Äußert Zorn auf die Vertreter der Religion
- Äußert Suizidgedanken

▶ **Ursachen**
- Depressive Verstimmung
- Zwangsvorstellungen
- Manische Stimmung
- Schizophrene Psychose
- Krebsdiagnose
- Erkrankung mit schweren Beeinträchtigungen
- Schwere soziale Krise
- Missbrauch
- Enttäuschung/Verletzung durch das soziale Umfeld

▶ **Ressourcen**
- Kann über die Schwierigkeiten der veränderten Lebensgestaltung und deren Auswirkungen auf soziale Aktivitäten sprechen
- Kann Gefühle und Sorgen mit der Bezugsperson besprechen
- Kann über die Ängste sprechen

Pflegeziele
- Fühlt sich angenommen und entwickelt Vertrauen

Pflegeintervention
- Bezugsperson zum Aufbau einer therapeutischen Beziehung festlegen

Handlungsleitende Pflegeinterventionen
Bezugsperson festlegen
Gesprächsinhalt bestimmen
- Tages- und Wochenpläne besprechen
- Durchgeführte Aktivitäten besprechen
- Lebenspraktische Inhalte besprechen

Fest verbindlichen Tagesplan vereinbaren
- Mit Kontrollmöglichkeit
- Ohne Kontrollmöglichkeit
- In Eigenverantwortung
- In Verantwortung der Bezugsperson
- Tagesaktivitäten auswerten und reflektieren

Dauer des themenzentrierten Gesprächs festlegen

AEDL Mit den existenziellen Erfahrungen des Lebens umgehen können

Pflegeziele
- Therapie- und Interventionsangebote sind individuell abgestimmt
- Behandlungs- und Therapiekonzept sind transparent und vom therapeutischen Team umgesetzt
- Aktive Beteiligung an der Behandlungsplanung mit dem therapeutischen Team ist sichergestellt

Pflegeintervention
- Inhalt des therapeutischen Gesprächs und weiterer Behandlungs- und Therapiestrategien im Team besprechen

Handlungsleitende Pflegeinterventionen
Beteiligte Personen bestimmen
- Bewohner
- Pflegeperson
- Ärztlicher Dienst
- Psychologe
- Sozialarbeiter
- Ergotherapeut
- Krankengymnast
- Logotherapeut
- Beschäftigungstherapeut
- Geistlicher Beistand
- Sonstige Personen

Zeitdauer angeben

Pflegeziele
- Suizidale Absichten sind eingeschätzt

Pflegeintervention
- Gespräch über die momentane Situation führen und Suizidgefährdung einschätzen

---

Pflegeziele
- Sozialkontakte und Gruppenverhalten sind gefördert

Pflegeintervention
- Soziale Kontakte fördern

Handlungsleitende Pflegeinterventionen
Netzwerke bestimmen, die aufgebaut/gefördert werden können
- Netzwerk Familie
- Netzwerk Freundeskreis
- Netzwerk Arbeitsfeld
- Netzwerk Glaubensgemeinschaft
- Netzwerk Freizeitaktivität/Hobby
- Selbsthilfegruppe
- Sonstige Netzwerke

Zeitdauer der Intervention bestimmen

Gesprächspartner bestimmen
- Angehörige
- Betreuer
- Freunde
- Arbeitgeber
- Arbeitskollegen
- Ämter
- Kirchenvertreter
- Nachbarn
- Sonstige Personen

Pflegeziele
- Kann Lösungswege entwickeln
- Hat eine Zukunftsperspektive entwickelt

Pflegeintervention
- Klientenzentriertes Gespräch über die empfundene Lebens- und Sinnkrise, deren Bedeutung und mögliche Lösungswege führen

---

Literatur: 44, 101, 121, 168, 267, 272, 273

AEDL Mit den existenziellen Erfahrungen des Lebens umgehen können

Pflegediagnose
Der Bewohner ist suizidgefährdet, es besteht eine erhöhte Gefahr, dass lebensgefährliche Selbstverletzungen zugefügt werden

▶ **Kennzeichen**
- Äußert Suizidgedanken
- Suizidpläne werden gefunden
- Missglückter Suizidversuch
- Verschenkt lieb gewonnene Dinge

▶ **Ursachen**
- Depressive Verstimmung
- Zwangsvorstellungen
- Manische Stimmung
- Schizophrene Psychose
- Krebsdiagnose
- Erkrankung mit schweren Beeinträchtigungen
- Verlust des Partners
- Schwere soziale Krise
- Lebenskrise
- Isolation und Einsamkeit
- Wirtschaftliche Krise

▶ **Ressourcen**
- Kann über die Suizidgedanken sprechen

Pflegeziele
- Suizidale Absichten sind eingeschätzt

Pflegeintervention
- Gespräch über die momentane Situation führen und Suizidgefährdung einschätzen

---

Pflegeziele
- Gibt das Versprechen, sich für einen bestimmten Zeitraum nichts anzutun

Pflegeintervention
- Abmachung treffen, dass bei Suizidgedanken Kontakt zum therapeutischen Team aufgenommen wird

---

Pflegeziele
- Spricht mit Angehörigen über die Suizidgedanken

Pflegeintervention
- Familie/Bezugspersonen in die Behandlung integrieren

Handlungsleitende Pflegeinterventionen

Netzwerke bestimmen, die aufgebaut/gefördert werden können
- Netzwerk Familie
- Netzwerk Freundeskreis
- Netzwerk Arbeitsfeld
- Netzwerk Glaubensgemeinschaft
- Netzwerk Freizeitaktivität/Hobby
- Selbsthilfegruppe
- Sonstige Netzwerke

Zeitdauer der Intervention bestimmen

Gesprächspartner bestimmen
- Angehörige
- Betreuer
- Freunde
- Arbeitgeber
- Arbeitskollegen
- Ämter
- Kirchenvertreter
- Nachbarn
- Sonstige Personen

Pflegeziele
- Beschäftigt sich mit Schwierigkeitsbewältigung und Zukunftsperspektiven

Pflegeintervention
- Gesprächstherapie über mögliche Suizidgedanken mit Arzt/Psychologen vermitteln

Handlungsleitende Pflegeinterventionen

Beteiligte Personen bestimmen
- Bewohner
- Pflegeperson
- Ärztlicher Dienst

AEDL Mit den existenziellen Erfahrungen des Lebens umgehen können

		• Psychologe • Sozialarbeiter • Ergotherapeut • Krankengymnast • Logotherapeut • Beschäftigungstherapeut • Geistlicher Beistand • Sonstige Personen **Zeitdauer angeben**

Pflegeziele	Pflegeintervention	Handlungsleitende Pflegeinterventionen
• Vertrauensvolle therapeutische Beziehung ist aufgebaut	• Im Gespräch Vertrauensbasis mit der Bezugspflegeperson herstellen	**Bezugsperson festlegen** **Gesprächsinhalt bestimmen** • Tages- und Wochenpläne besprechen • Durchgeführte Aktivitäten besprechen • Lebenspraktische Inhalte besprechen **Fest verbindlichen Tagesplan vereinbaren** • Mit Kontrollmöglichkeit • Ohne Kontrollmöglichkeit • In Eigenverantwortung • In Verantwortung der Bezugsperson • Tagesaktivitäten auswerten und reflektieren **Dauer des themenzentrierten Gesprächs festlegen**

Pflegeziele	Pflegeintervention	Handlungsleitende Pflegeinterventionen
• Sicherheit ist gewährleistet	• Suizidprophylaxe durch kontinuierliche Beobachtung und Präsenz durchführen	**Kontinuierliche Beobachtung sicherstellen** • Aktivitäten des Bewohners beobachten • Bei Toilettengängen begleiten • Aufenthalt im Zimmer begleiten • Baden/Duschen beobachten • In das Beobachtungszimmer verlegen • Zimmer des Bewohners verschließen • Fixierungsmaßnahmen lt. Arztanordnung durchführen **Dauer der Präsenz bestimmen**

Pflegeziele	Pflegeintervention	Handlungsleitende Pflegeinterventionen
• Sicherheit ist gewährleistet	• Für eine sichere Umgebung sorgen	**Für eine sichere Umgebung sorgen** • Auf eine geschlossene Abteilung verlegen • In das Überwachungszimmer verlegen • Gefährliche Gegenstände entfernen • Zimmer des Bewohners verschließen • Bäder verschließen

Pflegeziele	Pflegeintervention
• Sicherheit ist gewährleistet	• Verhalten auf versteckte Hinweise einer Suizidabsicht beobachten

Pflegeziele	Pflegeintervention
• Suizidale Absichten sind eingeschätzt	• Direkt auf suizidale Absichten ansprechen

AEDL Mit den existenziellen Erfahrungen des Lebens umgehen können

Pflegeziele	Pflegeintervention	Handlungsleitende Pflegeinterventionen
• Fühlt sich angenommen und entwickelt Vertrauen	• Bezugsperson zum Aufbau einer therapeutischen Beziehung festlegen	**Bezugsperson festlegen** **Gesprächsinhalt bestimmen** • Tages- und Wochenpläne besprechen • Durchgeführte Aktivitäten besprechen • Lebenspraktische Inhalte besprechen **Fest verbindlichen Tagesplan vereinbaren** • Mit Kontrollmöglichkeit • Ohne Kontrollmöglichkeit • In Eigenverantwortung • In Verantwortung der Bezugsperson • Tagesaktivitäten auswerten und reflektieren **Dauer des themenzentrierten Gesprächs festlegen**

Pflegeziele	Pflegeintervention	Handlungsleitende Pflegeinterventionen
• Therapie- und Interventionsangebote sind individuell abgestimmt • Behandlungs- und Therapiekonzept sind transparent und vom therapeutischen Team umgesetzt • Aktive Beteiligung an der Behandlungsplanung mit dem therapeutischen Team ist sichergestellt	• Inhalt des therapeutischen Gesprächs und weiterer Behandlungs- und Therapiestrategien im Team besprechen	**Beteiligte Personen bestimmen** • Bewohner • Pflegeperson • Ärztlicher Dienst • Psychologe • Sozialarbeiter • Ergotherapeut • Krankengymnast • Logotherapeut • Beschäftigungstherapeut • Geistlicher Beistand • Sonstige Personen **Zeitdauer angeben**

Literatur: 44, 101, 121, 168, 267, 272, 273

Pflegediagnose
Der Bewohner ist resigniert und empfindet die eigene Situation als ausweglos

▶ Kennzeichen	▶ Ursachen	▶ Ressourcen
• Beschreibt fehlende Zukunftsperspektiven • Äußert Sorge über die Zukunft	• Exogene Depression • Schwere körperliche Beeinträchtigung • Krebserkrankung • Soziales Umfeld • Krebsdiagnose • Erdrückende Schuldensituation	• Kann über die Ängste sprechen • Hat eine Zukunftsperspektive entwickelt • Hat Problemlösungen entwickelt

Pflegeziele	Pflegeintervention	Handlungsleitende Pflegeinterventionen
• Krankhafte Veränderungen sind frühzeitig erkannt	• Situation einschätzen und mögliche Ursachen mit dem behandelnden Arzt/therapeutischen Team abklären	**Beteiligte Personen bestimmen** • Bewohner • Pflegeperson • Ärztlicher Dienst • Psychologe • Sozialarbeiter • Ergotherapeut • Krankengymnast • Logotherapeut • Beschäftigungstherapeut

AEDL Mit den existenziellen Erfahrungen des Lebens umgehen können

- Geistlicher Beistand
- Sonstige Personen

Zeitdauer angeben

Pflegeziele
- Kann ein Vertrauensverhältnis zum Gesprächspartner aufbauen

Pflegeintervention
- Ernst nehmen durch Einhalten von Gesprächsregeln

Pflegeziele
- Nimmt an Aktivitäten teil, sucht aktiv Beziehungen

Pflegeintervention
- Sinnvollen Tageszeitplan festlegen

Handlungsleitende Pflegeinterventionen
Bezugsperson festlegen
Gesprächsinhalt bestimmen
- Tages- und Wochenpläne besprechen
- Durchgeführte Aktivitäten besprechen
- Lebenspraktische Inhalte besprechen

Fest verbindlichen Tagesplan vereinbaren
- Mit Kontrollmöglichkeit
- Ohne Kontrollmöglichkeit
- In Eigenverantwortung
- In Verantwortung der Bezugsperson
- Tagesaktivitäten auswerten und reflektieren

Dauer des themenzentrierten Gesprächs festlegen

Pflegeziele
- Erinnert sich an positive Ereignisse im Leben

Pflegeintervention
- Positive Erinnerungen aus dem persönlichen Leben fördern

Pflegeziele
- Entwickelt ein positives Selbstwertgefühl
- Entwickelt Interesse an den Aktivitäten des täglichen Lebens

Pflegeintervention
- Eigenaktivitäten fördern

Handlungsleitende Pflegeinterventionen
- Handlungsalternativen aufzeigen und so Entscheidungskraft gezielt fördern
- Keine Entscheidungen für den Bewohner treffen

Alltagsweltliche Entscheidungen fördern
- Menükomponenten beim Essen auswählen lassen
- Kleidungsstücke, die am Tag getragen werden, auswählen und zusammenstellen lassen
- Bei Freizeitbeschäftigungen mehrere Alternativen aufzeigen

Pflegeziele
- Selbstständigkeit ist gefördert
- Konzentriert sich auf lebenspraktische Tätigkeiten

Pflegeintervention
- Lebenspraktisches Einzeltraining durchführen

Handlungsleitende Pflegeinterventionen
- Mahlzeiten kochen
- Einkaufen gehen
- Küchendienst übernehmen
- In einer Diskussionsgruppe über das Tagesgeschehen sprechen
- Zimmer reinigen
- Tisch für die Mahlzeiten decken/abdecken
- Blumenpflege durchführen
- Wäsche versorgen

Art der Unterstützungsleistung bestimmen
- Beim Durchführen anleiten
- Beim Durchführen beaufsichtigen

AEDL Mit den existenziellen Erfahrungen des Lebens umgehen können

- Durchgeführte Tätigkeiten in themenzentriertem Gespräch reflektieren
- Gemeinsam partnerschaftlich durchführen

Zeitdauer der Einzelförderung bestimmen

Pflegeziele	Pflegeintervention	Handlungsleitende Pflegeinterventionen
• Führt Tätigkeiten des täglichen Lebens aus • Selbstständigkeit ist gefördert	• Lebenspraktisches Gruppentraining durchführen	• Gemeinsam Mahlzeiten kochen • Gemeinsam einkaufen • An der Kosmetikgruppe teilnehmen • Feste planen, vorbereiten und durchführen • An der Hauswirtschaftsgruppe teilnehmen **Art der Unterstützungsleistung bestimmen** • Auffordern, den Termin des Gruppenangebots einzuhalten • Zur Teilnahme an den Aktivitäten motivieren • Bei den Gruppenaktivitäten unterstützen • Nach der Aktivität Reflexionsgespräch führen **Anzahl der beteiligten Personen bestimmen** **Zeitdauer der Gruppentherapie bestimmen**

Pflegeziele	Pflegeintervention	Handlungsleitende Pflegeinterventionen
• Kann Gefühle artikulieren und adäquat äußern • Ist sozial integriert • Nimmt Gefühle wahr und beschreibt sie in Worten	• Selbstkonzept/-bild und soziale Kompetenzen in Einzeltherapie fördern	• Selbstsicherheitstraining durchführen • Genusstherapie durchführen • Verhaltenstherapie durchführen • Assertiveness-Training-Programm (ATP) durchführen • Integriertes Psychologisches Therapieprogramm (IPT) durchführen • Kognitive Therapiegruppe besuchen • Positiven Tagesrückblick durchführen • Musiktherapie durchführen • Gestalttherapie durchführen • Maltherapie durchführen • Therapieangebote mit Tieren wahrnehmen • Märchen-/Literaturgruppe besuchen • Wahrnehmungstraining durchführen • Rollenspiele durchführen **Zeitdauer der Einzelförderung bestimmen**

Pflegeziele	Pflegeintervention	Handlungsleitende Pflegeinterventionen
• Neue Interessen sind geweckt • Selbstvertrauen in eigene Kompetenzen/Fähigkeiten ist entwickelt	• Selbstkonzept/-bild und soziale Kompetenzen in Gruppentherapie fördern	• Selbstsicherheitstraining durchführen • Genusstherapie durchführen • Verhaltenstherapie durchführen • Assertiveness-Training-Programm (ATP) durchführen • Integriertes Psychologisches Therapieprogramm (IPT) durchführen • Kognitive Therapiegruppe besuchen • Musiktherapie durchführen • Gestalttherapie durchführen • Maltherapie durchführen • Therapieangebote mit Tieren wahrnehmen • Märchen-/Literaturgruppe besuchen • Wahrnehmungstraining durchführen • Rollenspiele durchführen **Anzahl der beteiligten Personen bestimmen** **Zeitdauer der Gruppentherapie bestimmen**

AEDL Mit den existenziellen Erfahrungen des Lebens umgehen können

Pflegeziele
- Nimmt an Freizeitaktivitäten teil
- Gefestigte Tagesstruktur ist aufgebaut

Pflegeintervention
- Freizeitaktivitäten besprechen und planen

Handlungsleitende Pflegeinterventionen
Bezugsperson festlegen
Gesprächsinhalt bestimmen
- Tages- und Wochenpläne besprechen
- Durchgeführte Aktivitäten besprechen
- Lebenspraktische Inhalte besprechen

Fest verbindlichen Tagesplan vereinbaren
- Mit Kontrollmöglichkeit
- Ohne Kontrollmöglichkeit
- In Eigenverantwortung
- In Verantwortung der Bezugsperson
- Tagesaktivitäten auswerten und reflektieren

Dauer des themenzentrierten Gesprächs festlegen

Pflegeziele
- Ist in den Tagesablauf der Station/des Pflegebereichs integriert

Pflegeintervention
- In den Stationsalltag integrieren

Handlungsleitende Pflegeinterventionen
- Spielnachmittag besuchen
- Tanznachmittag besuchen
- Kirchenbesuch durchführen
- Spazieren gehen
- Singstunde besuchen
- An Festaktivitäten teilnehmen
- Am Sonntagsfrühstück teilnehmen

Teilnehmende Personen bestimmen
Zeitdauer der Aktivitäten bestimmen

Pflegeziele
- Zeigt Interesse an der Umgebungsgestaltung

Pflegeintervention
- Angenehme Atmosphäre im Zimmer schaffen

Handlungsleitende Pflegeinterventionen
- Bilder aufstellen
- Pflanzen aufstellen
- Duftlampe aufstellen
- Für angenehme Beleuchtung sorgen
- Persönliche Gegenstände aufstellen
- Gewünsche Musik abspielen

Literatur: 44, 101, 102, 121, 125, 168, 272, 273

Ergebnisse des Fallbeispiels „Senile Demenz"/Alzheimer

GriPS

Pflegeprozess mit ENP®   Station: Übungsstation für: Maria Tack   Bearbeitet von: GriPS Administrator Patientennummer: am: 14.07.2005 geb.: 23.10.1935   Blatt Nr.: 1

Pflegedokumentation:
Braden-Wert: nicht bestimmt (0 Punkte)   Atem-Wert: nicht bestimmt (0 Punkte)

Pflegediagnose	Ressourcen	Pflegeziel	Pflegemaßnahme	Bericht
Die Patientin hat Schwierigkeiten bei der Informationsverarbeitung **Kennzeichen/Symptom:** Aufgenommene Informationen/Wahrnehmungen können nicht/nur schwer selektiert werden **Ursachen/Ätiologie:** Kognitive Fähigkeiten sind eingeschränkt	Kann einfache, kurze Sätze verstehen	Fühlt sich angenommen und akzeptiert	**Akzeptierende, wertschätzende Grundhaltung einnehmen**	
		Kann Informationen aufnehmen und verarbeiten	**Einfache und konkrete Gesprächsinhalte sowie kurze Sätze und klare Sprache bei den Pflegegesprächen verwenden**	
Die Patientin kann nicht zuhören/ sich nur schwer auf Gespräche konzentrieren **Kennzeichen/Symptom:** Antwort ist nicht adäquat zum Gesprächsinhalt/Gesprächsfluss **Ursachen/Ätiologie:** Demenzielle Veränderung	Kann sich auf kurze Gespräche konzentrieren	Alle wichtigen Informationen werden aufgenommen	**Sich vergewissern, ob die Patientin Gesprächsinhalten folgen kann und aufnahmebereit ist**	
		Kann dem Gespräch konzentriert zuhören	**Gesprächszeiten auf höchstens 15 Minuten begrenzen**	

Ergebnisse der Fallbeispiele

GriPS

Pflegeprozess mit ENP® | Station: Übungsstation für: Maria Tack | Bearbeitet von: GriPS Administrator Patientennummer: | am: 14.07.2005 geb.: 23.10.1935 | Blatt Nr.: 2

Pflegedokumentation:
Braden-Wert: nicht bestimmt (0 Punkte) — Atem-Wert: nicht bestimmt (0 Punkte)

Pflegediagnose	Ressourcen	Pflegeziel	Pflegemaßnahme	Bericht
Die Patientin hat Weglauftendenzen, Gefahr der Selbstgefährdung **Kennzeichen/Symptom:** Findet nicht mehr in den Lebensraum zurück Umtriebigkeit und psycho-motorische Unruhe **Ursachen/Ätiologie:** Morbus Alzheimer	Freut sich, wenn sie zurück in die Wohngruppe kommt	Weglaufen der Patientin ist sofort erkannt Kann sofort identifiziert und in den Wohnbereich zurückgeführt werden	**Alle Mitarbeiter über die Weglauftendenz informieren ggf. Sicherheitsmaßnahmen einleiten bzw. Beaufsichtigung organisieren** **Kleidungsstücke mit Namen und Adresse der Patientin versehen**	
Die Patientin hat ein erhöhtes Sturzrisiko, es besteht Verletzungsgefahr **Ursachen/Ätiologie:** Demenz Orientierungsstörung	Akzeptiert die Nachtbeleuchtung und läutet bei Bedarf	Sturzgefahr ist reduziert	**Durch entsprechende Umfeldgestaltung Sturzrisiko reduzieren** **Stolperfallen herausfinden und entfernen** **Nachtbeleuchtung sicherstellen** **Klingel und Rufanlagen anpassen** **Haltegriffe gezielt einsetzen**	
Die Patientin ist unruhig, desorientiert, bei der Körperpflege orientierungslos und kann diese nicht sinnvoll gestalten **Ursachen/Ätiologie:** Demenz	Reagiert positiv auf die Einhaltung der Ritualisierung	Ist weder über- noch unterfordert Selbstständigkeit ist erhalten	**Ganzkörperwaschung mit einheitlich festgelegter Vorgehensweise durchführen** **GW am Waschbecken durchführen** **Vollständig übernehmen** **Ritualisierung einhalten** **ggf. aktivieren, je nach Tagesform**	

Ergebnisse der Fallbeispiele

GriPS

Pflegeprozess mit ENP®   Station: Übungsstation für: Maria Tack   Bearbeitet von: GriPS Administrator Patientennummer: am: 14.07.2005   Blatt Nr.: 3
geb.: 23.10.1935

Pflegedokumentation:
Braden-Wert: nicht bestimmt (0 Punkte)   Atem-Wert: nicht bestimmt (0 Punkte)

Pflegediagnose	Ressourcen	Pflegeziel	Pflegemaßnahme	Bericht
		Fühlt sich sicher und angenommen	Ritualisieren der Körperpflege: Genaues Einhalten des festgelegten Ablaufes Plan hängt im Bad	
Die Patientin kann die Mundpflege nicht selbstständig ausführen Ursachen/Ätiologie: Demenz	Kann den Mund mit Mundwasser ausspülen	Zahnhygiene ist gewährleistet	**Zahnpflege mit Zahnbürste und Zahnpasta durchführen Mundpflege mit Mundwasser der Patientin Teilweise übernehmen** ggf. aktivieren je nach Tagesform 2 x tägl.	Mikrostandard beachten! 01_007 Allgemeine Mundpflege
Die Patientin ist in der Selbstständigkeit beim Essen und Trinken eingeschränkt Ursachen/Ätiologie: Demenz Desorientierung	Lässt sich zum Essen und Trinken motivieren	Selbstständigkeit bei der Nahrungsaufnahme ist gefördert Ausreichende Ernährung und ausgeglichener Flüssigkeitshaushalt sind gewährleistet	**Hauptmahlzeiten und Trinken anreichen/verabreichen Zur Nahrungsaufnahme zum Tisch führen** Essen am Tisch ermöglichen Essen mundgerecht vorbereiten Esstraining durchführen und Nahrungsaufnahme beobachten 3 x tägl.	Mikrostandard beachten! 02_001 Hilfe bei Nahrungsaufnahme
Die Patientin hat ein reduziertes Durstgefühl, Gefahr der Dehydration Ursachen/Ätiologie: Vergisst zu trinken	Trinkt die vorbereitete Flüssigkeit	Selbstverantwortung bei der Flüssigkeitszufuhr sind gefördert	Flüssigkeitsbedarf festlegen und Flüssigkeitszufuhr unterstützen Zieleinfuhr mit dem Arzt vereinbaren	Mikrostandard beachten! 02_009 Trinkfahrplan

Ergebnisse der Fallbeispiele

GriPS

Pflegeprozess mit ENP® — Station: Übungsstation für: Maria Tack — Bearbeitet von: GriPS Administrator — Patientennummer: — am: 14.07.2005 — geb.: 23.10.1935 — Blatt Nr.: 4

Pflegedokumentation:
Braden-Wert: nicht bestimmt (0 Punkte) — Atem-Wert: nicht bestimmt (0 Punkte)

Pflegediagnose	Ressourcen	Pflegeziel	Pflegemaßnahme	Bericht
		Zieleinfuhr ist erreicht	**1500 ml** **Flüssigkeit nach Trinkfahrplan zuführen** **Trinkfahrplan erstellen und aktualisieren (a)** **Flüssigkeit mit Tasse/Glas zuführen** **Beaufsichtigen** **1 x tägl**	
Die Patientin hat einen ständigen, nicht vorhersehbaren Urinabgang (totale Inkontinenz) **Kennzeichen/Symptom:** Kontinuierlicher Urinabgang Erfolglose Inkontinenztherapie		Inkontinenzform ist eingeschätzt	**Miktionen beobachten und dokumentieren** **Inkontinenzanalysebogen verwenden** **Auswertungsgespräch im therapeutischen Team führen**	
	Toleriert die Inkontinenzversorgung	Individuelle Lebensqualität ist erhalten	**Inkontinenzhilfen auswählen und einsetzen** **Inkontinenzhosen verwenden** **Vollständig übernehmen** **je nach Einschränkung** **4 x tägl.**	

Ergebnisse der Fallbeispiele

GriPS

Pflegeprozess mit ENP® | Station: Übungsstation | Bearbeitet von: GriPS Administrator | am: 14.07.2005 | Blatt Nr.: 5
für: Maria Tack | Patientennummer: | geb.: 23.10.1935

Pflegedokumentation:
Braden-Wert: nicht bestimmt (0 Punkte) | Atem-Wert: nicht bestimmt (0 Punkte)

Pflegediagnose	Ressourcen	Pflegeziel	Pflegemaßnahme	Bericht
Die Patientin hat ein Defäkationsmuster, das durch unfreiwilligen Stuhlabgang gekennzeichnet ist **Kennzeichen/Symptom:** Enkopresis (Einkoten) **Ursachen/Ätiologie:** Demenz		Inkontinenzform ist eingeordnet	**Stuhlausscheidung beobachten und analysieren** Beobachtung und Analyse der Inkontinenz mithilfe des Analysebogens	
		Physiologisches Hautmilieu ist hergestellt	**Intimpflege und Hautschutzpflege nach jeder Ausscheidung durchführen** Hautschutzmittel verwenden	Mikrostandard beachten! 01_018 Intimwaschung im Bett
Die Patientin zeigt kein Interesse an der Kleidung, Gefahr der Verwahrlosung **Ursachen/Ätiologie:** Kognitive Fähigkeiten sind eingeschränkt Alzheimer Demenz	Toleriert die therapeutische/ pflegerische Intervention	Kann sich den Anforderungen entsprechend selbstständig kleiden	**Kleidungsstücke auswählen und beim Anziehen unterstützen** Beim gesamten An- und Auskleiden helfen Teilweise übernehmen (Hilfestellung mit Körperkontakt geben) Abläufe ritualisieren 2 x tägl.	

Ergebnisse der Fallbeispiele

GriPS

Pflegeprozess mit ENP® | Station: Übungsstation für: Maria Tack | Bearbeitet von: GriPS Administrator Patientennummer: | am: 14.07.2005 geb.: 23.10.1935 | Blatt Nr.: 6

Pflegedokumentation:
Braden-Wert: nicht bestimmt (0 Punkte) | Atem-Wert: nicht bestimmt (0 Punkte)

Pflegediagnose	Ressourcen	Pflegeziel	Pflegemaßnahme	Bericht
Die Patientin hat einen veränderten Schlaf-Wach-Zyklus, Gefahr der sozialen Isolation und des Schlafdefizits Kennzeichen/Symptom: Nächtliche Aktivitätsphasen		Schlaf-Wach-Rhythmus ist wieder reguliert	**Tagsüber Ruhezeiten vermeiden**	
	Reagiert positiv auf angenehme Düfte	Schläft mindestens sechs Stunden ohne Unterbrechung	**Umgebungsstimuli zur Regulierung des Tag-/Nachtrhythmus planen und durchführen** **Abends beruhigende Waschung mit Lavendelöl**	
Die Patientin hat Merk- und Gedächtnisstörungen, ist in der Lebensgestaltung abhängig Ursachen/Ätiologie: Degenerativer Prozess des Gehirns	Äußert, Spaß an den Gruppenangeboten zu haben	Fehlende Erlebnisse und Ereignisse sind rekonstruiert	**Fehlende Geschehnisse/ Erinnerungen zusammen mit Bezugspersonen im therapeutischen Gespräch rekonstruieren** **Biographiearbeit durchführen** 1 x tägl.	

Ergebnisse der Fallbeispiele

GriPS

Pflegeprozess mit ENP® | Station: Übungsstation für: Maria Tack | Bearbeitet von: GriPS Administrator Patientennummer: | am: 14.07.2005 geb.: 23.10.1935 | Blatt Nr.: 7

Pflegedokumentation:
Braden-Wert: nicht bestimmt (0 Punkte) | Atem-Wert: nicht bestimmt (0 Punkte)

Pflegediagnose	Ressourcen	Pflegeziel	Pflegemaßnahme	Bericht
Die Patientin ist desorientiert, die selbstständige Tagesgestaltung ist beeinträchtigt **Ursachen/Ätiologie:** Demenz	Nimmt Orientierungshilfen an	Fühlt sich angenommen und verstanden	Gespräch mit integrativ validierendem Ansatz führen Individuelle Angebote bei häufig auftretenden Gefühlsäußerungen durchführen	
		Findet sich in der Umgebung zurecht	Orientierungs- und Erinnerungshilfen anbieten Orientierungshilfen geben Türschilder anbringen Große Uhr gut sichtbar aufhängen Kalender mit Tages- und Jahreszahlen in großer Schrift aufhängen und täglich aktualisieren	
		Kann sich am Tagesablauf orientieren	Tages- und Nachtkleidung trennen Zwischen Tages-/Nachtkleidung unterscheiden Teilweise übernehmen 2 x tägl.	
		Unterschiedlichste Sinne sind durch Reize zur Förderung von Orientierung und Wahrnehmung	Sinneswahrnehmung durch individuell abgestimmte Snoezelangebote stimulieren	

Ergebnisse der Fallbeispiele

GriPS

Pflegeprozess mit ENP®	Station: Übungsstation für: Maria Tack	Bearbeitet von: GriPS Administrator Patientennummer:	am: 14.07.2005 geb.: 23.10.1935 Blatt Nr.: 8

Pflegedokumentation:
Braden-Wert: nicht bestimmt (0 Punkte)　　　Atem-Wert: nicht bestimmt (0 Punkte)

Pflegediagnose	Ressourcen	Pflegeziel	Pflegemaßnahme	Bericht
Die Patientin zieht sich vom sozialen Geschehen zurück, soziale Interaktion ist beeinträchtigt Ursachen/Ätiologie: Demenz	War früher gern in Gesellschaft	Sozialkontakte und Gruppenverhalten sind gefördert	**Rückzugstendenzen nur zulassen, soweit sie nützlich sind** **Feste Rückzugszeiten ins Zimmer vereinbaren** Zu Gruppenaktivitäten holen und motivieren	
		Mobilität und soziale Kontakte sind erhalten	**Gruppenangebote/Aktivierungstraining durchführen** **Beschäftigungstherapie durchführen** **An Festaktivitäten teilnehmen** **Anzahl Pflegepersonen: 1** **Anzahl Patient/in:**	

Ergebnisse des Fallbeispiels Morbus Parkinson

GriPS

Pflegeprozess mit ENP®	Station: Übungsstation für: Erwin Krause	Bearbeitet von: GriPS Administrator Patientennummer:	am: 14.07.2005 geb.: 04.09.1933	Blatt Nr.: 1

Pflegedokumentation:
Braden-Wert: nicht bestimmt: (0 Punkte)   Atem-Wert: nicht bestimmt: (0 Punkte)

Pflegediagnose	Ressourcen	Pflegeziel	Pflegemaßnahme	Bericht
Der Patient hat Sprechschwierigkeiten aufgrund von Rigor und Akinese **Kennzeichen/Symptom:** Die Sprachmelodie ist gleichförmig und/oder monoton Spricht sehr leise **Ursachen/Ätiologie:** Morbus Parkinson		Kann sich ausdrücken und wird verstanden	Sprache, Mimik und Gestik beobachten	
	Zeigt Verhaltensweisen, die die Therapie unterstützen Ist motiviert, seine Sprache zu verbessern	Unternimmt Sprechversuche und beteiligt sich am Gespräch	Zu Sprachübungen entsprechend dem logotherapeutischen Konzept anleiten	
		Angehörige und Besucher sind informiert und unterstützen die Therapie	Angehörige in die Besonderheiten, die als Besucher zu beachten sind, einweisen/zum richtigen Umgang anleiten	
Der Patient bewegt sich steif aufgrund eines erhöhten Muskeltonus **Kennzeichen/Symptom:** Bewegungsabläufe sind verlangsamt Trippelnder Gang Rigor **Ursachen/Ätiologie:** Morbus Parkinson	Führt Bewegungen nach Anweisung/Anleitung durch	Bewegungsablauf ist harmonisch	Bewegungsabläufe einüben Immer nur eine Bewegung ausführen Auf korrekte Körperhaltung achten	

Ergebnisse der Fallbeispiele

GriPS

Pflegeprozess mit ENP® | Station: Übungsstation | Bearbeitet von: GriPS Administrator | am: 14.07.2005
| für: Erwin Krause | Patientennummer: | geb.: 04.09.1933
| | | Blatt Nr.: 2

Pflegedokumentation:
Braden-Wert: nicht bestimmt (0 Punkte)   Atem-Wert: nicht bestimmt (0 Punkte)

Pflegediagnose	Ressourcen	Pflegeziel	Pflegemaßnahme	Bericht
Der Patient hat eine nach vorn geneigte Körperhaltung, es besteht erhöhte Sturzgefahr **Kennzeichen/Symptom:** Nach vorn übergebeugter Oberkörper Hat einen trippelnden, schlurfenden Gang **Ursachen/Ätiologie:** Morbus Parkinson	Ist motiviert, mit Rollator sicheres Gehen zu erlernen	Hat eine aufrechte Körperhaltung	Gehtraining mit aufrechter Körperhaltung durchführen Anzahl Pflegepersonen: 1 An den Bettrand setzen Im Flur/in der Einrichtung gehen Gehen unterstützen Beim Gehen anleiten Mit Gehhilfen gehen Rollator	
Der Patient leidet an einem unkontrollierten Zittern/Tremor und kann Dinge des täglichen Lebens nicht halten und schwerlich feinmotorische Bewegungen ausführen	Ist motiviert, möglichst viel Selbstständigkeit zu erreichen	Defizite sind durch Erlernen und Einüben von Strategien kompensiert	Hilfsmittel zur Unterstützung bei den Aktivitäten des täglichen Lebens organisieren Verstärkte Griffe für Zahnbürste und Besteck besorgen Rollator	
Der Patient zeigt eine Hypo- oder Akinese und ist in der selbstständigen Lebensgestaltung eingeschränkt **Kennzeichen/Symptom:** Zeigt wenig/keine Eigeninitiative und/oder Energie **Ursachen/Ätiologie:** Morbus Parkinson		Sicherheit ist gewährleistet	Genaue Beoachtung auf Veränderungen durchführen/Ergebnisse dokumentieren Auf Zeichen von Gespanntheit beobachten	

450

Ergebnisse der Fallbeispiele

GriPS

Pflegeprozess mit ENP®   Station: Übungsstation   Bearbeitet von: GriPS Administrator   am: 14.07.2005   Blatt Nr.: 3
für: Erwin Krause   Patientennummer: geb.: 04.09.1933

Pflegedokumentation:
Braden-Wert: nicht bestimmt (C Punkte)   Atem-Wert: nicht bestimmt (0 Punkte)

Pflegediagnose	Ressourcen	Pflegeziel	Pflegemaßnahme	Bericht
Der Patient atmet oberflächlich, Gefahr der Atelektase und Pneumonie **Kennzeichen/Symptom:** Oberflächliche Brustatmung **Ursachen/Ätiologie:** Immobilität durch Akinese	Kann der Aufforderung zu Atemübungen folgen	Pneumonie-/Atelektasengefahr ist erkannt	**Atemsituation/Pneumonierisiko mithilfe einer Atemskala einschätzen** Pneumonierisiko mit der Atemskala nach Bienstein einschätzen	
		Tiefe Inspiration ist provoziert	**Atemtraining mit einem Atemtrainer durchführen** Triflo II Zum richtigen Einsatz des Geräts anleiten	
Der Patient kann sich nicht selbstständig waschen **Kennzeichen/Symptom:** Die Fähigkeit, die Körperpartien zu waschen, ist eingeschränkt **Ursachen/Ätiologie:** Bewegungseinschränkung durch Akinese	Ist motiviert, die Pflegemaßnahme zu unterstützen, und zeigt entsprechende Verhaltensweisen	Körperhygiene ist gewährleistet Äußert Wohlbefinden	**GW am Waschbecken durchführen** Aktivieren/anleiten ggf. teilweise übernehmen 1 x tägl.	Mikrostandard beachten! 01_002 Ganzkörperwaschung im Bett
		Äußert Wohlbefinden nach der Pflegeintervention	**Beim Duschen individuell unterstützen** Ganzwaschung in der Dusche durchführen Vollständig übernehmen Im Sitzen/auf dem Duschstuhl duschen	Mikrostandard beachten! 01_003 Unterstützung beim Duschen

Ergebnisse der Fallbeispiele

Pflegeprozess mit ENP® Station: Übungsstation Bearbeitet von: GriPS Administrator am: 14.07.2005
für: Erwin Krause Patientennummer: geb.: 04.09.1933 Blatt Nr.: 4

Pflegedokumentation:
Braden-Wert: nicht bestimmt (0 Punkte) Atem-Wert: nicht bestimmt (0 Punkte)

Pflegediagnose	Ressourcen	Pflegeziel	Pflegemaßnahme	Bericht
		Kann sich im Bad waschen	**Beim Gehen zum Waschbecken unterstützen** 1 x tägl.	
Der Patient schwitzt stark, Gefahr der Hautschädigung **Kennzeichen/Symptom:** Vermehrte Schweißproduktion **Ursachen/Ätiologie:** Morbus Parkinson	Ist daran interessiert, das starke Schwitzen zu beherrschen	Schweißbildung ist reduziert	**Schweiß reduzierende Körperwaschung durchführen** **Weiche Waschlappen/Handtücher verwenden** **Wassertemperatur der Körpertemperatur entsprechend einrichten** **Mit der Haarwuchsrichtung waschen** **Salbeitee (1 l Tee und 4 l Wasser)**	
		Physiologisches Hautmilieu ist hergestellt	**Wäsche und Bettwäsche nach Bedarf wechseln** **Kleidungsstücke auswechseln** **Bettwäsche teilweise auswechseln bei Bedarf**	Mikrostandard beachten! 01_010 Leeres wenig verschmutztes Bett richten
Der Patient kann die Mundpflege nicht selbstständig ausführen **Ursachen/Ätiologie:** Bewegungseinschränkung durch Akinese	Kann mit Unterstützung und Anleitung die Mundpflege durchführen	Zahnhygiene ist gewährleistet	**Zahnpflege mit Zahnbürste und Zahnpasta durchführen** **Mundpflege teilweise übernehmen** 2 x tägl.	Mikrostandard beachten! 01_007 Allgemeine Mundpflege

Ergebnisse der Fallbeispiele

GriPS

Pflegeprozess mit ENP® | Station: Übungsstation für: Erwin Krause | Bearbeitet von: GriPS Administrator Patientennummer: | am: 14.07.2005 geb.: 04.09.1933 | Blatt Nr.: 5

Pflegedokumentation:
Braden-Wert: nicht bestimmt (0 Punkte) | Atem-Wert: nicht bestimmt (0 Punkte)

Pflegediagnose	Ressourcen	Pflegeziel	Pflegemaßnahme	Bericht
Der Patient hat eine gesteigerte Speichelproduktion (= Ptyalismus) und empfindet dieses als unangenehm **Kennzeichen/Symptom:** Sekret läuft aus dem Mund **Ursachen/Ätiologie:** Morbus Parkinson	Akzeptiert die Hilfestellung	Kann mit dem vermehrten Speichelfluss umgehen	Spuckgefäß mit Zellstoff bereitlegen und regelmäßig ausleeren 3 x tägl.	
		Haut im Mundwinkelbereich ist intakt	Lippenpflege durchführen 2 x tägl.	
Der Patient ist in der Selbstständigkeit beim Essen und Trinken eingeschränkt **Kennzeichen/Symptom:** Eingeschränkte Fähigkeit, die Nahrung mit dem Besteck aufzunehmen **Ursachen/Ätiologie:** Unsicheres/ungerichtetes Bewegungsmuster Tremor	Ist motiviert, die Nahrungsaufnahme selbstständig durchzuführen	Selbstständigkeit bei der Nahrungsaufnahme ist gefördert	Hauptmahlzeiten und Trinken anreichen/verabreichen Zur Nahrungsaufnahme zum Tisch führen Essen am Tisch ermöglichen Essen mundgerecht vorbereiten Esstraining durchführen 3 x tägl.	Mikrostandard beachten! 02_001 Hilfe bei Nahrungsaufnahme
		Kann Kompensationsmechanismen zum selbstständigen Essen und Trinken einsetzen	Anleitung zum Einsatz der Hilfsmittel: Spezialteller Spezialbesteck	

Ergebnisse der Fallbeispiele

GriPS

Pflegeprozess mit ENP® | Station: Übungsstation | Bearbeitet von: GriPS Administrator | am: 14.07.2005 | Blatt Nr.: 6
für: Erwin Krause | Patientennummer: | geb.: 04.09.1933

Pflegedokumentation:
Braden-Wert: nicht bestimmt (0 Punkte) | Atem-Wert: nicht bestimmt (0 Punkte)

Pflegediagnose	Ressourcen	Pflegeziel	Pflegemaßnahme	Bericht
Der Patient hat einen verlangsamten Schluckreflex und kann nicht trinken, Flüssigkeit läuft zu schnell in den Schlund und führt zum Verschlucken **Kennzeichen/Symptom:** Husten bei/nach dem Schlucken von Flüssigkeiten **Ursachen/Ätiologie:** Morbus Parkinson	Erkennt die Notwendigkeit der getroffenen Intervention und kooperiert mit dem therapeutischen Team	Schluckt, ohne zu aspirieren Schluckt, ohne zu aspirieren	**Flüssigkeitsmenge beim Verabreichen von Flüssigkeit langsam steigern** Flüssigkeit mit Trinkhalm zuführen Beaufsichtigen **Flüssigkeitskonsistenz langsam reduzieren** **Nektarartige Flüssigkeit**	
Der Patient kommt nicht schnell genug zur Toilette und kann den Urin nicht halten **Kennzeichen/Symptom:** Nässt auf dem Weg zur Toilette ein **Ursachen/Ätiologie:** Bewegungseinschränkung durch Akinese	Kann den Toilettenstuhl benutzen	Erreicht rechtzeitig die Toilette/den Toilettenstuhl	**Bett in Toilettennähe platzieren**	

454

GriPS

Pflegeprozess mit ENP®   Station: Übungsstation   Bearbeitet von: GriPS Administrator   am: 14.07.2005   Blatt Nr.: 7
für: Erwin Krause   Patientennummer: geb.: 04.09.1933

Pflegedokumentation:
Braden-Wert: nicht bestimmt (0 Punkte)   Atem-Wert: nicht bestimmt (0 Punkte)

Pflegediagnose	Ressourcen	Pflegeziel	Pflegemaßnahme	Bericht
		Erreicht rechtzeitig die Toilette/den Toilettenstuhl	Nachtstuhl bereitstellen und regelmäßig entleeren 1 x tägl. Abends	Mikrostandard beachten! 03_003 Einlauf zur Anregung der Darmperistaltik
			Rufanlage in geeigneter Nähe einrichten	
Der Patient ist im Bereich der Urin-/Stuhlausscheidung abhängig **Ursachen/Ätiologie:** Bewegungseinschränkung durch Akinese	Meldet sich, wenn er zur Toilette muss Kann die Toilette mit Unterstützung benutzen	Ungehinderte Ausscheidung ist gewährleistet	Zur Toilette führen Zum Wasserlassen auffordern Toilettenzeiten mithilfe eines Analysebogens ermitteln Kleine Vorlage mit Netzhose wechseln (WV) Teilweise übernehmen Intimpflege nach der Ausscheidung durchführen und Bekleidung richten tagsüber	

Ergebnisse der Fallbeispiele

GriPS

Pflegeprozess mit ENP®	Station: Übungsstation für: Erwin Krause	Bearbeitet von: GriPS Administrator Patientennummer:	am: 14.07.2005 geb.: 04.09.1933 Blatt Nr.: 8

Pflegedokumentation:
Braden-Wert: nicht bestimmt (0 Punkte)   Atem-Wert: nicht bestimmt (0 Punkte)

Pflegediagnose	Ressourcen	Pflegeziel	Pflegemaßnahme	Bericht
Der Patient kann sich nicht selbstständig an- und/oder auskleiden **Kennzeichen/Symptom:** Die Fähigkeit, Knöpfe, Gürtelschnallen oder Reißverschlüsse zu öffnen und/oder zu schließen, fehlt **Ursachen/Ätiologie:** Fingerfertigkeit fehlt Bewegungseinschränkung durch Akinese	Legt Wert auf gepflegtes Aussehen	Ist angemessen gekleidet Wählt die Kleidungsstücke witterungsgerecht mit aus	Beim gesamten An- und Auskleiden helfen Mit Anziehtraining zur Wiedererlangung der Fähigkeiten anleiten 2 x tägl. Kleidung auswählen und vorbereiten Angemessene Kleidung gemeinsam auswählen und zusammenstellen Frische Wäsche bereitlegen, Schmutzwäsche entsorgen 2 x tägl.	
Der Patient zieht sich vom sozialen Geschehen zurück, soziale Interaktion ist beeinträchtigt **Kennzeichen/Symptom:** Zieht sich ins Zimmer zurück **Ursachen/Ätiologie:** Scham bei Inkontinenz	War früher gern in Gesellschaft	Sozialkontakte und Gruppenverhalten sind gefördert	Rückzugstendenzen nur zulassen, soweit sie nützlich sind Feste Rückzugszeiten ins Zimmer vereinbaren Zu Gruppenaktivitäten holen und motivieren	

Ergebnisse der Fallbeispiele

Pflegeprozess mit ENP® Station: Übungsstation Bearbeitet von: GriPS Administrator am: 14.07.2005 Blatt Nr.: 9
für: Erwin Krause Patientennummer: geb.: 04.09.1933

Pflegedokumentation:
Braden-Wert: nicht bestimmt (0 Punkte) Atem-Wert: nicht bestimmt (0 Punkte)

Pflegediagnose	Ressourcen	Pflegeziel	Pflegemaßnahme	Bericht
		Mobilität und soziale Kontakte sind erhalten	Gruppenangebote/Aktivierungstraining durchführen Beschäftigungstherapie durchführen An Festaktivitäten teilnehmen Anzahl Pflegepersonen: 1	
Der Patient ist in der selbstständigen Medikamenteneinnahme eingeschränkt, Gefahr des unwirksamen Therapiemanagements **Kennzeichen/Symptom:** Kann die Medikamente nicht aus der Blisterpackung entnehmen **Ursachen/Ätiologie:** Reduzierte Fingerbeweglichkeit	Nimmt die vorbereiteten Medikamente zuverlässig ein Möchte möglichst bald wieder mehr Selbstständigkeit erlangen	Korrekte Medikamenteneinnahme ist gewährleistet	Angeordnete orale Medikamente verabreichen 3 und mehr Medikamente verabreichen Hilfestellung bei der Selbstapplikation geben Angeordnete Dauermedikation 4 x tägl.	
		Akzeptiert die Unterstützung bei der Medikamenteneinnahme	Verordnete Medikamente in Tagesdosett stellen	
		Nebenwirkungen und Komplikationen sind erkannt und richtig eingeschätzt	Auf unerwünschte Nebenwirkungen beobachten Mögliche bekannte Nebenwirkungen spezifisch beobachten Beobachtung zur Einstellung der Medikation	

Ergebnisse der Fallbeispiele

Ergebnisse des Fallbeispiels Bakterielle Pneumonie

GriPS

Pflegeprozess mit ENP®	Station: Übungsstation für: Maria Tack	Bearbeitet von: GriPS Administrator Patientennummer:	am: 14.07.2005 geb.: 13.07.1932	Blatt Nr.: 1

Pflegedokumentation:
Braden-Wert: nicht bestimmt (0 Punkte)   Atem-Wert: nicht bestimmt (0 Punkte)

Pflegediagnose	Ressourcen	Pflegeziel	Pflegemaßnahme	Bericht
Die Patientin hat Atemnot und ist dadurch in der körperlichen Leistungsfähigkeit eingeschränkt	Kann Hilfe annehmen	Kann eigene Fähigkeiten und Belastbarkeit einschätzen	Fähigkeiten und Aktivitätstoleranz gemeinsam analysieren	
Kennzeichen/Symptom: Belastungsdyspnoe Grad II **Ursachen/Ätiologie:** Gleichgewicht zwischen Ventilation und Perfusion ist beeinträchtigt		Eine Verschlechterung des Krankheitsbilds ist frühzeitig erkannt	**Atemqualität prüfen und auf Zeichen von Sauerstoffmangel beobachten** **Auf Zyanosezeichen beobachten** **Sauerstoffverabreichung kontrollieren** 3 x tägl.	
	Zeigt Verhaltensweisen, die die Therapie unterstützen	Hat eine freie und erleichterte Atmung	**Atemerleichternde Lagerung bei Atemnot durchführen mit Sitzposition im Bett mit Unterstützung der Arme durch Lagerungskissen schaffen** I-Lagerung durchführen 2 x tägl.	

Ergebnisse der Fallbeispiele

GriPS

Pflegeprozess mit ENP®   Station: Übungsstation   Bearbeitet von: GriPS Administrator   am: 14.07.2005   Blatt Nr.: 2
für: Maria Tack   Patientennummer: geb.: 13.07.1932

Pflegedokumentation:
Braden-Wert: nicht bestimmt (0 Punkte)   Atem-Wert: nicht bestimmt (0 Punkte)

Pflegediagnose	Ressourcen	Pflegeziel	Pflegemaßnahme	Bericht
Die Patientin hat festsitzendes Bronchialsekret, Gefahr der Atelektase **Kennzeichen/Symptom:** Berichtet über Atembeschwerden **Ursachen/Ätiologie:** Erschöpfung		Pflegeinterventionen sind rechtzeitig eingeleitet	Atemsituation beobachten und Ergebnisse dokumentieren	
	Toleriert die Inhalation	Bronchialsekret ist gelöst	Inhalation durchführen Mit Medikament laut Arztanordnung und Düsenvernebler inhalieren Während der Inhalationsdauer unterstützen 3 x tägl.	
Die Patientin hat eine Erhöhung der Körpertemperatur über die physiologische Temperatur des menschlichen Körpers hinaus, Gefahr von Komplikationen **Kennzeichen/Symptom:** Hohes Fieber ab 39,1 °C Körperliche Schwäche Schüttelfrost **Ursachen/Ätiologie:** Pneumonie	Erkennt die Notwendigkeit der getroffenen Intervention und kooperiert mit dem therapeutischen Team	Einer Infektion ist vorgebeugt bzw. sie ist rechtzeitig erkannt	Temperaturkontrollen durchführen Messort rektal In der Fieberkurve dokumentieren Trocken gelagertes, im Zimmer verbleibendes Thermometer alle drei Tage desinfizieren (lt. Plan) 3 x tägl. Morgens, Abends	Mikrostandard beachten! 06_001 Temperaturkontrolle

Ergebnisse der Fallbeispiele

Pflegeprozess mit ENP® | Station: Übungsstation | Bearbeitet von: GriPS Administrator | am: 14.07.2005 | Blatt Nr.: 3
für: Maria Tack | Patientennummer: | geb.: 13.07.1932

Pflegedokumentation:
Braden-Wert: nicht bestimmt (0 Punkte) | Atem-Wert: nicht bestimmt (0 Punkte)

Ressourcen	Pflegeziel	Pflegemaßnahme	Bericht
	Zusätzliche körperliche Belastung ist reduziert	**Für Bettruhe und Ruhe sorgen**	
	Wärme ist zur Reduzierung der Körpertemperatur entzogen	**Kälteanwendungen durchführen** **Kälteanwendungen durchführen** **Wadenwickel einsetzen bei Temp. über 39,5 °C**	Mikrostandard beachten! 06_002 Wadenwickel zur Fiebersenkung
	Organismus ist während der Phase des Temperaturanstiegs unterstützt	**Wärmeanwendungen durchführen** **Zusätzliche Bettdecke benutzen** **Während des Fieberanstieges Wärme zuführen**	
	Körpertemperatur liegt im Normbereich	Antipyretika/fiebersenkende Medikamente laut Arztanordnung verabreichen Zäpfchen verabreichen Tabletten verabreichen, wenn Wadenwickel erfolglos	

Ergebnisse der Fallbeispiele

GriPS

| | Pflegeprozess mit ENP® | Station: Übungsstation für: Maria Tack | Bearbeitet von: GriPS Administrator Patientennummer: | am: 14.07.2005 geb.: 13.07.1932 | Blatt Nr.: 4 |

Pflegedokumentation:
Braden-Wert: nicht bestimmt (0 Punkte)   Atem-Wert: nicht bestimmt (0 Punkte)

Pflegediagnose	Ressourcen	Pflegeziel	Pflegemaßnahme	Bericht
Die Patientin kann sich nicht selbstständig waschen **Kennzeichen/Symptom:** Kann die Waschgelegenheit nicht selbstständig aufsuchen **Ursachen/Ätiologie:** Eingeschränkte körperliche Belastungsfähigkeit	Ist motiviert, die Pflegemaßnahme zu unterstützer, und zeigt entsprechende Verhaltensweisen	Äußert Wohlbefinden Körperhygiene ist gewährleistet	GW im Bett durchführen Teilweise übernehmen Je nach körperlichem Zustand evtl. am Bettrand 1 x tägl.	Mikrostandard beachten! 01_002 Ganzkörperwaschung im Bett
Die Patientin kann die Mundpflege nicht selbstständig ausführen **Ursachen/Ätiologie:** Eingeschränkte körperliche Belastungsfähigkeit	Kann mit Unterstützung und Anleitung die Mundpflege durchführen	Zahnhygiene ist gewährleistet	Materialien zur Mund- und Zahnhygiene bereitstellen Mundpflege vollständig übernehmen 2 x tägl.	Mikrostandard beachten! 01_007 Allgemeine Mundpflege
Die Patientin hat eine belegte Zunge **Kennzeichen/Symptom:** Borkig belegte Zunge **Ursachen/Ätiologie:** Flüssigkeitsdefizit/Dehydration/ Exsikkose	Erkennt die Notwendigkeit der getroffenen Intervention und kooperiert mit dem therapeutischen Team	Zunge ist belagfrei	Belag auf der Zunge lösen/ entfernen Butter zum Lösen von Belag einsetzen 1 x tägl. Morgens	

Ergebnisse der Fallbeispiele

Pflegeprozess mit ENP® Station: Übungsstation Bearbeitet von: GriPS Administrator am: 14.07.2005 Blatt Nr.: 5
für: Maria Tack Patientennummer: geb.: 13.07.1932

Pflegedokumentation:
Braden-Wert: nicht bestimmt (0 Punkte) Atem-Wert: nicht bestimmt (0 Punkte)

Pflegediagnose	Ressourcen	Pflegeziel	Pflegemaßnahme	Bericht
Die Patientin hat trockene Lippen, Gefahr der Hautschädigung **Kennzeichen/Symptom:** Spröde Lippen **Ursachen/Ätiologie:** Flüssigkeitsdefizit/Dehydration/Exsikkose		Lippen sind geschmeidig	**Lippenpflege durchführen mit Bepanthen Nasensalbe** 3 x tägl.	
Die Patientin hat trockene Haut, Gefahr der Hautschädigung **Kennzeichen/Symptom:** Haut ist glanzlos/feinporig **Ursachen/Ätiologie:** Flüssigkeitsdefizit/Dehydration/Exsikkose	Äußert Einsicht in die Pflegemaßnahme	Haut ist intakt und geschmeidig	**Hautpflege durchführen mit Bepanthen Lotion F** 1 x tägl.	
		Natürliche Abwehr und Funktion der Haut sind erhalten	**Für ausreichende Flüssigkeitszufuhr sorgen** Trinkfahrplan erstellen/aktualisieren 1 x tägl.	Mikrostandard beachten! 02_009 Trinkfahrplan

Ergebnisse der Fallbeispiele

GriPS

Pflegeprozess mit ENP® | Station: Übungsstation | Bearbeitet von: GriPS Administrator | am: 14.07.2005 | Blatt Nr.: 6
für: Maria Tack | Patientennummer: | geb.: 13.07.1932

Pflegedokumentation:
Braden-Wert: nicht bestimmt (0 Punkte) | Atem-Wert: nicht bestimmt (0 Punkte)

Pflegediagnose	Ressourcen	Pflegeziel	Pflegemaßnahme	Bericht
Die Patientin ist in der Selbstständigkeit beim Essen und Trinken eingeschränkt **Ursachen/Ätiologie:** Eingeschränkte körperliche Belastungsfähigkeit	Kann Wünsche zur Speisenvorbereitung äußern	Selbstständigkeit bei der Nahrungsaufnahme ist gefördert	Hauptmahlzeiten und Trinken anreichen/verabreichen Lagerung zur Nahrungsaufnahme durchführen Essen im Bett ermöglichen Essen mundgerecht vorbereiten 3 x tägl.	Mikrostandard beachten! 02_001 Hilfe bei Nahrungsaufnahme
Die Patientin führt nicht genügend Nahrung zu, um den körperlichen Bedarf zu decken, Anzeichen einer Mangelernährung sind sichtbar **Kennzeichen/Symptom:** Körpergewicht liegt unter dem Idealgewicht Haarausfall, lichte Haarpartien **Ursachen/Ätiologie:** Appetitlosigkeit	Trinkt die vorbereitete Flüssigkeit Vereinbarungen werden eingehalten	Veränderungen werden frühzeitig erkannt und dokumentiert Akzeptiert den aufgestellten Diätplan und hält sich daran	Eingenommene Nahrung auf einem Ernährungsprotokoll dokumentieren Nahrungseinnahme beaufsichtigen 3 x tägl. Einen individuellen Diätplan aufstellen und die Einhaltung der Nahrungszufuhr unterstützen	

Ergebnisse der Fallbeispiele

Pflegeprozess mit ENP® Station: Übungsstation Bearbeitet von: GriPS Administrator am: 14.07.2005 Blatt Nr.: 7
für: Maria Tack Patientennummer: geb.: 13.07.1932

Pflegedokumentation:
Braden-Wert: nicht bestimmt (0 Punkte) Atem-Wert: nicht bestimmt (0 Punkte)

Pflegediagnose	Ressourcen	Pflegeziel	Pflegemaßnahme	Bericht
		Bis zur Entlassung zeigen sich Anzeichen von Gewichtszunahme	**Gewichtskontrollen durchführen** Gewicht mit Sitzwaage kontrollieren (pflegerisch erforderlich) alle 3 Tage	Mikrostandard beachten! 02_002 Durchführung der Gewichtskontrolle
		Ausreichende Nahrungs- und Flüssigkeitsaufnahme ist sichergestellt	Kalorienreiche Snacks und Getränke anbieten Wünsche der Patientin berücksichtigen	
Die Patientin ist im Bereich der Urin-/Stuhlausscheidung abhängig **Ursachen/Ätiologie:** Eingeschränkte körperliche Belastungsfähigkeit Angeordnete Bettruhe	Meldet sich, wenn sie zur Toilette muss	Ungehinderte Ausscheidung ist gewährleistet Intimsphäre ist gewahrt	**Bei den Ausscheidungsaktivitäten unterstützen** Kleidung vor und nach der Ausscheidung richten Steckbecken verwenden (S) Beim Benutzen des Nachtstuhls unterstützen (N) Je nach körperlichem Befinden Durch Unterstützen helfen	Mikrostandard beachten! 03_003 Einlauf zur Anregung der Darm-peristaltik
Die Patientin bekommt eine Infusionstherapie über eine Venenverweilkanüle, Gefahr von Venenentzündung, paravenöser Lage und Sepsis **Kennzeichen/Symptom:** Venenverweilkanüle **Ursachen/Ätiologie:** Immunabwehrschwäche	Ist bezüglich der Infusionstherapie kooperativ	Komplikationen ist vorgebeugt	**Einstichstelle auf Infektionszeichen beobachten** 1 x tägl.	

Ergebnisse der Fallbeispiele

GriPS

Pflegeprozess mit ENP® Station: Übungsstation Bearbeitet von: GriPS Administrator am: 14.07.2005 Blatt Nr.: 8
für: Maria Tack Patientennummer: geb.: 13.07.1932

Pflegedokumentation:
Braden-Wert: nicht bestimmt (0 Punkte) Atem-Wert: nicht bestimmt (0 Punkte)

Pflegediagnose	Ressourcen	Pflegeziel	Pflegemaßnahme	Bericht
		Einstichstelle ist reizlos und nicht infiziert	Verbandwechsel des venösen Zugangs vornehmen Verband der Einstichstelle wechseln 3M Transparentverband 1 x tägl.	
		Paravenöser Infusionsfluss ist vermieden	Auf paravenöse Lage überwachen	
Der Bewohner ist in der selbstständigen Medikamenteneinnahme eingeschränkt, Gefahr des unwirksamen Therapiemanagements **Ursachen/Ätiologie:** Eingeschränkte körperliche Belastbarkeit und Bettruhe	Nimmt die vorbereiteten Medikamente zuverlässig ein	Korrekte Medikamenteneinnahme ist gewährleistet	Angeordnete orale Medikamente verabreichen 1–2 Medikamente verabreichen Medikamente richten und zur Einnahme bereitstellen Hilfestellung bei der Selbstapplikation geben Angeordnete Dauermedikation 2 x tägl.	

Ergebnisse der Fallbeispiele

GriPS

Pflegeprozess mit ENP® | Station: Übungsstation | Bearbeitet von: GriPS Administrator | am: 14.07.2005
für: Maria Tack | Patientennummer: | geb.: 13.07.1932
Blatt Nr.: 9

Pflegedokumentation:
Braden-Wert: nicht bestimmt (0 Punkte) | Atem-Wert: nicht bestimmt (0 Punkte)

Pflegediagnose	Ressourcen	Pflegeziel	Pflegemaßnahme	Bericht
Die Patientin bekommt auf Arztanordnung eine Infusionstherapie, Gefahr von Komplikationen **Ursachen/Ätiologie:** Medikamentenverabreichung parenteral Flüssigkeitsdefizit/Dehydration/Exsikkose	Ist bezüglich der Infusionstherapie kooperativ Beobachtet Veränderungen am System und meldet sich	Infusionstherapie lt. Arztanordnung ist sichergestellt	**Infusionstherapie lt. Arztanordnung vorbereiten und Infusionen anhängen** 1–2 Infusionen anhängen 3–4 Infusionen mit Zusätzen anhängen Infusionslösung mit Trockenpulver herstellen Antibiose Über Infusomat verabreichen 4 x tägl.	
		Paravenöser Infusionsfluss ist vermieden	**Auf paravenöse Lage überwachen bei jeder Manipulation an der Verweilkanüle**	
		Einer Keimverschleppung ist vorgebeugt	**Sterile Arbeitsweise bei der Herstellung von Infusionsmischlösungen/beim Umstecken der Infusionen sicherstellen**	

466

10 Literaturverzeichnis

10.1 Literatur zu den Texten

In der nachfolgenden Liste ist die Literatur verzeichnet, die bei der Erstellung der Texte (Kapitel 1–5) verwendet wurde. Dabei sind Überschneidungen mit der unter 10.2 angegebenen ENP®-Literatur (Kapitel 8) möglich.

A

Abderhalden, Christoph: Hinweise zur Verwendung der NANDA-Pflegediagnosen im deutschsprachigen Raum. In: Doenges, Marilynn E.; Mary Frances Moorhouse et al.: Pflegediagnosen und Maßnahmen. 3. Aufl., Göttingen, Toronto, Seattle: Hans Huber, 2002, S. 901–927.

Abderhalden, Christoph: Pflegediagnosen – sinnvolles Instrument für die Pflege? In: Etzel, Birgit S. (Hg.): Pflegediagnosen und die Internationale Klassifikation Pflegerischer Praxis (ICNP Beta-Version): Entwicklung in der Diskussion. Stuttgart, Berlin, Köln: Kohlhammer, 2000, S. 19–37.

Abt-Zegelin, Angelika: Zum Wesen beruflicher Pflege. Die Schwester/Der Pfleger 7 (Jg.), Sonderdruck 2002 (Juli), S. 2–6.

Anderegg-Tschudin, Hedy: Vom komplexen Zusammenhang zwischen Pflegediagnostik und Pflegemanagement. In: Pflege 12 (Jg.), Heft 4/1999 (August), S. 216–222.

Andraschko, Heinz-Gerd: Das System der Bezugspflege. In: Pflegezeitschrift 49 (Jg.), Heft 12/1996 (Sondereinlage Dezember), S. 2–12.

Arets, Jos; Franz Obex et al.: Professionelle Pflege. Bd. 1: Theoretische und praktische Grundlagen. Bocholt. Eicanos, 1997.

Augsten, Martin; Werner Kloster et al.: Theorie und Praxis der Pflegevisite. In: Die Schwester/ Der Pfleger 36 (Jg.), Heft 12/1997 (Dezember), S. 1044–1049.

B

Badura, Bernhard; Johannes Siegrist (Hg.): Evaluation im Gesundheitswesen. Ansätze und Ergebnisse. Gesundheitsforschung. Weinheim, München: Juventa, 1999.

Bartholomeyczik, Sabine: Zur Formalisierung der Sprache in der Pflege. In: ICNP®. Internationale Klassifikation für Pflegende (International Council of Nursing, ICN). Bern: Huber 2003, S. 77–87.

Bartholomeyczik, Sabine: Pflegediagnosen aus einer Perspektive der Pflegewissenschaft. In: Etzel, Birgit S.: Pflegediagnosen und die Internationale Klassifikation Pflegerischer Praxis (ICNP® Beta-Version). Entwicklung in der Diskussion. Stuttgart, Berlin, Köln: Kohlhammer, 2000, S. 53–70.

Literaturverzeichnis

Bartholomeyczik, Sabine; Margareta Halek: Assessmentverfahren in der Altenpflege. In: Bartholomeyczik, Sabine; Margareta Halek (Hg.): Assessmentinstrumente in der Pflege. Möglichkeiten und Grenzen. Hannover: Schlütersche, 2004, S. 131–139.

Bartholomeyczik, Sabine; Dirk Hunstein: Erforderliche Pflege – zu den Grundlagen einer Personalbemessung. In: Pflege & Gesellschaft 5 (Jg.), Heft 4/2000 (November), S. 105–109.

Bekel, Gerd: Klinische Entscheidungsfindung aus der Perspektive pflegetheoriebasierter Diagnostik. In: PR-Internet 4 (Jg.), Heft 10/2002 (Oktober), S. 82–97.

Berger, Simon: Validierungsstudien zu NANDA-I-Pflegediagnosen: Methodologische Anforderungen, Studienübersicht und kritische Bewertung. Bachelor-Arbeit. Fakultät für Medizin, Institut für Pflegewissenschaften, Private Universität Witten/Herdecke gGmbH, Witten, 2005.

Bienstein, Christel; Michael Braun et al. (Hg.): Dekubitus – die Herausforderung für Pflegende. Stuttgart: Georg Thieme, 1997.

Blaudszun, Annette; Marc-Anton Hochreutener: Outcome-Messung. In: Pflege Magazin 4 (Jg.), Heft 1/2003 (Februar), S. 4–13.

Böhle, Fritz; Michael Brater; Anna Maurus: Pflegearbeit als situatives Handeln. Ein realistisches Konzept zur Sicherung von Qualität und Effizienz in der Altenpflege. In: Pflege 10 (Jg.), Heft 1/1997 (Februar), S. 18–22.

Bortz, Jürgen; Nicola Döring: Forschungsmethoden und Evaluation. 2. Aufl., Berlin, Heidelberg: Springer, 1995.

Brobst, Ruth et al.: Der Pflegeprozeß in der Praxis. Bern: Hans Huber, 1997.

Bruggen, Harry van der: Pflegeklassifikationen. Bern: Hans Huber, 2002.

Brune, Adelheid; Alexandra Budde: Ergebnisse aus zwei empirischen Studien zum Stand der Einführung aus Sicht der Patienten und der Pflegenden. In: Käppeli, Silvia (Hg.): Pflegediagnostik unter der Lupe. Wissenschaftliche Evaluation verschiedener Aspekte des Projektes Pflegediagnostik am UniversitätsSpital Zürich. 2. Aufl., Zürich: Verlag des Pflegedienstes 2000, S. 62–102.

Büssing, André: Von der funktionalen zur ganzheitlichen Pflege. Reorganisation von Dienstleistungen im Krankenhaus. Göttingen: Hogrefe, 1997.

Büssing, André: Neue Entwicklungen in der Krankenpflege. Reorganisation von der funktionalen zur ganzheitlichen Pflege. In: Büssing, André (Hg.): Von der funktionalen zur ganzheitlichen Pflege: Reorganisation von Dienstleistungen im Krankenhaus. Göttingen: Verlag für Angewandte Psychologie, 1997, S. 15–48.

Büssing, André; Jürgen Glaser: Bereichspflege: Analyse und Bewertung ganzheitlicher Pflegestrukturen. Bericht Nr. 25 aus dem Lehrstuhl für Psychologie. München: Technische Universität, Lehrstuhl für Psychologie, 1996.

Büssing, André; Jürgen Glaser: Erste Prozeßanalyse der Einführung eines ganzheitlichen Pflegesystems. Bericht Nr. 28 aus dem Lehrstuhl für Psychologie, München: Technische Universität, 1996.

Bundesministerium für Gesundheit: SGB XI. Soziale Pflegeversicherung. Internet: http://db03.bmgs.de/gesetze.htm (Stand: 01.12.2005).

Bußmann, Hadumod: Lexikon der Sprachwissenschaft, 2. überarb. Aufl., Stuttgart: Kröner, 1990.

C

Carpenito, Lynda Juall: Nursing Diagnosis – Application to Clinical Practice. Philadelphia: Lippincott, 1993.

Carpenito, Lynda Juall: The NANDA definition of nursing diagnosis. In: Carroll-Johnson, Rose: Classification of nursing diagnoses: proceedings of the ninth conference. Philadelphia, 1991, S. 65–71.

Carroll-Johnson, Rose: Classification of nursing diagnoses: proceedings of the ninth conference. Philadelphia, 1991.

Chappell, H.; C. Dickey: Decreased rehospitalization costs through intermittent nursing visits to nursing home patients. In: Journal of Nursing Administration 23 (Jg.), Heft 3/1993 (März), S. 49–52.

D

Dahmer, Hella; Jürgen Dahmer: Gesprächsführung. Eine praktische Anleitung. 2. Aufl., Stuttgart: Thieme, 1989.

Deppmeyer, Christine: „Vom Anspruch zur Wirklichkeit – Der Umgang mit Pflegeplanung und Pflegedokumentation". In: Die Schwester/Der Pfleger 38 (Jg.), Heft 9/1999 (September), S. 743–745.

Deutsches Netzwerk für Qualitätsentwicklung in der Pflege (DNQP): Expertenstandard Entlassungsmanagement in der Pflege. Schiemann, Doris et al. (Hg.): Osnabrück: Fachhochschule Osnabrück (Sonderdruck), 2002.

Deutsches Netzwerk für Qualitätssicherung in der Pflege (Hg.): Expertenstandard Dekubitusprophylaxe in der Pflege. Osnabrück: DNQP, 2000.

Dickoff, James; Patricia James; Ernestine Wiedenbach: Theory in a Practice Discipline. In: Nursing Research 17 (Jg.), Heft 6/1968 (November–Dezember), S. 545–554.

Doenges, Marylinn E.; Mary Frances Moorhouse; Alice C. Geissler-Murr: Pflegediagnosen und Maßnahmen. 3. vollst. überarb. u. erw. Aufl., Bern, Göttingen, Toronto, Seattle: Hans Huber, 2002.

Dougherty, C. M., J. K. Jankin et al.: Conceptual and research-based validation of nursing diagnoses: 1950–1993. NANDA Research Committee. In: Nursing Diagnosis 4 (Jg.), Heft 4/1993 (Oktober–Dezember), S. 156–165.

E

Eichhorn, Siegfried: Patientenorientierte Krankenhausorganisation. In: Badura, Bernhard; Feuerstein, Günther; Schott, Thomas (Hg.): System Krankenhaus. Weinheim: Juventa, 1993, S. 250–251.

Elkeles, Thomas: Kritik an der Funktionspflege. In: Büssing, André: Von der funktionalen zur ganzheitlichen Pflege. Reorganisation von Dienstleistungen im Krankenhaus. Göttingen: Hogrefe, 1997, S. 49–63.

Elkeles, Thomas: Arbeitsorganisation in der Krankenpflege: Zur Kritik der Funktionspflege. Frankfurt a. M.: Mabuse, 1994.

Elsbernd, Astrid; Ansgar Glane: Ich bin doch nicht aus Holz. Wie Patienten verletzende und schädigende Pflege erleben. Wiesbaden: Ulstein & Mosby, 1996.

Ersser, Steven; Elizabeth Tutton: Primary nursing: Grundlagen und Anwendungen eines patientenorientierten Pflegesystems. Bern: Hans Huber, 2000.

Etzel, Birgit S.: Pflegediagnosen und die Internationale Klassifikation Pflegerischer Praxis (ICNP® Beta-Version). Entwicklung in der Diskussion. Stuttgart, Berlin, Köln: Kohlhammer, 2000.

Evers, Georg C. M.: Theorien und Prinzipien der Pflegekunde. Wiesbaden: Ullstein Mosby, 1997.

F

Fiechter, Verena; Martha Meier: Pflegeplanung – Eine Anleitung für die Praxis. 10. überarb. Aufl., Fritzlar: RECOM, 1998.

Fiechter, Verena; Martha Meier: Pflegeplanung – Eine Anleitung für die Praxis. 9. Aufl., Fritzlar: RECOM, 1993.

Fink, Brigitta; Walter Goetze: Fit für die Pflegepraxis durch Schlüsselqualifikation. Stuttgart, Berlin, Köln: Kohlhammer, 2000.

Friesacher, Heiner: Bedeutung und Möglichkeit von Diagnostik und Klassifikation in einer praktischen Wissenschaft. In: Kollak, Ingrid; Margret Georg (Hg.): Pflegediagnosen: Was leisten sie – was leisten sie nicht? 3. Aufl., Frankfurt a. M.: Mabuse, 2001, S. 27–38.

G

Garms-Homolová, Vjenka; Ruedi Gilgen: RAI 2.0 – Resident Assessment Instrument, Beurteilung, Dokumentation und Pflegeplanung in der Lanzeitpflege und geriatrischen Rehabilitation. Bern et al.: Hans Huber, 2000.

Gaus, Wilhelm: Dokumentations- und Ordnungslehre. 5. Aufl., Berlin, Heidelberg et al.: Springer, 2005.

Georg, Jürgen; Michael Frowein (Hg.): PflegeLexikon. Wiesbaden: Ullstein Medical, 1999.

Görres, Stefan; Ingo Markus Hinz et al.: „Pflegevisite: Möglichkeiten und Grenzen". Eine empirische Untersuchung in den Bundesländern Bremen, Hamburg, Mecklenburg-Vorpommern, Niedersachsen und Schleswig-Holstein. In: Pflege 15 (Jg.), Heft 1/2002 (Januar), S. 25–32.

Gordon, Marjory: Nursing diagnosis: Process and application. London: Mosby, 1994.

Gordon, Marjory; Sabine Bartholomeyczik: Pflegediagnosen. Theoretische Grundlagen. München, Jena: Urban & Fischer, 2001.

H

Halek, Margareta: Wie misst man die Pflegebedürftigkeit? Eine Analyse der deutschsprachigen Assessmentverfahren zur Erhebung der Pflegebedürftigkeit. Hannover: Schlütersche, 2003.

Heering, Christian; Kristina Heering et al.: Pflegevisite und Partizipation. Berlin, Wiesbaden: Ullstein Mosby, 1997.

Hellmann, Stefanie: Formulierungshilfen für die Pflegeplanung nach den AEDL's. Hannover: Brigitte Kunz, 2003.

Hinz, Matthias; Frank Dörre et al. (Hg.): ICNP® Internationale Klassifikation für die Pflegepraxis. Bern: Hans Huber, 2003.

Höhmann, Ulrike; Heidi Weinrich; Gudrun Gätschenberger: Die Bedeutung des Pflegeplanes für die Qualitätssicherung in der Pflege. Forschungsbericht 261, Bonn: Bundesministerium für Arbeit und Sozialordnung, 1996.

I

ICF: International Classification of Functioning, Disability and Health. Hg.: Deutsches Institut für medizinische Dokumentation und Information (DIMDI), 2002.

Isfort, Michael: Leistungserfassung. Die drei ??? und die pflegerischen Erfassungsinstrumente. In: Die Schwester/Der Pfleger 41 (Jg.), Heft 7/2002 (Juli), S. 578–583.

Isfort, Michael; Frank Weidner: Pflegequalität und Pflegeleistungen I. Zwischenbericht zur zweiten Phase des Projektes „Entwicklung und Erprobung eines Modells zur Planung und Darstellung von Pflegequalität und Pflegeleistungen". Katholischer Krankenhausverband Deutschlands e.V. (Hg.). Freiburg, Köln: Deutsches Institut für angewandte Pflegeforschung e.V., 2001.

J

Johnson, Marion; Gloria Bulechek et al.: Nursing Diagnoses, Outcomes & Interventions. NANDA, NOC and NIC Linkages. St. Louis: Mosby, 2001.

Johnson, Marion; Meridean Maas; Sue Moorhead (Hg.): Pflegeergebnisklassifikation (NOC). Tackenberg, Peter; Andreas Büscher (Hg. u. Übers.). Bern: Huber, 2005.

Johnson, Marion; Meridean Maas; Sue Moorhead (Hg.): Nursing Outcomes Classification (NOC). 3. Aufl., St. Louis: Mosby, 2004.

Johnson, Marion; Meridean Maas (Hg.): Nursing Outcomes Classification (NOC). St. Louis: Mosby, 1997.

Juchli, Liliane: Pflege, Praxis und Theorie der Gesundheits- und Krankenpflege, 7. neubearb. Aufl., Stuttgart, New York: Thieme, 1994.

Just, Alexandra: Theoriegeleitete Pflegediagnostik? In: Käppeli, Silvia (Hg.): Pflegediagnostik unter der Lupe. Wissenschaftliche Evaluation verschiedener Aspekte des Projektes Pflegediagnostik am UniversitätsSpital Zürich. 2. Aufl., Zürich: Verlag des Pflegedienstes, 2000, S. 103–164.

K

Kämmer, Karla; Barbara Schröder et al.: Pflegemanagement in Alteneinrichtungen. Hannover: Schlütersche, 1998.

Käppeli, Silvia (Hg.): Pflegediagnostik unter der Lupe. Wissenschaftliche Evaluation verschiedener Aspekte des Projektes Pflegediagnostik am UniversitätsSpital Zürich. 2. Aufl., Zürich: Verlag des Pflegedienstes, 2000.

Kean, Susanne: Pflegediagnosen: Fragen und Kontroversen. In: Pflege 12 (Jg.), Heft 4/1999 (August), S. 209–215.

Kellnhauser, Edith; Susanne Schewior-Popp et al. (Hg.): Thiemes Pflege. Stuttgart, New York: Georg Thieme, 2000.

Kellnhauser, Edith: Primary Nursing – Primär-Pflege. Primary Nursing und die Interaktionstheorie von Hildegard Peplau. In: Die Schwester/Der Pfleger 37 (Jg.), Heft 8/1998 (August), S. 633–638.

Kerkhoff, Barbara; Anne Halbach: Biografisches Arbeiten. Beispiele für die praktische Umsetzung. Hannover: Vincentz, 2002.

Kesselring, Annemarie: Psychosoziale Pflegediagnostik: Eine interpretativ-phänomenologische Perspektive. In: Pflege 12 (Jg.), Heft 4/1999 (August), S. 223–228.

Kim, Jong-Duk: Gruppenpflege – Wege zur patientenorientierten Pflege. In: Die Schwester/Der Pfleger 35 (Jg.), Heft 4/1996 (April), S. 308–318.

Klapper, Bernadette et al.: Patientendokumentation. Sicherung interprofessioneller Kommunikation im Krankenhaus. In: Pflege 14 (Jg.), Heft 6/2001 (Dezember), S. 387–393.

König, Peter: Geschichte und Entwicklung von Klassifikationssystemen in der Pflege. In: Etzel, Birgit S. (Hg.): Pflegediagnosen und die Internationale Klassifikation Pflegerischer Praxis (ICNP® Beta-Version): Entwicklung in der Diskussion, Stuttgart, Berlin, Köln: Kohlhammer, 2000, S. 105–122.

Kollak, Ingrid; Margret Georg (Hg.): Pflegediagnosen: Was leisten sie – was leisten sie nicht? 3. Aufl., Frankfurt a. M.: Mabuse, 2001.

Krohwinkel, Monika: Der Pflegeprozess am Beispiel von Apoplexiekranken. Schriftenreihe des Bundesministeriums für Gesundheit, Bd. 16, Baden-Baden: Nomos, 1993.

Kuhlmann, Harald: Kosten- und Leistungsrechnung, Pflege im DRG-System – Wie kann pflegerische Leistung erfasst werden? Teil 2: PPR und LEP. In: Die Schwester/Der Pfleger 42 (Jg.), Heft 10/2003 (Oktober), S. 760–765.

L

Lang, Norma M.; June Clark: Nursings Next Advance: an International Classification for Nursing Practice. In: Int. Nurs. Rev. 39 (Jg.), Heft 4/1990, S. 109–112.

Lohrmann, Christa: Die Pflegeabhängigkeitsskala. In: Bartholomeyczik, Sabine; Margareta Halek: Assessmentinstrumente in der Pflege. Hannover: Schlütersche, 2004, S. 55–60.

Lubatsch, Heike: Dekubitusmanagement auf der Basis des Nationalen Expertenstandards. Hannover: Schlütersche, 2004.

M

Maanen, Hanneke van: Die Entwicklung einer Pflegefachsprache aus einer pflegewissenschaftlichen Perspektive: Das Warum und Wozu. In: Pflege 15 (Jg.), Heft 4/2002 (August), S. 198–207.

McCloskey, Joanne C.; Gloria M. Bulechek: Nursing Interventions Classification (NIC). 3. Aufl., St. Louis: Mosby, 2000.

McCloskey, Joanne C.; Gloria M. Bulechek: Nursing Interventions Classification (NIC). 4. Aufl., St. Louis: Mosby, 2003.

Medizinischer Dienst der Spitzenverbände der Krankenkassen e.V. (Hg.): Qualität in der ambulanten und stationären Pflege. 1. Bericht des Medizinischen Dienstes der Spitzenverbände der Krankenkassen MDS nach § 118 Abs. 4 SGB XI. Essen, 2004.

MDS, Medizinischer Dienst der Spitzenverbände der Krankenkassen e.V. (Hg.): MDK-Anleitung zur Prüfung der Qualität nach § 80 SGB XI in der stationären Pflege. 2. Ausgabe, Essen, 2000.

Meleis, Afaf Ibrahim: Pflegetheorie – Gegenstand, Entwicklung und Perspektiven des theoretischen Denkens in der Pflege. Kempten, Bern: Huber, 1999.

Menche, Nicole et al.: Pflege heute. Lehrbuch und Atlas für Pflegeberufe. 2. Aufl., München, Jena: Urban & Fischer, 2001.

Messer, Barbara: Tägliche Pflegeplanung in der stationären Altenpflege. Handbuch für eine fähigkeitsorientierte Pflegeplanung. Hannover: Schlütersche, 2004.

Meyer, B.: Was ist ein Pflegeproblem? In: Deutsche Krankenpflegezeitschrift 46 (Jg.), Heft 10/1993 (Oktober), S. 721–723.

Michalke, Cornelia et al. (Hg.): Altenpflege Konkret: Pflegetheorie und Praxis. München, Jena: Urban & Fischer, 2001.

Mischo-Kelling, Maria; Henning Zeidler: Innere Medizin und Krankenpflege. München, Wien, Baltimore: Urban & Schwarzenberg, 1989.

Mittelstraß, Jürgen (Hg.): Enzyklopädie Philosophie und Wissenschaftstheorie. Stuttgart, Weimar: J. B. Metzler, 1995.

Mussmann, Carin; Ueli Kraft et al.: Die Gesundheit gesunder Personen. Eine qualitative Studie. Zürich: Institut für Arbeitspsychologie, 1993.

N

NANDA-I: Internet: http://www.nanda.org/html/nursing_diagnosis.html (Stand: 18.10.2005).

NANDA-I Nursing Diagnoses: Definitions & Classification 2005–2006. Philadelphia: NANDA International, 2005.

Needham, Ian: Ansichten und Meinungen zum Pflegeprozeß: Eine hermeneutische Untersuchung von Aussagen in Fachzeitschriften-Artikel. In: Pflege 3 (Jg.), Heft 1/1990 (April), S. 59–67.

Neuberger, Oswald: Miteinander arbeiten – miteinander reden. München: Bayerisches Staatsministerium für Arbeit und Sozialordnung, 1990.

Nielsen, Gunnar Haase: ICNP®-Architektur und Systematik. In: Hinz, Matthias; Frank Dörre et al. (Hg.): ICNP.® Internationale Klassifikation für Pflegepraxis, Bern, Göttingen, Toronto, Seattle: Hans Huber, 2003, S. 23–41.

Nielsen, Gunnar Haase: Die Internationale Klassifikation pflegerischer Praxis (ICNP®). In: Pflegemagazin 2 (Jg.), Heft 3/2001 (Juni), S. 32–44.

Nielsen, Gunnar Haase: Die ICNP® – die Entwicklung von der Alpha- zur Beta-Version. In: Etzel, Birgit S. (Hg.): Pflegediagnosen und die internationale Klassifikation Pflegerischer Praxis (ICNP® Beta-Version): Entwicklung in der Diskussion. Stuttgart, Berlin, Köln: Kohlhammer, 2000, S. 123–139.

Nursing Interventions Classification (NIC), 5th edition, Internet: http://www.nursing.uiowa.edu/excellence/nursing_knowledge/clinical_effectiveness/documents/LabelDefinitionsNIC5.pdf (Stand: 29.02.2008).

O

Oevermann, Ulrich: Theoretische Skizze einer revidierten Theorie professionalisierten Handelns. In: Combe, Arno; Werner Helsper (Hg.): Pädagogische Professionalität. Untersuchung zum Typus pädagogischen Handelns. Frankfurt a. M.: Suhrkamp, 1996, S. 70–182.

P

Peplau, Hildegard E.: Interpersonale Beziehungen in der Pflege. Basel/Eberswalde: RECOM, 1995.

Perrig-Chiello, Pasqualina: Wohlbefinden im Alter, körperliche, psychische und soziale Determinanten und Ressourcen. Weinheim, München: Juventa, 1997.

Pröbstl, Alexander; Jürgen Glaser: Pflegeplanung und Pflegedokumentation – Grundelemente ganzheitlicher Pflege. In: Büssing, André: Von der funktionalen zur ganzheitlichen Pflege: Reorganisation von Dienstleistungen im Krankenhaus. Schriftenreihe Organisation und Medizin, Göttingen: Verlag für Angewandte Psychologie, 1997, S. 245–267.

Prüfhilfe zur Durchführung von Qualitätsprüfungen und Prüfungen zur Erteilung von Leistungs- und Qualitätsnachweisen nach der Pflege-Prüfverordnung, 2002, Internet: http://www.lqn.info/download/pruefhilfe.pdf (Stand: 18.10.2005).

R

Reimer, Willi; Felix Füller: Der Pflegeprozeß. Diagnosen, Interventionen, Ergebnisse. Ulm: Universitätsverlag, 1998.

Reinmüller, H.: Fehler im Umgang mit der Pflegedokumentation. In: Die Schwester/Der Pfleger 33 (Jg.), Heft 11/1994 (November), S. 916–918.

Reisach, Barbara; Angelika Zegelin-Abt: Die Ressourcen des Patienten erkennen – was ist das? In: Die Schwester/Der Pfleger 37 (Jg.), Heft 8/1998 (August), S. 672–675.

Reischmann, Jost: Weiterbildungs-Evaluation. Lernerfolge messbar machen. Neuwied: Luchterhand, 2003.

Ricka-Heidelberger, Regula; Josef Winiker: Die Förderung von Schlüsselqualifikationen in den Pflegeberufen. Aarau: Verlag der Kaderschule für die Krankenpflege, 1994.

Rogers, Carl R. Die klientenzentrierte Gesprächspsychotherapie. Frankfurt a. M.: Fischer, 2003.

Roper, Nancy; Winfried W. Logan et al.: Das-Roper-Logan-Tierney-Modell. Basierend auf Lebensaktivitäten (LA). Göttingen: Hans Huber, 2002.

Rumbaugh, James; Michael Blaha et al.: Objektorientiertes Modellieren und Entwerfen. Doris Märtin (Übers.). München, Wien: Hanser, 1993.

S

Sauter, Dorothea; Christoph Abderhalden et al. (Hg.): Lehrbuch Psychiatrische Pflege. Bern: Hans Huber, 2004.

Schäffler, Arne et al. (Hg.): Pflege heute. Lehrbuch und Atlas für Pflegeberufe. 2. Aufl. Stuttgart et al.: G. Fischer, 2001.

Schiemann, Doris; Martin Moers et al. (2002). Expertenstandard Entlassungsmanagement in der Pflege. Deutsches Netzwerk für Qualitätsentwicklung in der Pflege (Hg.). Osnabrück: Deutsches Netzwerk für Qualitätsentwicklung in der Pflege, S. 67.

Schilder, Michael: Standardisierte Pflegediagnosen, ein Instrument für die klinische Praxis? Überlegungen zur Praktikabilität standardisierter Klassifikationssysteme in der praktischen Pflege. In: PR-Internet, Pflegeinformatik 5 (Jg.), Heft 4/2003 (April), S. 13–22.

Schneider, Hans Dieter: Ressourcen im Alter. In: Zeitschrift für Gerontologie, Heft 12/1979 (September–Dezember), S. 426–443. [Zitiert nach Perrig-Chiello, 1997, S. 48.]

Schöning, Brigitte; Eberhard Luithlen et al.: Pflege-Personalregelung. Stuttgart, Berlin, Köln: Kohlhammer, 1993.

Schöninger, Ute; Angelika Zegelin-Abt: Hat der Pflegeprozeß ausgedient? In: Die Schwester/Der Pfleger 37 (Jg.), Heft 4/1998 (April), S. 305-310.

Schrems, Berta: Der Prozess des Diagnostizierens in der Pflege. Wien: Facultas, 2003.

Schulz von Thun, Friedemann: Miteinander Reden 1. Störungen und Klärungen. Reinbek bei Hamburg: Rowohlt, 1994.

SGB XI, Soziale Pflegeversicherung – SGB XI. Pflegeversicherungsgesetz. 3. Aufl., München: dtv, 2001.

Steiner, Claude M.; Paul Perry: Emotionale Kompetenz. 2. Aufl., München: dtv, 2000.

Stratmeyer, Peter: Ein historischer Irrtum der Pflege? Plädoyer für einen kritisch-distanzierten Umgang mit dem Pflegeprozeß. In: Dr. med. Mabuse 22 (Jg.), Heft 106/1997 (März/April), S. 34–38.

Straus, Florian; Renate Höfer: Kohärenzgefühl, soziale Ressourcen und Gesundheit. In: Wydler, Hans; Petra Kolip, Thomas Abel (Hg.): Salutogenese und Kohärenzgefühl. Grundlagen, Empirie und Praxis eines gesundheitswissenschaftlichen Konzeptes. Weinheim, München: Juventa, 2000, S. 115–128.

W

Walker, Lorraine Olszewski; Kay Coalson Avant: Theoriebildung in der Pflege. Wiesbaden: Ullstein Medical, 1998.

Weinberger, Sabine: Klientenzentrierte Gesprächsführung. Weinheim, München: Juventa, 2004.

Weiss-Faßbinder, Susanne; Alexandra Lust: GuKG – Gesundheits- und Krankenpflegegesetz. Wien, 1999.

Wied, Susanne, Angelika Warmbrunn: Pschyrembel. Wörterbuch Pflege. Berlin, New York: Walter de Gruyter, 2003.

Wieteck, Pia (Hg.): ENP® – European Nursing care Pathways. Standardisierte Pflegefachsprache zur Abbildung von pflegerischen Behandlungspfaden. Leistungstransparenz und Qualitätssteuerung im Gesundheitswesen. Bad Emstal: RECOM, 2004.

Wieteck, Pia: European Nursing care Pathways (ENP®). Pflegerische Behandlungspfade auf der Basis von praxisnahen Theorien entwickeln. In: PR-Internet 6 (Jg.), Heft 11/2003 (November), S. 84–94.

Wieteck, Pia: Pflegediagnosen der NANDA, Entwicklung und Bedeutung der Pflegediagnosen. In: Die Schwester/Der Pfleger 39 (Jg.), Heft 7/2000 (Juli), S. 601–605.

Wieteck, Pia: Pflegeplanung – Vom Anspruch zur Umsetzung in der Pflegepraxis. In: Die Schwester/Der Pfleger, 38 (Jg.), Heft 5/1999 (Mai), S. 408–411.

Wieteck, Pia; Hans-Jürgen Velleuer: Pflegeprobleme formulieren – Pflegemaßnahmen planen. Bad Emstal: RECOM, 2001.

Wieteck, Pia; Hans-Jürgen Velleuer: Handbuch zur Pflegeplanung. Baunatal: RECOM, 1994.

Wingchen, Jürgen: Geragogik – Von der Interventionsgerontologie zur Seniorenbildung. Hannover: Brigitte Kunz, 2004.

Wydler, Hans; Petra Kolip; Thomas Abel (Hg.): Salutogenese und Kohärenzgefühl: Grundlagen, Empirie und Praxis eines gesundheitswissenschaftlichen Konzeptes. Weinheim, München: Juventa, 2000.

Wolke, Reinhold: Outcome-Messung aus institutioneller Perspektive. In: Pflege Magazin 4 (Jg.), Heft 1/2003 (Januar), S. 14–23.

Z

Zielke-Nadkarni, Andrea: Einige Überlegungen zur Fachsprache in der Pflege. Interdisziplinäre Arbeitsgruppe für Angewandte Soziale Gerontologie. In: Pflege 10 (Jg.), Heft 1/1997 (Februar), S. 43–46.

Zielke-Nadkarni, Andrea: Wenn Florence das geahnt hätte ... Pflegeplanung leicht gemacht mit EDV. In: Die Schwester/Der Pfleger 36 (Jg.), Heft 12/1997 (Dezember), S. 1038–1040.

10.2 Literatur zu den ENP®

Die nachfolgende Liste ist ein Gesamtverzeichnis der verwendeten Pflegeliteratur, die zur fachlichen Abstützung der ENP® genutzt wurde. Jede Darstellung der pflegediagnosenbezogenen Behandlungspfade endet mit Literaturangaben, die als Zahlencodes verschlüsselt sind. Diese Zahlencodes werden im folgenden Literaturverzeichnis an erster Stelle angegeben, sodass das Auffinden der jeweiligen Angaben sehr einfach ist.

An einigen wenigen Stellen weist die aufsteigende Nummerierung der Code-Zahlen Lücken auf. Dies ist durch die ständige Überarbeitung der ENP® und die damit einhergehenden Veränderungen zu erklären.

Code	Buch
1	A Med-World AG: Lymphödem. Berlin, Mai 2004. Internet: http://www.m-ww.de/krankheiten/innere_krankheiten/lymphoedem.html (Stand: 18.10.2005).
2	Altenbockum, Carola von et al.: Rheumatologisches Lehrbuch für die Krankenpflege. Basel, Eberswalde: RECOM, 1995.
3	Arbeitsgemeinschaft der Wissenschaftlichen Medizinischen Fachgesellschaft: Leitlinien Physikalische Medizin und Rehabilitation: Behandlung des Lymphödems. AWMF-Leitlinien-Register Nr. 036/004, Entwicklungsstufe 1, Oktober 1998. Internet: http://leitlinien.net (Stand: 18.10.2005).
4	Arbeitsgemeinschaft der Wissenschaftlichen Medizinischen Fachgesellschaft: Leitlinien Schmerztherapie: Behandlung akuter perioperativer posttraumatischer Schmerzen. AWMF-Leitlinien-Register Nr. 041/001, Entwicklungsstufe 2, März 1999. Internet: http://www.uni-duesseldorf.de/WWW/AWMF/ll/041-001.htm (Stand: 18.10.2005).
5	Arbeitsgemeinschaft der Wissenschaftlichen Medizinischen Fachgesellschaft: Leitlinien Schmerztherapie: Medikamentöse Schmerztherapie. AWMF-Leitlinien-Register Nr. 032/039, Entwicklungsstufe 1, Januar 2000. Internet: http://www.uni-duesseldorf.de/WWW/AWMF/ll/032-039.htm (Stand: 18.10.2005).
6	Arbeitsgemeinschaft der Wissenschaftlichen Medizinischen Fachgesellschaft: Leitlinien Schmerztherapie: Standardisierung invasiver neuromodulativer Verfahren. AWMF-Leitlinien-Register Nr. 041/002, Entwicklungsstufe 1, Dezember, 2001. Internet: http://www.uni-duesseldorf.de/WWW/AWMF/ll/041-002.htm (Stand: 18.10.2005).
7	Arck, Doris et al.: Rehabilitative Pflege. Die Therapie des Fazio-oralen Traktes – F. O. T. T. – Schlucktherapie in der Westerwaldklinik Waldbreitbach. In: Die Schwester/Der Pfleger 40 (Jg.), Heft 8/2001 (August), S. 650–655 und Heft 9/2001 (September), S. 746–752.
8	Ascher, Stefanie: Thromboseprophylaxe. Angewandte Thromboseprophylaxe in der Pflege. Bayreuth: medi Bayreuth, 2002.
9	Assenheimer, Bernd; Horst D. Becker; Maureen E. Benbow (Hg.): Handlungsleitlinien für die ambulante Behandlung chronischer Wunden und Verbrennungen. 2. Aufl., Berlin, Wien: Blackwell Wissenschafts-Verlag, 2001.
10	Augustin, Matthias; Volker Schmiedel: Praxisleitfaden Naturheilkunde. Methoden, Diagnostik, Therapieverfahren in Synopsen. Das kompakte Nachschlagewerk für die Arzt- und Naturheilpraxis. 3. Aufl., Ulm et al.: Gustav Fischer, 1998.

Literaturverzeichnis

11 Bachmann, Robert M.; German M. Schleinkofer: Die Kneipp-Wassertherapie. Die richtige Anwendung von Güssen, Waschungen, Wickeln, Packungen, Dämpfen und Bädern in der Kur und zu Hause. Stuttgart et al.: Georg Thieme, 1992.

12 Backs, Stephan; Reinhard Lenz: Kommunikation und Pflege. Eine Untersuchung von Aufnahmegesprächen in der Pflegepraxis. Berlin, Wiesbaden: Ullstein Mosby, 1998.

13 Balzer, Kathrin; Gabriele Schnell: Stürze älterer Menschen im Pflegeheim: Häufigkeit, Umstände, Folgen und Risikofaktoren. In: Pflegezeitschrift 54 (Jg.), Heft 2/2001 (Februar), S. 2–12.

14 Bartolome, Gudrun et al.: Schluckstörungen: Diagnostik und Rehabilitation. 2. Aufl., München, Jena: Urban & Fischer, 1999.

15 Barz, Helmut: Praktische Psychiatrie. Ein Lehrbuch für psychiatrisches Pflegepersonal. 4. Aufl., Bern et al.: Hans Huber, 1991.

16 Bassoe Gjelsvik, Bente E.: Form und Funktion. Neurologie, Bobath-Konzept, Physiotherapie. Stuttgart et al.: Georg Thieme, 2002.

17 Bauer, Rüdiger; Rainer Jehl: Humanistische Pflege in Theorie und Praxis, Stuttgart: Schattauer, 2000.

18 Berger, Manfred (Hg.): Handbuch des normalen und gestörten Schlafs. Berlin et al.: Springer, 1992.

19 Beyer, Gerrit: Zu Hause in einer fremden Welt? Studie zum Wirklichkeitserleben eines dementen alten Menschen im Heim: eine Interpretation verschiedener Sichtweisen. In: Pflege 15 (Jg.), Heft 3/2002 (Juni), S. 122–130.

20 Bienstein, Christel et al. (Hg.): Dekubitus. Die Herausforderung für Pflegende. Stuttgart et al.: Georg Thieme, 1997.

21 Bienstein, Christel; Andreas Fröhlich: Basale Stimulation in der Pflege. Pflegerische Möglichkeiten zur Förderung von wahrnehmungsbeeinträchtigten Menschen. Düsseldorf: Verlag selbstbestimmtes Leben, 1991.

22 Bienstein, Christel; Gerd Klein; Gerhard Schröder: Atmen. Die Kunst der pflegerischen Unterstützung der Atmung. Stuttgart et al.: Georg Thieme, 2000.

24 Blank, Ingo: Wundversorgung und Verbandwechsel. Stuttgart et al.: Kohlhammer, 2001.

25 Boes, Charlotte: Die Reliabilität und Validität der Braden Skala zur Einschätzung des Druckgeschwürrisikos. In: Pflege 13 (Jg.), Heft 6/2000 (Dezember), S. 397–402.

26 Bongartz, Reimund: Kommunikationstherapie mit Aphasikern und Angehörigen. L. Springer; D. Schey-Ern (Hg.). Stuttgart et al.: Georg Thieme, 1998.

27 Bonica, J. J.: The Management of Pain. 2. Aufl., Philadelphia: Lea & Febiger, 1990.

28 Borker, Siegfried: Essen reichen in der Pflege. Eine empirische Studie. Berlin, Wiesbaden: Ullstein Mosby, 1996.

Literaturverzeichnis

29	Bosch, Sabine: Bettgitter – ein geeignetes Hilfsmittel zur Sturzprophylaxe. In: Die Schwester/Der Pfleger 41 (Jg.), Heft 9/2002 (September), S. 720–724.
30	Brandstätter, Michaela: Parenterale Ernährung. Indikationen – Techniken – Organisation. München, Jena: Urban & Fischer, 2002.
31	Breuch, Gerd (Hg.): Fachpflege Nephrologie und Dialyse. 3. Aufl., München, Jena: Urban & Fischer, 2003.
32	Bruijns, Susanne; Margot Buskop-Kobussen (Hg.): Pflegediagnosen und -interventionen in der Kinderkrankenpflege. München, Jena: Urban & Fischer, 1999.
33	Bräutigam, Katrin et al.: Dekubitusprävention: Theorie und Praxis. In: Pflege 16 (Jg.), Heft 2/2003 (April), S. 75–82.
34	Busch, Ulrich: Gewalt und Biographie – mögliche Zusammenhänge und Aspekte pflegerischen Umgangs. In: Pflege 10 (Jg.), Heft 6/1997 (Dezember), S. 319–326.
35	Butschek, Helga; Susanne Regen: Die ZVD-Messung in der Krankenpflege. Bad Emstal: RECOM, 1994.
36	Canal, C.: Wickel und Auflagen als ergänzende Maßnahmen zur medikamentösen Therapie. In: Pflege Zeitschrift 48 (Jg.), Heft 6/1995 (November), S. 329–331.
37	Centers of Disease Control and Prevention: Guidelines for prevention of intravascular device-related infections. In: American Journal of Infection Control 24, 1996 (April), S. 262–293.
38	Chung, R. S.: Pathogenesis of Complications of PEG. In: The American Surgeon, Heft 3/1990 (März), S. 134–137.
39	Citron, Ina: Kinästhetisch handeln in der Pflege. Entdecken – Verstehen – Erleben. Stuttgart et al.: Georg Thieme, 1998.
40	Colber, Malaika; Margret Dirkes: Postoperative Therapie und Pflege nach Hirntumoroperationen, Skript eines Vortrages anlässlich einer stationsinternen Fortbildung, Februar 1999. Internet: http://www.uke.uni-hamburg.de/zentren/frauen_kinder_jugendmedizin/kinderklinik/kinderintensiv/v_hirntumor.htm (Stand: 18.10.2005).
41	Cook, Bridget; Shelag G. Phillips: Verlust und Trauer: Bedeutung – Umgang – Bewältigung. Berlin, Wiesbaden: Ullstein Mosby, 1995.
42	Cullum, Nicola et al.: Beds, mattresses and cushions for pressure sore prevention and treatment. In: The Cochrane Library, Heft 2/2004 (April).
43	Cullum, Nicola et al.: Preventing and treating pressure sores. Effectiveness Bulletin. In: Quality in Health Care 4 (Jg.), Heft 4/1995 (Dezember), S. 289–297.
44	Dahmer, Hella; Jürgen Dahmer: Gesprächsführung. Eine praktische Anleitung. 2. Aufl., Stuttgart et al.: Georg Thieme, 1989.
45	Dassen, Theo (Hg.): Stürze und Sturzprävention. Assessment – Prävention – Management. Bern et al.: Hans Huber, 2000.

46	Deschka, Mark: Injektionen. Vorbereitung, Durchführung und Nachsorge. In: Die Schwester/Der Pfleger 42 (Jg.), Heft 5/2003 (Mai), S. 352–357.
47	Deusinger, Ingrid: Die Frankfurter Selbstkonzeptskalen (FSKN). Handlungsanweisung mit Bericht über vielfältige Validierungsstufen. Göttingen: Hogrefe, 1986.
48	Deutsches Netzwerk für Qualitätssicherung in der Pflege (DNQP): Expertenstandard Dekubitusprophylaxe in der Pflege. Schiemann, Doris et al. (Hg.). Osnabrück: Eigendruck, 2000.
49	Diller, C.: Indikationen zur Thoraxdrainage und pflegerische Versorgung. In: Medizin & Praxis 13 (Jg.), Heft 1/1997, S. 31–35.
50	Doenges, Marilynn E.; Mary Frances Moorhouse; Alice C. Geissler-Murr: Pflegediagnosen und Maßnahmen. 3. vollst. überarb. u. erw. Aufl., Bern et al.: Hans Huber, 2002.
51	Dost, P.: Nasenbluten – Ein häufiger Notfall. In: Heilberufe 45 (Jg.), Heft 10/1993 (Oktober), S. 486 f.
52	Loimer, Leonhard: Beckenbodengymnastik gegen Blasenschwäche. April 2002. Internet: http://www.gyn-online.at/Beckenbodengymnastik.shtml (Stand: 18.10.2005).
53	Dörner, Klaus; Ursula Plog: Irren ist menschlich. Lehrbuch der Psychiatrie/Psychotherapie. Bonn: Psychiatrie-Verlag, 1985.
54	Eberding, Uwe; Alexandra Baune: Augenpflege – eine nicht zu unterschätzende Tätigkeit auf der Intensivstation. In: Die Schwester/Der Pfleger 40 (Jg.), Heft 12/2001 (Dezember), S. 1058–1064.
55	Ellrott, Thomas; Volker Pudel: Adipositastherapie. Stuttgart et al.: Georg Thieme, 1998.
56	Erker, Ulrich; Frank Dauer: Beatmung. Pflegerischer Umgang mit ARDS-Patienten. 1. Teil: Pathophysiologie, Therapie und Pflege der Patienten bei Bauchlagerung. In: Die Schwester/Der Pfleger 40 (Jg.), Heft 10/2001 (Oktober), S. 868–872.
57	Erker, Ulrich; Frank Dauer: Beratung. Pflegerischer Umgang mit ARDS-Patienten 2. Teil: Pflege der Patienten in Bauchlage und kinetischer Therapie. In: Die Schwester/Der Pfleger 40 (Jg.), Heft 11/2001 (November), S. 950–955.
58	Eschenlohr, Sandra: Aphasie – Wenn die Sprache verloren geht – Hilfe, Begleitung und Unterstützung bei Aphasie. In: Die Schwester/Der Pfleger 42 (Jg.), Heft 5/2003 (Mai), S. 358–361.
59	Evers, Georg C. M.; M. Claes; W. Sermeus: Häufigkeit von Mundpflege bei Krebspatienten in belgischen Krankenhäusern. Häufigkeiten, pflegerische Interventionen und Indikationen. In: Pflege 15 (Jg.), Heft 4/2002 (August), S. 163–167.
60	Ewers, A.: Angewandte Thromboseprophylaxe in der Pflegepraxis. In: Die Schwester/Der Pfleger 41 (Jg.), Heft 5/2002 (Mai), S. 376–382.

Literaturverzeichnis

61 Falk, Juliane: Pflegeverständnis auf dem Prüfstand – Snoezeln. Ein Konzept für Demenzkranke? In: Pflegemagazin 4 (Jg.), Heft 2/2003 (April), S. 48–52.

62 Farran, Carol J.; Kaye A. Herth; Judith M. Popovich: Hoffnung und Hoffnungslosigkeit. Konzepte für Pflegeforschung und -praxis. Wiesbaden: Ullstein Medical, 1999.

63 Faust, Volker: Psychosoziale Gesundheit von Angst bis Zwang. Seelische Störungen erkennen, verstehen, verhindern, behandeln. Internet: http://www.psychosoziale-gesundheit.net/psychiatrie/schlafwandel.html (Stand: 18.10.2005).

64 Feuchtinger, Johanna: Wissenschaftliche Überprüfung einer Messskala zur Einschätzung der Thrombosegefährdung. In: Pflege 14 (Jg.), Heft 1/2001 (Februar), S. 47–57.

65 Fieseler, Hans-Georg; Guy Sinner; Christian Petermann: Schmerztherapie mit mechanischen PCA-Pumpen. In: Die Schwester/Der Pfleger 36 (Jg.), Heft 1/1997 (Januar), S. 51–54.

66 Fischer, Wolfgang: Morbus Parkinson. Diagnose und Therapie, Karlsruhe: G. Braun, 1995.

67 Fitzgerald Miller, Judith: Coping fördern – Machtlosigkeit überwinden. Hilfen zur Bewältigung chronischen Krankseins. Bern et al.: Hans Huber, 2003.

68 Frank, Marlies: Prävention des diabetischen Fußes. Internet: http://www.antibiotikamonitor.at/12_01/12_01_11.htm (Stand: 18.10.2005).

69 Franke, Ulrike: Arbeitsbuch Aphasie. 5. Aufl., München, Jena: Urban & Fischer, 2002.

70 Fritz, K. W.; P. Seidlitz: Die Spinalanästhesie zur ambulanten Arthroskopie – Die Sicht des Patienten: Ergebnisse einer Patientenbefragung. In: Der Anästhesist. Zeitschrift für Anästhesie, Intensivmedizin, Noftfall- und Katastrophenmedizin, Schmerzmedizin 46 (Jg.), Heft 5/1997 (Mai), Berlin et al.: Springer, S. 430–433.

71 Fröhlich, Dagmar: Pflegepraxis des Bobath-Konzeptes – Die Integration in die Aktivitäten des täglichen Lebens. Heidelberg: Altera Edition Hüthig, 1999.

72 Füsgen, Ingo: Nosokomiale Infektion, Problemfeld Katheterisierung, Prävention, Diagnostik und Therapie einer katheterassoziierten Harnwegsinfekton. In: Die Schwester/Der Pfleger 42 (Jg.), Heft 8/2003 (August), S. 578–583.

73 Gabka, Joachim: Injektions- und Infusionstechnik. Praxis, Komplikationen und forensische Konsequenzen. Berlin, New York: de Gruyter, 1988.

74 Gabriel, Leane: Störung des Körperselbst nach Anlage eines intestinalen Stomas. 1. Teil: Die Bedeutung der Stomaanlage im Erleben des Patienten. In: Die Schwester/Der Pfleger 40 (Jg.), Heft 12/2001 (Dezember), S. 1019–1022.

75 Ganglberger, Eva: Pflege in der neurologischen Frührehabilitation. Folienpräsentation, Landesnervenklinik Wagner-Jauregg, Linz, Dezember 2003. Internet: http://www.oegkv.at/3-2/bildu/bun/bt/3253/ganglberger.pdf (Stand: 18.10.2005).

76	Garms-Homolová, Vjenka; Ruedi Gilgen: RAI 2.0 – Resident Assessment Instrument, Beurteilung, Dokumentation und Pflegeplanung in der Lanzeitpflege und geriatrischen Rehabilitation. Bern et al.: Hans Huber, 2000.
77	Gehrs, Michael: Gerontopsychiatrie. Leitlinien zum Umgang mit desorientierten Patienten – Entwicklung und Einführung von Leitlinien des Arbeitskreises Behandlung und Pflege dementiell erkrankter Menschen. In: Die Schwester/ Der Pfleger 40 (Jg.), Heft 9/2001 (September), S. 722–729.
78	Georg, Jürgen; Angelika Abt-Zegelin (Hg.): Körperbild und Körperbildstörung. Wiesbaden: Ullstein Medical, 1999.
79	Goerke, Kay; Ulrike Bazlen: Pflege Konkret. Gynäkologie, Geburtshilfe, Lehrbuch und Atlas für Pflegende und Hebammen. München, Jena: Urban & Fischer, 1998.
80	Goldenberg, Georg: Aphasie. In: Neuropsychologie. Grundlagen – Klinik – Rehabilitation. 2. Aufl., Stuttgart: Gustav Fischer, 1998.
81	Gottschalck, Thomas; Theo Dassen: Welche Mittel werden zur Behandlung von Mundproblemen in der Literatur beschreiben? – Eine Analyse von deutsch- und englischsprachigen Veröffentlichungen zwischen 1990 und 2001. In: Pflege 15 (Jg.), Heft 3/2002 (Juni), S. 137–145.
82	Gottschalck, Thomas; Theo Dassen; Stefan Zimmer: Untersuchung einiger häufig gebrauchter Mittel, Instrumente und Methoden zur Mundpflege hinsichtlich einer evidenz-basierten Anwendung. In: Pflege 16 (Jg.), Heft 2/2003 (April), S. 91–102.
83	Großkopf, Volker; Hubert Klein: Krankenpflege und Recht. 2. Aufl., Balingen: Spitta, 2002.
84	Haake, Ilona: Hautpflege bei Patienten mit Bestrahlung – am Beispiel des gleichnamigen Standards des Universitätsklinikums Freiburg. In: Die Schwester/Der Pfleger 40 (Jg.), Heft 2/2001 (Februar), S. 11–121.
85	Habermann, Carola; Friederike Kloster (Hg.): Ergotherapie im Arbeitsfeld Neurologie. Stuttgart et al.: Georg Thieme 2002.
86	Halek, Margareta; Herbert Mayer: Die prädiktive Validität der originalen und erweiterten Norton-Skala in der Altenpflege. In: Pflege 15 (Jg.), Heft 6/2002 (Dezember), S. 309–317.
87	Halfens, Ruud J.; Gerrie J. Bours; Claudia M. Bronner: The impact of assessing the prevalence of pressure ulcers on the willingness of health care institutions to plan and implement actvities to reduce the prevalence. In: Journal of Advanced Nursing 36 (Jg.), Heft 5/2001, S. 617–625.
88	Hamann, G. F.; R. Gärtner: Komata aus internistischer und neurologischer Sicht. In: Der Internist 42 (Jg.), Heft 7/2001, S. 956–965.
89	Hantikainen, Virpi et al.: Störendes Verhalten älterer HeimbewohnerInnen und die Anwendung von Pflegemethoden. In: Pflege 11 (Jg.), Heft 2/1998 (April), S. 78–88.
90	Hasseler, Martina: Stationäre Wochenpflege: Evaluation „ganzheitlicher" und „herkömmlicher" Betreuungsformen in der postpartalen Phase. In: Pflege 15 (Jg.), Heft 5/2002 (Oktober), S. 170–180.

Literaturverzeichnis

91 Hatch, Frank; Lenny Maietta: Kinästhetik – Gesundheitsentwicklung und menschliche Funktionen. Wiesbaden: Ullstein Medical, 1999.

92 Hawthorn, Jan: Übelkeit und Erbrechen: Grundlagen – Ursachen – Interventionen. Wiesbaden: Ullstein Medical, 1998.

93 Heinze, Cornelia; Theo Dassen: Sturzprävention im Pflegeheim. In: Die Schwester/Der Pfleger 41 (Jg.), Heft 10/2002 (Oktober), S. 810–814.

94 Hellige, Barbara: Leben mit einer chronisch progredienten Verlaufsform der Multiplen Sklerose – ein Balanceakt. In: Pflege 15 (Jg.), Heft 6/2002 (Dezember), S. 284–292.

95 Hendrich, Ann et al.: Hospital Falls: Development of a Predictive Model for Clinical Practice. Applied Nursing Research 8 (Jg.), Heft 3/1995 (August), S. 129–139.

96 Hering, K.: Kondom-Urinale – eine sinnvolle Alternative zum transurethralen Blasenverweilkatheter. In: Die Schwester/Der Pfleger 41 (Jg.), Heft 7/2002 (Juli), S. 544–546.

97 Heseker, Helmut; Michael Weiß: Trinken und Leistungsfähigkeit in Beruf und Freizeit. Mai 2003. Internet: http://forumtrinkwasser.de/studien/Studie4/download/Studienbericht.pdf (Stand: 18.10.2005).

98 Hinz, Matthias et al. (Hg.): ICNP® Internationale Klassifikation für die Pflegepraxis. Bern et al.: Hans Huber, 2003.

99 Hoehl, Mechthild; Petra Kullick (Hg.): Kinderkrankenpflege und Gesundheitsförderung. 2. Aufl., Stuttgart et al.: Georg Thieme, 2002.

100 Hoffmann, Wolfgang: Von den Anfängen der Infusionstherapie zur modernen Infusionspumpe. In: Die Schwester/Der Pfleger 39 (Jg.), Heft 11/2000 (November), S. 964–967.

101 Holnburger, Martin: Pflegestandards – Psychiatrie. Wiesbaden: Ullstein Medical, 1998.

102 Holnburger, Martin: Pflegestandards in der Psychiatrie. 2. Aufl., München, Jena: Urban & Fischer, 1999.

103 Holtmeier, Hans Jürgen: Ernährung und Diät: Biochemie, Physiologie, Pathophysiologie. Ernährungstherapie in Klinik und Praxis. Landsberg: Ecomed, 2002.

104 Huber, Gerti: Aspekte einer guten Patientenlagerung. In: Die Schwester/Der Pfleger 39 (Jg.), Heft 3/2000 (März), S. 236–239.

105 Huhn, Siegfried: Stolperfalle Alter. Sturzrisikofaktoren älterer Menschen und Möglichkeiten der Prävention. In: Die Schwester/Der Pfleger 41 (Jg.), Heft 9/2002 (September), S. 728–732.

106 Hurrelmann, Klaus: Wie lässt sich die Rolle der Patienten stärken? In: Reibnitz, C. von et al. (Hg.): Der mündige Patient. Konzepte zur Patientenberatung und Konsumentensouveränität im Gesundheitswesen. Weinheim, München: Juventa, 2001, S. 35–48.

107	Hähnel, Christof; Lisa Schilling; Susanne Fritz: Toilettentraining beim älteren Patienten im Akutkrankenhaus. Möglichkeiten und Grenzen. In: Die Schwester/Der Pfleger 40 (Jg.), Heft 12/2001 (Dezember), S. 1010–1015.
108	Johnson, Marion et al.: Nursing Diagnoses, Outcomes, and Interventions. NANDA, NOC and NIC Linkages, St. Louis et. al.: Mosby, 2001.
109	Johnson, S. E.: Alteration in Temperature Regulation, Hypothermia. In: Carroll-Johnson, R. M.: Classification of Nursing Diagnoses. Proceedings of the Eighth Conference. Philadelphia et al.: J. B. Lippincott Company, 1988, S. 378–380.
110	Jonas, Ines; Christine Sowinski: Damit die Nacht nicht zum Alptraum wird – Wege zum gesunden Schlaf. In: Pro Alter 33 (Jg.), Heft 1/2000 (März), S. 65–68.
111	Juchli, Liliane: Pflegen, Begleiten, Leben. Kranke und Behinderte daheim. Ein ABC für alle Betroffenen. 3. Aufl., Basel: RECOM, 1992.
112	Kaathoven, Netty van et al.: Die Ernährung Gesunder und Kranker für Berufe im Gesundheitswesen. Bocholt: Eicanos, 1995.
113	Kalde, Sigrid; Norbert Kolbing; Michael Vogt (Hg.): Enterale Ernährung. 3. Aufl., München, Jena: Urban & Fischer, 2002.
114	Kammerlander, Gerhard: Lokaltherapeutische Standards für chronische Hautwunden. 2. Aufl., Berlin et al.: Springer, 2001.
115	Kappstein, Ines: Nosokomiale Infektionen. Prävention, Labor-Diagnostik, Antimikrobielle Therapie. München et al.: W. Zuckschwerdt, 2002.
116	Kasper, Martina; Detlef Kraut: Atmung und Atemtherapie. Ein Praxishandbuch für Pflegende. Bern et al.: Hans Huber, 2000.
117	Keeken, Paul van; Mirjam Kaemingk: Neurorehabilitation von Schlaganfallpatienten. Das NDT-Konzept. Bern et al.: Hans Huber, 2001.
118	Keim, Michael: Intubation und Tracheotomie. Cuffinduzierte Trachealschäden 1. Teil. In: Die Schwester/Der Pfleger 40 (Jg.), Heft 2/2001 (Februar), S. 156–161.
119	Keim, Michael: Intubation und Tracheotomie. Cuffinduzierte Trachealschäden 2. Teil. In: Die Schwester/Der Pfleger 40 (Jg.), Heft 3/2001 (März), S. 252–255.
120	Kellinghausen, H.: Soziales Kompetenztraining. In: Bauer, R.; R. Jehl (Hg.): Humanistische Pflege in Theorie und Praxis. Stuttgart: Schattauer, 2000, S. 55–67.
121	Kellnhauser, Edith et al. (Hg.): Thiemes Pflege. 9. Aufl., Stuttgart, New York: Georg Thieme, 2000.
122	King, Cynthia R.; Pamela S. Hinds (Hg.): Lebensqualität. Pflege- und Patientenperspektiven. Theorie – Forschung – Praxis. Bern et al.: Hans Huber, 2001.
123	Kirchner, Helga: Gespräche im Pflegeteam. Mit Beispielen aus der Führungspraxis. Stuttgart et al.: Georg Thieme, 1998.
124	Kirschnick, Olaf: Pflegetechniken von A–Z: Schritt für Schritt in Wort und Bild. 5. Aufl., Stuttgart et al.: Georg Thieme, 2001.

Literaturverzeichnis

125	Kistner, Walter: Der Pflegeprozeß in der Psychiatrie. Beziehungsgestaltung und Problemlösung in der psychiatrischen Pflege. Stuttgart et. al.: Gustav Fischer, 1997.
126	Kitwood, Tom: Demenz. Der personenzentrierte Ansatz im Umgang mit verwirrten Menschen. Bern et al.: Hans Huber, 2002.
127	Klußmann, Rudolf: Psychosomatische Aspekte kolektomierter Patienten. In: Fortschrittliche Medizin, Heft 8/1979, S. 318–320.
128	Knorrek, Ursula: Probleme bei der Sondenernährung. Diarrhöe – notwendiges oder vermeidbares Übel? In: Die Schwester/Der Pfleger 40 (Jg.), 1/2001 (Januar), S. 46–49.
129	Kolbig, Norbert: Pflegeprobleme rund um die Ernährungssonde. In: Die Schwester/Der Pfleger 38 (Jg.), Heft 12/1999 (Dezember), S. 994–998.
130	Korecic, Jasenka: Pflegestandards Altenpflege. 3. Aufl., Berlin et al.: Springer, 2003.
131	Kramer, Axel et al.: Entfernung von Endotoxinen kann Wundheilung fördern. In-vitro-Untersuchung zu Actisorb Silver 220. In: Die Schwester/Der Pfleger 42 (Jg.), Heft 2/2003 (Februar), S. 974–975.
132	Krause, M.; B. Uhlmann: Rhythmische Einreibungen. In: Sitzmann, F. (Hg.): Pflegehandbuch Herdecke. 3. Aufl., Berlin et al.: Springer, 1998.
134	Kretz, Franz-Josef; Sebastian Reichenberger: Medikamentöse Therapie. Arzneimittellehre für Pflegeberufe. Stuttgart et al.: Georg Thieme, 1999.
135	Kriesten, Ursula; Heinz-Peter Wolf: Übungshandbuch zur Pflegeplanung – Anhand von Fallbeispielen. Bd. 1: Internistischer Pflegebereich, Psychiatrischer Pflegebereich, Neurologischer Pflegebereich. Hagen: Brigitte Kunz, 2000.
136	Krupitschka, Margarete: Modifikation des Selbstkonzepts und Selbstwertgefühls von Kindern mit Störungen im Lern-, Leistungs- und sozioemotionalen Bereich. In: Lukesch, H.; W. Nöldner; H. Peetz (Hg.): Beratungsaufgaben in der Schule. München: Reinhardt, 1989.
137	Kutschke, A.: Serie Prophylaxen, Kontrakturen, die richtige Prophylaxe schützt vor Schmerzen und irreversiblen Versteifungen. In: Pflegen ambulant 11 (Jg.), Heft 4/2000, S. 47–49.
138	Köhlen, Christina; Jutta Beier; Gerhard Danzer: Ein Stückchen normales Leben. Eine qualitative Studie über die Gesundheitspflege bei chronisch kranken Kindern in der häuslichen Pflege. In: Pflege 12 (Jg.), Heft 5/1999 (Mai), S. 209–314.
139	Kübler-Ross, Elisabeth: Leben bis wir Abschied nehmen. 4. Aufl., Gütersloh: Gütersloher Verlagshaus, 1998.
140	Kühl-Gonne, Peter et al.: Klinikleitfaden Kinderkrankenpflege. 2. Aufl., Lübeck et al.: Gustav Fischer, 1998.
141	LEP AG (Urs Brügger et al.): LEP Nursing 2.1.1. Beschreibung der Variablen der Methode LEP® für die Gesundheits- und Krankenpflege, St. Gallen: LEP AG, 2003.
142	Langmaak, Barbara: Einführung in die Themenzentrierte Interaktion. Weinheim et al.: Beltz, 2001.

Literaturverzeichnis

143 Larsen, Reinhard: Anästhesie und Intensivmedizin für Schwestern und Pfleger. 5. Aufl., Berlin et al.: Springer, 1999.

144 Leibold, Gerhard: Das moderne Hausbuch der Naturheilkunde. Die neuesten Erkenntnisse der Ganzheitsmedizin von Akupressur bis Zelltherapie. Niedernhausen: Falken, 1988.

145 Leischker, Andreas H.: Die unterschätzte Gefahr. Todefälle durch Einklemmung von Patienten zwischen Bettgitter und Luftkissenmatratze. In: Die Schwester/Der Pfleger 42 (Jg.), Heft 1/2003 (Januar), S. 57.

146 Leistner, Ulrike et al.: Alternative zur herkömmlichen PEG: der Button. In: Die Schwester/Der Pfleger 39 (Jg.), Heft 11/2000 (November), S. 930–934.

147 Lexikon-Redaktion des Verlages Urban & Schwarzenberg: Lexikon der Medizin. Weyarn: Seehamer, 1999.

148 Linck, Wolfgang: Alltag mit Dementen: Pflegekräfte und ihre Klienten in der ambulanten Pflege. Hannover: Schlütersche, 2002.

149 Linke, M.: Notfallsituation durch Blutungen im HNO-Bereich. In: Heilberufe 42 (Jg.), Heft 5/1990 (Mai), S. 163–165.

150 Lippert, Hans et al.: Wundatlas. Wunde, Wundbehandlung und Wundheilung. Heidelberg: J. A. Barth, 2001.

151 Lohmann, Maria: Therapiehandbuch Naturheilkunde. Medizinische Grundlagen, Diagnose, Therapie. 2. Aufl., München, Jena: Urban & Fischer, 2000.

152 Lottko, Birgit; Irene Maier: Modifizierte Pflegemethode zur Thromboseprophylaxe. Ergebnisse eines Qualitätssicherungsprojektes am Universitätsklinikum Essen. In: Die Schwester/Der Pfleger 42 (Jg.), Heft 7/2003 (Juli), S. 506–511.

153 Lugton, Jean: Kommunikation mit Sterbenden und ihren Angehörigen. Berlin, Wiesbaden: Ullstein Mosby, 1995.

154 Längle, Alfried; Christian Probst (Hg.): Süchtig sein. Entstehung, Formen und Behandlung von Abhängigen. Wien: Facultas, 1997.

155 Löffler, M.: Der akute Asthmaanfall. 2. Teil: Die Sicht der Pflegekraft. In: Die Schwester/Der Pfleger 41 (Jg.), Heft 9/2002 (September), S. 736–740.

156 Löser, Christian; Michael Keymling (Hg.): Praxis der enteralen Ernährung. Indikationen – Technik – Nachsorge. Stuttgart et al.: Georg Thieme, 2001.

157 Mamerow, Ruth: Krankheitsbewältigung bei chronisch obstrukiver Bronchitis. 1. Teil: Pflege heißt auch, Patienten zur Übernahme von Eigenverantwortung zu motivieren. In: Die Schwester/Der Pfleger 40 (Jg.), Heft 10/2001 (Oktober), S. 820–824.

158 Margulies, Anita et al. (Hg.): Onkologische Krankenpflege, Berlin et al.: Springer 1994.

159 Markus, Hazel; Elissa Wurf: The dynamic self-concept: A social psychological perspective. Annual Review of Psychology 38 (Jg.), 1987, S. 299–337.

Literaturverzeichnis

160	Mattern, Andreas; P. Dekeyser; P. Lierz: Einführung und Etablierung eines Akut-Schmerz-Dienstes. In: Die Schwester/Der Pfleger 40 (Jg.), Heft 2/2001 (Februar), S. 128–132.
161	Maxion-Bergemann, Stefanie et al.: Pflege in der Chirurgie. Lehrbuch für Krankenpflegeberufe. Stuttgart et al.: Kohlhammer, 1998.
162	McCaffery, Margo; Alexandra Beebe; Jane Latham: Schmerz. Ein Handbuch für die Pflegepraxis. Berlin, Wiesbaden: Ullstein Mosby, 1997.
163	McCloskey, Joanne; Gloria M. Bulechek (Hg.): Nursing Interventions Classifications (NIC). 3. Aufl., St. Louis et al.: Mosby, 2000.
164	McKeighen, R. J.; P. A. Mehmert; C. A. Dickel: Bathing/Hygiene Self-Care Deficit: Defining Characteristics and Related Factors Across Age Groups and Diagosis-Related Groups in an Acute Care Setting. In: Nursing diagnosis 1 (Jg.), Heft 4/1990 (Oktober–Dezember), S. 155–161.
165	Meier-Ewert, Karlheinz; Hartmut Schulz (Hg.): Schlaf und Schlafstörung. Berlin et al.: Springer, 1998.
166	Meister, Brigitte: Stomaversorgung bei möglichen Komplikationen. Eine Herausforderung für alle Beteiligten. In: Die Schwester/Der Pfleger 39 (Jg.), Heft 4/2000 (April), S. 340–344.
167	Menche, Nicole et al.: Pflege Konkret Innere Medizin. Lehrbuch und Atlas für Pflegende. München, Jena: Urban & Fischer, 2001.
168	Menche, Nicole et al.: Pflege heute. Lehrbuch und Atlas für Pflegeberufe. 2. Aufl., München, Jena: Urban & Fischer, 2001.
169	Mertens, Elke; Antje Tannen; Theo Dassen: Dekubitusrisiko und Dekubitus-prävalenz. Studie an mehr als 50 Einrichtungen der Gesundheitsversorgung. In: Die Schwester/Der Pfleger 42 (Jg.), Heft 7/2003 (Juli), S. 526–531.
170	Meyer, Gabriele; Andrea Warnke: Externe Hüftprotektoren. Wirksame Prävention hüftgelenksnaher Frakturen. Ergebnisse einer randomisiert-kontrollierten Studie in Hamburger Alten- und Pflegeheimen. In: Die Schwester/Der Pfleger 42 (Jg.), Heft 4/2003 (April), S. 270–275.
171	Michaelis, Martina: Prävention von Wirbelsäulenerkrankungen durch technische Hebehilfsmittel – eine Interventionsstudie in der Altenpflege. Fachbereich Sicherheitstechnik der Bergischen Universität, Gesamthochschule Wuppertal. Dissertation, 1999.
172	Michalke, Cornelia et al.: Altenpflege Konkret. Pflegetheorie und -praxis. München, Jena: Urban & Fischer, 2001.
173	Mittag, Oskar: Sterbende begleiten. Ratschläge und praktische Hilfen. Stuttgart: Trias Thieme Hippokrates Enke, 1994.
174	Mummendey, Hans Dieter: Methoden und Probleme der Messung von Selbstkonzepten. In: Filipp, Sigrun-Heide (Hg.): Selbstkonzept-Forschung. Stuttgart: Klett-Cotta, 1979, S. 171–189.

175	Möllenhoff, Hannelore: Hygiene für Pflegeberufe. 3. Aufl., München, Jena: Urban & Fischer, 2002.
176	Müller, Dagmar: Wundmanagement. Moderne Wundversorung mit Feuchttherapien. Schnellere Heilungverläufe steigern die Lebensqualität und senken die Gesamtkosten. In: Die Schwester/Der Pfleger 41 (Jg.), Heft 12/2002 (Dezember), S. 994–1001.
177	Müller-Mund, G.; D. Schäffer: Patientenschulung in der Pflege. In: Reibnitz, C. von et al. (Hg.): Der mündige Patient. Konzepte zur Patientenberatung und Konsumentensouveränität im Gesundheitswesen. Weinheim, München: Juventa, 2001, S. 236–240.
183	Needham, Ian: Pflegeplanung in der Psychiatrie. Basel: RECOM, 1996.
184	Neuberger, Oswald: Miteinander arbeiten – miteinander reden! Vom Gespräch in unserer Arbeitswelt. Bayerisches Staatsministerium für Arbeit und Sozialordnung (Hg.). München: 1990.
185	Neuhäuser-Berthold, Monika et al.: Coffee consumption and total body water homeostatis as measured by fluid balance and bioelectrical impedance analysis. In: Ann. Nutr. Metab. 41, 1997, S. 29–36.
186	Niklas, Siegfried: Maßnahmen zur Verhütung von postoperativen Wundinfektionen. In: Die Schwester/Der Pfleger 41 (Jg.), Heft 4/2002 (April), S. 306–316.
187	Niklas, Siegfried: Wie wirken Katheter und Kathertermaterialien auf den Harntrakt ein? In: Die Schwester/Der Pfleger 40 (Jg.), Heft 8/2001 (August), S. 640–641.
188	Norton, Christine: Praxishandbuch – Pflege bei Inkontinenz. München, Jena: Urban & Fischer, 1999.
189	Nowack, Rainer et al. (Hg.): Dialyse und Nephrologie für Pflegeberufe. Berlin et al.: Springer, 2003.
190	Nydahl, Peter; Gabriele Bartoszek: Basale Stimulation: neue Wege in der Intensivstation. Berlin, Wiesbaden: Ullstein Mosby, 1997.
191	Nürnberg, T. H. (Hg.): Interdisziplinäre Physiotherapie und Rehabilitation. Bd. 1. In: Störig, E. (Hg.): Rheuma-Orthopädie. Erlangen: perimed-Fachbuch-Verlagsgesellschaft, 1983.
192	Olschewski, Adalbert: Progressive Muskelentspannung: Streßbewältigung und Gesundheitsprävention mit klassischen und neuen Übungen nach Jacobson. 3. Aufl., Heidelberg: Haug, 1996.
193	Osterbrink, Jürgen et al.: Inzidenz und Prävalenz postoperativer akuter Verwirrtheit nach Bypassoperationen sowie Herzklappenersatz. In: Pflege 15 (Jg.), Heft 4/2002 (August), S. 178–189.
194	Osterbrink, Jürgen: Schmerzmanagement – Aufgabe der Pflege? In: Die Schwester/Der Pfleger 42 (Jg.), Heft 9/2003 (September), S. 656–661.
195	Osterbrink, Jürgen; G. Schröder; J. McDonough: Dekubitusprophylaxe, Mikrobewegungen sind die Indikatoren. Eine neue Form der Prophylaxe. In: Pflegen ambulant 13 (Jg.), Heft 5/2002 (Mai), S. 11–17.

Literaturverzeichnis

196	Ott, W.: Stomaträger leben keinesfalls in einer heilen Welt. In: ILCO Praxis 8 (Jg.), 1991, S. 5–7.
197	Paetz, Burckhard; Brigitte Benzinger-König: Chirurgie für Pflegeberufe. 19. Aufl., Stuttgart et al.: Georg Thieme, 2000.
198	Pairan, Simone: Naturheilkunde und TCM im Akutkrankenhaus. In: Die Schwester/Der Pfleger 40 (Jg.), Heft 11/2001 (November), S. 956–962.
199	Peplau, Hildegard E.: Interpersonale Beziehungen in der Pflege. Ein konzeptueller Bezugsrahmen für die psychodynamische Pflege. Basel, Eberswalde: RECOM, 1995.
200	Pestel, Emil: Hygienemaßnahmen bei infektiösen Erkrankungen. Berlin, Wiesbaden: Ullstein Mosby, 1995.
201	Petermann, Franz; Dieter Vaitl: Handbuch der Entspannungsverfahren. Bd. 2, Weinheim et al.: Beltz, 1994.
202	Phillips, Jenny: Dekubitus und Dekubitusprophylaxe. Verstehen – verhindern – verändern. Bern et al.: Hans Huber, 2001.
203	Plenter, Cornelia; Bärbel Uhlmann: Förderung der Trauerarbeit für Angehörige durch Aufbahrung und Verabschiedung von Verstorbenen – ein Ziel professioneller Pflege? Vorstellung einer Evaluationsstudie (1) zur Ermittlung der Auswirkungen von pflegerischer Aufbahrungsarbeit im Gemeinschaftskrankenhaus Herdecke. In: Pflege & Gesellschaft 5 (Jg.), Heft 3/2000 (August), S. 82–88.
204	Poldermann, K. H.; A. R. J. Girbes: Central venous catheter use. Part 2: infectious complications. In: Intensive Care Med 28 (Jg.), Heft 1/2002 (Januar), S. 18–28.
205	Pretto, Manuela et al.: Optimierung der postoperativen Schmerztherapie auf chirurgischen Akutstationen. In: Pflege 14 (Jg.), Heft 4/2001 (August), S. 239–245.
206	Pschyrembel, Willibald; Joachim W. Dudenhausen: Praktische Geburtshilfe mit geburtshilflichen Operationen. Berlin, New York: Walter de Gruyter, 1994.
207	Pütz, Klaudia; Sven-David Müller: Klinische Ernährungsregimes bei mangelernährten Senioren. In: Die Schwester/Der Pfleger 40 (Jg.), Heft 10/2001 (Oktober), S. 826–832.
208	Rakel, Teresa; Auguste Lanzenberger: Pflegetherapeutische Gruppen in der Psychiatrie. Planen – durchführen – dokumentieren – bewerten. Stuttgart: Wissenschaftliche Verlagsgesellschaft, 2001.
209	Rave-Schwank, Maria; Christa Winter von Lersner: Psychiatrische Pflege. Ein Lehrbuch für die Pflegepraxis. 7. Aufl., Stuttgart, Jena, Ulm: Gustav Fischer, 1997.
210	Raven, Uwe; Adrienne Huismann: Zur Situation ausländischer Demenzkranker und deren Pflege durch Familienangehörige in der Bundesrepublik Deutschland. In: Pflege 13 (Jg.), Heft 3/2000 (Juni), S. 187–196.
211	Reich, U.: Quarkauflagen. In: Pflege aktuell 49 (Jg.), Heft 1/1995 (Januar), S. 23.

212	Reike, Heinrich (Hg.): Das diabetische Fuß-Syndrom. Eine praxisorientierte Einführung. 4. Aufl., Gräfelfing: SMVerlagsgesellschaft, 1996.
213	Rest, Franco: Sterbebeistand, Sterbebegleitung, Sterbegeleit. Handbuch für Pflegekräfte, Ärzte, Seelsorger, Hospizhelfer, stationäre und ambulante Begleiter. 4. überarb. Aufl., Stuttgart et al.: Kohlhammer, 1998.
214	Roales-Welsch, Stefan et al.: Studie zur Qualitätssicherung in der Prophylaxe und Therapie des Dekubitus durch Auflagedruckmessung bei Probanden auf verschiedenen Weichlagerungs- und Wechseldrucksystemen. In: Pflege 13 (Jg.), Heft 5/2000 (Oktober), S. 297–305.
215	Robert Koch-Institut (RKI): Empfehlung Infektionsprävention bei Infusionstherapie. Empfehlung der Kommission für Krankenhaushygiene und Infektionsprävention beim Robert Koch-Institut (RKI). In: Die Schwester/Der Pfleger 42 (Jg.), Heft 7/2003 (Juli), S. 532–537.
216	Robert Koch-Institut RKI: Empfehlung Prävention und Kontrolle katheterassoziierter Harnwegsinfektionen – Mitteilung der Kommission für Krankenhaushygiene und Infektionsprävention am Robert Koch-Institut. In: Die Schwester/Der Pfleger 40 (Jg.), Heft 8/2001 (August), S. 636–638.
217	Roche Lexikon Medizin. Hoffmann La Roche AG; Urban & Schwarzenberg (Hg.). Bearb. v. der Lexikon-Redaktion des Verlages Urban & Schwarzenberg. 4. Aufl., München, Jena: Urban & Fischer, 1999.
218	Rogers, Carl R. et al.: Die klientenzentrierte Gesprächspsychotherapie. Frankfurt a. M.: Fischer, 2003.
219	Rogers, Carl R.: Die nicht-direktive Beratung. Frankfurt a. M.: Fischer, 1994.
220	Roth, David; Lynn P. Rehm: Therapiemanual zur Selbstkontrolltherapie der Depression in Gruppen. In: S. K. D. Sulz (Hg.): Verständnis und Therapie der Depression. München: Ernst Reinhardt, 1985, S.165–202.
221	Rudofsky, G.: Grundlagen der physikalischen Thromboseprophylaxe. In: Die Schwester/Der Pfleger 42 (Jg.), Heft 7/2003 (Juli), S. 500–505.
222	Rulf, Ursula: Kinderkrankenpflege. Integrative Wochenbettpflege. Ganzheitliche Betreuung von Mutter und Kind und positive Auswirkungen auf die Stillbegleitung. In: Die Schwester/Der Pfleger 40 (Jg.), Heft 10/2001 (Oktober), S. 833–835.
223	Schaefer, Dieter: Der diabetische Fuß – State of the Art – Orthopädie Übersichtsartikel. Bern et al.: Hans Huber, Praxis 88 (Jg.), Heft 27/1999, S. 1196–1199.
224	Schalch, Friedel: Schluckstörungen und Gesichtslähmung. Therapeutische Hilfen. 5. Aufl., München, Jena: Urban & Fischer, 1999.
225	Scharb, Brigitte: Spezielle validierende Pflege. 2. Aufl., Berlin et al.: Springer, 2001.
226	Schmid, Beat; Cora Hartmeier; Christian Bannert: Arzneimittellehre für Krankenpflegeberufe. Stuttgart: Wissenschaftliche Verlagsgesellschaft, 1999.

Literaturverzeichnis

227 Schmid, Beat; Cora Hartmeier; Christian Bannert: Arzneimittellehre für Krankenpflegeberufe. 7. Aufl., Stuttgart: Wissenschaftliche Verlagsgesellschaft, 2003.

228 Schmidt, Doris; Michael Zimmer: Pflege Konkret. Chirurgie, Orthopädie, Urologie, Pflege und Krankheitslehre. München, Jena: Urban & Fischer, 2000.

229 Schnabel, Marina: Thoraxsaugdrainage – (k)ein Buch mit 7 Siegeln?! In: Heilberufe 50 (Jg.), Heft 12/1998 (Dezember), S. 24–26.

230 Scholz, Thomas: Mundpflege bei immunsupprimierten Patienten mit Zytostatikatherapie. In: Die Schwester/Der Pfleger 42 (Jg.), Heft 8/2003 (August), S. 592–594.

231 Schoppmann, Susanne: Dann habe ich ihr einfach meine Arme hingehalten. Selbstverletzendes Verhalten aus der Perspektive der Betroffenen. Bern et al.: Hans Huber, 2003.

232 Schrems, Berta: Der Prozess des Diagnostizierens in der Pflege. Wien: Facultas, 2003.

233 Schröder, Gerhard; Erwin Kiederle: Dekubitus-Abheilung in drei Wochen. In: Die Schwester/Der Pfleger 40 (Jg.), Heft 3/2001 (März), S. 202–204.

234 Schröder, Gerhard; Jürgen Osterbrink; Herbert Mayer: Dekubitusprophylaxe. Microstimulation – Neues Anti-Dekubitus-System fördert Wahrnehmung und Mobilität. In: Die Schwester/Der Pfleger 41 (Jg.), Heft 12/2002 (Dezember), S. 1014–1016.

235 Schubert, Rolf; Brigitta Macher: PEG-Anlage bei schwerst-mehrfach behinderten Kindern und Jugendlichen. In: Die Schwester/Der Pfleger 41 (Jg.), Heft 3/2002 (März), S. 222–226.

236 Schutt, Karin: Der große Falken Babykurs: Pflege, Ernährung, Entwicklung, Erziehung. Niedernhausen: Falken, 1994.

237 Schwartz, Felicitas: Inkontinenz-Assessment. Professionelle Beratung in der Inkontinenz-Sprechstunde am Beispiel der Harzerkliniken Goslar. In: Die Schwester/Der Pfleger 42 (Jg.), Heft 8/2003 (August), S. 588–590.

238 Schwendimann, René: Sturzprävention im Akutspital – Eine Literaturübersicht. In: Pflege 13 (Jg.), Heft 3/2000 (Juni), S. 169–179.

239 Schwendimann, René: Stürze im Krankenhaus – Wege zur Prävention. In: Die Schwester/Der Pfleger 41 (Jg.), Heft 10/2002 (Oktober), S. 816–821.

240 Schwindling, Ralf: Effektive Mundpflege auf der Intensivstation. Erfahrungen mit einem Zungenreiniger. In: Die Schwester/Der Pfleger 42 (Jg.), Heft 12/2003 (Dezember), S. 972–973.

241 Schäfer, Sigrid et al.: Überwachung und Pflege des beatmeten Patienten. 2. Aufl., Stuttgart et al.: Gustav Fischer, 1997.

242 Seemann, Rainer: Wenn der Atem stinkt. 2. Diagnostik und Therapie. Juni 2000. Internet: http://www.zm-online.de/m5a.htm?/zm/6_00/pages2/zmed1.htm (Stand: 18.10.2005).

243	Seggelen, Piet Hein van: Parkinson. Professionelle Pflege und Therapie. 2. Aufl., Bern et al.: Hans Huber, 2001.
244	Siedhoff, Christa: Das Patienten-Informations-Zentrum in Lippstadt. In: Reibnitz, C. von et al.: Der mündige Patient. Konzepte zur Patientenberatung und Konsumentensouveränität im Gesundheitswesen. Weinheim, München: Juventa, 2001.
245	Sitzmann, Franz: Mit wachen Sinnen wahrnehmen und beobachten. Teil 2: Beobachtung von gesunden und veränderten Lebensprozessen des Menschen. Baunatal: RECOM, 1996.
246	Sitzmann, Franz: Veränderung des Ernährungszustandes. In: Kellnhauser, Edith et al. (Hg.): Thiemes Pflege. 9. Aufl., Stuttgart et al.: Georg Thieme, 2000, S. 385–387.
247	Sonn, Annegret: Pflegethema: Wickel und Auflagen. Stuttgart et al.: Georg Thieme, 1998.
248	Sonn, Annegret: Was man trinkt, so schläft man. Kräutertee gegen Schlafprobleme. In: Forum Sozialstation 26 (Jg.), Heft 114/2002 (Februar), S. 46–47.
249	Sparshott, Margret: Früh- und Neugeborene pflegen. Bern et al.: Hans Huber, 2000.
250	Stadelmann, Ingeborg: Die Hebammen-Sprechstunde. 6. Aufl., Ermengerst: Eigenverlag, 1997.
251	Stadler, Rudolf et al.: Therapie chronischer Wunden. Wissenschaftliche Untersuchung bestätigt die Wirksamkeit der Wundauflage. In: Die Schwester/Der Pfleger 42 (Jg.), Heft 7/2003 (Juli), S. 555–559.
252	Stetter, Friedhelm: Was geschieht, ist gut – Entspannungsverfahren in der Psychotherapie. In: Psychotherapeut 43 (Jg.), Berlin et al.: Springer, 1998, S. 209–220.
253	Stolecki, D.: Unterstützende Systeme zur gastroenteralen Zu- und Ableitung. In: Ullrich, Lothar: Zu- und ableitende Systeme. Stuttgart et al.: Georg Thieme, 2000, S. 113–134.
254	Svetlana Lucic; Daniel Schibli: Fingerfood. Eine alte Essenstradition für Demente neu entdeckt. In: Pflegemagazin 2 (Jg.), Heft 5/2001 (Mai), S. 4–7.
255	Thüler, Maya: Wohltuende Wickel. 8. Aufl., Selbstverlag, 1998.
256	Townsend, Mary C.: Pflegediagnosen und Maßnahmen für die psychiatrische Pflege: Handbuch zur Pflegeplanerstellung. 2. Aufl., Bern et al.: Hans Huber, 2000.
257	Tucker, Susan Martin (Hg.): Pflegestandards in der Gynäkologie und Geburtshilfe. Bern et al.: Hans Huber, 1996.
258	Tucker, Susan Martin (Hg.): Pflegestandards in der Kardiologie. Bern et al.: Hans Huber, 2000.
259	Ullrich de Muynck, Rita; Rüdiger Ullrich: Das Assertiveness-Training-Programm ATP: Einüben von Selbstvertrauen und sozialer Kompetenz. Teil III: Selbstsicheres Verhalten – differenzierende Anwendung im Freundeskreis, am Arbeitsplatz, in der Familie. München: J. Pfeiffer, 1976.

260	Ullrich, Lothar: Zu- und ableitende Systeme. Stuttgart et al.: Georg Thieme, 2000.
261	Ullrich, Lothar; Andrea Lamers-Abdella: Checkliste Intensivpflege. Stuttgart et al.: Georg Thieme, 1996.
262	Vaitl, Dieter; Franz Petermann: Handbuch der Entspannungsverfahren. Bd. 1, Weinheim et al.: Beltz, 1993.
263	van Keeken, Paul; Mirjam Kaemingk (Hg.): Neurorehabilitation von Schlaganfallpatienten. Das NDT-Konzept. Bern et al.: Hans Huber, 2001.
264	van der Bruggen, Harry: Defäkation. Grundlagen – Störungen – Interventionen. Wiesbaden: Ullstein Medical, 1998.
265	van der Weide, Marian: Inkontinenz. Pflegediagnosen und Pflegeinterventionen. Bern et al.: Hans Huber, 2001.
266	Vetter, Brigitte: Psychiatrie. Ein systematisches Lehrbuch für Heil-, Sozial- und Pfegeberufe. 5. Aufl., Ulm et al.: Gustav Fischer, 1998.
267	Vieten, Markus; Anja Schramm (Hg.): Pflege Konkret. Neurologie, Psychiatrie, Pflege und Krankheitslehre. Lehrbuch und Atlas. München, Jena: Urban & Fischer, 2001.
268	Vopel, Klaus W.: Selbstakzeptierung und Selbstverantwortung. Interaktionsspiele zur Persönlichkeitsentwicklung. 3 Bde. 3. Aufl., Hamburg: ISKO-Press, 1989.
269	Weinberger, Sabine: Klientenzentrierte Gesprächsführung. Weinheim et al.: Beltz, 1998.
270	Welker, Winfried: Risikoskala Dekubitusgefährdung für querschnittsgelähmte Patienten. In: Die Schwester/Der Pfleger 40 (Jg.), 12/2001 (Dezember), S. 1044–1049.
271	Wieteck, Pia: Folien zur Visualisierung von Pflegetechniken, Teil 1. Baunatal: RECOM, 1995.
272	Wieteck, Pia; Hans-Jürgen Velleuer: Handbuch zur Pflegeplanung. 2. Aufl., Baunatal: RECOM, 1996.
273	Wieteck, Pia; Hans-Jürgen Velleuer: Pflegeprobleme formulieren – Pflegemaßnahmen planen. Leitfaden zur Dokumentation pflegerischer Interventionen. 7. Aufl., Bad Emstal: RECOM, 2001.
274	Winkler, Benedikt: Pflege von Suchtkranken. Sucht aus medizinischer Sicht. In: Die Schwester/Der Pfleger 38 (Jg.), Heft 5/1999 (Mai), S. 362–367.
275	Wirsching, M. et al.: Psychosoziale Rehabilitation von Anus-praeter-Trägern. Ein Vergleich von Krebs- und Colitis-ulcerosa-Patienten. In: Zeitschrift für Psychotherapie und medizinische Psychologie (Med. Psychol.), Heft 3/1977, S. 119–128.
276	Wirth-Kreuzig, Astrid; Frauenknecht, Xaver: Das Pflegebett – Auswirkungen auf die Atmung. In: Krankenpflege 46 (Jg.), Heft 2/1992 (Februar), S. 79–82.

Literaturverzeichnis

278 Zehnder-Helbling, Sylvia: Intimpflege. Schweizerisches Rotes Kreuz (Hg.). Basel, Eberswalde: RECOM, 1996.

279 Schiemann, Doris et al. (Hg.): Expertenstandard Schmerzmanagement in der Pflege. Osnabrück: Deutsches Netzwerk für Qualitätsentwicklung in der Pflege, 2004.

11 Glossar

A

Ablauforganisation   Bei der Ablauforganisation werden Arbeitsprozesse unter Berücksichtigung von Raum, Zeit, Sachmitteln und Personen ermittelt und definiert.

AEDL   AEDL ist die Abkürzung für Aktivitäten und existenzielle Erfahrungen des Lebens. Es handelt sich hierbei um ein konzeptionelles Modell der Pflege von Monika Krohwinkel.

Assessment   1) Im Allgemeinen wird unter Wirkungsanalyse oder Assessment die Abschätzung von Auswirkungen einer Aktivität und deren Bewertungen verstanden.
2) In der Pflege meint Assessment die standardisierte und dokumentierte Einschätzung und Beurteilung des Patienten/Bewohners. Grundlage bilden standardisierte Daten, die aus den Informationen abgeleitet wurden, die während des Pflegeprozesses kommuniziert, gesammelt und geprüft werden.
3) In der Psychologie meint Assessment die Betrachtung physiologischer, psychischer, sozialer und biografischer Ebenen.

ATL   Das Krankenpflegemodell der Aktivitäten des täglichen Lebens (ATL) nach Liliane Juchli beschreibt die Grundbedürfnisse des Menschen.

Audit   Als Audit (von lat. „Anhörung") werden generell Untersuchungsverfahren bezeichnet, die dazu dienen, Prozessabläufe zu analysieren. Bei einem Audit wird der Ist-Zustand analysiert oder aber ein Vergleich der ursprünglichen Zielsetzung mit den tatsächlich erreichten Zielen ermittelt. Oft dient ein Audit auch dazu, allgemeine Probleme beziehungsweise einen Verbesserungsbedarf aufzuspüren, damit die Probleme beseitigt werden können.

Aufbauorganisation   Die Aufbauorganisation beschäftigt sich hauptsächlich mit der Strukturierung einer Einrichtung in organisatorische Einheiten (Stellen und Abteilungen).

averbal   Der Begriff averbal (auch „nonverbal") bezieht sich auf nichtsprachliche Zeichen. Damit gemeint sind zwischenmenschliche Verbindungen, die Verständigung durch Gestik, Mimik oder andere nichtsprachliche Zeichen.

B

Begriff
Ein Begriff ist eine gedankliche Vorstellung von einem Gegenstand oder Sachverhalt aufgrund bestimmter Eigenschaften und/oder Beziehungen. In der Alltagssprache versteht man unter Begriff meist auch einfach ein Wort oder eine Bezeichnung.

BMI
Der Body-Mass-Index (BMI) ist eine Maßzahl für die Bewertung des Körpergewichts eines Menschen im Verhältnis zum Quadrat seiner Größe.

C

Clusteranalyse
Bei diesem Verfahren werden Elemente nach bestimmten Ähnlichkeiten mit anderen Elementen in Gruppen (Clustern) zusammengefasst.

D

Deskriptor
Ein Deskriptor ist ein Kenn- oder Schlüsselwort, durch das der Inhalt einer Information charakterisiert wird und das zur Bestimmung von Daten im Speicher eines Computers dient. Damit der Nutzer auf die einzelnen Klassen eines Klassifikationssystems zugreifen zu kann, werden sie hierarchisch oder anderweitig systematisch angeordnet und durch einen Deskriptor repräsentiert.

DBfK
Der Deutsche Berufsverband für Pflegeberufe (DBfK) ist die berufliche Interessensvertretung der Krankenpflege, Kinderkrankenpflege und Altenpflege.

disjunkt
Disjunkte Teilmengen sind Teilmengen, die sich nicht überschneiden.

DRG
Die Diagnosis Related Groups (DRG) stellen ein pauschaliertes Vergütungssystem dar. Das bedeutet, dass die stationären und teilstationären Krankenhausfälle in medizinisch sinnvolle, nach ihrem ökonomischen Aufwand vergleichbare DRG eingeteilt werden.

E

EASY Care
EASY Care ist ein Instrument zur schnellen Einschätzung des körperlichen, geistigen und sozialen Wohlbefindens der in häuslicher Umgebung lebenden älteren Menschen.

Empathie
Der Begriff Empathie meint die Fähigkeit, sich in das Denken und die Einstellungen anderer Menschen hineinzuversetzen, um dadurch die Gedanken, Gefühle und Verhaltensweisen des Gegenübers besser zu verstehen und richtig zu interpretieren.

Glossar

Evaluation

1) Evaluation (Evaluierung) bedeutet im Allgemeinen die Bewertung/Beurteilung von Prozessen, Outcomes und Organisationseinheiten. Nach Reischmann (2003) umfasst Evaluation das Erfassen und Bewerten von Prozessen und Ergebnissen zur Wirkungskontrolle, Steuerung und Reflexion. Für eine Evaluation werden Daten systematisch erhoben und dokumentiert, um die Untersuchung, das Vorgehen und die Ergebnisse nachvollziehbar und überprüfbar zu machen. Eine Evaluation soll bestimmte Gütekriterien erfüllen: Objektivität, Reliabilität, Validität, Ökonomie und Normierung.
2) In Bezug auf den Pflegeprozess bedeutet Evaluation, dass die durchgeführten Pflegemaßnahmen daraufhin bewertet und geprüft werden, inwieweit die Pflegeziele erreicht wurden.

evidenzbasierte Pflege

Durch Studien belegte evidenzbasierte Pflege und Medizin führt zur Formulierung von Standards (Leitlinien), nach denen Mitarbeiter einer Berufsgruppe ggf. sogar gesetzlich verbindlich ihre Behandlung richten müssen.

F

FIM

Functional Independence Measure (FIM) ist ein aus den USA stammendes Instrument zur Messung der funktionalen Selbstständigkeit von Patienten/Bewohnern in der Rehabilitation.

G

GERRI

Das Geriatric Evaluation by Relative's Rating Instrument (GERRI) ist eine Skala, die die Frequenz von Verhaltensänderungen und funktionalen Fähigkeiten über einen Zeitraum von zwei Wochen vor der Untersuchung bewertet. Die Skala ist von den Beobachtungen der Verwandten oder ersten Pflegenden des Patienten/Bewohners abhängig.

H

Hermeneutik

1) Die Hermeneutik als Kunst des Interpretierens, Übersetzens, Erklärens und Auslegens bezeichnet ursprünglich die Lehre vom Verstehen eines Textes.
2) Hermeneutische Pflege wird als Technik im Pflegegespräch verwendet, bei dem regelmäßige Wiederholung und Interpretation des Gehörten zu einer Kontrolle der eigenen Interpretation und zu einem besseren Verständnis führen.
3) Bei der objektiven Hermeneutik handelt es sich um ein qualitatives, interpretatives Verfahren. Im Kern des methodischen Vorgehens steht die fortlaufende Analyse von (Interaktions-, Interview- oder anderen) Protokollen.

HHCC	Mit dem Home Health Care Classification System (HHCC) kann die von der Pflege geleistete ambulante Versorgung dokumentiert und klassifiziert werden. Dieses System besteht aus zwei miteinander verbundenen Terminologien: die HHCC-Pflegediagnosen und die HHCC-Pflegeinterventionen.
Hierarchie	Eine Hierarchie bezeichnet ein System von Elementen, die einander über- bzw. untergeordnet sind, sodass jedem Element nur höchstens ein anderes unmittelbar übergeordnet ist. Bezogen auf soziale Systeme sind Hierarchien oft mit Verhältnissen von Herrschaft und Autorität verbunden – beispielsweise der Entscheidungsstruktur in einem Unternehmen. Hierarchien werden auch allgemein zur Ordnung von Objekten zum Beispiel in einer Systematik verwendet. Formal lässt sich die Struktur einer Hierarchie als Baum beschreiben. Bildlich werden Hierarchien häufig mit einer Pyramide verglichen.
hierarchisch	Der Begriff hierarchisch bezeichnet ein elementares Strukturprinzip, bei dem die Elemente in vertikalen Ebenen angeordnet sind. Hierarchische Begriffsstrukturen sind bei allen Ordnungsprinzipien und -systemen zu berücksichtigen, sie beschreiben die Beziehungen zwischen den Begriffen.

I

ICD	International Statistical Classification of Diseases and Related Health Problems (ICD): Ursprünglich eine Todesursachenstatistik der Weltgesundheitsorganisation (WHO) stellt die ICD heute eine internationale statistische Klassifikation der Krankheiten und verwandter Gesundheitsprobleme dar. In dem Verzeichnis der Krankheiten, Verletzungen und Todesursachen sind die einzelnen Gruppen nach verschiedenen Prinzipien (z. B. Ätiologie, Morphologie, klinische Fächer, Organe, Regionen) eingeteilt. Eine Folge von Buchstaben und Zahlen codiert die Krankheiten sowie deren Manifestationsort und Ausprägung, was die statistische Auswertung erleichtern soll. Aktuell liegt die 10. Revision (ICD-10), Version 2005 vor. Die ICD-10 ist seit dem 01.01.2000 ein verbindlicher Diagnoseschlüssel für die ambulante und stationäre Versorgung. Die Klassifikation dient als Grundlage der Diagnosis Related Groups (DRG).
ICN	International Council of Nurses; Weltbund der Krankenschwestern und Krankenpfleger: Der ICN ist ein Zusammenschluss von 122 nationalen Berufsverbänden der Pflege und vertritt weltweit Millionen von Pflegenden. Seit 1899 verfolgt der von Pflegenden für Pflegende geführte Verband das Ziel, Pflege von hoher Qualität für alle sicherzustellen und sich für eine vernünftige Gesundheitspolitik weltweit einzusetzen. Der Vertreter Deutschlands ist der Deutsche Berufsverband für Pflegeberufe (DBfK) e.V.

Glossar

ICF	International Classification of Functioning, Disability and Health; Internationale Klassifikation der Funktionsfähigkeit, Behinderung und Gesundheit (ICF): Die ICF gehört zu der von der WHO entwickelten „Familie", die einen Rahmen zur Codierung eines breiten Spektrums von Informationen zur Gesundheit zur Verfügung stellt und eine standardisierte allgemeine Sprache verwendet, welche die Kommunikation über Gesundheit in verschiedenen Disziplinen und Wissenschaften ermöglicht.
ICNP®	International Classification for Nursing Practice: Seit 1989 arbeitet der ICN an der Entwicklung einer Internationalen Klassifikation für die Pflegepraxis (ICNP®). Die deutschsprachigen ICNP®-Nutzergruppen befassen sich seit 1997 mit der Entwicklung einer Pflegefachsprache im Allgemeinen und speziell mit der Entwicklung des Pflegeklassifikationssystems ICNP®, aber auch anderer Pflegeklassifikationssysteme.

K

Klasse/n	Eine Gesamtmenge von Sachverhalten/Objekten wird in einer Klassifikation in Klassen eingeteilt. Die Klassen enthalten Elemente, die mindestens durch ein gemeinsames Merkmal gekennzeichnet sind.
Klassifikation	Eine Klassifikation ist ein Ordnungsprinzip, das Sachgebiete in einzelne getrennte Sachverhalte einteilt, die man als Klassen bezeichnet. Die einzelnen Klassen sind disjunkt, d. h. sie schließen sich gegenseitig aus. Die Klassen können unterschiedlich große Sachverhalte abdecken. Jede Klasse wird durch einen Deskriptor repräsentiert. Auch wenn die Klassen disjunkt sind, kann eine Dokumentationseinheit mehreren Klassen zugeordnet werden.
Klassifikationssystem	Ein Klassifikationssystem ist ein Ordnungssystem, das Elemente nach bestimmten Kriterien klassifiziert. Ein Klassifikationssystem muss vollständig sein, d. h. alle denkbaren Sachverhalte müssen im Ordnungssystem auffindbar sein.
Klinischer Behandlungspfad	Der klinische Behandlungspfad bildet den Prozess aller ärztlichen, pflegerischen, diagnostischen und therapeutischen Leistungen ab, die eine Gruppe von Patienten mit einer bestimmten Diagnose oder Therapie im Verlauf einer Abklärung und/oder Behandlung aufgrund von Vorgaben (*evidence based medicine*) erhalten sollte.
Kongruenz	Kongruenz bedeutet „Echtheit", auch „Selbstaufrichtigkeit" oder „Stimmigkeit". Kongruenz setzt in der Humanistischen Psychologie eine gereifte Persönlichkeit voraus, welche sich nicht hinter einer Rolle oder Fassade verstecken muss, sondern sich wahrhaftig in eine Situation einbringen kann. Kongruentes Verhalten zeichnet sich z. B. dadurch aus, dass verbale Äußerungen mit Gestik, Mimik, Tonfall usw. übereinstimmen.

Glossar

L

LEP®
Die Methode LEP® (Leistungserfassung in der Pflege) umfasst statistische Erfassungs- und Darstellungsverfahren für die Gesundheits- und Krankenpflege. Als Management- und Controlling-Instrument stellt LEP®-Prozessdaten für die Führung, die betriebsinterne Planung und Optimierung sowie die Kostenrechnung zur Verfügung.

M

MDK
Der Medizinische Dienst der Krankenversicherung (MDK) ist der sozialmedizinische Beratungs- und Begutachtungsdienst der gesetzlichen Kranken- und Pflegeversicherung. Das Aufgabenspektrum der Medizinischen Dienste für die gesetzlichen Kranken- und Pflegekassen umfasst die patientenorientierte Einzelfallbegutachtung wie auch die Beratung in Grundsatzfragen der medizinischen und pflegerischen Versorgung.
Im Auftrag der Pflegekassen führt der MDK die Begutachtung von Pflegebedürftigkeit durch; darüber hinaus berät er die Pflegekassen in grundsätzlichen Fragen der pflegerischen Versorgung.

MDS
Der Medizinische Dienst der Spitzenverbände der Krankenkassen e.V. (MDS) berät die Spitzenverbände der gesetzlichen Kranken- und Pflegekassen in Fragen der medizinischen und pflegerischen Versorgung und der Gestaltung des Gesundheitswesens.

Modifizierte praxisnahe Theorien
Walker/Avant verstehen unter einer „praxisnahen Theorie", dass zu gewünschten Pflegezielen Handlungsanweisungen formuliert werden, um diese Zielsetzung zu erreichen.
Der Begriff der „praxisnahen Theorie" ist bei der Entwicklung der ENP® wie folgt erweitert worden: Unter Berücksichtigung der Ressourcen des Patienten/Bewohners können einem Pflegeziel mehrere/unterschiedliche Maßnahmen zugeordnet werden. Hintergrund dieses erweiterten Verständnisses ist die Feststellung, dass die isolierte Betrachtung von Zielsetzung und Intervention dazu führen kann, dass diese Planung für den Patienten/Bewohner nicht stimmig ist.

N

NANDA
North American Nursing Diagnosis Association: Die 1982 gegründete Nordamerikanische Pflegediagnosen-vereinigung befasst sich mit der Förderung der Identifikation, Entwicklung, Formulierung, Klassifizierung, Prüfung und Verbreitung von Pflegediagnosen.

Nationaler Expertenstandard	Das Deutsche Netzwerk für Qualitätsentwicklung in der Pflege (DNQP) ist ein bundesweiter Zusammenschluss von Fachkollegen in der Pflege, die sich mit der Förderung der Pflegequalität und der Qualitätssicherung auseinandersetzen. Ein zentraler Aufgabenschwerpunkt ist die Entwicklung von evidenzbasierten Expertenstandards und die Durchführung von breit angelegten Fachdiskussionen im Rahmen von diesbezüglichen Konsensuskonferenzen.
nebengeordnet	Elementares Strukturprinzip, bei dem die Elemente in horizontalen Ebenen angeordnet sind.
NIC	Die Klassifikation zur Abbildung von Pflegeinterventionen NIC (Nursing Interventions Classification) wird seit 1987 an der University of Iowa entwickelt. Die vierte Auflage der NIC beinhaltet 514 Interventionen, jeder dieser Interventionen sind wählbare Einzelaktivitäten zugeordnet.
NOC	Die Klassifikation der Pflegeergebnisse NOC (Nursing Outcomes Classification) ist eine Klassifikation zur Beschreibung von Pflegeergebnissen sowie zur Überprüfung der Wirksamkeit von Pflegeinterventionen. Sie wird seit 1991 an der University of Iowa entwickelt. Die Klassifikation beinhaltet 330 Ergebnisse, wobei jedem Ergebnis eine 5-Punkte-Likertskala und ein Set von Ergebnisindikatoren zugeordnet sind.
NOSIE	Die Nurses' Observation Scale for Inpatient Evaluation (NOSIE) ist eine Beurteilungsskala für Krankenhausstationen und stellt ein Instrument ausschließlich für stationäre Patienten dar.
NOSGER	Nurses' Observation Scale for Geriatric Patients (NOSGER) ist ein 1987 in der Schweiz entwickeltes Instrument für die stationären und häuslichen Pflegeeinrichtungen. NOSGER ermöglicht Angehörigen und professionell Pflegenden eine schnelle und unkomplizierte Einschätzung des psychischen, geistigen und sozialen Zustands älterer Patienten.

O

Objekt	Ein Objekt ist eine Sache oder ein Sachverhalt, die/der in einem bestimmten Anwendungskontext eine Bedeutung besitzt. Alle Objekte besitzen eine Identität und sind unterscheidbar.
Objektivität	Objektivität bezeichnet ein Merkmal und Prinzip der wissenschaftlichen Forschung, das darauf gerichtet ist, in den von ihr abgebildeten Aussagen, Theorien, Thesen u. a. die Realität objektiv widerzuspiegeln. Im weiteren Sinne spricht man von der Objektivität von Aussagen und Theorien, um damit zum Ausdruck zu bringen, dass für ihre Aufstellung nicht subjektive Wünsche, Meinungen, Neigungen, Vorurteile maßgeblich sind, sondern allein die Sachverhalte, auf die sich die Aussagen, Theorien u. a. beziehen.

Glossar

Objektorientierte Programmierung	Die objektorientierte Programmierung ist ein Verfahren zur Strukturierung von Computerprogrammen, bei dem zusammengehörige Daten und die darauf arbeitende Programmlogik zu Einheiten zusammengefasst werden, den so genannten Objekten.
Objektorientierung	Objektorientierung bedeutet, dass Beziehungen zwischen Objekten hergestellt werden. Die Objekte vereinen in sich sowohl Datenstruktur als auch Verhalten.
Outcome-Messung	Die durch die Dokumentation des Pflegeprozesses gewonnenen Daten geben Aufschluss über die Wirkungsweise der Maßnahmen und den voraussichtlichen pflegerischen Bedarf. Die Outcome-Messung stellt ein wichtiges Instrument des Qualitätsmanagements dar.

P

PAS	Die Pflegeabhängigkeitsskala (PAS) ist ein aus den Niederlanden stammendes Instrument zur Einschätzung der Pflegeabhängigkeit/Pflegebedürftigkeit dementer und geistig beeinträchtigter Menschen in Langzeitpflegeeinrichtungen.
pflegediagnosebezogener Behandlungspfad	ENP® ist eine Pflegefachsprache, mit deren Hilfe eine klinische Beurteilung der aktuellen und potentiellen Gesundheitsprobleme und Lebensprozesse in Form einer Pflegediagnose erfasst werden kann. Auf der Grundlage der klinischen Beurteilung der Pflegediagnosen und Ressourcen des Individuums werden Pflegeziele und Pflegeinterventionen ausgewählt, um so den pflegerischen Behandlungspfad abzubilden.
Pflegefachsprache	Eine Fachsprache dient der zielgerichteten Kommunikation über die Inhalte eines Fachgebiets. Eine Pflegefachsprache enthält disziplinspezifische Pflegekonzepte in einer eindeutigen Sprache, die durch Pflegeexperten festgelegt, überprüft und praktiziert worden sind.
PLAISIR©	Planification informatisée des soins infirmiers requis (PLAISIR©) ist ein französischsprachiges, Anfang der 80er Jahre entwickeltes Erhebungsverfahren aus Kanada. Es wurde speziell für Langzeitpflegeeinrichtungen entwickelt, um den erforderlichen Pflegeaufwand zu messen.
Pluralismus	Unter Pluralismus versteht man eine Theorie, nach der die Wirklichkeit aus vielen selbstständigen Prinzipien besteht, denen kein gemeinsames Grundprinzip zugrunde liegt.
PPR	Die Pflegepersonalregelung (PPR) wird zur Personalplanung verwendet.

Q

QM Der Begriff Qualitätsmanagement (QM) bezeichnet einen Teilbereich des funktionalen Managements. QM soll sicherstellen, dass Qualitätsbelange in der Unternehmensführung den ihnen gebührenden Platz einnehmen. Qualität bezieht sich dabei sowohl auf die vermarkteten Produkte und Dienstleistungen als auch auf die internen Prozesse des Unternehmens und ist definiert als das Maß, in dem das betrachtete Produkt oder der betrachtete Prozess den Anforderungen genügt.

R

RAI® Das Resident Assessment Instrument (RAI®) misst den Pflegebedarf eines Patienten/Bewohners und ermöglicht damit die Erstellung eines individuellen Pflegeplans. Übertragen auf ein Pflegeprozess-Modell decken die Instrumente der RAI®-Familie die Phase des Assessments ab und führen hin zur Diagnostik, Prioritätensetzung und Outcome-Identifikation. Im Bereich der stationären Versorgung alter Menschen (Altenpflege) kann es als internationaler Standard angesehen werden.

Reliabilität Die Reliabilität ist das Maß für die Zuverlässigkeit wissenschaftlicher Untersuchungen. Nimmt man (wie in der klassischen Testtheorie) an, dass es einen objektiven, „wahren Wert" gibt, so beschreibt die Reliabilität den Grad der Übereinstimmung zwischen diesem wahren Wert und dem gemessenen Wert. Ein Test ist dann reliabel, wenn bei der Wiederholung unter gleichen Bedingungen gleiche Ergebnisse erzielt werden. Die Reliabilität stellt neben der Validität und der Objektivität eines der drei wichtigsten Gütekriterien für empirische Untersuchungen dar.

S

Subklasse Klassen können von anderen Klassen abgeleitet werden. Eine abgeleitete/untergeordnete Klasse wird als Subklasse bezeichnet. Jede Subklasse erbt alle Eigenschaften und Methoden der ihr übergeordneten Klasse, sie besitzt aber mindestens eine weitere Eigenschaft oder Methode.

Systematik Unter Systematik versteht man eine planmäßige Darstellung von Klassen, Kategorien oder anderen Konzepten, welche nach bestimmten Ordnungsprinzipien gestaltet ist.

T

Taxonomie Die Taxonomie ist die Einteilung von Dingen, insbesondere Organismen, in Taxa (Gruppen). In der Biologie erfolgt diese Einteilung traditionell in einen bestimmten Rang, wie Art, Gattung oder Familie. In der Linguistik beschäftigt sich die Taxonomie mit der Segmentierung und Klassifikation sprachlicher Einheiten, um mit diesen ein Sprachsystem zu beschreiben. Auch andere Fachbereiche verwenden den Begriff der Taxonomie allgemein für ein Klassifikationssystem, eine Systematik oder den Vorgang des Klassifizierens.

V

Validität Die Validität ist ein Qualitätskriterium zur Untersuchung der Zuverlässigkeit eines Versuchs/einer Theorie. Die Überprüfung der Gültigkeit (Validierung) wird mithilfe der Korrelation zu einem Außenkriterium vorgenommen.

12 Index

A

Abhusten 189, 191, 206
Abnorme Verhaltensweisen 304
Adipositas 143, 234, 255, 287, 413
Aggression 108, 111, 117, 333, 348, 351, 363, 382, 402, 422, 425
Akinese 128, 173, 177, 310
Altersdepression 350
Amputation 142, 167, 169, 172, 242
Anämie 156, 166, 228
Ängste 419–422
Anoxie 325
Anpassungsfähigkeit 404–406
Antriebslosigkeit 213, 343, 365
Apallisches Syndrom 154, 159, 227, 245, 253, 257, 259, 265
Aphasie 121, 123, 124, 126
Apoplektischer Insult 121, 123, 124, 126, 134, 221, 247, 288, 300, 312
Apraxie 213, 240, 257–259, 271–274, 276, 278, 280, 305, 310, 312
Arthritis 209
Aspirationsgefahr 221, 222, 261, 307–309
Atelektase 185–194, 204, 206
Atemnot 120, 181, 183
Augenpflege/-therapie 276–277
Ausscheidung im Bett 280

B

Bakterielle Infektion 262
Bandruptur 141
Bartpflege 273
Beeinträchtigte Interaktion 114–121
Beeinträchtigte körperliche Mobilität 157–169
Beeinträchtigte körperliche Mobilität - postoperativ 140–142
Belastungs-/Ruhedyspnoe 213, 215, 240, 257–259, 278, 280, 305, 310
Belüftungsstörungen 185–189
Bestehende Schluckstörungen 221–227
Beugemuster 137, 312
Bewegungsdrang 178, 179, 333, 335, 338
Bewegungsmangel 143, 146, 148, 153, 296, 298, 321
Bewegungsübung 140–179, 198, 336, 391
Bewegungsverhalten/-muster 134–140, 157, 167, 169, 173–180, 213, 215, 247, 312, 404
Bewusstseinsveränderung 194, 213, 235, 245, 271–273, 323–324, 325–340, 419–440
Blasenentzündung 279, 281–287, 290–293

Blasenkatheter
  suprapubisch 283–284
Blasenüberdehnung 290
Blasenverweilkatheter
  transurethral 281–282
Blindheit 132, 133, 278
Blutzuckerschwankung 238
Bobath 134–135, 138–139, 248
Brechreiz 307
Bronchialsekret 189, 191

C

Chemotherapie 263, 307, 389
Chorea huntington 249, 335
Claudicatio intermittens 207, 413
Colitis 302
Comotio cerebri 307, 323
Cuffdruck 204–205

D

Darmentleerung 296–304
Darminfektion 220, 300, 302
Dehydration 143, 148, 156, 166, 209, 235–237, 261, 263, 266–267, 329, 338, 396
Dekubitus 143, 155–156
Demenz 118, 167, 178, 179, 187, 213–218, 232, 249–251, 258–259, 284, 300, 304, 310–315, 329, 335, 338, 345, 350–353, 368, 394
Dennis-Sonde 218, 309
Depressionen 111, 177, 228, 230, 232, 319, 328, 335, 345, 347, 351, 359, 371, 374, 376
Desorientierung 172, 213, 215, 235, 249, 271–275, 310, 313, 329, 335, 341, 353
Diabetes mellitus 143, 238–239, 269, 389, 397–401
Diarrhö 148, 230, 235, 300, 302, 318
Diät, Ernährung und Unverträglichkeiten 238–239
Down-Syndrom 355
Dranginkontinenz 290
Drei-Punkt-Gang 140, 141, 173, 413
Drucknekrose 204
Druckstellenbildung 259
Duodenalsonde 218, 220, 309
Durchblutungsstörung 207, 323, 389, 399, 413
Durchschlafschwierigkeiten 318

E

Eingeschränkte Sehfähigkeit 132–133
Einschlafschwierigkeiten 316
Empfindungen 422–429
Entspannungstechnik 316–322, 419–422
Entzündungsgefahr 259–260
Enzephalitis 325
Erinnerungslücken 325–340
Ernährungssonde 218
Erregtheit 228, 320, 333, 422, 425
Erschöpfung 120, 134, 166, 181, 183, 191, 230, 238, 246, 316, 318, 320, 351
Erstickungsgefahr 221–226, 307
Eudel*-Sonde 218, 309
Exsikkose 143, 148, 156, 166, 209, 261–267, 329, 338
Extensionsbehandlung 151, 153, 154, 242

F

Feed-back 103–121, 346, 357
Fehlende Zukunftsperspektive 429
Fettige Haut 268
Fieber 143, 208, 209, 235, 255, 270, 282, 316, 393
Fingernägel 274
Fixierung 402–403
Flüssigkeitsdefizit 143, 146–151, 156, 166, 197, 209, 215, 232, 235–237, 261–267, 281, 296–303, 329, 338
Formveränderung am Gaumen 260
Fraktur 140–141, 151–155, 157–164, 167, 242
Freizeit und soziales Leben 374–383
Fremdgefährdung 180, 333, 338, 346, 402, 425
Fußpflege 274–275

G

Gastritis 307
Gastrointestinalsonde 218, 309
Gefäßwandschädigung 148, 197
Gehfähigkeit 169–173
Gehhilfen 142–152, 157, 167–178, 182, 196, 200, 297, 338, 413
Gehirnentzündung 323
Gehübungen 134, 140, 142, 147, 158, 162–163, 170, 174
Gelenkschmerzen 165, 314, 412, 415
Gewichtskontrolle 216, 229–234
Gewichtsreduktion 228–233, 302
Gewichtsverlust 228–233, 237
Gewichtszunahme 199, 234
Gingivitis 257
Gleichgewicht 432, 433

Gleichgewichtsstörung 134, 142, 157, 167, 169, 174, 247, 307, 338

H

Haare 271–272
Handeln und/oder Verhalten 359–367
Handpflege 273–274
Harmoniebedürfnis 107–110
Harndrang 197, 278–295
Harnträufeln 294
Harnwegsinfektion 281, 283
Hautpflege und Gefahr der Hautschädigung 267–270
Hautschädigung 143, 155–156, 255, 261, 267–270, 284
Heimweh 428
Hemiplegie 134, 137, 242, 247, 253, 312, 420
Hemmungen 111, 114, 127
Herz-Kreislauf-Situation 120, 146, 156, 164, 166, 171, 194, 197, 200, 240, 243, 246, 257, 278, 307, 310
Herzleistungsschwäche 181, 183, 194, 243, 246
Hirnblutung 247, 312, 323
Hirntumor 121–125, 247, 288, 312, 323
Hyperglykämie 238, 400
Hypertone Blutdruckwerte 199
Hypoglykämie 238, 400
Hypotone Kreislaufveränderungen 197
Hypotonus 138, 194, 197, 200, 207, 224–226, 278
Hypovolämie 197
Hypoxämie 183
Hypoxic 325

I

Ikterus 269
Immobilitätssyndrome 143–156
Infektion 148, 181, 183, 193, 205, 209, 221, 262, 265, 270, 281, 283, 300, 307, 392–394, 399
Infektionsgefahr 205, 281, 283, 307, 392–394, 399
Information 115, 132, 133
Infusionstherapie 184, 195, 202, 207, 217, 231, 233, 242, 303, 392, 393
Inhalation 189–194, 398
Inkontinenz 284–295
Instabilität 164
Insuffizienz 120, 143, 156, 171, 183, 194, 197, 200, 243, 246, 269, 310, 396
Insulinverabreichung 238–239, 397, 400
Intertrigo 155, 270
Intim 384
Intoxikation 249, 325

507

J

Jejunalsonde 218, 309
Juckreiz 150, 269, 270
Jugularvenenstauung 246

K

Kalte Füße 207
Kämmen 271
Kautätigkeit 260, 265, 266
Kleiden 310–313
Kleinhirnerkrankung 176
Klimakterium 284–285
Kolonmassage 297–298
Koma 245, 253, 259, 323
Kommunikationsstil 103–113, 357
Kompressionsstrümpfe 146–151, 172, 314
Konsumierhaltung 381
Kontraktur 137, 151, 153, 154, 162
Konzentrationsstörung 118, 251, 325, 328, 329, 335, 338, 345, 382
Körpergeruch 251, 255, 256
Körperhaltung 175
Körperpflege 255–256
Körpertemperatur 207, 208, 209
Korsakow-Syndrom 338, 351
Krankheiten 399–401
Kreislaufregulationsstörungen 194–203

L

Labyrinthitis 167
Lagerung 134–167, 181–193, 213, 420
Lähmung 140, 142–152, 157, 159, 162, 170, 172, 182, 196, 200, 242, 247, 297, 355
Langeweile 341, 374, 376
Larynxtumor 127, 130
Läsionen 257, 263
Laxanzien 298, 300
Laxanzienmissbrauch 300
Lebensgestaltung 341–383
Lebenskrise 429–437
Lebenspraktischer Bereich 368–373
Leberfunktionsstörung 262, 307
Leberzirrhose 257, 262, 269
Leistungsfähigkeit 181, 200, 328, 352
Lidschlag/-schluss 276–277
Lippenpflege 261, 265
Lippenschluss 224–226
Logopädie 121–126, 131
Lokaltherapeutika 394
Luftbandagen 136–137
Lungenembolie 183
Lungenödem 120, 184
Luxationsprophylaxe 242

M

Magenüberdehnung 307
Mangelernährung 228–233
Manie 228, 320, 346, 363
Manipulation 110, 204, 393
Medikamenteneinnahme 167, 180, 307, 392–394, 397–398
Medikamentenverabreichung/Therapie 394–399
Meningitis 307, 323
Merk- und Gedächtnisstörungen 325–332
Mikrozirkulation 156
Miller-Abbott-Sonde 218, 309
Mitteilungsbedarf 112
Morbus Alzheimer 178, 179, 249, 253, 329, 335, 338, 351, 353
Morbus Hodgkin 269
Morbus Parkinson 128, 159, 173, 175, 176, 265, 277
Multiple Sklerose 121–126, 134, 137, 176, 222, 288
Mundgeruch 262–263
Mundpflege 257–262
Mundschleimhaut 257–262, 265
Mundschlussstörung 224–225
Muskeltonus 173, 312

N

Nagelpflege 274
Nährstoffmangel 228–233
Nährstoffzufuhr entspricht nicht dem Nährstoffbedarf des Körpers 228–235
Nahrungsmittelunverträglichkeit 302, 307
Nahrungsverabreichung 212–227
Nahrungsverweigerung 217–219, 230
Nase 203, 275
Nassrasur 273
Nekrosen 204, 205, 387, 389
Neuro-Developmental Treatment - NDT-Konzept 248
Neurodermitis 269
Neurologische Erkrankung 169, 247, 255, 296, 298
Neuromuskuläre Beeinträchtigung 240, 242, 253
Neuropathie 284, 399
Neurose 333, 382, 425
Nierenerkrankung 197, 199, 256, 269

O

Obstipation 235, 237, 296–300
Ödem 120, 127, 136, 137, 184, 269
Ohrpflege 276
Oligurie 197

Opiate 324
Orthopnoe 181–184
Orthostatische Dysregulation 197
Osteosynthese 140–141

P

Paralyse (Plegie), Parese, Spastik 134–139
Paravenöse Lage 392
Parodontitis 257
Parotitis 265
Pflegediagnosen im Bereich Nase, Ohren, Augen 275–277
Pneumonie 183–190, 262, 398
Polycythaemia (rubra) vera 269
Prellung 392, 415
Prolongiertes Reversibles Ischämisches Neurologisches Defizit (PRIND) 134
Prostatavergrößerung 294
Psychische Störung 109, 118, 157, 159, 181, 329, 347, 394
Psychopharmaka 111, 114, 128, 167, 324
Psychose 115, 178, 179, 249, 269, 329, 333, 350, 359, 382, 425, 433
Psychotische Störung 111, 115, 251, 328, 345, 347, 419
Ptyalismus 265
Pylorusstenose 307

Q

Qualitative Bewusstseinsveränderung 325–340
Quantitative Bewusstseinsstörungen 323–325
Quellmittel 296
Querbettsitzen 144–157, 172, 182, 196, 200, 297
Querschnittslähmung 157, 159, 288, 300
Quetschung 392
Quinke-Hängelage 189–194

R

Rasur 273
Realitätsverlust 341–383
Reduktionskost 234
Reflexinkontinenz 288
Rekonvaleszenz 319
Rektumoperation 305–307
Rekurrensparese 127, 130
Rhagaden 261
Rheuma 151–155, 165, 274, 409
Rigor 128, 173
Rollenkonflikt Frau, Mann 384
Rückenmarksverletzung 134, 164, 284, 288, 294
Rückenschmerzen 409, 415

S

Schädel-Hirn-Trauma 245, 247, 323, 329
Schamgefühl 306, 384, 389
Schilddrüsenfunktionsstörung 166, 319
Schizophrene Psychose 115, 179, 333, 350, 359, 382, 425, 433, 435
Schizophrenie 177
Schlafbedürfnis
  gesteigert 319
  vermindert 320
Schlafdefizit 316–322
Schlafstörungen 316–322
Schluckreflex 221, 222, 261
Schluckstörung 217–227, 227, 309, 394
Schmerzen 407–417
  akute 407
  aufgrund einer arteriosklerotischen Veränderung 413
  chronische 409
  des Bewegungsapparats 415
  in Gelenken 412
Schock 323, 432
Schüttelfrost 209
Schwäche 120, 164, 166, 167, 169, 180, 197, 242, 253, 352, 353, 425
Schwitzen 209, 235, 255, 270, 316
Selbstachtung 113
Selbstfürsorgedefizit 343, 359, 365
Selbstgefährdung 178, 179, 320, 333, 335, 338, 402
Selbstkonzept und Lebensgestaltung 341–359
Selbstständigkeit beim Essen und Trinken 213–216, 221–227
Selbstverletzung 435
Selbstversorgungsdefizit: Äußere Erscheinung – Haar-, Nagel-, Fußpflege 271–275
Selbstversorgungsdefizit: Die Aktivitäten der Nahrungsaufnahme betreffend 212–221
Selbstversorgungsdefizit: Körperpflege und Baden 240–254
Selbsversorgungdefizit: Bekleiden und auf äußere Erscheinung achten 310–315
Sepsis 392, 393
Sexualität 384
Sinn-/Lebenskrise 433
Sonde 182, 184, 195, 201, 218–221, 231–232, 235, 275, 302, 309
Sondenverstopfung 220
Soor 265
Soziale Isolation 121, 230, 321, 379, 435
Speichel 261, 263, 265, 266
Spitzfußgefährdung 153
Sprach- und Sprechstörungen 121–130
Stenosen 294
Sterbephase 417–418

Index

Stimmlos 127, 130
Stimmungslage - Suizidabsichten 429–440
Stoffwechselstörung 181, 217, 230, 234, 238, 245, 256, 323, 338, 413
Stoma 305–307
Stomaanlage 305–307
Störungen der Darmtätigkeit 296–305
Stressinkontinenz 287
Stuhlabgang 300
Stuhlausscheidung 296–306
Sturzgefahr 167, 175, 180
Subluxation 138
Suchterkrankung 117, 179, 329, 382, 405, 422

T

Tachykardie 200, 209, 243, 246
Tachypnoe 194, 243
Teilbelastung 140, 243
Thalamusinfarkt 325
Therapieteilnahme 344, 350–351, 357, 359, 361, 364, 394–399
Thrombosegefahr 146, 148
Tod 417–418
Trachealkanüle 203–205
Tracheomalazie 204
Tracheostomie, Intubation und Beatmung 203–206
Transferfähigkeit 141, 151, 153, 154, 157, 159, 213, 278
Tremor 176, 353
Trinkfahrplan 148, 191, 203, 215, 235–237, 266–269, 282, 285, 296, 298, 302, 308, 318
Trinktraining 213, 222, 225, 261
Trockene Haut 267
Trockene Lippen 261
Trümmerfrakturen 141
Tubus 203, 203–205, 263
Tumor 121–130, 134, 183, 209, 218–222, 247, 288, 300, 312, 323, 409

U

Übelkeit 307
Übergewicht 234
Überlaufinkontinenz 294
Uhrglasverband 277
Ulkus cruris 387–391
Ungenügende Selbstreinigungsfunktion der Atemwege 189–194
Untergewicht 228–233
Unwirksamer Atemvorgang 181–185
Unzufriedenheit mit dem Essen 212
Urinabgang 278–293
Urinausscheidung 278–284

V

Venenentzündung 392
Venenverweilkanüle 392
Veränderte Mundschleimhaut 263–264
Veränderte Speichelproduktion 265–266
Veränderungen des Flüssigkeitshaushalts 235–237
Verbandwechsel 221, 283, 385–394
Vergiftung 323, 324, 325
Verlust 107, 347, 404, 419, 432, 435
Vermeidungserhalten/-strategie 146, 164, 180
Verstauchung 392
Verwahrlosung 251, 313, 372
Verwirrung 338
Vier-Punkt-Gang 173, 413

W

Wärmeregulation - Hyperthermie 207–210
Waschen 240–256
Wäscheversorgung 115, 156, 252, 313, 315, 335, 338, 354, 368–373, 378, 438
Weinen 428
Wirbelfraktur 134, 164
Wissensdefizit 185, 189, 205, 230–239, 276, 286, 305, 344, 350, 364, 376, 392–400
Wundantiseptika 388
Wundauflage 385–386, 388, 390
Wunden 385–392
  chronische 389
  eitrige, belegte 387
Wundheilungsstörung 385, 387, 399

X

Xerostomie 263, 266

Z

Zahnfleischbluten 257
Zahnprothese 193, 257–260
Zentraler Venenkatheter 208, 393
Zittern 176
Zunge 227, 263
Zwei-Punkt-Gang 141, 173, 413
Zyanosezeichen 156, 181, 184, 205, 246